Boston Public Library
Chinese Language.
39999061790653
Nan, Huaijin.
Nan Huaijin xuan ji. Di 5
juan. Chan hai li ce. Chan
hua. Zhongguo fo jiao fa

Y0-CCW-228

WITHDRAWN
No longer the property of the
Boston Public Library.
Sale of this material benefits the Library

南怀瑾选集

（第五卷）

·禅海蠡测·

·禅话·

·中国佛教发展史略·

·中国道教发展史略·

南怀瑾　著述

复旦大学出版社

图书在版编目（CIP）数据

南怀瑾选集.第五卷/南怀瑾著述.—上海:复旦大学出版社,2003.9
ISBN 978-7-309-03702-9

Ⅰ.南…　Ⅱ.南…　Ⅲ.①南怀瑾-选集②禅宗-研究③佛教史-研究
④道教史-研究　Ⅳ.C52

中国版本图书馆 CIP 数据核字（2003）第 067628 号

南怀瑾选集（第五卷）
南怀瑾　著述
出品人/贺圣遂　责任编辑/陈士强

复旦大学出版社有限公司出版发行
上海市国权路 579 号　邮编:200433
网址:fupnet@ fudanpress.com　http://www.fudanpress.com
门市零售:86-21-65642857　　团体订购:86-21-65118853
外埠邮购:86-21-65109143
常熟市华通印刷有限公司

开本 850×1168　1/32　印张 19.625　插页 4　字数 510 千
2010 年 10 月第 1 版第 17 次印刷
印数 145 301—156 300

ISBN 978-7-309-03702-9/B·202
定价:40.00 元

如有印装质量问题,请向复旦大学出版社有限公司发行部调换。
版权所有　　侵权必究

《南怀瑾选集》出版缘起

　　南怀瑾先生是一位在海内外享有盛誉的著名学者。1918 年生于浙江温州乐清县的一户书香门第之家，现年 85 岁。他幼蒙庭训，少习诸子百家之学。抗日战争爆发以后，时值青年的南怀瑾投笔从戎，跃马于西南边陲。尔后返蜀，执教于当时的中央军校、金陵大学。他资禀超脱，不为物羁，每逢假日闲暇，辄以芒鞋竹杖，遍历名山大川，访求高僧奇士。曾隐遁于峨眉山大坪寺，闭关三年，通读卷帙浩瀚的《大藏经》。旋走康藏，参访密宗大德，对藏传佛教的各派学说均有精深的研究。离藏以后，转赴昆明，初讲学于云南大学，后任教于四川大学。抗战胜利后，回到家乡。不久归隐于杭州天竺山、江西庐山，潜心治学。去台湾以后，先后受聘于文化大学、辅仁大学，以及其他大学、研究所，传学于日本、美国和中美洲诸国。近年迁居香港，为海峡两岸的文化交流做了大量的工作。

　　南怀瑾先生熟习经史子集，贯通东西文化，学识渊博，著作等身。特别是他用"经史合参"的方法，讲解儒释道三教名典，旁征博引，拈提古今，蕴意深邃，生动幽默，在普及中国传统文化方面取得了引人注目的成就，深受海峡两岸各层次读者的喜爱。

　　复旦大学出版社为国内最早出版南怀瑾著述的出版社,也是出版南怀瑾著述数量最多、品种最为齐全的一家出版单位。所出的南怀瑾著述总计有二十四种,基本上都是他的代表作。兹经作者和原出版单位授权,将南怀瑾先生的这些著述汇编成十卷,精装印行,以满足广大读者阅读和收藏的需要。各卷收录情况如下:

　　第一卷:《论语别裁》

　　第二卷:《老子他说》、《孟子旁通》

　　第三卷:《易经杂说》、《易经系传别讲》

　　第四卷:《禅宗与道家》、《道家、密宗与东方神秘学》、《静坐修道与长生不老》

　　第五卷:《禅海蠡测》、《禅话》、《中国佛教发展史略》、《中国道教发展史略》

　　第六卷:《历史的经验》、《亦新亦旧的一代》、《中国文化泛言》

　　第七卷:《如何修证佛法》、《药师经的济世观》、《学佛者的基本信念》

　　第八卷:《金刚经说什么》、《楞严大义今释》

　　第九卷:《圆觉经略说》、《定慧初修》、《楞伽大义今释》

　　第十卷:《原本大学微言》。

复旦大学出版社

2003 年 7 月 3 日

目　录

·禅海蠡测·

·中国佛教发展史略·

·中国道教发展史略·

·禅海蠡测·

出版说明

　　禅宗,初创于北魏,盛行于唐宋。独特的禅宗理论和修持风格,曾对世人的价值取向、思想情感和思维方式以深刻的影响,以至于从一定意义上来说,不了解禅宗,也就不了解中国佛教的特质,也无法了解千百年流传下来的许许多多的文化艺术作品的思想内涵。本书是著名学者南怀瑾先生亲笔撰作的一部禅宗研究著作。作者通过纵向的叙述和横向的比较,对禅宗的演变、宗旨、传授和修行实践,禅宗与净土宗、密宗、丹道、理学和西方哲学的异同等,作了分门别类的论述,提出了不少独到的见识。兹经作者和原出版单位台湾老古文化事业公司授权,将老古1992年版校订出版,以供研究。

复旦大学出版社
1996 年 11 月 12 日

初版自序

　　运厄阳九,闭居海疆,矮屋风檐,尘生釜甑。客来自远,顾而让之曰:子脱屣圭缨,栖情衡泌有日矣;曩者掩室岷峨,行脚康藏,风霜凋其短鬓,烟水历乎百城,矻矻穷年,究此一事;虽梦宅虚无,本乏可留之迹,而空书斐亹,终成不著之文,际兹慧命丝悬,魔言鼎沸,同舟俨分乎楚汉,一室而判若参商,正法衰微,乾坤几息,不有津梁,罔克攸济,金针密固,庸所安乎? 闻已而思,瞿然有省。夫妙契匪意,真证难言,动念已乖,况涉文字。然无说自说,瓶泻云兴,从上祖师,皆非得已,矧余末学,粗具见闻,窥测之谈,不离知解,揆诸先圣盍各之义,窃比昔贤就正之情,砖石之投,连城或致,则亦何妨著佛头粪,大作蓑语耶! 爰濡秃管,率成斯编,所涉虽繁,要仍以禅为主,如叶归根,如水赴海。倘阅者因筌得鱼,见月废指,形山打破,会即不疑,是吾心也。若遇明眼,烁破面门,此中廓然,徒添络索,一场懡㦬,转见败阙,则余知过矣。

一九五五年七月一日

净名庵主南怀瑾识于台湾

二版自序

时轮劫浊，物欲攫人，举世纷纭，钝置心法，况禅道深邃，剋证难期；余以默契宿因，嗜痂个事，觅衣珠于壮岁，虑魔焰之张狂，故不辞饶舌，缀拾斯文。然投滴巨壑，吹毫太虚，沉沉无补时艰，复将廿载。顷者，莘莘学子，惊顾域外之谈禅，攘攘士林，欲振堕绪，再请重铸斯编，冀复燃灯暗室；固知旧铅新椠，尽同梦里尘劳。嘤响撩虚，等是狂思玄辩，禅非言说，旨绝文词，拈花微笑，能仁已自多余，渡海传衣，少室徒添渗漏，五家七派，无非自碎家珍，万别千差，透澈何劳竖指，斯编之作，为无为，何有于我哉？

一九七三年仲夏
南怀瑾再序于台北

禅宗之演变

释迦一代时教,弘开于印度,流传遍亚洲。印度后期大乘兴盛,以世亲时代之汇集阐扬,开后世显密通途之学。世亲年代,假定在西历第五世纪之初(东晋时),印度本土佛教之灭亡,则在西历第十二世纪之末(南宋时),历时约八百年之久,其间学说嬗变,初后期中,又多不同。初期二百余年,派别纷纭,显密异趣,大变从来学说之一贯面目。其后五百余年,大师零落,任运敷衍,灿烂余葩,遂归萎谢。印度素乏历史观念,佛教发源于印度,经典记述,史迹阙如。后贤考证虽精,片羽吉光,不无罅漏。在中国开创之十宗,通途皆归于佛,后先辉映,弥增光彩,禅宗当为其首。有谓禅宗乃后期大乘佛法流行时所开创,臆测之说,殆难徵信,姑予存疑可也。

印度原来情形

佛所说法,若显若密,皆有典籍可据。唯禅宗传承,缺乏考证资料,学者视为疑案,且有指为伪造者。历来禅宗学者,对此问题,谓为教外别传之旨,皆舍而不论;宗门所传,则以灵山会上,拈花微笑一则公案,为其开端。

世尊在灵山会上,拈花示众,是时众皆默然。惟迦叶尊者,破颜微笑。世尊曰:吾有正法眼藏,涅槃妙心,实相无相,微妙法门,不立文字,教外别传,付嘱摩诃迦叶。

又云:

世尊至多子塔前,命摩诃迦叶分座令坐,以僧伽黎围之。遂告曰:"吾有正法眼藏,密付于汝,汝当护持。"并敕阿难副贰传化,无令断绝。而说偈曰:"法本法无法,无法法亦法。今付无法时,法法何曾法。"尔时,世尊说是偈已,复告迦叶:"吾将金缕僧伽黎,传付于汝,转授补处,至慈氏佛出世,勿令朽坏。"迦叶闻偈,头面礼足曰:"善哉善哉! 我当依敕,恭顺佛故。"

据此二说,后则经典有据,前则载籍无徵。唯宋王安石曾谓于内廷校阅秘阁图书,得读未经颁行之《般若大梵王问决经》,记述此事,实可徵信。并谓经内涉及国运转变之预言颇多,故历代帝王,皆藏之秘府。说者如此,而终乏实证,姑从阙疑而已。

宗门记其传承,溯自释迦以前,历传七佛。迹其七佛名号,于经有据。唯单传付法之事,则又属禅宗传说,群疑繁兴,自释迦以次,迦叶、阿难,递传至二十七代,而有达摩,为印度二十八祖,复为中国禅宗初祖。达摩东来传法,事迹可徵,论者崇之。

稽之宗门记载,印度二十八代传承,诸祖行迹,与中国后代禅师,大异其趣。印度祖师,多为三藏大师,经、律、论,靡所不通,戒、定、慧,尤为殊胜。迨其临终迁化,踊身虚空,显现神变,然后付法而寂。其间如龙树、马鸣皆名称普闻,为佛门柱石。若龙树大师,为中国所有八宗之祖,开来继往,德业崇隆,事迹斑斑,众所习知。唯二十四代师子比丘,被罽宾国王所杀,故有谓禅宗在印度传承,于兹已斩,后之传统,多所置疑。据此而论,则中国二祖亦于邺都偿债,事有类同。岂后代传法,都为伪造。凡禅宗大德之有成就者,皆能预知,如二祖所遭遇之事,已先期自晓。师子比丘被害时,断头无血,唯白乳涌高数尺,其功用成就如此,岂仓皇殉道者可比。复有其师悬记,预期付法,早已得人,诚未可以世俗之见,测量之也。

中国初期情形

印度本土禅宗,既乏史料,考证无由。达摩东来,信史可据。

梁武帝普通七年,达摩祖师自印度渡海至广州,同年十月至金陵,与帝说法不契,于十一月至洛阳,寓止嵩山少林寺,"面壁而坐,终日默然,人莫之测,谓之壁观",共历九年。相传面壁九年之说,讹矣。又谓其在中国时间,历五十余年之久。如《传灯录》载师示寂之日,为魏庄永安元年戊申十月五日。通论据史辨其讹,故终为疑案也。当时从其学法者颇不乏人,如道副、道育、尼总持等;唯慧可(神光),得其心要,是为此土之二祖。自此以后,递至六祖,恰在初唐高宗时代,此为禅宗之初期。

达摩传法慧可,师徒授受之际,犹付《楞伽经》以印心。虽曰"教外别传",实须符证教典,绝非凭空臆造。迨黄梅五祖,以至曹溪六祖,皆提倡《金刚经》,故后贤亦有谓禅宗为般若宗者。六祖示现不识文字,提持心印,为禅宗正统。说法极其平实,浅出深入,智泉喷涌,其门人录成宝典,号曰《坛经》。其中语不离宗,皆归于教,于释迦之文字教义,多所阐发。因其在广州、韶州之曹溪,开堂说法,后世溯禅宗正脉,咸归曹溪,故称之曰"南宗"。而与六祖同时弘化者,尚有"北宗"神秀,学者归仰,数亦不少。神秀以渐修为尚,六祖以顿悟为门,宗旨方法迥异。故言禅宗者,当以曹溪为归。六祖以下,得其心要者,颇不乏人,而言其正脉,以南岳怀让与青原行思二师为首。南岳一系,至马祖道一,而宗风大振,后贤之言禅宗者尤重南岳单传。所谓嗣法传承,主嫡传正统者,非谓法嗣之外,皆所不取,惟择学众之中,成就至高,见地透脱,足当承先启后者,为其嗣长耳。

禅宗初期,不但南北二宗,俨然对峙,即六祖门下,亦渐分途。荷泽(神会)擅改《坛经》,深为同门所不满。如南阳忠国师(六祖得法弟子)曰:

　　吾比游方,多见此色,近尤盛矣。聚却三五百众,目视云汉,云是南方宗旨。把他《坛经》改换,添糅鄙谈,削除圣意,惑乱后徒,岂成言教? 苦哉! 吾宗丧矣!

今之言禅宗者,舍正脉而不谈,以荷泽为宗门正统,诚非笃论。稽之《坛经》有云:

一日,祖告众曰:我有一物,无头无尾,无名无字,无背无面,诸人还识否? 神会(荷泽)出曰:是诸佛之本源,神会之佛性。祖曰:向汝道无名无字,汝便唤作本源佛性。汝向去有把茅盖头,也只成个知解宗徒。

荷泽于六祖门下,见解如此,已为六祖所斥。后之卖度牒,提倡南方宗旨者,已如六祖悬记,事所必然。学者推重荷泽,谓得禅宗之旨,实为未可。

唐宋间之发展

自南岳青原以后,有马祖道一、药山惟俨。二师出世,宗风丕变。尤以马祖见地超越,接引机用,不重讲解,门下出八十四员善知识,咸为出格高人。彼此论道,逸趣盎然,且皆隽永有味,义蕴无穷。如百丈、南泉、丹霞、归宗、庞居士等,或擎拳竖拂,或瞬目扬眉,或棒喝以示宗旨,或默然以符心要。其用意必须聪明绝顶,度金针而不落言诠,甘苦到头,睹棒喝而豁开灵镜者,方可当下知归,契入宗旨。禅宗至此时期,五家宗派兴盛,已大异昔趣,创中国禅宗特有之典范矣。此后所谓德山棒、临济喝、云门饼、赵州茶,皆承其绪而别开生面。虽然,弊随迹生,若颠狂放浪、圆滑幽默等风气,以谓不教而得,形虽近似,而实乱真。故至宋代宗门大匠,如圆悟勤、大慧杲师弟,力辟棒喝作略,而以理事并行。大慧住径山日,约定下喝者罚钱罚斋,盖深知其弊,故痛惩而力挽之也。比附此等风气而兴者,即用四言八句,以诗词格调而唱宗旨,于是宗师授受,用此谓付法。大慧杲临灭时,侍僧了贤请偈,师厉声曰:无偈便死不得吗? 援笔曰:"生也怎么,死也怎么,有偈无偈,是什么热大?"掷笔而逝。继此之后，棒喝机锋，为之稍遇。而以四韵八句付法，代之而兴。历至近代丛席，佛之心法不问，徒以红绫书上偈语，作为接方丈法位之事，早于彼时阶之厉矣。

元明清之趋向

　　元代宗门，颇乏大匠，且在蒙族统治之下，受喇嘛教威胁，心灯光焰，摇摇欲坠。禅者虽亦散处四方，而皆晦迹韬光，如时人推重之高峰、中峰师弟，皆入山唯恐不深，逃名若将不及。当此之时，禅宗兢尚修持，居山闭关打七之事，相率成风。昔日之直指见性者，转于行履话头，见其鹄的。所谓起疑情参话头之学，成为宗门下手定式。历明至清，一是无变，中间如密云、破山辈，皆遭世多难，一仍旧规。若憨山者，岂敢认为禅宗正统，但为卫教功臣耳。清初雍正以人主身，提持宗旨，独显威重，天下禅和，咸皆钳口，虽护法有功，而亦从此扼杀天下老和尚之口舌者矣。等次以下，禅宗所存者，唯打坐、参话头等形式而已。宗师既无接引后进手眼如唐宋大匠者，参禅之徒，多有老死语下，不落入担板窠臼，即堕在禅定功勋。抚今追昔，吾谁与归！

　　禅宗在中国之演变情形，概如上述，约分为初、中、后三个时期，譬例可明。南朝至初唐为初期：此时禅宗，方值萌芽，如平地闻隐约轻雷，夹和风化雨而来，有大地阳和、春满人间之象；中唐至南宋末，为中期：大德辈出，已枝条坚固，花叶缤纷，如夏日迅雷，声震寰宇，黄河长江，急流汹涌，夹泥沙而俱下，其源流所及，"到江送客棹，出岳润民田"，而犯人苗稼，势亦难免；元、明、清间为后期：如寒冬入幽壑，清冷逼人，雾迷山径，林峰隐约，虽面目朦胧，而其中幽趣，引人入胜，令游者欲罢不能。时至现代，则几趋衰落，其情形如古德有言："百花落尽啼无尽，更向乱峰深处啼。"

与中国文化因缘

　　中国文化,儒道二家之学为二大主流,如黄河长江,灌溉全国,久已根深蒂固。佛法在后汉、两晋、南北朝间,陆续输入。初期翻译教典经文,名辞语句,多援引老庄或儒书。外来法师如鸠摩罗什,翻译名言,必与此土思想文字,比类发明。什师门下高弟,如僧肇、僧睿辈,名僧道安师弟,以及慧远诸公,皆学问渊博,贯串古今。影响所及,梵语佛法,形成中国化者,势所必至。禅宗本为教外别传,不立语言文字,直指见性之学,一变再变,而成中国特有之宗风,亦理之所必然者。

　　两晋以还,谈玄风气,相率成习,士大夫间,厌惮世乱,率逃虚无。如刘遗民曰:"晋室无磐石之固,物情有垒卵之危,我复何为?"此足为当时知识阶级间颓废思想之代表。而玄谈冥渺,旨无所归,佛法东来,适救其弊。大乘救世思想,挈儒家而同途,涅槃寂净之说,掖道家而并驾,故得上下响风,趋之如骛。修习禅观之学,于以大兴。然习禅观以证真如性海,事非不能,第滞情化境,易落小果。迨达摩东至,契理契机,于言诠以外,传授心法,简捷提示,深合中国民族文化特性。南朝至唐宋间,僧俗习禅宗者,遍于全国。禅师辈说法开示,摆脱教义,用一机一境,或以富于趣味之文学词句,指出空有真诠,比比皆是。因当时师僧,素质至高,多有博学名儒,披缁其间。影响所及,举凡思想、文学、艺术、建筑等,皆以具有出世神韵,富有禅意为高。历代名人,直接参禅,指不胜屈,出此入彼,于儒家开理学门庭,于道家启丹道各派。佛法在中国之有禅宗,非但为佛教之光,亦为东方文明大放异彩矣。

对佛教之功绩

　　佛教入中国,自两晋至五代间,学说传布,虽有日兴月盛之趋,而左儒右道,其在学术及宗教竞争上,常受挫折。佛教史上所称之"三武一宗之难"(即北魏太武帝、北周武帝、唐武宗,及后周世宗等四次排佛)皆赖禅宗师僧得以保存规范。盖禅者简易,遭逢斯世,只须一瓶一钵,遁迹空山,即足避祸。迨事后出世,名望倍增,此为其对佛教功绩之一。佛教在印度,因习惯已成,出家比丘,可以乞食自修;中国国情既异,长此以往,势难继续。百丈禅师师徒有鉴及此,乃兴丛林制度,集中僧团,自力谋生,共修佛法,订立清规,以资公守。且以身作则,"凡作务执劳,必先于众。主者不忍,密收作具而请息之。师曰:我无德,争合劳于人? 即遍求作具,不获,则亦不食。故有'一日不作,一日不食'之语,流播四方。"及宋代程伊川见僧出堂威仪,叹曰:"三代礼乐,尽在是矣!"而在当时,佛教之徒,认为非佛之制,谤百丈为破戒比丘。及今观之,其所立制,管理严于军事部勒,计划胜于社会组织,不图百丈禅师,早创于千载以上,终赖此制得以保存佛教于不堕,此为其对佛教功绩之二。佛法重在行证,依诸教理,须经三大阿僧祇劫,遥遥岁月,停望兴悲! 何期有此教外方便,使"不历僧祇获法身"。娑婆众生,得此心法要门,皆可见性而立地成佛,其直截了当如此,其功勋德业,诚欲赞而无辞焉!

禅宗之宗旨

　　佛法十宗,各有教典可据,依教奉行,可证果地。唯禅门一宗,既不据于教典,又无轨则可循,摒弃文字,壁立万仞,如一个铁馒头,叫人无下嘴处。诸方浩浩,商榷宗旨者,终如寒潭月影,捞摝无踪。虽然如此,而其文彩亦自然而彰,如旃檀刻佛,惟妙惟肖矣。宗旨之难言既若此,今欲强言之,亦若佛头著粪,罪过无比。尝言此事必至臻"手挥五弦,目送飞鸿"之妙,方有少分相应。否则,如在"冰凌上走,剑刃上行",一有放浪,即丧身失命矣。

　　宗门之始,即灵山会上,世尊拈花,迦叶微笑,滴髓一脉,永传慧命。言其理则,佛说三藏十二分教,皆为所依。推其极致,则一字不立,扬眉瞬目,已是第二义事矣。故佛说一大藏教,如僧繇画龙,鳞甲爪角毕俱,栩栩欲动。宗门工夫,则如双睛一点,立即破壁飞去。故灵山一会,世尊以不说而说,尊者以不听而听,无上甚深之旨,尽在默然中矣。

　　今世学者,有言禅宗者,极尽幽默讥讽之能事,例如谓:"打即不打,不打即打。"是禅门之宗旨。噫!是何言欤!若认此为禅宗者,譬如有一盲人,问人曰:白色者何状?答曰:如白雪之白。盲人又曰:白雪又是何状?曰:如白马之白。盲人复曰:白马何状?曰:如白鹅之白。盲人再曰:白鹅何状?答者无奈,取盲人之手比画之曰:白鹅者,其头颈细长而能伸曲,有两翼,其鸣也呷呷然。盲人乃曰:汝何不早说?如此,我已知乎所谓白者,颈细而长,有两翼,其鸣呷呷。客之所谓禅宗者,亦犹是耳!安可相与论禅?昔闻某教授论禅曰:禅宗乃冥想之极则耳。因笑谓曰:公之论禅,犹村里小儿,论庙堂中事,何能不作门外语哉!

达摩东来,传吾佛心宗以外,并付《楞伽经》以印心。但此经非禅宗独据之内典,大乘各宗亦祖述之。理赅三藏,微妙幽深。《楞伽经》云:"佛语心为宗,无门为法门。"然则,佛之心毕竟如何?恐虽析指须弥以为笔,蘸四大海水以为墨,尽大地微尘以为舌,亦难以言语文字明之矣。既不可明,自然无门可入此心法之宗,只此千回万转,无路可通,无门可入,即可入得此门。一弹指间,开见弥勒楼阁,即有无数无量之弥勒,一一弥勒各坐宝阁中,重重无尽,放大宝光,转妙法轮。故佛曰:"止,止,不须说,我法妙难思。"又曰:"奇哉!一切众生,皆具如来智慧德相,只因妄想执著,不能证得。"既不可说,又不可妄想执著,皆是无门可入。即此无门,是为法门。无以明之,且画其影曰:"满地江湖难放棹,渔郎何得下金钩?"兹简禅宗古德之略言宗旨者如次:

达摩祖师谓神光曰:"内传法印,以契证心。外付袈裟,以定宗旨。"

三祖僧璨作《信心铭》有曰:"真如法界,无他无自。要急相应,惟言不二。不二皆同,无不包容。十方智者,皆入此宗。"

印宗法师问六祖惠能:"黄梅咐嘱,如何指授?"祖曰:"指授即无,唯论见性,不论禅定解脱。"宗曰:"何不论禅定解脱?"祖曰:"为是二法,不是佛法。佛法是不二之法。"又曰:"无二之性,即是佛性。"又立无念为宗。复曰:"无者,无二相,无诸尘劳之心;念者,念真如本性。"且引经明无念之旨曰:"善能分别诸法相,于第一义而不动。"

黄檗禅师曰:"我此禅宗,从上相承以来,不会教人求知求解,只云学道,早属接引之辞。然道亦不可学,情存学解,却是迷道。道无方所,名大乘心。此心不在内外中间,实无方所。第一不得作知解。只是说汝如今情量处,情量若尽,心无方所,此道天真,本无名字。"

初期禅师之言宗旨者,大抵如此。有曰:灵山会上,佛告迦叶:

"吾有正法眼藏、涅槃妙心、实相无相法门。"此之数语，即为心宗禅门之宗旨。持此说者，约分二途。其一谓："正法眼藏"一句，即为全提。而且着重在"眼藏"二字，若能将此双眼，藏于无相实相之境，则涅槃妙心自然现前。并取密宗之"看光"、"观空"，及习用之"回光反照"等用工之事相法门为证。持之有故，言之成理。然法执深固，如灵龟扫迹，愈扫而迹愈彰，于直指心性之门，不觉愈驰愈远，终至向外驰求，不知其落于窠臼。岂吾佛心宗之旨乎？玄沙禅师曰："西天外道，入得八万劫定，凝神寂静，闭目藏睛，灰身灭智，劫数满后，不免轮回。盖为道眼不明，生死根源不破。"其二谓：此之数句，非关用工之相事，乃标至理而明宗。所谓"正法眼藏"者，乃称佛之正法，只有此心法为正。眼者，如人有目之为至尊至贵。藏者，若如来藏性之无尽无际。质言之，如其云此为无上第一正统，别无遗蕴。然而"涅槃妙心，实相无相"之说，岂纯为言理？须知理极即事，事显其理。只如此说，了无实义；岂吾佛亦说口头禅，作门面语乎？诚然，此之数语，于心宗要旨，已开其门。悟之者，是则全是，非则全非。若不明见此心，洞达法性，皆为堕负之言耳。故后之禅门大德，舍此不言，唯以"麻三斤"、"庭前柏树子"等句，全提正印，要君自肯。所谓"鸳鸯绣出从君看，不把金针度与人。"诚为大机大用，无上慈悲；否则，终日说禅论道，论理则细析玄微，行证则妄心庞杂，乌足以语乎此。

自马祖以后，参宗之徒，皆以究问"祖师西来意"为尚。此之所称祖师，即指达摩初祖而言。问"祖师西来意"，即与问"佛法大意"是同一目的。若明乎祖师西来意旨，宗门心法之要，可以释然自得。而诸禅师之答此问者，咸以一无义味语句，令彼自参。此非故弄玄虚，神秘莫测。如语人宝藏在彼，不指方向，仅示一锁钥之形，由当人自制自寻，必须历尽万苦千辛，一旦豁然觅得，方知原是自家故物。苟不历尽此中艰苦，纵饶辩若悬河，义穷渊海，仍是承虚接响，终至流为口头禅。故曰："莫将闲学解，埋没祖师心。"

迨乎百丈临济以后,五家宗派兴盛。如临济有三玄三要、四料简、棒喝等机要,各标一门宗旨,称为纲宗。学者透不得纲宗,终似"透网金鳞犹滞水","猿猴化去尾难逃"。不能透脱般若,法身难圆。有曰:纲宗之兴,实为禅门病态,举一赅万,若佛之言教,祖师之开示,无一而非纲宗,何待别立纲宗,岂非头上安头之举?殊不知禅宗至唐宋间,天下善知识如林,大匠处处皆是,"言前荐得,终是滞壳迷封,句后精通,犹复触途成滞。"禅门活法,至此已成死语。故诸家宗祖,不得不别标心法,以勘验学人,锤炼其知见。云居戒禅师有言曰:

五家宗法,各有门庭,各有闻奥。玄关金锁,百匝千重。陷虎迷狮,当机纵夺。如阴符太公之书,不可窥也。如五花八门之阵,不可破也。不如是,不足以断人命根,而绝人知解也。不知是,则学家情关未透,识锁难开,法见不消,而通身窠臼也。岂佛祖正法眼藏也哉?或曰:所贵乎禅者,以不立文字,不涉名言,超然独脱也。今纲宗一立,则名相纷繁。楷成格则,是增人情识,益人知见,而有实法可求也。聪明者,必穿凿,愚鲁者,益懵懂矣。真悟道者,何贵于此乎?曰:诸祖所以立纲宗者,正为此也。主人公禅,自谓无情识,而浑乎情识也。自谓绝知见,而纯是知见也。自谓无实法,而认定一机一境,恰堕实法也。有临济七事,五宗宗旨,用妙密钳锤以钩锥之,料拣之,划削之,而知见始消,情识始破,实法始忘矣。穷尽万法,而不留一法,是真直捷。透尽诸门,而不滞一门是真孤峻。彻尽大法小法,一切纲宗而罢除纲宗,是真独脱。而岂守系驴橛,倚断贯索,弄无尾巴猢狲之谓哉?譬之行路者,历九洲四海,遍名山大川而仍归本处,忘尽途中影子,是真到家矣。又譬之广学者,穷尽二酉,搜尽四库,贯穿天禄石渠之藏,而胸不留一字,是谓博通矣。使足未离跬步,而眼空四海,毁天下之行远者,目未涉经书,而空腹高心,呵天下之读书者,虽三尺童子,亦知其背谬矣。但重根本而疑纲宗者,为葛藤,为知见,为实法者,何以异是哉!夫抹去纲宗者,不但自己宗眼不明,一当为人,动便犯锋伤手。机境当前,而不知踞头收尾。节角眼诋,而不知抽爻换象。掠虚弄滑,而不能勘辨。到对打还拳,而无法剪除。徒恃鉴觉,以为极则。法门窠臼,不可言矣。(《禅宗锻炼说》第九)

观乎此,禅门之宗旨,与夫诸祖之所立纲宗者,如掣电吹毛,犯之即丧身失命。如漫天帝网,处处漏洞,处处条贯。若执一端实法以为无意义,以为是幽默,徒成其井蛙之见耳!禅宗为佛法画龙点睛心髓之学,而所谓宗旨者,犹为画龙而非点睛之事。如龙牙遁禅师颂曰:

学道无端学画龙,元来未得笔头踪;一朝体得真龙后,方觉从前枉用功。

有谓禅宗者,以"无念为宗"。独取六祖一语,标为极则。诚哉!"一句合头语,千古系驴橛。"设以无念为吾佛心法宗旨,直教大地平沉,活埋无数苍生矣。石头瓦块,棺内眠尸,皆无念也。岂皆已明心见性而成佛耶?永嘉不云乎:"唤取机关木人问,求佛施功早晚成?"曰:非谓此也。谓此心寂静,对境无心耳。然则,寂静与无心者,唯以我对待外境而言,但使外不入内,心不外驰,固能若是,境仍自境,心仍自心,人法二执,依然如故,云何得谓无念哉?《楞严经》云:"内守幽闲,犹为法尘分别影事。"此内守寂静无心者,非即法尘缘影耶?昔在昆明,遇月溪僧,亦曰:"涅槃为究竟,证得涅槃即不再起生缘。"乃请问曰:《楞伽经》云:"无有佛涅槃,亦无涅槃佛。"古德复有言:"涅槃生死等空花。"乃至"不畏生死,不住涅槃"等法语,又何说耶?事隔十年,橛棒如故,自称禅德,褒贬诸方,净心未止,我见难除,抑何可叹!此所谓涅槃,所谓无念,如出一辙。有曰:初祖云:"汝但外息诸缘,内心无喘,心如墙壁,可以入道。"此可证也。曰:初祖所谓,乃示神光入室之径耳,非极则事也。依语论义,其末句曰:"可以入道。"谓苟能如此,可以入道矣。六祖亦自释无念之意云：无者，无妄想。念者，念真如。此解无念之说，为合二义于一的，犹未可执名著相也。百尺竿头，希更进步，一翳著目，终至失明。执无念，不起分别，无生之贤，尤当猛省。永嘉曰："谁无念，谁无生，若实无生无不生。"然则，无念、无分别、无生者，皆非乎？曰：孰可云非，第未达耳。兹录同安察禅师二偈，以备参考：

心印

问君心印作何颜？心印谁人敢授传。历劫坦然无异色，呼为心印早虚言。须知本自灵空性，将喻红炉焰里莲。莫道无心便是道，无心犹隔一重关。

祖意

祖意如空不是空，尽机争堕有无功。三贤尚未明斯旨，十圣哪能达此宗。透网金鳞犹滞水，回涂石马出纱笼。殷勤为说西来意，莫问西来及与东。

公案语录

佛法东来,自禅宗兴盛,语录之作,于是大行。语录者,乃往昔禅师,就其平生说法开示,门弟子记辑而成编者也。自六祖有《坛经》以后,诸方记录,渐成巨帙。五代宋元以后,禅宗丛林制度,已成习惯,凡知名禅师,大多出任方丈。为方丈者,依诸禅制,必有书记一席之设。书记者,如古之记室文案,今之幕府秘书,而其责任,又如专制时代帝室之史官,若左史记言,右史记行。禅林书记,记述禅师之言行,并此记述,辑成语录。宋元以后,语录大行,并影响于儒家矣。后世法道衰敝,一般大德,或为求誉,或门弟子为光耀师名,虽了无见地,亦皆杜门编造语录,或出资雇文人学士撰造,以事流布。凡此之徒,不知凡几。甚矣!名闻恭敬利养心之难除也!或有谓儒家语录,非自禅门偷袭,实早肇于先圣。主此说者,大有人在,孰是孰非,属于考证学范围,论之无益。总之,佛儒二家之有语录,息息相关,暗通声气。亦犹如宋儒学禅,归而言理,转复诽诬佛说。明烧栈道,暗度陈仓,入主出奴,古今一例耳。

古禅师语录,遗留传刻者,类皆精心之作。而有清高隐逸之流,毕生无语传世,寂寞山林,默然缄口者,此尤为语录中之最高尚者。复有其人,声名不彰,湮没无闻,虽有述作,散佚未收者,当亦不少。而古禅德中,间有语录传世,虽其词藻纷披,令人悦目,但其见地,确未透彻者,亦属不鲜。此中拣择,大须眼明。尝谓读古人书,须在顶门上另具只眼,庶不致尽被双睛瞒过。此则无论世间出世间,治学之道,皆同一揆焉。

例如洪觉范,以一代禅德,名垂千秋,著作甚多,有《法华合论》等作行世,其文章都丽,众所崇仰。孰知其见地犹滞化境,后之学者,从其说人,岂不永为世误!故知读书实难,著书更难,误人千古,罪过不浅。忝居浅学,不敢褒贬诸方,且引明时永觉和尚之评,以为证明:

> 洪觉范书,有六种,达观老人深喜而刻行之。余所喜者,文字禅而已。此老文字,的是名家,僧中稀有。若论佛法,则醇疵相半。世人爱其文字,并重其佛法,非余所敢知也。

> 当其时,觉范才名大著,任意贬叱诸方。诸方多惮之。唯灵源深知其未悟,尝有书诫之曰:闻在南中,时究《楞严》,特加笺释,非不肖所望;盖文字之学,不能洞当人之性源,徒为后学障先佛之智眼。病在依他作解,塞自悟门。资口舌则可胜浅闻,廓神机则难极妙证。故于行解,多致参差,而日用见闻,尤增隐昧也。余喜觉范慧识英利,足以鉴此,倘损之又损,他时相见,定别有妙处矣。灵源此书,大为觉范药石,然其痼疾弗瘳,亦且奈之何哉!(《永觉和尚呓言》)

又何以见其未能彻悟,兹更录《指月录·灵源清案》如下:

> 洪觉范与师(灵源清),为法门昆仲。尝闻灵源论曰:今之学者,未脱生死,病在什么处? 在偷心未死耳! 然非其罪,为师者之罪耳! 如汉高给韩信而杀之,信虽曰死,其心果死乎? 古之学者,言下脱生死,效在什么处? 在偷心已死。然非学者自能尔,实为师者,钳锤妙密也。如梁武帝御大殿,见侯景,不动声气,而景之心已枯竭无余矣。诸方所说,非不美丽。要之,如赵昌画花逼真,非真花也。

又,《指月录·洪觉范案》:

> 洪觉范曰:灵源禅师谓余曰:道人保养,如人病须服药,药之灵验易见,要须忌口乃可。不然,服药何益? 生死是大病,佛祖言教是良药。污染心是杂毒,不能忌之,生死之病无时而损也。余爱

其言。

　　灵源叟与觉范二师，为法门昆弟。观灵师之屡挫觉范，其时其人，见处已可知矣。又，大慧杲未悟以前，亦以文字禅名震诸方，走见觉范，师惊为奇特，自谓二十年用工，亦仅至此耳（事见机锋转语节）。故大慧在当时，疑禅宗之为学，皆脱空妄语也。若非经圆悟勤之锻炼，几失禅宗一硕果矣。

　　复如明末之汉月藏（三峰藏），未出家前，自谓已悟。披缁以后，从密云悟处得法，未臻玄奥，即以文字禅名满天下。于是汉月一支，就是这个○○之禅，流布极广。密云无奈，著《辟妄》一书以斥之。而汉月弟子，皆擅长翰墨，又著《辟妄救》一书以匡扶师说。密云乃一笃行禅师，文字不胜，亦不欲多辩。迨雍正出而大辟汉月一系，屡下诏书，敕令汉月宗徒，改归临济正统，否则，皆令还俗。并烧毁汉月著作（见《雍正御制语录序》等），清理宗门，为密云悟吐气不少。时至现代，学术之禁大开，汉月宗系，有湛愚老人所著之《心灯录》者，流布刊行至广，禅者亦多奉为宝典。心灯暗淡，宗眼不明，误己误人，莫此为甚！

　　名利二途，贤者难免，身居世间，孰能免此？如坚志逃名，必已遁迹无闻矣。如隐山和尚，偶被洞山与密师伯寻见，即烧庵避去。述偈曰：

　　三间茅屋从来住，一道神光万境闲。莫把是非来辨我，浮生穿凿不相关。一池荷叶衣无数，满地松花食有余。刚被世人知住处，又移茅屋入深居。

　　又如南岳怀志庵主，初预讲席十二年，宿学争下之。后得法于真净。净曰：子所造虽逸格，惜缘不胜耳！师识其意，拜赐而行。诸方挽之出世，师不应。庵居于衡岳石头，二十年不与世接。有偈曰：

　　万机休罢付痴憨，踪迹时容野鹿参。不脱麻衣拳作枕，几生梦在绿萝庵。

尝谓富贵利禄,皆为人爵,名乃天爵,妄求招祸。曾以身试,然后知后世禅者,有偶于工用见地上,稍得入处,或抄袭前贤遗著,或杜撰学名,或为自作,或请人代为著书名世,何其好名之甚耶!虽然,此事古已有之。如宋人郑昂跋《景德传灯录》曰:

《景德传灯录》,本为湖州铁观音院僧拱辰所撰。书成,将游京师投进,途中与一僧同舟,因出示之。一夕,其僧负之而走。及至都,则道原者已进而被赏矣。此事与郭象窃向秀《庄子注》同。拱辰谓:吾之意欲明佛祖之道耳。夫既已行矣,在彼在此同。吾其为名利乎?绝不复言。拱辰之用心如此,与吾孔子人亡弓,人得之之意同,其取与必无容私。

由独家语录而汇辑成为公案之书者:如《正法眼藏》、《景德传灯录》、《人天眼目》(此书错谬处甚多)、《五灯会元》、《指月录》等。而尤以《指月录》一书,成于明代,乃居士瞿汝稷所选辑。自后凡僧俗学禅者,莫不人手一编,侈谈公案,以相敲击。所谓:"斗大茅棚,亦皆供奉。腰包衲子,无不肩携。"甚之,公案成为讲经说法者之点缀品,多志前言往行,穿插公案愈多者,即善讲之名愈大。公案之用,末流至此,亦禅门不幸中之幸矣。瞿汝稷初成此书,僧众中谓其不然者,大有人在。亦与时下所谓佛法,仅属于出家人事,居士不当荷担大法者正同。云门僧宏礼为瞿著之叙曰:

当时老宿有异议,谓俗汉之书,学者不当经目。先师哂之曰:此殆如以峨嵋之月,只落锦江,不经吴会也。

孰知法流势末,禅门寥落,而世人尚知有禅宗者,端赖此书护法,其功非浅。康熙间,儒者聂先乐,复继瞿汝稷之后,编《续指月录》一书,虽较瞿著稍次,而其"竭三十年血力,手胼足胝,而为此书。"且续瞿录"南宋隆兴以后三十八世之宗派,上下五百年之慧灯。"(见原书余怀序)其功岂浅鲜哉！聂著虽成，复受时贤儒士之非议。人我是非之诤，古今一辙，可叹也已。

公案者，亦如儒家所称学案。非徒为讲述典故记事之学，实为前贤力学心得之叙述，使后世学者，得以观摩奋发，印证心得也。然读公案，亦如语录，真伪互杂，深浅难量，未可以刊在遗书，尽是大悟也。复以禅门古德言句，多用语体，与诸经教，不无出入。乌鸟之言，马焉之说，亦随处可见。当抉择互印，方可通会。否则，离经之误，洵非允当。且诸师常用本乡土音说法，读其遗言，当先求了解其为何处人？在何处说？取其方言之旨，则可通矣。凡此诸事，皆读古德公案之先决条件也。兹试论之。

严澂尝序瞿汝稷《指月录》，称公案为如兵符，使后世学者，如用兵之命于印符，诚为善譬。今复节录余怀之序《续指月录》，以广明其义：

魏公子无忌矫窃兵符，椎杀晋鄙，夺其兵救赵。李光弼为大将，御史崔众犯军法，勒兵欲斩之。适中丞之命至，光弼曰：为御史则斩御史，为中丞则斩中丞。竟斩之，而后以闻。有如此胆力，方可以辩纲宗之绝续也。韩信在汉，为治粟都尉。道亡，萧何追之，言之汉王，拜为大将，一军皆惊。韩琦驻延安，有刺客入帐行刺，琦起坐问曰：谁遣汝来，携吾首去？有如此识度，方可定纲宗之品位也。符坚率兵百万，次于淮淝。谢玄入请，谢安了无惧容，曰：已别有旨。及玄破坚，安亦无喜色。曰：小儿辈遂已破贼。澶渊之役，寇准劝真宗渡河，真宗使人觇准何为，方闭门纵僮仆饮博欢呼。契丹惧而请盟。有如此襟器，方可分纲宗之语句也。呜呼！岂不难哉！近世魔外盛行，宗风衰落，盲棒瞎喝，予圣自雄。究其所学，下者目不识丁，高者不过携《指月录》一部而已！以此诳人，实以自诳，以此欺人，实以自欺。惟诳与欺，不可以为人，而可以学道乎？不可以学道，而可以踞法王座，秉金刚剑，称西来之嫡子，提如来之正印乎？故吾尝以谓习儒者，不读"四库"、"七略"之书，不睹"经史典籍"之大全,止以"通鉴"、"集要"、"史断"、"史钞"为博古,遂自命曰通儒;犹之习禅者,不读一大藏教契经,不睹经论撰述之大全,止以《指月录》一部为谈柄,遂自命曰善知识,偕自诳自欺者也。故使从上纲宗,源远流长,如水归壑者,固瞿子之功;使盲棒瞎喝,一知半解,如萤窃火者,亦瞿子之过也。……夫聂子固儒者也,乃不辞呵斥,不顾诟骂,犯众怒,婴大难,手胼足胝而为此书,譬程婴公孙杵臼之立孤,南霁云雷万春之捍贼,但欲使隆兴以后三十八世之宗派,上下五百年之慧灯,了然明白,即遭明眼之呵斥,诸方之诟厉,亦怡然受之矣。

清人金圣叹钻研佛学至深,常以易理诠释佛法。且留心禅宗,曾批判古德公案,颜曰:"圣人千案",载于《唱经堂汇稿》,称为《圣叹内书》。见解尖新,出语奇特,而仍为慧业文人之文字禅,可与其批诸才子书同观,终未入流也。唯其序"圣人千案"之语,颇多慧解,节录以供把玩。如云:

考死囚者,取官与囚一一往复语,备书而刀刻之曰案。治笃疾之医,亦取病之第几日,见何症,投何药,备书之曰案。案只是人家几案之属,特以死囚笃疾,其事重大,非可以一人之见为定,又不可以后之人,且有他议,于是先作为出入移换之地,故不得书之于楮。而必以案者,明一成而不可更动也。近世不知何贤,取历代圣人垂机接物之云为,凡若干章,辑而成书,名曰公案,是甚得用案字之法。譬诸死囚,则圣人与学人,只是两造对质,理长则听,其词俱在,并无旁人上下一字,一听后官依科判决。又譬诸笃疾,则学人是病,圣人是药,如是病,如是药,医人胸中,本无奇特,病有千变,药即随之。因药病愈,药不任恩,执药病增,药亦非怨。纵彼服药,遂反致死,是人自死,药不死人。心不负人,面有何惭?其又冠以公云者,言此事大道为公,并非圣人之所独得而私也。己丑夏日,日长心闲,与道树坐四依楼下,啜茶吃饭,更无别事。忽念虫飞草长,俱复劳劳,我不耽空,胡为兀坐?因据其书次第看之,看老吏手下,无得生之囚,不胜快活。看良医手下,无误用之药,又不胜快活。同其事者,家兄长文友刘逸民,皆所谓不有博弈,贤于饱食群居者也。圣叹书。

《续指月录》记载颇杂,且宋元以后,禅门已临衰途,可取者不甚多。若如《五灯会元》、《指月录》所载,古之禅师,未彻者,亦大有人在,未可概以已悟视之也。黄檗曰:"阇黎,不见马大师下有八十四人坐道场,得马祖正法眼者,止两三人。……但知学言语,念向皮袋里安著,到处称我会禅,还替得生死么?轻忽老宿,入地狱如箭!"兹特简数则,以资鉴别。如:

灵默禅师初谒马祖,次谒石头,便问:一言相契即住,不契即去。石头据坐,师便行。头随后召曰:阇黎。师回首。头曰:从生至死,只是这个,回头转脑作么?师言下大悟。

按:若只是认得这个就是,实不敢言已是彻悟。默禅师见处固大悟否?或是以后再臻玄奥,实不敢断定。后世之误于这个就是,所谓主公禅者多矣。

宝积禅师因于市肆行,见一客人买猪肉,语屠家曰:精底割一片来。屠家放下刀,又手曰:长史!那个不是精底?师于此有省。

按:此也是只认得这个。

又一日,出门,见人异丧。歌郎振铃云:红轮决定沉西去,未审魂灵往哪方?幕下孝子哭曰:哀!哀!师身心踊跃,归举似马祖,祖印可之。往盘山宝积。

按:宝积到此方悟也。

赵州从谂禅师,参南泉,许其入室。他日,问泉曰:如何是道?泉曰:平常心是道。师曰:还可趣向也无?泉曰:拟向即乖。师曰:

不拟争知是道？泉曰：道不属知，不属不知，知是妄觉，不知是无记；若真达不疑之道，犹如太虚，廓然荡豁，岂可强是非耶！师于言下悟理。

按：人但知赵州八十犹行脚，动辄为参禅人做话柄。孰知赵州悟入，只是理上得其知解，非顿悟证入之门也。"理虽顿悟，事资渐修。"行解相应，必须用数十年苦工方得实地。八十岁犹行脚，只为炼此一着子耳。

沩山参百丈，侍立次，丈问：谁？师曰：某甲。丈曰：汝拨炉中有火否？师拨之，曰：无火。丈躬起，深拨得少火，举以示之曰：汝道无，这个聻，师由是发悟，礼谢，陈其所解。丈曰：此乃暂时歧路耳。经云：欲识佛性义，当观时节因缘，时节既至，如迷忽悟，如忘忽忆，方省己物，不从外得。故祖师云：悟了同未悟，无心亦无法。只是无虚妄凡圣等心，本来心法，元自备足，汝今既尔，善自护持。次日，同百丈入山作务。丈曰：将得火来么？师曰：将得来。丈曰：在甚么处？师拈一枝柴，吹两次，度与百丈。丈曰：如虫御木。

按：沩山初亦只认得这个，以后渐入玄阃，方了大事。故百丈亦谓：如虫御木，偶尔成文。若是之类，不胜枚举，大须着眼，未可一味乱读乱肯也。如：

灵云因见桃花而悟道，有偈曰：三十年来寻剑客，几回落叶又抽枝。自从一见桃花后，直至如今更不疑。沩山览偈，诘其所悟，与之符契。嘱曰：从缘悟达，永无退失，善自护持。

按：灵云所悟，非为解悟，实证悟也，然犹是前之一截耳。故沩山嘱曰：善自护持，即保任长养之义也。

五台山智通禅师，初在归宗会下，忽一夜连叫曰：我大悟也！众骇之。明日上堂，众集，宗曰：昨大悟底僧出来！师出曰：某甲。宗曰：汝见甚么道理，便言大悟？试说看。师曰：师姑原是女人做。

宗异之。师便辞去。宗门送,与提笠子,师接得笠子戴头上便行,更不回顾。后居五台山法华寺。临终有偈曰:举手攀南斗,回身倚北辰。出头天外看,谁是我般人?

按:若斯大彻证悟者,往古及今,数不多见。然其大悟者何事,必须细拣,未可妄学也。

故知看读公案,大需智力,未可徒记言行,以资谈柄。《五灯》、《指月》诸书,搜集诸禅终生未彻者,确亦不少。岂容妄窃兵符,乱杀晋鄙乎!纵饶坐脱立亡于指顾之间,亦只许其修行得力;必论见地透彻,犹有事焉。即或舍利无数,肉身不坏,亦只可称法门式范,切莫被其瞒却人天正眼也。今者,不惜眉毛拖地,略一检点古人。虽是孟浪,实具深心,狂妄之过,果报自甘。观今鉴古,希世之参禅者,勿以我狂而自落陷阱。众生皆成佛,我愿追随地藏菩萨于后。若知见不正,妄自为是,装模作样,以爱恶心为褒贬者,轻人适为自轻,何如努力修行,严守语戒之为得乎!

机锋转语

　　禅宗之有机锋转语,为宗门勘验见地造诣,问答辩论之特别作风。虽有时引用俗语村言,或风马牛不相及之语;乃至扬眉瞬目,行棒行喝,皆有深意存焉。且皆深合因明论理之学,非无根妄作。后世宗徒,见地未实,工用毫无,强学古人机锋转语,驰骋宗门,以争胜负,直同画虎类犬,嫫母效颦,名之曰口头禅,尚为雅号,实则狂妄乱统,自误误人,适自成为禅魔耳!古德机用,亦有在同参道友相见,偶或游戏三昧,言笑之余,稍涉机趣,事同幽默,实出有因,此类事固堪供后人把玩,然不可以为训也。

　　机锋者,乃具眼宗师,勘验学者见地工用之造诣。如上阵交锋,短兵相接,当机不让,犀利无比。或面对来机,权试接引,如以锋刃切器,当下斩断其意识情根,令其透脱根尘,发明心地。或两者相当,未探深浅,故设陷虎迷阵,卓竿探水,以勘其见地工用之深浅。一句转语,拨尽疑云,相与会心一笑。故机锋非无意义,更非随便作为。禅门古德机用,大都出言隽永,不同凡响,而格调新奇,迥非习闻。后之言机锋者,往往预先构思,编出奇特言句,以当机用者,斯则陋矣!古德云:"掣电之机,不劳伫思。""言思即错,拟议即乖。""思而知,虑而得,乃鬼家活计。"应机接物,语语从自己心中实相天然流出,岂可妄加意识卜度之词哉!如佛说一大藏教,皆为应机而说,亦即为佛之机锋转语也。禅门古德开示,语多平实,直显明心,亦即机锋转语也。岂尽须奇言妙句,或作女人拜,或作鹁鸠鸣,或掀禅床,或画圆相,方为机锋乎?此诚所谓三世佛冤,为宗门流弊之大者焉!

　　兹拣机锋作略,简为六类,姑为论之。虽然,言诠实法,已是刻舟求剑,图形妙用,事同吠影掠虚,若逢临济,必棒下无生矣。为弊为利,非关我事,见仁见智,惟有自知,"不惜师子弦,为君千万弹"也。

简机锋六类者:如"接引学人"、"勘验见地"、"辨器搜括"、"锻炼盘桓"、"换互开眼"、"简练操履",试分述之。

接引学人如:

百丈参马祖为侍者,经三年,一日,侍马祖行次,见一群野鸭子飞过,祖曰:是甚么? 师曰:野鸭子。祖曰:甚处去也? 师曰:飞过去也。祖遂把师鼻扭,负痛失声,祖曰:又道飞过去也? 师于言下有省。师再参,侍立次,祖目视绳床角拂子,师曰:即此用,离此用。祖曰:汝向后开两片皮,将何为人? 师取拂子竖起。祖曰:即此用,离此用。师挂拂子于旧处。祖振威一喝,师直得三日耳聋。

按:此则公案,初即马祖接引机用,次即机锋转语,但不可轻易读过。试问:马祖在三年中,何独于野鸭子飞来,方接引百丈? 又,何独扭其鼻子,不用他法? 百丈于负痛后,即有省,省的什么? 所得程度何如? 百丈侍立,马祖又何以目视拂子? 师弟同言"即此用,离此用。"而马祖何以不许可百丈? 何以又振威一喝,曰:"即此用,离此用。"百丈又何以三日耳聋?

水潦和尚问马祖,如何是西来的意? 祖乃当胸踏倒。师大悟。起来拊掌呵呵大笑云:也大奇,也大奇,百千三昧,无量妙义,只向一毛头上,一时识得根源去。乃作礼而退。师后告众云:自从一吃马祖踏,直至如今笑不休。

按:水潦问法,马祖何必用当胸踏倒而后悟去? 悟者何事? 所得程度如何? 如何是直至如今笑不休? 他如鸟窠吹布毛,何其轻松。云门损一足,何其刻毒。圆悟闻艳诗而悟,何其风趣。慈明以谩骂接引,何其鄙俚。诸师悟入因缘,各有不同,而莫不仗宗师之心狠手辣,于其病根深处,毒下一刀,令彼自明自肯方休。然此观机应接,施设机锋,诚如陷阱机关,触着便丧身失命,非易事也。若无此通天手眼,自称宗师,从学千人,百无一悟,机权接引,死守成规,岂但误人,实亦自误。宁不自念度众生者,果为何事?所度者,究为如何?斋心自省,岂可护短。

　　勘验见地如:

　　夹山上堂,僧问如何是法身?山曰:法身无相。曰:如何是法眼?山曰:法眼无瑕。道吾不觉失笑。山便下座,请问道吾:某甲适来只对这僧话,必有不是,致令上座失笑,望上座不吝慈悲。吾曰:和尚一等是出世,未有师在。山曰:某甲甚么不是,望为指破。吾曰:某甲终不说,请和尚即往华亭船子处去。山曰:此人如何?吾曰:此人上无片瓦,下无卓锥,和尚若去,须易服而往。山乃散众束装,直造华亭。船子才见,便问:大德住甚么寺?山曰:寺即不住,住即不似。师曰:不似似个甚么?山曰:不是目前法。师曰:甚处学得来?山曰:非耳目之所到。师曰:一句合头语,千古系驴橛。师又问:垂丝千尺,意在深潭,离钩三寸,子何不道?山拟开口,被师一桡打落水中。山才上船,师又曰:道!道!山拟开口,师又打。山豁然大悟,乃点头三下。师曰:竿头丝线从君弄,不犯清波意自殊。山遂问:抛纶掷钩,师意如何?师曰:丝悬绿水,浮定有无之意。山曰:语带玄而无路,舌头谈而不谈。师曰:如是,如是。遂嘱曰:汝向去直须藏身处没踪迹,没踪迹处莫藏身,吾三十年在药山,只明斯事,汝今已得,他后莫住城隍聚落,但向深山里,钁头边,觅取一个半个接续,无令断绝。山乃辞行,频频回顾。师遂唤阇黎,山乃回首。师竖起桡子曰:汝将谓别有?乃覆船入水而逝。

　　按:夹山答僧问语,错在何处?大悟以后,出世上堂,道吾再理此问,夹山仍如前答。道吾曰:这番彻也。同是此语,何以前后有别?此勘验学人之显微镜法也。夹山不耻下问,求道心真,大可效法。船子勘验来学,接引机用,何其眼明手狠,其关键又何在?夹山以后上堂,仍说:"目前无法,非耳目之所到。"其故何在?复次,夹山未见船子以前,确已有得,唯无师在耳。其前所得到何程度?须师再炼,原因何在?

洛浦乃临济得意弟子,因临济谓其见地未彻,妄自尊大,负气而走。济明日升堂曰:临济门下,有个赤梢鲤鱼,摇头摆尾向南方去,不知向谁家齑瓮里淹杀!师游历罢,直往夹山卓庵,经年不访夹山。山乃修书,令僧驰往。师接得,便坐却,再展手索。僧无对,师便打。曰:归去举似和尚。僧回举似。山曰:这僧开书,三日内必来,若不开书,斯人救不得也!夹山却令人伺师出庵,便与烧却。越三日,师果出庵,人报曰:庵中火起!师亦不顾。直到夹山,不礼拜,乃当面叉手而立。山曰:鸡栖凤巢,非其同类,出去!师曰:自远趋风,请师一接。山曰:目前无阇黎,此间无老僧。师便喝,山曰:住!住!且莫草草葱葱,云月是同,溪山各异,截断天下人舌头,既不无阇黎,争教无舌人解语?师伫思,山便打。因兹服膺。一日问山,佛魔不到处如何体会?山曰:烛明千里像,暗室老僧迷。又问:朝阳已升,夜月不现时如何?山曰:龙衔海珠,游鱼不顾。师于言下大悟。山将示寂,垂语曰:石头一枝,看看即灭矣!师曰:不然!山曰:何也?师曰:他家自有青山在。山曰:苟如是,即吾宗不坠矣。

按:洛浦得少为足,妄自尊大,以临济之明,终难收拾,待至夹山,目视云汉,高自位置,夹山故设迷阵,慈悲接引。及见面时,洛浦将在临济门下学得来之棒喝方便,大肆咆哮,夹山不动声色,斯斯文文,轻轻阻止,直问得洛浦无言可答,无理可伸,仍然用棒打之。同为用棒,何其不同如此?洛浦因此得大悟去,终为夹山法嗣。宗师用心度人之苦,勘验接引悟缘之奇,究为如何?

若斯勘验来机,设施接引,宗门公案,比比皆是。莫不眼明手快,迅示旨归,岂真有法与人,终生自居师位。无些子接引方便者,所可妄冀,自称宗师大德者,宜深自省鉴焉。

辨器搜括如:

雪峰与岩头至沣州鳌山镇,阻雪。头每日只是打睡,师一向坐禅。一日唤曰:师兄!师兄!且起来!头曰:作甚么?师曰:今生不著便,共文邃(雪峰名)个汉行脚,到处被他带累,今日到此,又只管打睡。头喝曰:噇!眠去!每日床上坐,恰似七村里土地,他时后日,魔魅人家男女去在。师自点胸曰:我这里未稳在,不敢自谩。头曰:我将谓你他日向孤峰顶上,盘结草庵,播扬大教,犹有这个语话?师曰:我实未稳在!头曰:你若实如此,据你见处,一一道来,是处当为你证明,不是处为你划却。师曰:我初到盐官,见上堂举色空义,得个入处。头曰:此去三十年,切忌举着。又见洞山过水偈曰:"切忌从他觅,迢迢与我疏。渠今正是我,我今不是渠。"头曰:若与么,自救也未彻在!师又曰:后问德山,从上宗乘中事,学人还有分也无?德山打一棒,曰:道甚么?我当时如桶底脱相似。头喝曰:你不闻道:从门入者,不是家珍。师曰:他后如何即是?头曰:他后若欲播扬大教,一一从自己胸襟流出,将来与我盖天盖地去!师于言下大悟,便作礼起,连声叫曰:师兄!今日始是鳌山成道。

太原孚上座,初在扬州光孝寺讲《涅槃经》。有禅者阻雪,因往听讲。至三因佛性、三德法身,广谈法身妙理。禅者失笑。师讲罢,请禅者吃茶。白曰:某甲素志狭劣,依文解义,适蒙见笑,且望见教。禅者曰:实笑座主不识法身。师曰:如此解说,何处不是?曰:请座主更说一遍。师曰:法身之理,犹若太虚,竖穷三际,横亘十方,弥纶八极,包括二仪,随缘赴感,靡不周遍。曰:不道座主说不是,只是说得法身量边事,实未识法身在!师曰:既然如是,禅德当为代说。曰:座主还信否?师曰:焉敢不信。曰:若如是,座主辍教旬日,于室内端坐静虑,收心摄念,善恶诸缘,一时放却。师一依所教,从初夜至五更,闻鼓角声,忽然契悟,便去扣门。禅者曰:阿谁？师曰：某甲！禅者咄曰：教汝传持大教，代佛说法，夜来为甚么醉酒卧街？师曰：禅德，自来讲经，将生身父母鼻孔扭捏，从今已去，更不敢如是。禅者曰：且去，来日相见。师遂罢教，遍历诸方，名闻宇内。

按：上列二公案，为辨器搜括之一端，其他类似者，尤多险峻，不尽历举。须知大匠为人，处处设置方便，慈悲无尽，说法无方，非徒为口头语也。必视人根器如何，当机接引，将其平生执处，尽量搜括无遗，方能自信自肯。经曰："应以何身得度，即现何身而为说法。"岂易事哉！

锻炼盘桓如：

慈明闻汾阳昭禅师，道望为天下第一，决志亲依。时朝廷方问罪河东，潞泽皆屯重兵，多劝其无行，师不顾。渡大河，登太行，易衣类厮养，窜名火队中，露眠草宿。至龙川，遂造汾阳。昭公壮之。经二年，未许入室。师诣昭，昭揣其志，必诟骂使令者，或毁诋诸方，及有所训，皆流俗鄙事，一夕诉曰：自至法席，再夏，不蒙指示，但增世俗尘劳，念岁月飘忽，己事不明！夫出家之利……语未卒，昭公熟视骂曰：是鸟知识，敢稗贩我？怒举杖逐之。师拟伸救，昭公掩其口，师乃大悟。曰：乃知临济道出常情。服役七年，辞去。

太史山谷居士黄庭坚，既依晦堂，乞指捷径处。堂曰：只如仲尼道：二三子，以我为隐乎？吾无隐乎尔者！太史居常如何理论？公拟对，堂曰：不是！不是！公迷闷不已。一日，侍堂山行次。时岩桂盛开，堂曰：闻木犀花香么？公曰：闻。堂曰：吾无隐乎尔！公释然。即拜之曰：和尚得恁么老婆心切？堂笑曰：只要公到家耳。久之，谒死心新禅师，随众入室。心见，张目问曰：新长老死，学士死，烧作两堆灰，向甚么处相见？公无语。心约出曰：晦堂处参得底，使未著在！后贬官黔南，道力愈胜，于无思念中，顿明死心所问。报以书曰：往年尝蒙苦苦提撕，长如醉梦，依稀在光影中。盖疑情不尽，命根不断，故望崖而退耳！谪官在黔南道中，昼卧觉来，忽尔寻思，被天下老和尚瞒了不少，惟有死心道人不肯，乃是第一相为也。

湛堂准禅师，初谒梁山乘禅师。乘曰：驱乌未受戒，敢学佛乘乎？师捧手曰：坛场是戒耶？三羯磨、梵行、阿阇黎，是戒耶？乘大惊！师笑曰：虽然，敢不受教。遂受具足戒于唐安律师。既谒真净。净问：近离何处？师曰：大仰。曰：夏住甚处？师曰：大沩。曰：甚么人？曰：兴元府。净展手曰：我手何似佛手？师罔测。净曰：适来只对，一一天真，及乎道个我手何似佛手，便成窒碍，且道病在甚么处？师曰：某甲不会。曰：一切现成，更教谁会？师服膺，就弟子之列。十余年，所至必随。绍圣三年，真净移居石门，衲子益盛。凡入室扣问，必瞑目危坐，无所示。见来学，则令往治蔬圃，率以为常。师谓同行恭上座曰：老汉无意于法道乎？一日，举杖决渠，水溅衣，忽大悟，走叙其事。净诟曰：此乃敢尔苴耶？自此迹愈晦，名益著。大慧果，人尝谓是云峰悦后身，遍历诸方，尝参湛堂准。说亦说得，会亦会得。湛堂屡呵为杜撰禅和。其性俊逸不羁。湛堂一日视师指爪曰：想东司头（厕所）筹子（大便时用），不是汝洗？师承训，即代黄龙忠道者作净头（清扫厕所）。九月，湛堂疾亟，师问曰：倘和尚不复起，某甲依谁可了此大事？堂曰：有个勤巴子，我虽不识渠，然汝必依之，可了汝事。若见渠不了，便修行去，后世出来参禅。堂寂后，复谒灵源草堂诸大老，咸被赏识。与洪觉范游，觉范尝见其十智同真颂云：兔角龟毛眼里栽，铁山当面势崔巍。东西南北无门入，旷劫无明当下灰。叹曰：作怪！我二十年做工夫，也只到得这里！又过无尽（宋相张商英居士），无尽与论百丈再参马祖因缘，无尽亟赏之，促见圆悟。及悟住天宁，师往依之。自惟曰：当以九夏为期，其禅若不异诸方，妄以余为是，我则造无禅论去也。枉费精神，蹉跎岁月，不若宏一经一论，把本修行，使他生后世，不失为佛法中人。暨见悟，晨夕参请，悟举云门东山水上行语令参。师凡呈四十九转语，悟不肯。悟一日升座，举云门语曰：
天宁即不然，若有人问：如何是诸佛出身处，但向他道：薰风自南
来，殿角生微凉。师闻举豁然，以白悟。悟察师虽得前后际断，动
相不生，却坐净裸裸处。语师曰：也不易，你到这个田地，可惜死了
不能得活。不疑言句，是为大病，不见道：悬崖撒手，自肯承当，绝
后再苏，欺君不得，须知有这个道理。师言：某甲只据如今得处，已
是快活，更不须理会得也。悟令居择木堂，为不釐务侍者，日同士
大夫闲话。入室日不下三四。每举有句无句，如藤倚树问之。师
才开口，悟便曰：不是！经半载，念念不忘于心。一日同诸客饭，师
把箸在手，都忘下口。悟笑曰：这汉参黄杨木禅，却倒缩去。师曰：
这个道理，恰似狗看热油铛，欲舐舐不得，欲舍舍不得。悟曰：你喻
得极好。这便是金刚圈、栗棘蓬也。一日问曰：闻和尚当时在五
祖，曾问是话，不知五祖道甚么？悟笑而不答。师曰：当时须对众
问，如今说亦何妨？悟曰：我问：有句无句，如藤倚树意旨如何？祖
曰：描也描不成，画也画不就。又问树倒藤枯时如何？祖曰：相随
来也！师当下释然。曰：我会也。悟遂举数则诮因缘诘之，师酬对
无滞。悟曰：始知我不汝欺。遂著临济正宗之记付。

　　若此种种，举亦难尽，故云居戒禅师曰：

　　不锻炼得法，虽龙象当前，尽成废器，积数十年而不得一人省
发也。即有一个半个，皆埑著嗑著，如虫御木，偶尔成文，而非锻炼
之功也。苟明锻炼，虽中下资器，逼拶有方，如一期人广，可以省发
数十人也。妙喜(大慧杲)锻五十三人而悟十三辈。圆悟金山一夕
省十八人。虽语惊时听，而古今实有此事也。何地无水，不凿则不
溢。何木石无火，不钻不击则不发。……工夫未极头，则千锤而千
炼。偷心未死尽，则百纵而百擒。务将学人旷大劫来，识情影子，
知见葛藤，搂其窠穴，斩其根株，使其无地躲根，渐至悬崖撒手，一
锥一踏，机候到者，不难[口孛]地断，[口暴]地折矣。……炉鞴雄强，人材奋

起,不惟师承之担子得脱,而慧命有传,法门光大。(《禅宗锻炼说·垂手锻炼第五》)

故知古德宗师,常时行棒行喝,大慧杲手提三尺竹篦,接打诸方,非为故装门面,实为锻炼倚杖也。但后世禅林,改用香板,或在禅堂,或在打七,专用香板打人,称为锻炼,名曰消业。钳锤乱下,不知学人工用见地,病在何处,更不知机缘时节,应如何啐啄,一味乱为,棒头下活埋菩萨,不知凡几? 诚为佛门罪人矣!

换互开眼如:

德山示众,道得也三十棒,道不得也三十棒。临济闻得,谓洛浦曰:汝去问他,道得为什么三十棒? 待伊打汝,接住棒送一送,看伊作么生? 浦如教而问,师便打,浦接住送一送,师便归方丈。浦回举似临济。济曰:我从来疑著这汉,虽然如是,你还识德山么? 浦拟议,济便打。

雪峰在德山作饭头,一日,饭迟,德山擎钵下法堂。峰晒饭巾次,见德山,乃曰:钟未鸣,鼓未响,托钵向甚么处去? 德山便归方丈。峰举似岩头。头曰:大小德山,未会末后句在! 山闻,令侍者唤师去问:汝不肯老僧耶? 师密启其意,山乃休。明日升堂,果与寻常不同。头至僧堂前拊掌大笑曰:且喜堂头老汉会末后句,他后天下人不奈伊何,虽然,也只得三年活! 山果三年后示寂。

黄龙南初依泐潭,及至慈明,明呵责诸方,泐潭密付之旨,皆在斥中,师为之气索,遂造其室。明曰:书记已领徒游方,借使有疑,可坐而商略。师哀恳愈切。明曰:公学云门禅,必善其旨,如云:放洞山三顿棒,是有吃棒分? 无吃棒分? 师曰:有吃棒分。明色庄曰:从朝至暮,鹊噪鸦鸣,皆应吃棒。明即端坐,受师炷香作礼。明复问:脱如会云门意旨,则赵州道:台山婆子,我已与汝勘破了也。且哪里是他勘破处? 师汗下不能答。次日又诣,明诟骂不已。师曰:骂岂慈悲法施耶? 明曰:你作骂会耶! 师于言下大悟。

云峰悦初谒大愚，值愚升座，曰：大家相聚吃茎斋，若唤作一茎斋，入地狱如箭射。便下座。师大骇，夜造方丈。愚问：来何所求？曰：求心法。曰：法轮未转，食轮先转，后生趁色力健，何不为众乞食？我忍饥不暇，何暇为汝说禅乎！师不敢违。未几，愚移翠岩。师纳疏罢，复过翠岩求指示。岩曰：汝不念乍住，屋壁疏漏，又寒雪，宜为众乞炭。师亦奉命。事罢，复造丈室。岩曰：佛法不怕烂却，堂司阙人，今以烦汝。师受之，颇不乐岩，一日地坐后架，桶箍忽散，自架堕落，师忽开悟，顿见岩用处。走搭伽黎，上寝堂，岩笑迎曰：维那，且喜大事了毕。师再拜，不及吐一词而出，服勤八年。后出世翠岩，时首座领众出迎。问曰：德山宗乘即不问，如何是临济大用？师曰：你甚么去来？座拟议，师便掌，座拟对，师喝曰：领众归去。一众畏服。

略如上举数则，换互开眼，只在事上理上，轻轻点缀，即启机括。己眼未明，何以开人之法眼？以盲引盲，阇中称佛，至可慨矣！必也，气宇如王，夺其人境，斩关开眼，使用顶上针锤。骅骝须调御于伯乐，岂可妄为哉！

简练操履如：

赵州自受南泉印可，乃归曹州，省受业师。亲属闻师归，咸欲来会。师闻曰：俗尘爱网，无有了期，已辞出家，不愿再见。遂携瓶锡，遍历诸方。常谓：七岁儿童胜我者，我即问伊；百岁老翁不及我者，我即教他。及住赵州观音院，燕赵二王同至院见师。师端坐不起。燕王问曰：人王尊耶？法王尊耶？师曰：若在人王，人王中尊。若在法王，法王中尊。二王闻之，欢然敬服，乃同供养。师志效古人，住持枯槁，僧堂无前后架。旋营斋食，绳床一角折，以绳系残薪支之。屡有愿为制新者，师不许也。住持四十余年，未曾以一书告檀越。

陈睦州尊宿，持戒精严，学通三藏，游方契旨于黄檗。诸方归慕,咸以尊宿称。后居开元,恒织蒲鞋,资以养母,故复有陈蒲鞋之称。巢寇入境,师标大草履于城门。巢欲弃之,竭力不能举,叹曰:睦州有大圣人。舍城而去。

汾阳昭得法首山后,游湘衡间。长沙太守张公茂宗,以四名刹,请师择之而居。师笑。一夕遁去。北抵襄沔,太守刘公昌言,憾见之晚。时,洞山谷隐皆虚席,太守敦请,辞之。前后八请,坚卧不答。淳化四年,首山殁,西河道俗千余人,协心削牒,遣沙门契聪迎请,住持汾州太平寺太子院。师闭关高枕。聪排闼而入,让之曰:佛法大事,静退小节。风穴惧应谶,忧宗旨坠灭,幸而有先师;先师已弃世,汝有力荷担如来大法者,今何时,而欲安眠哉?师蘧起,握聪手曰:非公不闻此语!促办严,吾行矣。既至,宴坐一榻,足不越阃者三十年,天下道俗仰慕,不敢名,同曰汾州。

黄龙南住归宗时,一夕火起,大众哗动山谷,而师安坐如平时。僧洪准欲掖之走,师叱之。准曰:和尚纵厌世相,慈明法道何所赖耶?因整衣起,而火已及榻。坐抵狱,为吏者拷掠百至,师怡然引咎,不以累人,惟不食而已。两月而后得释,须发不剪,皮骨仅存。真点胸迎于中途,见之,不自知泣下。曰:师兄何至是也!师叱之曰:这俗汉!真不觉下拜。

太保刘秉忠居士,瑞州人,字仲晦,初名侃,法号子聪。年十七,为刑台节度使府令史,以养其亲。居常郁郁不乐,一日投笔叹曰:吾家累世衣冠,乃汩没刀笔吏耶!即弃去,隐安武山中,投天宁照禅师为僧。力参有省,俾掌书记。元世祖征云南,渡江攻鄂,每赞以不杀为德。凡克城擒敌,全活无算。虽位极人臣,而犹斋居蔬食,不改旧服。一时通称为聪书记。至元十一年八月,索笔书偈曰:吾不负世,世不负我。吾之于世,如水中月,如空中花,花沉月落,是个甚么?咄!掷笔趺坐而逝。

上列诸师,皆以自身为机用,以炼锻学人操履。其为身教,亦至严矣。他若禅门大德居士等,操履精严,不尽举及。至若杨岐油盏,保寿灯芯,高峰妙破衲残铛,终生不履尘世,憨山清却赐封金,逃名而行布施。皆琼绝千古,足为世出世间风范。何能谓禅者皆狂、佛门无益世道哉!若丹霞烧佛,南泉斩猫,济颠酒肉,大道疏狂,皆为对机而发,并非偶然。且诸师皆果位中人,故敢如此。因果历然,谁能拨置!今之耳闻禅者之名,概以狂论。或视其表行,目为拨无因果。孰知愚夫心行,贤者不知,况妙密行化,谁能彻见。遽以诬人,何如自勉。苦心刻意,力踵前贤,不宜执是非以绳人也。此相不除,终为自累。

　　世之论禅,常咎棒喝,孰知此弊,圆悟大慧师弟,已力辟之矣。今之禅者,谁在行棒行喝耶?不过徒有此名耳!棒喝交驰,正是宗门大匠无量慈悲作用,或以之接引后学,或故意撩拨无明根本,如楔出楔,方得解脱。古德有言:我有时是罚棒,有时是赏棒,有时一棒不作一棒用。临济有时夺人不夺境,有时夺境不夺人,有时人境俱夺,有时人境俱不夺。若斯深义,与夫大机大用,岂草草者所可妄学,所可妄诽耶!棒下无生忍,临机不让师。此中有深意,欲辩已忘言。究竟是我错,你错,他错,留待明眼人仔细摩挲。

　　此外,古德作用,有仅为一种机趣,未可一律视为奇妙,如:

　　庞居士与女灵照卖竹漉篱。下桥吃扑。灵照见,亦去爷边倒。士曰:你作甚么?照曰:见爷倒地,某甲相扶。士曰:赖是无人见。

　　赵州与文远论义。曰:斗劣不斗胜。胜者输果子。远曰:请和尚立义。师曰:我是一头驴。远曰:我是驴胃。师曰:我是驴粪。远曰:我是粪中虫。师曰:你在彼中作甚么?远曰:我在彼中过夏。师曰:把将果子来。又:师在东司上(厕所),见远侍者过。蓦召文远,远应诺。师曰:东司上不可与汝说佛法。

　　慈明谒神鼎諲禅师。鼎首山高弟,望尊一时。衲子非人类精奇,无敢登其门者。住山三十年,门弟子气吞诸方。师发长不剪,敞衣楚音,通谒请法侄,一众大笑。鼎遣童子问:长老谁之嗣?师仰首视屋曰:亲见汾阳来。鼎杖而出,顾见颀然。问曰:汾州有西

河师子,是否? 师指其后绝叫曰:屋倒矣! 童子返走,鼎回顾相矍
铄,师地坐,脱只履而示之。鼎老忘所问,又失师所在。师徐起整
衣,且行且语:见面不如闻名! 遂去。鼎遣人追之,不可。叹曰:汾
州乃有此儿耶!

按:慈明临机不让,机用超绝,盖因神鼎选众精奇,门下弟子,
又气吞诸方;善知识自落骄贵堕、轻慢病,故慈明游戏而折之。救
其弊也。如济颠、泉大道,生当诸方严整,禅林皆入死寂境中,乃以
游戏三昧,解众人之缚。若使处于法末世乱者,必精严持律,不作
斯类举动矣。又如:

慈明忽得风痹疾,视之,口吻已歪斜。侍者以足顿地曰:当奈
何! 平生呵佛骂祖,今乃尔! 师曰:无忧,为汝正之。以手整之如
故。曰:而今以后,不钝置汝。又:师初在汾阳时,阳一日托以梦亡
父母,命库堂设酒肉为祀。祀毕,集僧众令食,咸不听。阳因独自
饮啖。众曰:酒肉僧,岂堪师法! 尽散去,惟师与大愚六七人存。
阳翌日上堂云:许多闲神野鬼,只消一盘酒肉,断送去了也。《法华
经》云:"此众无枝叶,惟有诸真实。"下座。

上举略仅数则,此类犹多。凡此皆当简为机趣一流,或朋辈往
还,或别有用意,以游戏语句,幽默行为出之,不可取为师法也。他
如与人问答,终以"休去"结束。"休去"者,有三义:一则为不值申
辩,置之不答。一则表示许可,无须再说。一则以来人不当机,徒
劳开示,无理可喻耳。若此类"休去"机趣,不定属于何者,但亦无
须深求。如必欲知其彻底,须了解当时情况、人物环境,方可抉择。
而古人不来今,今人不及古,枯竭心思,徒劳无益,毋庸必穷其致
也。故曰:"若向言中取则,句里明机,也似迷头恋影。"

证悟知解

　　凡言禅宗者,上焉者,即联想及于开悟,下焉者,则联想及于狂妄。禅宗与开悟,开悟与狂妄,一般习惯,殆成为因明学上之三支论式。比类不伦,谬解殊甚,非但轻人,抑且自轻己。

　　首拣悟者,乃禅宗传入吾国后,特有之一名词。独言悟之一名词,通常习知,即为有会于心,有所理解。例如:水有解渴之功。茶亦水煮,故能解渴。未饮茶者,因此而悟知。若此之悟,非禅宗所宗,但为知解。禅所谓悟,乃属证悟。证语者,乃我患渴,取水而饮,饮毕渴解,所有水之与渴,理事全消,故曰:"亡言绝虑"。水渴全消之后,但自清凉,永不再起烦渴者,则禅之工用,故曰:"言语道断,心行处灭。"水渴既消,起而研究水与渴之理与事,及乎事彻理圆,了了无滞。则悟后起用。如教所云:既得根本智,复须明诸差别智也。但终则仍归于言语道断,无去无来。全部佛法,乃超玄学哲学之一大实验事也。非如世间浅知者,认佛法亦不过为一种学术而已。然此实验之方法虽多,惟以禅宗为特胜耳!

　　禅宗所言证悟者,重事至理圆,以行修事至为首。若先从穷理而终至于道者,乃自知解入门。如《楞严经》云:"理须顿悟,乘悟并销。事非顿除,因次尽尽。"盖由理悟知解,然后求行解相应,而至于圆极也。《法华经》云:"大通智胜佛,十劫坐道场,佛法不现前,不得成佛道。"证悟者,重此现前之佛法也。有谓儒者所说体会,亦即证悟,此实不然!体会为知行合一,即知而行,即行而知,如佛说行解相应,非证悟也。证悟乃顿超之大实验事,不从渐入之行解而至。体会乃理通于事之学,与证悟顿超之说有异。然则孰为优劣?曰:此非争胜负者,但辨其所证悟者,意固何居耳! 或曰:若此证悟顿超,谁能至哉!曰:能至与否在人,而证悟顿超,则确有其人其事在也。故祖师有言:"我所说法,为度上上根人。汝师所说,为度大乘人。"虽法与根器,固有差别,其得度而至彼岸则一也。

古德有言曰:"参要真参,悟要实悟。""大疑则大悟,小疑则小悟,不疑则不悟"此皆教参禅人,要从真实疑情着手,勿凭知解为是。若知解得,理会得,有体会处,忽有会心,皆理边之事,文人学士,善说文字禅者,亦皆此耳。如说食不饱,终是空言,乃至狂慧并发,说亦说得,明亦明得,只是行不得,则理仍是理,事仍是事,有何益处?例如悟得就是这个,动也不离这个,静也不离这个,生也是这个,死也是这个,善恶是非,一切不离这个,假定就算是悟了,何以他动时,自己要静而不能?顺流随用容易,要止于至善,要常定现前,更所不能,则明得这个有何益处?纵饶动静由我,自可做得主了,犹有大事在后,未可得少为足。狂慧者,即教理所说之乾慧。慧而曰乾,如枯木无根,终为废物,故须藉定水滋润。若定慧等持,则根深叶茂,果熟香浓。有曰:普庵主性空禅师曰:"十二时中莫住工,穷来穷去到无穷。直须洞彻无穷底,踏倒须弥第一峰。"此岂非教人穷理?曰:诚然!故其偈曰:"莫住工","到无穷","洞彻底","踏倒第一峰",明白教人以证,但自穷理入手耳!不见其又有偈乎?曰:"心法双忘犹隔妄,色空不二尚余尘。百鸟不来春又过,不知谁是住庵人。"此是何等境界,岂静坐穷理之事耶!

禅门重证悟,提持真参实悟,必须当人于一切时,一切处,锻炼纯熟,工夫深入,定力已稳,忽地"囵"的一声,涣然冰释。如仰首枝头,顿见果熟,心月孤悬,光吞万象。此顿者,顿此之一悟,是谓证悟。所谓"囵"的一声,乃形容之词,如"一声霹雳顶门开",俱为表诠之言。若必执有"囵"的一声、"顶上震开",作为实法会,则为事象,此为工夫过程中之境界;认斯为实,又被境瞒矣。故所称顿悟证得者,实自渐修而来,顿者,指渐修之最后一刹那也。若非此顿,而顿悟其理,或顿见空性,终须渐修而圆,所谓"万古碧潭空界月,

再三捞逾始应知"。古德禅师,虽有于言下顿悟者,但在未悟之前,
固皆用功有年,或悟之后,又依止宗师,水边林下,保任涵养多年,
方能透彻。未可只执彼当时一顿,置未顿以前,既顿以后,一概不
言也。故曰:"不是一番寒彻骨,哪得梅花扑鼻香。"今简诸师所言,
以为参证。

达摩初祖曰:"至吾灭后二百年,衣止不传,法周沙界,明道者
多,行道者少,说理者多,通理者少,潜符密证,千万有余。"

南泉禅师曰:"心如枯木,始有少许相应。"

无业禅师曰:"学般若菩萨,不得自谩,如冰凌上行,似剑刃上
走。临终之时,一毫凡情圣量不尽,纤尘思虑未忘,随念受生;轻重
五阴,向驴胎马腹里托质,泥犁镬汤里煮炸一遍了,从前记持忆想,
见解智慧,都卢一时失却;依前再为蝼蚁,从头再做蚊蛀,虽是善
因,而遭恶果。且图甚么?"

裴休一日请黄檗禅师至郡,以所解一篇示师。师接置于座,略
不披阅。良久,曰:会么? 裴曰:未测。师曰:若便恁么会去,犹较
些子,若也形于纸墨,何有吾宗! 裴乃赠诗一章曰:"自从大士传心
印,额有圆珠七尺身。挂锡十年栖蜀水,浮杯今日渡江滨。一千龙
众随高步,万里香花结胜因。拟欲事师为弟子,不知将法付何人?"
师亦无喜色。

按:裴休博综教相,以弟子礼事师,以昆仲友圭峰。尝亲书《大
藏经》五百函,所制法苑文字,诸方重之,黄檗不因其为权贵,有所
姑息,教令放下文字禅,要其当下会取也。

沩山曰:今时人,但直下体取不会的,正是汝心,正是汝佛。若
向外得一知一解,将为禅道,且没交涉,名运粪入,不名运粪出。污
汝心田,所以道不是道。

洞山曰:末法时代,人多乾慧,若要辨验真伪,有三种渗漏:一
曰见渗漏。机不离位,堕在毒海。二曰情渗漏。滞在向背,见处偏

枯。三曰语渗漏。究妙失宗，机昧终始，浊智流转。于此三种，子宜知之。

首山念初在风穴会中，充知客。一日，侍立次，穴乃垂涕告之曰：不幸临济之道，至吾将坠于地矣！师曰：观此一众，岂无人耶？穴曰：聪明者多，见性者少。

黄龙新谒晦堂。堂擎拳问曰：唤作拳头则触，不唤作拳头则背，汝唤作甚么？师罔测。经二年，方领解（知解也）。然尚谈辩，无所抵牾。堂患之，偶与语，至其锐；堂遽曰：住！说食岂能饱人？师窘，乃曰：某到此弓折箭尽，望和尚慈悲，指个安乐处。堂曰：一尘飞而翳天，一芥堕而覆地，安乐处正忌上座许多骨董。直须死却无量劫来全心，乃可耳。师趋出。一日，闻知事捶行者，而迅雷忽惊，即大悟。趋见晦堂，忘纳其履。即自誉曰：天下人总是参得底禅，某是悟得底！堂笑曰：选佛得科甲，何可当也！因号死心叟。

此类开示公案，古德语录中至多，文繁不引。皆斥文字禅、知解禅、口头禅，但于一文一言、一机一境上，偶有解会者之为非也。"但贵子见正，不说子行履。"乃沩山对仰山一时权巧之名言，未可执为实法。必须行履正，知见亦正，方是顿超证悟之极则。丹霞禅师云："去圣时遥，人多懈怠！"时至今日，法门衰落，世智辩聪过人者甚多，宁可侧重行履工用，不可取于狂知乾慧。否则，紧抱一句弥陀，犹可往生极乐，何必习禅而不成，饮露栖风，终与草木同腐，而徒成蝉蜕哉！

祖师禅与如来禅

有曰：或谓顿悟为祖师禅，渐修为如来禅，今言并重，究为何宗？曰：若谓祖师禅乃顿悟，如来禅乃渐修者，相似而实非之言也。尽一大藏教，统诸修行法门，皆渐法耳。即禅宗祖师，于言下顿悟者,亦由薰修渐积而来。既或素未薰修,如石巩禅师,原为猎人,因见马祖,言下顿悟;又如屠刀放下,立地成佛之诸师等,或为往劫修持,至今缘会,或为悟后起修,渐至成熟,安可认言下即悟之一著子,为超前绝后哉! 然则,祖师禅与如来禅,究有何别? 曰:凡由博地凡夫起修,乃至渐入圣众,皆如来禅也。纵饶人法两空,而有一毫悟迹未扫,皆不能与入祖师禅之门。祖师禅者,只是人人具足,个个圆成,大地山河,本无寸物,性相平等,物我一如,不待修证。自无始以来,本未曾迷,云何说悟。法见、佛见、众生见、悟见、禅见,一时扫却,原来还是旧时人;只是饥来吃饭,困至即眠,荡荡无碍,做一无事闲人。净法固是,染法亦不恶。虽然如此,为此说者,早已白云万里矣! 毕竟如何才是? 曰:"二十四桥明月夜,玉人何处教吹箫!"兹简二者之别语,如:

如来禅者,经论所说,秦罗什初传之,至天台而极详尽。祖师禅者,经论之外,祖师以心印心,魏达摩初传之。(《佛学辞典》)

有问黄檗,诸方宗师相承,参禅学道,如何? 檗云:接引钝根人语,未可依凭。……未审接上根人,复说何法? 师云:若是上根人,何处更就人觅,他自己尚不可得,何况更有法当情。

慈明以拄杖击禅床一下云:大众,还会么? 不见道"一击忘所知,更不假修持,诸方达道者,咸言上上机。"香严凭么悟去,分明悟得如来禅,祖师禅犹未梦见在! 且道祖师禅有甚长处? 若向言中取则,误赚后人,直饶捧下承当,辜负先圣。万法本闲,惟人自闹,所以山僧居福严,只见福严境界;宴起早眠,有时云生碧嶂,有时月落寒潭。音声鸟飞鸣般若台前,娑罗花香散祝融峰畔。把瘦筇,坐盘陀石,与五湖衲子,时话玄微,灰头土面。住兴化,只见兴化家风,迎来送去,门连城市,车马骈阗,渔唱潇湘,猿啼岳麓,丝竹歌谣,时时入耳。复与四海高人,日谈禅道,岁月都忘。且道居深山,住城郭,还有优劣也无? 试道看! 良久。云:是处是慈氏,无门无善财。

三关与顿渐

宗门之徒,约有三说:一谓先修后悟;二谓修悟同时;三谓悟后起修。第一说者:主不做工夫,不依教奉行,纵有所悟,皆是狂见,工夫到处,大悟自易。第二说者:主说得一尺,不如行得一寸,即行即悟,事至理圆,方为稳当。第三说者:主《楞严》所谓:"生因识有,灭从色除。理则顿悟,乘悟并销,事非顿除,因次第尽。"五祖所谓:"不悟本性,修法无益。"凡此三说,各主一理。如欲发心求悟,自然已入薰修之林,即入门矣,渐渐薰习,必有所益,渐至"开佛知见",日久工深,一旦豁然,了了无物;然后不修而修,修而不修,乃"入佛知见"。到得此时,若欲不修,自不能已也。故曰:"不异旧时人,只异旧时行履处。"当人到此自知,必于其平常心行习气上,痛下针砭,自知转处。从朝到暮,自夜达旦,"宴坐水月道场,修习空花万行。降伏镜里魔军,大作梦中佛事。"三说虽异,通途是一,根器各异,自知适应,何有立说差途,反生诤论哉!或谓此即三关之旨耶?曰:未敢妄下断语也!

三关之说,起于何时何人,未经考定。百丈诸师各有三句,反复盘诘学人,难过其关也。然犹未如后世立工用见地之合一,定为三关者。又黄龙南禅师,室中常问僧曰:人人尽有生缘,上座生缘在何处?正当问答交锋,却复伸手曰:我手何似佛手?又问诸方参请宗师所得,却复垂脚曰:我脚何似驴脚?三十余年,示此三问,学者莫能契旨,天下丛林,目为三关。脱有酬者,师无可否,敛目危坐,人莫测其意。南州潘兴嗣,尝问其故?师曰:已过关者,掉臂迳去,安知有关吏,从关吏问可否,此未透关者也。师自颂曰:"生缘有语人皆识,水母何尝离得虾。但见日头东边上,谁能更吃赵州茶。我手佛手兼举,禅人直下荐取。不动干戈道出,当处超佛越祖。我脚驴脚并行,步步踏着无生。直待云开日现,方知此道纵横。"总颂曰："生缘断处伸驴脚，驴脚伸时佛手开。为报五湖参学者，三关一一透将来。"高峰妙禅师室中垂问学人，常设六则，人称为高峰六关。中峰亦有三关之说。此皆祖师方便权巧，设置机关也。

后世之言三关者，立"破参"为初关，复有"重关"，及末后"牢关"之次序。等而下之，杜撰禅和，却立"山海关"、"雁门关"等巧名。禅门倒却，粪著佛头，直笑脱明眼人牙曰矣！有曰：山海、雁门等关名，乃祖源禅师所立，岂有错谬？呜呼！是何言哉！人情通病有三：重难而轻易，重死而轻生，重远而轻近。故于古德一言，不问精粗，一味吞咽。祖源禅师，既为古德，错讹处亦是妙法乎？源师乃鼓山禅德，著作刻板在闽中者有之。如《万法归心录》，确亦善品。度师见处，不至有此种谬误也。若谓此乃孤本，流传日本，辗转由高丽取还，安知非人伪托哉！日人善于伪托，况又经翻版，钝刀割锦，指鹿为马，诚为不经之误，无稽之谈。以此论正法眼藏，信有未可也！

三关之名虽立，而三关之实，各无定论。有曰：未得破参，确信有此一事，或先能认得这个，所谓主人公禅者，曰："知有"，或曰："有省"。破本参后，见得空性，意识不起，分别不行，"见山不是山，见水不是水"，是谓"初关"。由空性起用，识得妙有，"见山还是山，见水还是水"，是谓"重关"。人法皆空，顿超佛地，是名末后"牢关"。又曰："初关"乃破第六意识。"重关"乃破第七末那识（我执），人空之境也。末后"牢关"方破第八阿赖耶识，人法双空矣。又曰破"初关"乃菩萨登初地（欢喜地）。破"重关"，乃至八地（不动地）。破末后"牢关"，方超十地（法云地）。是则不谙教理，未悉菩萨道福智二严之理也。雍正于三关之说，自立一格，然非的论。有例于天台宗之三止三观，以有、空、中为三关之别，误矣。盖证得中观正见时，以禅宗观之，适破本参耳。向后大有事在。古德有言："向上一路，密不通风。"又曰："末后一句，始到牢关，把断要津，不通凡圣。"不知后贤之步步破关者,从何着力也!岂不闻"一簇破三关,犹是箭后路"乎?始作此说者,或有功于修行,或有过于宗门,诚难衡论。依三关之说,定宗门阶梯,则禅宗自称为直指人心、见性成佛、圆顿之教者,又何所据?由破"初参"而至末后"牢关",方是见性,则为有定则之渐法耳,何有于顿哉!

闭关与打七

闭关之事,不知所始,意谓杜门谢事、励志专修也。"闭关"一名词,还见于吾国之《易经》复卦象辞,曰:"先王以至日闭关,商旅不行,后不省方。"乃斋戒安身静养之义。后世言此者,皆引释迦掩室于摩竭、维摩缄口于毗耶等事为说。禅宗之徒,盛行此风。及至后世,无论何宗,动辄闭关者,比比皆是,其名曰:"拜经关"、"念佛关",种种名目,事同号召矣。宗门相传曰:"不破本参不入山,不到重关不闭关。"其言闭关之事,抑何其严!此意不知始于何时?唯永嘉禅师劝阻左溪朗法师书,极言未明心地,切勿入山,若泉石奔腾,奇岩怪壑,皆为引生烦恼之境。境虽清,心不净,终无益也。设自心清净,虽处阛阓之中,喧阗聩闹,亦如山林,何必入山觅道哉!后世言到得"重关"方闭关者,其师此意欤?迨金元时,高峰中峰师弟,皆入山不出,尤以高峰妙缚柴为龛,风穿日炙,冬夏一衲,不扇不炉,日搓松和糜延息而已,标示死关,以终其生。虽曰佛法孤峻清绝之风,殆亦遭逢世变,遵养时晦之道耶!

禅者闭关,不同常格,即"榔標横担不见人,直入千峰万峰去。"此须初得门户,入关大休大歇去。了此一段大事因缘之举,未可草草。否则,劳人岁月,无故虚度,人间世事,亟待人为,自利利他之业,处处皆有,何必从事于此哉!若心地未明,掩室禁语,浮游妄想,极力压持,浅则成病成狂,深则自残性命,此皆随时可见也。至于耽关中乐,别有所取,丰衣美食,借此高枕栖身,则又当别论矣。

　　唯西藏密宗，与道家闭关，则不同禅关之简易。密宗有"黑关"、"白关"之别，关中修持者，皆须供养丰足，使无虑累，俾其一志专修。道家则名曰"入圜办道"，须具借法、财、侣、地四种条件，方法各异，皆为别格，并录以为参考。

　　无论闭关之方式为何，要当皆为苦行难行之事。至若关中行"般舟三昧"，或"长坐不卧"，统为苦行功勋德业，苟不明心地，事此无益。然亦难能可贵矣！但须知苦行非道，唯为助道之一端耳。举古德行迹，如：

　　僧那禅师，姓马氏，少而神隽，年二十一，讲《礼》《易》于东海，听者如市。一遇二祖，遂投出家。自是手不执笔，尽弃世典，惟一衣一钵，一坐一食，奉头陀行。后谓门人慧满曰：祖师心印，非专苦行，但助道耳。若契本心，发随意真光之用，则苦行如握土成金。若惟务苦行，而不明本心，为憎爱所缚，则苦行如黑月夜，履于险道。……满后亦奉头陀行，惟蓄二针，冬则乞补，夏则舍之，心无怖畏，睡而不梦。常行乞食，所至伽蓝，则破柴做履，住无再宿。贞观十六年，于洛阳善会寺侧，宿古墓中，遇大雪，旦入寺见昙旷法师，旷怪所从来？满曰：法有来去耶！旷遣寻来处，四边雪积五尺许。旷曰：不可测也！

　　他如向居士幽栖林野，木食涧饮。北齐天保初，闻二祖盛化，乃致书乞证，密承印记。牛头融，未见四祖时，幽栖岩之石室，有百鸟衔花之异。及乎得法以后，法席之盛，拟于黄梅。唐永徽中，徒众乏粮，师往丹阳缘化。去山八十里，躬负一石八斗，朝往暮返，供僧三百，二时不阙。若融禅师者，初栖岩穴，后而负米供众！负米与穴居，皆为苦行，何前后判若两人耶？菩萨度人，自捐头目，难行苦行，密迹不同，但随各人发心愿力之如何耳！

　　次言打七，亦不知始于何时？后世天下丛席，常行静七，有至七期，或九期者，比比皆是。影响所及，各宗亦有打七之举。如净土之"念佛七",乃至"观音七"等等,名目繁多,为佛门大用矣。打七乃俗名也。七而曰打,随口语之便耳! 吾佛以菩提树下,七日证道,其为打七之滥觞乎? 或曰:打七者,打破七识之谓也。然何不名打八? 打七为破七识,打八可破八识,岂不更有进乎? 须知七之数,义蕴深奥,《弥陀经》念佛法门,一心不乱,以七日为期。婴孩处胎,以七日一变。中阴之身,亦以七日而转。其他宗教,如定星期之以七日为期。此类深义,易数可通,今不具论。唯禅宗古德,创静七之举,则为用工积力有年,未开悟者,开此一方便法门,标曰"剋期取证"。然剋期七日之中,固能取证乎? 曰:斯则立愿之通称也,此须仗古德宗师、禅门大匠,具有通天手眼,杀活手段,棒喝交施,心光普照,透脱学者情根识锁,拨出灵明,或有少分相应。时至于今,宗门龙象寥落,恐徒有形式耳! 否则,天下丛席,陶冶出格禅师者,不知凡几矣! 此事初创始于佛灯珣、破山明二师,兹录其事,以为考焉。

守珣禅师,参佛鉴,随众咨请,退无所入。乃封其衾曰:此生若不彻,誓不展此。于是昼坐宵立,如丧考妣。逾七七日,忽佛鉴上堂曰:森罗及万象,一法之所印。师闻顿悟,往见鉴。鉴曰:可惜一颗明珠,被这风颠汉拾得。乃诘之曰:灵云道:自从一见桃花后,直至如今更不疑。如何是他不疑之处? 师曰:莫道灵云不疑。只今觅个疑处,了不可得! 鉴曰:玄沙道:谛当甚谛当,敢保老兄未彻在。哪里是他未彻处? 师曰:深知和尚老婆心切。鉴然之。师拜起。呈偈曰:终日看天不举头,桃花烂漫始抬眸。饶君更有透天网,透得牢关即便休。鉴嘱令护持。是夕厉声谓众曰:这回珣上座稳睡去也。圆悟闻得,疑其未然。乃曰:我须勘过始得。遂令人召至。因与游山,偶到一水潭,悟推师入水。遽问曰:牛头未见四祖时如何? 师曰:潭深鱼聚。悟曰:见后如何? 师曰:树高招风。悟曰:见与未见时如何? 师曰:伸脚在缩脚里。悟大称之。

破山海明禅师,号旭东,因听慧然禅师讲《楞严经》至"一切众生,皆由不知常住真心,性净明体,用诸妄想,此想不真,故有轮转。"终日疑闷。每阅古人公案,如银山铁壁。遂出蜀,见数耆宿,罔决其疑。住楚之破头山,"剋期取证",以七日为限。至第五日,发急,到万丈悬崖,誓曰:悟不悟,性命在今日了。将及未时之际,人境双忘,眼前惟见一平世界,举足经行,不觉堕于崖下,跌损左足,顿觉从前碍膺之物,泮然冰释。遂高声曰:屈!屈!自此南行,遍参尊宿。

宗门打七,如置洪炉大冶,欲于短期间锻炼人物,继续佛祖慧命,非泛泛事也。学者是否其人,主七者是否能有此权衡,皆须自审。好高自慢者,乌乎可!尝颂其事曰:

"繁华丛里一闲身,却向他途别觅春。千丈悬崖能撒手,不知谁是个中人。"

宗师授受

宗门相传有云："威音王以前,无师自通则可;威音王后,无师自通,即名天然外道。"故宗门特重师承印证,亦如密宗至重传法师承,同出一辙。何以"威音王"以前,无师自通则可? 盖"威音"者,宗门立为空劫以前第一佛也。于经无据。既属空劫以前,本无众生,云何有佛? 无佛无众生,谁求解脱证觉哉! 故曰:无师自通则可,盖密意之言也。密宗之于师承、师弟之间,咸有戒律,弟子择师,不可妄从;妄依邪见,学者堕戒。而为师者,或妄传非器,或得人而不传,亦为犯戒。禅宗传承,虽不如密乘之见诸明文,而其授受之际,綦严尤著,虽曰:门庭施设,别具深心,而师道以尊,付授严谨,非妄为也。父母生身,恩逾山岳,法身自佛师口生,永劫长存,尤胜数十年生命之形躯。故宗门师弟之间,虽无礼法规定,而自心肯服,逾于常情。永嘉云:"粉骨碎身未足酬,一句了然超百亿。"至性流露,有不能已于言者。故古德禅师参学之师虽多,而得法师,终承一绪,以发明心地,印取见地者为宗,或有昧己变心,背师承受者,终遭果报。此皆见于宗门语录公案者,历然可考。

首言指授宗徒,事非草草,历观诸祖付授,虽门下众多,而命其荷担大法、继续慧命者,必择其福智二严,堪为龙象,有如王气宇、旷远襟怀,方堪受授。且复郑重其事,臂香咐嘱,其所望于继往开来、承先启后之人者,何其殷勤,故离师自立以后,犹不免舐犊情深,常复令人探视指授,如马祖之于百丈等。至于通常及门闻道者,皆所不及焉。百丈禅师曰:"见与师齐,减师半德,见过于师,方堪传授。"历来禅门大德,既得法后,皆复依止其师,或数年,或十数年,执侍作役,日致玄奥。足见非一悟之后,别无余事。依止之间,昼夜搜括，指析精微。宗门所谓印证者，以心印心也。以心印心者，非知解理会边事。必其师为过来人，手眼通明，见行皆圆，凡学人之机用、境界、见地，如何凑泊，如何进步，一望而知，不待言喻。然后以师之心，印证其心，如印印泥，印去影存，文彩毕露，亦无印泥之迹，故曰印证。若驴前马后，不能鉴器识别，寻思知解，徒乱心意，自救不暇，安可为人！若斯之类，痴迷师心，诚如孟子所谓："人之患在好为人师！"久据此座，渐陷泥淖，终至不可自拔，殊可愍也！尝见此辈至众，深引为戒，愿毕生长居学人位，不串演斯剧，免自陷堕。苟平实商量，当知无不言，言无不尽，方不违于行愿矣。

　　然则，宗门既以一师承为可，称杨称郑，闭户自尊，不知天地间何者为学术耶！曰：恶！是何言！学通五明，知周沙界，吾佛所遗教诚具在。既明斯旨，正好遍求差别智。《华严》标善财烟水南巡，五十三参，所见一百八员大善知识，或为外道，或为妓女，或为童子，或为沙门，皆已发菩提之心，成就无边智愿，乃以菩萨身示现，遍于众类；终入弥勒楼阁，方知法界重重，头头是道。若斯之学，皆为参学师，多而无碍，适成其贤，根本深恩，不昧得法。唯具大愿大智大度者，能为是行。若得少为足，我慢先立，何有于人道哉！初祖诚神光曰："勿轻未悟。"轻人者，适亦自慢耳。慢为道障，未能除斯，云何得度，慎之！戒之！

　　怀琏禅师，持律严甚，仁庙尝赐以龙脑钵盂，师对使者焚之。曰：吾法以坏色衣，以瓦钵食，此钵非法。仁庙益嘉叹。舜老夫为郡吏横，民其衣，走依师。师馆之正寝，自处偏堂，执弟子礼甚恭。贵人过师，见咸怪之。师曰：吾少尝问道焉，其可以像服二吾心哉？仁庙闻之，赐舜再落发，居栖贤。

　　按：若此事迹，儒家甚多，事师如父，盛德事也。今者，师道不尊，无与伦比！尝观欧美学者，于师承只敬亦重，安可谓此乃时代新风尚哉！虽然，师资足范，道可印心者，亦不易见。为人师表，但励自行,可以律己者,不必尽以律人,言虽不出,教已大彰,若求人尊之,洵为未可。摩顶放踵,以利天下,自不求尊,实至名归,尚自戒惕,安可有事于求哉!

兜率悦禅师,初谒真净,后出世鹿苑。有清素者,久参慈明,寓居一室,未始与人交。师因食蜜渍荔枝,偶素过门,师呼曰:此老人乡果也,可同食之。素曰:自先师亡后,不得此食久矣!师:先师为谁?素曰:慈明也。某忝执事十三年耳!师乃疑骇。曰:十三年堪忍执事,非得其道而何?遂馈以遗果,稍稍亲之。素问:师所见者何人?曰:洞山文。素曰:文见何人?师曰:黄龙南。素曰:南区头见先师不久,道法大振如此!师益疑骇。遂袖香诣素作礼。素起避之。曰:吾以福薄,先师授记,不许为人,师益恭。素乃曰:怜子之诚,违先师之记,子平生所得,试语我。师具通所见。素曰:可以入佛,而不能入魔!师曰:何谓也?素曰:岂不见古人道:末后一句始到牢关。如是累日,素乃印可。仍戒之曰:文示子者,皆正知正见,然子离师太早,不能尽其妙,吾今为子点破,使子受用,得大自在,他日勿嗣吾也。师后嗣真净,如素所戒。

开圣觉,初修长芦夫铁脚,久无所得。闻五祖演法道,径造席下。一日,室中问云:释迦弥勒,犹是他奴,且道他是阿谁?觉云:胡张三,黑李四。师然其语。时圆悟和尚为座元,师举此语似之。悟云:好则好,恐未实,不可放过,更于言下搜看。次日入室,垂问如前。觉云:昨日向和尚道了。师云:道甚么?觉云:胡张三,黑李四。师云:不是!不是!觉云:和尚为甚昨日道是?师云:昨日是,今日不是。觉于言下大悟。觉后出世,住开圣。见长芦法席大盛,乃嗣夫,不原所得。拈香时,忽觉胸前如捣,遂于痛处发痛成窍,以乳香作饼塞之,久而不愈,竟卒。

按:有儒者曰:大悟后,犹犯此病,可见私欲净尽之难!曰:理须顿悟,事资渐修。此乃冰凌上走,剑刃上行事也,孰谓一悟便休,孰谓无因果哉！曰：涅槃当无因果矣！曰：唯唯，否否，不然！不然！正觉是因，涅槃是果，涅槃是因，无为是果。因果历然，谁曰不是。斯之二则，足为人师及弟子者鉴矣。

　　香严出世，疏山仁不爽前约，遂往访之。严上堂，僧问：不求诸圣，不重己灵时如何？严曰：万机休罢，千圣不携。疏山在众作呕声，曰：是何言欤！严闻便下座。曰：适来对此僧语，必有不是，致招师叔如是，未审过在甚么处？师曰：万机休罢，犹有物在，千圣不携，亦从人得，如何无过？严曰：却请师叔道。疏山曰：若教某甲道，须还师资礼始得。严乃礼拜，蹙前问。疏山曰：何不道肯诺不得全。严曰：肯又肯个甚么？诺又诺于阿谁？疏山曰：肯即肯他诸圣，诺即诺于己灵。严曰：师叔怎么道，向去倒屙三十年在！疏山住后，果病吐二十七年而愈。却每于食后抉口令吐曰：香严师兄记我三十年倒屙，尚欠三年在！

　　按：此则公案，示贡高我慢、好为人师之失，岂可游戏哉！

　　古灵神赞禅师，遇百丈开悟，却回。受业本师问曰：汝离吾在外，得何事业？曰：并无事业。遂遣执役。一日，因澡身，命师去垢。师乃拊背曰：好所佛堂，而佛不圣。本师回首视之。师曰：佛虽不圣，且能放光。本师又一日在窗下看经，蜂子投窗纸求出，师睹之，曰：世界如许广阔，不肯出，钻他故纸驴年去？遂有偈曰：空门不肯出，投窗也大痴。百年钻故纸，何日出头时？本师置经问曰：汝行脚遇何人？吾前后见汝，发言异常！师曰：某蒙百丈和尚，指个歇处，今欲报慈德耳！本师于是告众致斋，请师说法。师乃登座，举唱百丈门风曰：灵光独耀，迥脱根尘。体露真常，不拘文字。心性无染，本自圆成。但离妄缘，即如如佛。本师于言下感悟。曰：何期垂老，得闻极则事！师后住古灵，聚徒数载。临迁化，剃浴声钟告众曰：汝等诸人，还识无声三昧否？众曰：不识。师曰：汝等诸人静听，莫别思维。众皆侧听，师俨然顺寂。

按：此则所举，古灵本师，诚为出格丈夫，学佛出家，为了本分事，未可以迹拘也。如能若此，师仍不失于师，惟益见其达耳！不耻下问，圣贤所重。若师见横心，先塞聪户，何得垂暮之年，闻此极则事耶！

然则，孰为真善知识，孰非善知识，亦难辨矣。曰：此诚难言，但在当人发真道心，修诸法行，勤行福德，专志菩提，但能自成法器，因地既真，果自调直，愿力积至，因缘可凑。如己非法器，纵饶遇得善知识，如一滴狮乳，可逬散驴乳数斛，反引为过失矣。异道有言曰："弟子觅师难，师觅弟子更不易！"诚哉斯言！

复次，宗师者，何谓耶？曰：宗师者，乃禅宗门下，足堪依止之大德，堪为人善知识者之称谓，非取于庄子所谓"大宗师"之义也。禅门具足为宗师之条件者，殊非易事，必也气吞环宇，胸罗百代，胡来胡现，汉来汉现，望之俨然，即之也温，如寒潭秋月，无物可方者，庶几近之。

临济祖师曰："有时夺人不夺境，有时夺境不夺人，有时人境两俱夺，有时人境俱不夺。"又尝示众曰："如诸方学人来，山僧此间作三种根器断。"如中下根器来，我便夺其境而不除其法。或中上根器来，我便境法俱夺。如上上根器来，我便境法人俱夺。如有出格见解人来，山僧此间，便全体作用，不历根器。大德！到这里，学人著力处不通风，石火电光，即过了也！学人若眼定动，即没交涉，拟心即差，动念即乖，有人解者，不离目前。

宗慧禅师曰：举唱宗乘，阐扬大教，须法眼精明，方能鉴别缁素。切忌真妄同源，水乳同器，到此难分。沿山寻常以心中眼，观身外相，观之又观，乃辨真伪。若不如是，何名善知识。夫善知识者，驱耕夫之牛，夺饥人之食，方名善知识。即今天下，哪个是真善知识！诸德，参得几个善知识来也？不是等闲，直须参教彻，觑教透，千圣莫能证明，方显大丈夫儿。

故黄檗禅师曰:大唐国里无禅师! 时有僧问:诸方尊宿,尽聚众开化,为甚么却道无禅师? 师曰:不道无禅,只是无师! 时在宗门鼎盛之时,马祖门下,出八十四员善知识,而黄檗犹兴此叹,盖亦睹之机先,惜师资之难,为宗门之师资更难也! 明云居戒禅师有鉴于此,著《禅门锻炼说》十三篇,仿《孙子兵法》而作。意谓禅门宗师者,若用兵之神妙难测,非具奇才,曷克当此。禅客张无诤尝谓:天下有三事,皆妙入精微,而其道相当。三者谓何? 曰:禅师妙用,兵家奇计,诗人灵感也。此语颇当。戒禅师立十三篇之目,曰:"坚誓忍苦、辨器授话、入室搜括、落堂开导、垂手锻炼、机权策发、奇巧换回、斩关开眼、研究纲宗、精严操履、磨治学业、简练才能、谨严付授。"其立意专为宗师者之典范也。虽然,此须天纵之资,多生累劫,勤修德行,乘愿所至,非勉学可及也。戒师之作,徒为狡者自饰,增其行业,愚者却步,望涯兴叹,功过之间,允为难言矣。但赖有斯存,方识宗门之所为者为何,要非笼统真如、颟顸佛性者,所可比也。兹录云居戒《禅门锻炼说》十三篇自序及跋,为禅门宗师之鉴焉。

《禅门锻炼说》十三篇自序

锻炼说而拟之孙武子,何也? 以正治国,以奇用兵,柱下之言确矣。佛法中据位者,治丛林如治国,用机法以锻炼众如用兵,奇正相因,不易之道也。拈华一著,兵法之祖。西天四七,东土二三,虽显理教,暗会孙吴。至马驹蹴踏,如光弼军壁垒一变。嗣后黄檗、临济、睦州、云门、汾阳、慈明、东山、圆悟诸老,虚实杀活,纯用兵机。逮乎妙喜,专握竹篦,大肆奇兵,得人最盛。五家建法,各立纲宗,韬略精严,坚不可破,而兵法全矣。自元及明中叶,锻炼法废,寒灰枯木,坑陷杀人。幸天童悟老人,提三尺法剑,开宗门疆土,三峰藏老人继之,恢复纲宗,重拈竹篦而锻炼复行,陷阵冲锋,出众龙象。灵隐本师,复加变通,啐啄多方,五花八门,奇计错出,兵书益大备矣。余昔居板首,颇悟其法。卜静匡山,逼住欧阜,空拳赤手,卒伍全无;乃不辞杜撰,创为随众经行、敲击移换、擒啄斩劈之法,一时大验。虽当场苦战,而奏凯多俘,用兵离奇,毒辣盖至尽矣!因思根无利钝,苟得锻法,皆可省悟。以人多执死法,不垂手险崖,虽有人材,多悲钝置。遂不敢秘,著为锻炼之说,流布宗门。老师宿衲,虽得此说,未必能行矣!岂惟不行,或反嗤议。初居曲相者,其身英强,其气猛利,依此兵符,勤加操练,必然省悟多人,出大法将。所愿三玄戈甲,永见雄强,五位旌旗,不致偃息,知我罪我,所弗惜焉!则虽谓之禅门孙武子可也。

《禅门锻炼说》跋

余实见晚近禅门,死守成规,不谙烹锻;每致真宗寂寥,法流断绝,万不获已,立为新法,且作死马医。若论本分一著,言前荐得,犹为滞壳迷封,句下精通,已是触途狂见。悟即不无,争奈落在第二头。汲汲乎讲钳锤,论锻炼,岂非头上安头,梦中说梦。弄泥团汉,将来认为实法,不知变通,带累山僧,生陷铁围矣!耽源圆相,倘遇仰山,一火焚之。僧合掌云:作家!作家!是真能善用孙武子而不为赵括谈兵矣。果有此人,殆斫额望之也。

参话头

今之言禅宗者，动辄便言参话头，大有禅宗即是参话头、参话头即是禅宗之概。古德有言："正法眼藏，向这瞎驴边灭却！"禅门宗旨衰弱，莫此为甚，可胜慨叹！

唐宋诸师，指示法要，莫不别具手眼。单传直指，如空手夺刃，于言语动作间，立断学者情根意识，开示旨归。所谓有杀人剑，还须有活人刀。既或未通，令彼自参。此所谓参者，要人在事上、理上，足踏实地去证。即如教下所说思惟修，而又非纯为思惟。盖思惟者，犹可用意识寻伺觉察。参者，非思量意识之可及。所谓"离心意识参去"。若能离了心意识之作用，了了无事存心，无境当前，无物碍膺，到得此时，正好一参。故所谓参者，不专指话头而言。及乎宋元之间，禅门已见衰落。中峰以后，参话头之学，于是大行。初则救诸狂禅之弊，继则立橛实地，千古难拔。直至于今，老死话下，永无出期者，不知凡几矣！

话头者，后世解说为一句话之头。即一句未起时，着力一觑，即看此话头也。如此参话头，实为看话头之方法，非参宗之学，乃观心之法门也。话头者，其原意即谓"话题"也，即此一话，何以如此？为何如此？禅门话头约分二种：一为有义味语，一为无义味语。如问："如何是祖师西来意？"答曰："镇州大萝卜头。""青州布衫重七斤。""麻三斤。""乾矢橛。""庭前柏树子。"等等，皆无义味语也。如"僧问赵州：狗子还有佛性也无？州曰：无！""无梦无想时，主人公何在？""万法归一，一归何处？""谁教你拖这死尸来？""念佛是谁？"等等，皆有义味语也。或有不用一句话头，唯单参一则古人可疑公案，如蚊子咬铁牛，死死啃去，此则名为参公案。亦与参有义味话头相类矣。往昔禅门古德,于参究之事,简其扼要中肯者,摘之如次。而以大慧杲之开示,为尤亲切。

黄龙示草堂清语曰:"要如灵猫捕鼠,目睛不瞬,四足据地,诸根顺向,首尾一直,拟无不中。子诚能如是,心无异缘,六根自静,默然而究,万无一失也。"

大慧杲语:

常以生不知来处,死不知去处二事,贴在鼻孔尖上。茶里、饭里、静处、闹处,念念孜孜,常似欠人百万贯钱,无所从出。心胸烦闷,回避无门,求生不得,救死不得,当怎么时,善恶路头,相次绝也。觉得如此时,正好着力,只就这里看个话头。僧问赵州:"狗子还有佛性也无?"州曰:"无!"看时不用博量,不用注解,不用要得分晓,不用向开口处承当,不用向举起处作道理,不用堕在空寂处,不用将心等悟,不用向宗师说处领略,不用掉在无事甲里。但行住坐卧,时时提撕,狗子还有佛性也无? 无! 提撕得熟,口议心思不及,方寸里七上八下,如咬生铁橛,没滋味时,切莫退志。得如此时,正是好底消息。(示吕舜元)

僧问赵州:狗子还有佛性也无? 州云:无! 此一字,便是个破生死疑心底刀子也。这刀子把柄,只在当人手中,教别人下手不得,须是自家下手始得。若舍得性命,方肯自下手。若舍性命不得,且只管在疑不破处捱将去。蓦然自得,舍命一下便了。那时方信静时便是闹时底,闹时便是静时底,语时便是默时底,默时便是语时底。不著问人,亦自然不受邪师胡说乱道也。又云:日用二六时中,不得执生死佛道是有,不得拨生死佛道是无。但只看个狗子有佛性也无? 赵州曰:无! (答陈季仕)

士大夫学道,与我出家大不同。出家儿,父母不供甘旨,六亲固已弃离,一瓶一钵,日用应缘处,无许多障道的冤家,一心一意,体究此事而已。士大夫开眼合眼处,无非障道的冤魂。若是个有智慧者,只就里许做工夫。净名所谓:"尘劳之俦,为如来种。"怕人坏世间相而求实相。又设个喻云:"譬如高原陆地,不生莲花,卑湿污泥,乃生此花。"若就里许,如杨文公(大年)、李文和、张无尽(商英)三大老,打得透,其力胜我出家儿二十倍。何以故?我出家儿在外打入,士大夫在内打出。在外打入者其力弱,在内打出者,其力强;强者谓所乖处重,而转处有力;弱者,谓所乖处轻,而转处少力。虽力有强弱,而所乖则一也。

万峰蔚禅师语:

大凡参禅做工夫者,不得安然静坐,忘形死心,沉空守寂,昏沉散乱。须是抖擞精神,猛著精彩,急下手脚,剔起眉毛,咬定牙关,提起话头,立地要知。分晓不得,今日也恁么,明日也恁么,便就万法归一,一归何处上大起疑情,疑个一归何处。即将此一则公案,尽平生气力,提在手中,如一柄铁扫帚相似;佛来也扫,魔来也扫,邪来也扫,正来也扫,是也扫,非也扫,有也扫,无也扫,扫来扫去,扫到无下手处,无著力处,正好著力,无扫荡处,正好扫荡;忽然扫破虚空,突出一个扫帚柄来,团!原来却在这里;在这里,依然是个张上座。一翻翻转,山河大地,明暗色空,尽是自家珍宝。草木砂砾,尽是自己法身。到这里,说甚么一归何处。只这一柄铁扫帚,亦乃和身放下。坐断常寂光,超出无生界,唤作无为无事人也。若是打不彻,透不过,切莫匆匆草草,道我会禅会道,不用参疑。问你腊月三十日到来,从前会得的道禅,用得着么?所以参须真参,悟须实悟。不可弄虚头,认光影,不求正悟。须向这里将本参公案、三百六十骨节、八万四千毫窍,并作一个疑团,并在眉毛眼睫上,看定通身是个万法归一,一归何处?行也如是参,坐也如是参,静也如是参,动也如是参,参来参去,通身是个话头,物我俱忘,心识路绝,澄澄湛湛,寂静无为;蓦然疑团子,爆地一声,直得须弥粉碎,大地平沉,迸出一轮杲日,照耀山川,遮藏不得。那时却来嵩山门下,

吃痛棒。(《续指月录》卷九之五)

观此数则话,则知宋元以来,参禅方法之渐变,终至成参话头一途。参话头之学兴,禅宗真面目灭矣!宗门与禅定已不可分。大慧杲只教人参话头,如何用工,无别指示。万峰蔚之说,则有参禅做工夫,并发疑情之事。自是以后,参话头、做工夫、疑情之说,常混为一谈。历传至今,遍据丛席。试略论之。

一、参话头,约分二类:(一)单提一念,看个话头,于此念未起时,内观返究,看从何处来?灭向何处去?(此法亦可谓看话尾)或看其是有是无(空),如此用工,实为观心别法,乃参话头之变相耳。但能用志不纷,收拾六根,归此一念,久而久之,偶或见得前念已灭,后念未生,当体一念,了无一物。此心此身,忽焉皆寂。心光透发,三际空悬。到了此时,外对六尘情境,如镜里梦中,一切是幻非实,妄想亦起不来;即或有起,亦如游丝易断,无碍此心寂止。学人到此,往往自以为悟,已明得此心。倘一著此境,慧力勃发,所谓自心常生智慧。或有平素不善文字,亦能吟诗作偈,心身轻快,无与伦比。甚之,或踊跃欢喜,不知所以。或涕泪悲泣,不知何由。更有甚者,眼通迸发,彻见山河大地,如琉璃,如水月,如观掌中果。乃至耳闻虫鸣,如听雷震,彻闻千里,不隔毫端。凡此等等,一有执著,即入魔境,此所谓禅病也。此时若无明师,往往不堪救药,但熟睡可治。须知此乃用心致力既久,念体忽空,光影焕发,孤光偶露也。到得此时,应觌面不觑,更令放下,不必再起观心看念头作用。若有光明影像,乃至喜笑悲啼、吟诗作偈等,皆为妄念所生,唯微细难察耳。苟无妄念,谁起觉受见闻耶?毫厘之差,千里之失,不可不审。(二)提起一句话头,迸发疑情(所谓疑情者,心思不可解,疑问究竟其事,并非揣摩猜度也)。初则话头时断时续,妄想纷飞,疑情亦似有似无,不生紧切关系。渐渐久之,话头得力,疑情发起,心胸闷作一团,如有物碍膺,欲吐不出,欲罢不能,茶里饭里,行时坐时,终如有事不了,对境无心,如痴如憨。若在此时,身有不适,面带病容,切忌著力,应须放松此念,调摄此身,教令自在,亦可稍放此心,不再参究。否则,易得禅病,或至呕血,或至发狂。必使身安神爽,直参疑下去,忽然话头提亦提不起,疑情说有似无,说无似有,身止不动,六根无用,只有一些子管带。参如不参,放亦放不下,忽尔心身如忘,久坐不知时间。到得此时,有谓正是工夫落堂,是疑情的好时节。一般说法,要人于此时努力提起话头再参。有则要人就此放下去。后者,往往掉在无事甲里。前者,往往箭过西天,又复十万八千里也。若有明眼宗师,当时一展手眼,即可令其自明自肯。或有大根器者,忽然触物遇缘,打开漆桶,认得从前。但今时禅人,陷于此中者,确实不少。莫说不能悟,即此打翻漆桶,纵饶悟去,亦只是澄澄湛湛,灵明自在。认得这个而已。要说明心见性,透顶透底,前途九九八十一难,大有事在。不可笼统颟顸,妄自肯许,欺人固非,自欺何苦!

二、做工夫。本为修定修观之俗语别名也。今与参禅合一而言,颇有说焉。工夫一途,在禅门即谓行履,或称工用,亦称日用事;若在未明心地以前,皆属于参话头之事,已简如上述。今言其已明心者,初见之时,心身空寂,了无一物,山河大地,人我众生,皆成一片,如在大圆镜中。虽不起分别念虑,而于见闻觉知,了了分明,如飞鸟行空,清风疏竹,了无挂碍。心明境寂,如万里晴空,身轻愉快,如春风吹絮。此时须保任(保任者,保护任运自在之意)。有者,即于山边林下,涵养腾腾。或有掩空入关,杜绝外缘。凡此皆为顺缘直道,尚易着力。若处尘世中,行平常事,于热闹场中,灯红酒绿处,着力保任,事实为难。稍有不慎,反为境牵。一回放将去,再转殊不易。然道力坚固,智慧极顶者,觌面相逢,随时认得。虽然,到得此时,直须如丧考妣,潜符密行,只许自行将养,缄默自修,久而久之,忽焉有一日,或一时,此境放去,心身顿寂,兀尔若忘,人我天地,皆已抛向那边,更无一法存在。如冰消于水,踪迹全无。所谓"羚羊挂角无踪迹,一任东风满太空"。此时住定,或经短时，或经数日，乃至更久。忽复觉来，如雨过天青，昔之扰扰者，皆如昨梦，此心此身，语默动静，皆如在梦中镜里。"我自无心于万物，何妨万物常围绕。"但初则于不知不觉间，偶然碰到，自己无能作主。偶或一次，或时常碰到，皆是幸值。譬如瞎猫撞着死老鼠，一点无自力可用处。久久工深，捉住关捩子，随时随地，要抛向那边，即离此界。要翻身入此，即出彼中。到此可见来去空有之实义，佛法现前矣。虽然，犹未也，直待脉解心开，六般神用，无不自在。凡悟性之人，自解作活计，更不须乎显说。此正三昧耶所戒处也。至此即可谓悟乎？曰：非关悟与不悟，仍所谓工夫边事耳！沩山云："只贵子见正，不说子行履。"上根利器者，凡此种种，皆是剩语，一堆老烂葛藤，何须把捉。须顶天立地，本来平常，一个大丈夫，何有于此哉！然"高高山顶立，深深海底行"。花样翻新，无妨旧版。但切记取，最初的，即是最后的，最后的，即是最初的。佛法之基础处，为小乘说处，尽是上上大乘妙密之行，并无奇特玄妙存在。如执此等工夫为实者，法执未脱，痴狂正甚。以禅门正眼观来，终是钝根小智耳！固真是过来人，具眼宗匠，不待学人开口问答，一望而知，已识其住在何境。学人命根，咸在自手，巧施锻炼，无不相应。倘为知解宗徒，只知说道理，如能言鹦鹉，中心无物，学人已到前站，请教指示，往往又作马后语，误人子弟，过不自知，滔滔者大多如此。殊可叹矣！真为善知识，逢学人入室请示，必须审慎观察，在定当机，视其根器差别，然后授以何种话头，方能相应。譬如学者病在大寒，应投以热药。病在大热，应施凉剂。若一味笼统，无论其相应不相应，只教人参一话头，此如万病一方，必至误人性命不少矣！

复如古德有言："三条篾箍住肚皮，香炉古庙，冷湫湫底去，寒灰枯木，一念万年去，一条白练去。""欲明此事，必须大死一番始得。""此事如枯木生花，如冷灰爆豆。""悬崖撒手，自肯承当。绝后再苏，欺君不得。"等等言语，皆禅师当机之开示。以实地工用与见悟同超,并非泛泛口头之事。但须视学人已到何种程度,因病施药,未可草草匆匆,拾古人牙慧而冒充善知识,如陈列古董死语,一味铺排,概无用也。若然,上来诸说,皆为寐语,亦切莫作为实法会。然则,又何须作此说耶?譬若有人于用铁板铜琶,高唱"大江东去"之余,不妨再取红牙檀板,低唱"杨柳岸,晓风残月"也。何以如此?曰:"纵然一夜风吹去,只在芦花浅水边"故耳!

神通妙用

一般学佛习道者，最初或存有一神秘观念，亦可由此为入道之动机焉。常人对此问题，或为不信，或为存疑。无论信之与疑，而神秘心理之存在，乃随之俱来。盖宇宙间有若干事理与知识，终难凭见、闻、觉、知可思量而尽知者。此不可知者，即为神秘之泉源也。佛法原尚平实，极言心性之理、空有之义，为学为道，皆至矣尽矣！唯佛经记述，大部分掺杂神通之说，而烘托之，言之凿凿，直同演义小说中之神话然。卫教者力持其说为实，毁之者力辟其说为诞。不独佛经若此，凡宗教之学，莫不皆有其神秘性。佛法之言神通与鬼神者，皆有权实两种涵义，其中抉择，为说不一。禅宗在吾国，为佛法之中坚宗乘，曰心佛众生，三无差别，似已完全摆脱神秘色彩，崇尚真理之学。但言心法者，皆以悟心即佛；而佛具足神通，禅者固具足此乎？且往昔禅门大德，神通自在者，亦颇有人，今天能之者乎？复以佛法为学术思想者，则认神通，为另一种权说法门，不足论也。且佛戒神通甚力，律有明文，苟言神通者，不为病态，即为魔外之见，群以白眼加之矣。近有某大德，辟禅宗甚力。唱言：孰能见性？如有真见性者，请其一试神通，曾不见其顶有圆光，身长丈六，具足六通，及人与言学，则力斥神通之谬。若此之说，极尽模棱。若有神通，即为荒诞，若无神通，即为未悟。大德之言，固如是乎？此如戏言者，若日出，则曰慧日增辉，若阴雨，则曰慈云法雨。两可之词，佛法固若此乎？恰如顾亭林《日知录》中有言：佛说如有两桶，一则盛水，一则中空，彼此互注，总是此一桶水耳。彼大德之言，实乃以好恶心诋学禅人，我见横胸，言下辞误，辟禅人而误诋禅宗，不足辩矣。

如习密宗及道家者,虽曰及其至也,唯道而不言通。然莫不以神通之有无,断其人道之成就。知见传习,谬实千里。密宗谓禅宗及显教诸宗,不修气脉,终不能"即身成就",故神通功德不能发生。道家则言:佛法只知修性,不知修命,故不能"形神俱妙,与道合真",是以无通。二说如出一辙。甚矣! 穷理而证如来藏性之难也! 近年欧美学者,重视印度瑜伽学术(常见于各报纸及刊物),并催眠术等。因疑神通固有,学佛者特未能耳。凡此诸说,益滋群疑,姑妄言之:

神通云者,先须顾名而思义,佛法术语,含义皆有定则,非可妄拟。神通又别曰神通力,神为妙用不测之义,通为通融自在之义,力为力用之义;全之,即谓有不测妙力能变融通自在也。是乃定慧之所生。《法华经》序品偈曰:"诸佛神通,智慧希有。"佛经说神通者,有谓十种神通,有谓六种神通(简曰六通),皆此名数也。今但言六通,即概余矣(天眼通、天耳通、他心通、宿命通、神足通、漏尽通)。《法华文句》三之一,言神变曰:"神变者,神,内也。变,外也。神名天心,即是天然内慧。变名变动,即是六瑞外彰。"《法华义疏》三曰:"神变者,阴阳不测为神,改常之事曰变。"《法华玄赞》二曰:"妙用无方曰神。神通变易曰变。"此所言神言变,言阴阳不测,皆取义于《易经》也明甚。天心之说,乃道家语。《孟子》曰:"大而化之之谓圣,圣而不可知之之谓神。"若神而通之,则可以明阴阳之变,参赞天地之化育矣。以上诸说,简纳其意,为神通之定义,曰:使神能通达无碍,善通诸变化者,则为神通。佛法言神通,有二种事理:一、为法身神通。二、为报应身神通。何谓法身? 即佛之法性身也。何者为法性身? 佛与众生宇宙万有同一之如来藏性(即本体)。然则法身神通,不但佛为具足,一切众生心物之现,皆具神通神变者也。何以故? 本体为空寂不可见,不可知,不可思议(即不可以用心思想,不可以言语彰之之谓)。及其发而为用,则能生万物,变易莫测,岂非神而通之神变乎? 故曰:一切众生,本皆具足,何待外求。若人之见、闻、觉、知,能役使身心外物,而终不知其主此者为何?岂非神通变化之不可测者乎?故经言:佛菩萨之神通不可思议,其为法身神通者若此。佛之神通诚不可思议,孰知众生之业力,亦不可思议。众生若能转业力而证入自性法身,即为法身之神通矣。故古德曰:"青青翠竹,悉是法身。郁郁黄花,无非般若。"庞居士曰:"神通与妙用,运水及搬柴。"此诚实语者、如语者、不妄语者也。然又何谓报身神通耶?人之有生,即有身心,此身即报得也。此身此心之用,五官百骸之所能及,为有限也。人即为宇宙万有本体而同一体性功能,何以徒限于形躯?心欲飞腾,足不能离于跬步,思可入于风云,身终陷于咫尺。不能返与本体合一而起诸妙用者,果何故耶?临济祖师曰:"人人赤肉团上,有一无位真人,常从汝等面门出入,未证据者看看?"云门禅师曰:"乾坤之内,宇宙之间,中有一宝,秘在形山"。又自代云:"逐物意移,云起雷兴。"皆言其局限于形质也。道家有言,陷于五行中者,当亦同此意。若欲破此形质之限,而返同于本体自然功能之妙用者,须得其天心灵明之神,以内慧而照大千,以定力充其用。故佛示为通从定发,无定慧之力,不能神通于万变。为此身心,作定慧之主者,即法身也,性也,亦本体法尔之功能也。

报身神通,何以能发起?佛说有五。曰:修通、报通、依通、妖通、鬼通。报通者:自然而有,天神所能。人亦有之,中阴身即具五通。或多生修定修通,功德庄严之所生也。依通者:如用符咒法术之所起,依仗他力而起用也。妖通者:因魔附身所得也。鬼通者:因鬼附身而起,其力有限。修通者:乃定慧薰修之力所生,可以力学而得。但皆限于五通而言。第六漏尽通者,即证正觉之道也。如罗汉或有神通,而不能圆满具足如佛也。须知神通乃幻法耳,妄意之所生,终非究竟道。故佛具足神通,而复力辟神通,以其虚妄不可执耳!如佛弟子目犍连尊者,神通第一,及无常到来,避入天堂地狱,乃至入二铁围山中,尽其神力,不可避免。佛乃告曰:神通不足恃也。幻法耳！唯法身寂灭,性空缘起为真实法耳！此又何故耶？若以法性本体而言,一切宇宙万有,人物众生,皆变化之偶存耳！偶存终坏,假借而有一期之形质,终归于空,岂非幻乎？心力形器,尚不可能长存而终幻灭,况神通之变现,岂可为实而足恃哉！此理也,须参明之。然后知神通非无,乃幻变而有。今论定慧所生修得神通之概:

欲明此理此事,须知心物本为一元。心为其主,通灵明妙性之功能。物为其用,依附妙性之形质。然实二即一,一即二也。《楞严经》云:"不知色身,外洎山河虚空大地,咸是妙明真心中物。"故知山河大地(物质)与此身心(身亦物质),同为一体之所生。唯识之理,亦同此说,谓皆为第八阿赖耶识所变生者。姑置宇宙万有山河大地而不言,此之心身,实为心物一元体性之二用也。今修定者,不徒以治心得定为可;若身不调,心何能定？换言之,若心不定,身岂能调哉！故修定慧者,首当调此心身,心身初既得调,定力已生,工力日久,此心此身,打成一片,与虚空相同,进而返合于本体,起而用之,与本体功能相应,既感而通,即可得神而通之之妙用矣。

幻境相似神通之错误

举凡学佛参禅,或其他宗教,乃至各类外道,原其用工之基,无不从事禅定。但此所谓禅定,即通常所谓静也。如练习打坐者,乃禅定工用之一种姿势,非打坐即禅定也。即事禅定矣,初则不易宁静,及其稍得静相,有二种现象,最易发生。

一、感觉身体起变化,如气血流通,丹田发暖,或一身发冷发热、发痒发汗,或不知不觉中,自起动摇,或感轻松愉快,或如有物流动,如此状态,不定何种,或有规律,或无定则,随时发生。身体胜常,似感健康增进,头脑清利,耳目聪明,色气光润。凡此种种,皆静中发生之必然现象。何以有此状态之发现？须知吾人身体，潜在功能，有一种生机不绝之力量，在生理学上，称之曰本能活动。此本能活动，通常人于不知不觉间，皆起作用。试举二例：如人睡眠，右侧卧久，不待知觉另起作用，自然向左翻卧睡。当左右调换时，意识不知也。如人骤然跌倒，两手两足，于刹那紧急之顷，自然据地支身。此即本能活动之显著现状也。此种本能，即为身体新生力量之生机，不待意识作用而起。如以意识作用，反而障碍此本能之活动矣。故思虑劳动过多，则损伤健康而感疲劳。故病人须休息，以恢复健康，休息与睡眠，医称为不要钱之多种维他命。因人在休息睡眠之时意识潜伏，可使生理本能活动，自然起作用，故健康可复，精神骤长。人在习静禅定中，自然走入宁静状态，故本能活动作用，渐感恢复。因静中意识之感觉未尽灭也，故本能之种种现象，发生知觉。一般人以为吾有工夫，有道行，自己不同于常人，即生胜解，自以为通矣。执著此事，即生种种幻觉境界，即佛所说之魔境，当知此乃自然静相中之自然、必然、当然现象，不足为奇。

二、静中忽感光明显现，或眼闭时，感觉头上，或目前，或全身，或内部发光。甚之，暗室见物，夜视如昼。如贪著其事，渐于此光中，显现许多幻境。初则如云雾，如梦影，乃至一切人物鲜明，随心可现。念见菩萨，菩萨即至。念见上帝，上帝即现。念见鬼神，鬼神即出。不但见之，且可闻其声，日久工深，乃至可见人事上之种种事实，试之亦验。于是自谓得道得通，位入仙佛，不同凡人。甚之，如另有一身，完全同我，可自由出入于此身之外，神游远近，一切如意，称为出神。若此等等，乃静境中偶与本体功能宇宙之光与电磁，骤起一种变幻相似之通。贪著其事，即入魔境。何以静中有此现象发生耶？此乃心理与生理自然功能之一种变幻现象也。静中之时，心理上明了意识，渐渐沉寂不起，思虑作用，陷入昏迷状态，其潜意识（唯识学称独头意识，亦名独影意识）忽起作用，可发生以上种种现象。然不尽为心理作用,人之生理,纯为物质,此物质与宇宙间之声光电化等功能,同一活动,互相感通。故道家称人身乃一小天地,盖谓人之身体,为一具体而微之大宇宙也。平常吾人,都在运动中,与万物相同,皆在放射,皆在消散。忽在静中,生理之自然功能,偶感外光外力之交互作用,由动至静,如两力摩擦,忽然发声、发热、发光,于是引起心理上之幻觉。渐至心理久习于变态幻觉,生理亦入于变态幻觉。自以为道为通,不智孰甚!凡此之类,上者终日在幻觉幻想中过其生活,下者因习此而使生理上之消耗过甚,终至夭折而亡。若发狂,或至脑充血,皆当然现象,必然结果也。以前香港有一小僧,在打坐时,用小电泡安放手中,可使发光,众以为神,常作表演,一二年后,即告夭折,其愚可憨!凡静中感种种魔境事,《楞严经》言之极详,不待赘说。佛经初期翻译,"魔"之一字,译为"磨",磨者,有磨炼磨折之义。后译佛经,改为魔字,乃与魔鬼妖精发生联想,走入神秘范围矣。学者当以智勘慧察,不可妄从,否则,即为精神症,或精神分裂症,实非得道,切勿自误。

　　凡习禅定静行者,发生第二类光幻现象,以女性较多,幼童亦易。此外,以生理有病态,心理多幻想,或智虑暗昧者,最易发生。何以如此?皆与生理心理有关,剖析至繁,姑不具论。唯女性与幼童,定力易至,慧力稍差,男性以慧力易得,定力难坚,此二种不能调和,亦心理与生理上天然之等差,非修持有素,殊不易得定慧等持之正三昧也。禅定习静者,发生以上光影幻觉作用,大抵皆在昏沉(迷惘)状态,犹如催眠时之昏迷情状,自不觉察,潜意识发起作用,习此用力既久,贪著其事,心理意识,完全趋入幻觉、错觉之中,即为魔事矣。若能当此现状发生时,智照了然,不随任感觉、幻觉、错觉之转移,于一切光色音声幻境而不著,终至灭尽感觉,不落昏沉,亦不散乱,灵明无物,方可得正定也。《金刚经》云:"凡所有相,皆是虚妄。若见诸相非相,即见如来。"又云:"若以色见我,以音声求我,是人行邪道,不得见如来。"故知一切幻境,即皆是虚妄,不可取著。不但幻境不可取,即定相现前,亦不可取。如有定相,亦在一切凡所有相,即皆虚妄之中。世之习佛道者,闭目藏睛,贪看光景,为人判断祸福,自以为得道,其慎戒哉!

若能不取著此种现象,于静中生理上起任何变相,了知其不过是心意识所起之感觉,即猛自检查,使心念不动,自然如雨过天青,终归平静宁谧之境矣。

正定所发之通明

经谓"通自定发"。此所谓定,乃正三昧,非相似静境。若至九次第定之第四禅定,久住功深,然后起用,依诸教授方法修持,渐使色身气脉一一转变,终使心身融合无间,心息自由控制,迅即入定,觉受尽灭,如欲出定,随意发用,常光现前,与本体合其功能,然后通明之力,可随意发起。《楞严经》云:"随拔一根,脱粘内伏。伏归元真,发本明耀。耀性发明,诸余五粘,应拔圆脱,不由前尘所起知见;明不循根,寄根明发,由是六根互相为用。"此所谓伏归元真者,即心身寂定,返伏体性。住此定久,体性功能,自在发耀光明。此中事相理趣,未可尽以言语文字传之,恐落筌蹄。要之,能了一心,不再随妄流转,仍是一色边事,必再能转得此身(物),则心物同返于法尔本性,体用皆可自由矣。习密宗者谓:显教与禅宗,不修气脉,终不能即身成就,故神通不得发起。孰知禅宗法门,以直见本性为学,若果能彻见本性,则神通妙用,自然具足。岂不见《楞严经》云:"性火真空,性空真火。"地、水、风等,亦复如是。得见本性者,自然应用无碍,自家故物,不待外求。苟有未能,以其功未齐于诸圣,力不充也。唯神通虽是妙用,终为幻妄;未得漏尽通者,如偶发神通(五通),必至随妄流转,堕于魔外数中。佛法以正知正见教导世间,使一切众生，皆得般若，度为究竟，若以神通设教，反使众生易着幻秘，难入正觉之途。故吾佛遗教，制戒神通，经谓大阿罗汉，亦有神通，亦无神通，而其得漏尽通者一也(义见《大智度论》)。禅宗正见，尤不重此，丛林规范，以神通惑众者，迁单(放逐)。佛之正法眼藏，不至入于外道之流，端赖有此戒制。故禅门宗师，或有以神通示迹者，必故示狂颠，不提持正印。荷担慧命者，则不言神通，以平实为人，作人天表率。今录禅门古德行迹，有关于神通者数则附后，以见禅宗非不能即身成佛，形神俱妙，第所不取耳。

隐峰禅师……冬居衡岳，夏止清凉。唐元和中，荐登五台。路出淮泗，属吴元济阻兵，违拒王命。官军与贼交锋，未决胜负。师曰：吾当去解其患。乃掷锡空中，飞身而过。两军将士仰视，事符预梦，斗心顿息。师既显神异，虑成惑众，遂入五台示灭。

普化禅师。临济初开堂，师首往赞佐。唐咸通初，将示灭，乃入市谓人曰：乞我一个直裰！人或与披袄，或为布裘，皆不受，振铎而去。临济令人送与一棺。师笑曰：临济厮儿饶舌，便受之。乃辞众曰：普化明日去东门死也。郡人相率送出城。师厉声曰：今日葬不合青乌。乃曰：明日南门迁化。人亦随之。又曰：明日出西门方吉。人出渐稀。出已复还，人意稍怠。第四日，自擎棺出北门外，振铎入棺而逝。郡人奔走出城，揭棺视之，已不见。惟闻空中铎声渐远，莫测其由。

瑞岩彦禅师。尝有三僧，胡形清峭，目若流电，差肩并足致礼。师问曰：子从何来？曰：天竺。曰：何时发？曰：朝行适至。曰：得无劳乎？曰：为法忘劳。谛视之，足皆不踏地。师令入堂，上位安置。明旦，忽焉不见。又尝有村媪来礼，师曰：汝莫拜，急归救取数百物命。媪归，见其妇方拾田螺归，媪因亟投水中。又数家召斋，一一同时见师来赴。生平神异之迹，不可胜述云。

大道谷泉禅师，性耐垢污，拔置戒律，眼盖衲子；所至丛林辄删

去,师不以介意。得法于汾阳昭禅师。………山有湫,毒龙所蛰;
堕叶触波,必雷雨连日,过者不敢喘。师与慈明暮归,时,秋暑。捉
明衣曰:可同浴。明擘肘迳去。于是师解衣跃入,霹雳随至,腥风
吹雨,林木振摇。明蹲草中,意师死矣!须臾,晴霁,忽引颈出波间
曰:团!明尝遣南公诏师,师与语,惊曰:五州管内,乃有此南扁头
道人耶!及南公住法轮,师复以偈招之。南公以师坦荡忽绳墨,戏
酬以偈曰:饮光论劫坐禅,布袋经年落魄。疥狗不愿生天,却笑云
中白鹤。后住保真庵,盖衡湘最险绝处。夜地坐祝融峰下,有大蟒
盘绕之。师解衣带缚其腰,中夜不见。明日,策杖遍山寻之,衣带
缠枯松上,盖松妖也。……尝过衡山县,见屠者斫肉,立其旁,作可
怜态,指其肉,又指其口,屠问曰:汝哑耶?即首肯。屠怜之,割巨
脔置钵中,师喜出望外,发谢而去;一市大笑,而师自若。以杖荷大
酒瓢,往来山中,人问瓢中何物?曰:大道浆也。……嘉佑中,男子
冷清,妖言诛。师坐清曾经由庵中,决杖配郴州牢城。盛暑负土经
衢,弛担作偈曰:今朝六月六,谷泉被气壅。不是上天堂,便是入地
狱。言讫,微笑,泊然如委蜕。阇维,舍利不可胜数,郴人塔之,至
今祠焉。

云居膺禅师,结庵于三峰,经旬不赴堂。洞山问:子近日何不
赴斋?师曰:每日自有天神送食。山曰:我将谓汝是个人,犹作这
个见解在!汝晚间来。师晚至,山召膺庵主,师应诺。山曰:不思
善,不思恶,是甚么?师回庵,寂然宴坐,天神自此觅寻不见。如是
三日乃绝。

仰山禅师。有梵僧从空而至。师曰:近离甚处?曰:西天。师
曰:几时离彼?曰:今早。师曰:何太迟?曰:游山玩水。师曰:神
通游戏则不无阇黎,佛法须还老僧始得!曰:特来东土礼文殊,
却遇小释迦。遂出梵书贝多页与师,作礼乘空而去。自此号小
释迦。

黄檗禅师,闽人也。幼于本州黄檗山出家。额间隆起如珠,音

辞朗润,志意冲澹。后游天台,逢一僧,与之言笑,如旧相识。熟视
之,目光射人,乃偕行。属涧水暴涨,捐笠植杖而止,其僧率师同
渡。师曰:兄要渡自渡。彼即褰衣蹑波,若履平地。回顾曰:渡来!
渡来! 师曰:咄! 这自了汉,吾早知,当研汝胫。其僧叹曰:真大乘
法器,我所不及! 言讫不见。

生死之间

凡诸哲学,皆以探讨宇宙万有之真理为极则。凡诸宗教,皆以可作生死依归相号召。人孰恶生而祈死,求不死者,皆有望于永生,故曰死生亦大矣!世之学佛者,尤其禅宗,咸曰为"了生脱死"。综诸哲学与宗教之言死生者,约有三说:(一)谓死后即灭,与草木同腐,持唯物论者,大抵主此。此在佛法,目为断见。(二)谓死乃形器消灭,精神长存。此复有二说:一则精神长存,存而不论。二则精神随善恶等差别,或升天堂,或入地狱。前者为通常之见,后者为宗教之言,此在佛法,目为常见。(三)谓死后生前,渺不可知,但重现实人生,尽其人生本位之分,或主追求人世幸福,或主顺其自然,故庄子有目生死于一条之说。

独佛教于生死理趣,迥异如上诸说,佛言宇宙万有之本体为一元,以空为体(空非虚空之义),以一切用为用,以一切相为相,心物二者,为其二有之用。人有生命存在,乃本体之一环耳。故常以海水喻其体,以水泡喻生命之存在。生命有变迁,如轮之回转不停(简曰轮回),不见其端。而此轮转变易生命,此死彼生,大体分为六类(六道)。生死之间,归纳则曰三世。三世者,过去、现在、未来之三时也。言时间则无始无终,言空间则无量无边。生死如轮之旋转于时空之间,生之与死,为生命之一变迁耳。言其整体,则与天地同根,万物一体。生命变迁,如波分水合。故称生死者,为分段式之变迁也。然当此生命旋转不停于轮回之间,谁为之主宰欤?曰:无主宰,非自然,乃因缘之所生。因缘者,由各种条件与因素,彼此如钩锁连环,相排相吸,而互发为矛盾之结合也。生命之存在,以自己心识为"亲因缘"(种子)。以依凭物质形器为"增上缘"

（父精母血），聚合而成。以生命之有存在，而继续不断者为"所缘之缘"（所缘缘）。以生生不已为"等遍无间"之缘（等无间缘）。故非自然而有。未见天地间生物之无因而来者，因皆乃自有与依他共同存在，非另有不可知之神，或同人格之命运可自由制造者。若果如此，主宰者何以不能不借各种因素之结合，而独立创出另一生命之存在乎？故佛谓生命存在，为一种"力"之表现，此力者，由心识所成，名曰："业力"。业者如作用运动之意。凡有作用运动，必起力之存在，其间力有强弱之不同，有时间久暂之区别，有相排（如离心力），有相吸（如向心力）之矛盾。基于心与力言，比类可明，心力相荡，物质以生，其间微妙甚深（参看《心物一元之佛法概论》篇）。而心理有善恶念力之不同，因此不同之力，发生同类易感之用。故有天堂地狱六道异生之分途。聚其因缘之总和，得其果报之应得。故忠臣孝子，义士仁人，宁舍非理性之生，而趋理性之死。使此另一存在之生命，迁住于胜善之理性境域，此一切圣贤立足之点也。佛法尚了生脱死者，使能外其形器，超脱分段生命之变迁，永返于寂然不动、常寂光明之本性，与本体合一，处于无为之域。如波返于水，力止不流。然此犹为小乘之造诣。大乘者，了知全波是水，全水是波。波水之成坏，虽曰借因缘之所生，而缘生终灭，灭返于空。故曰：既非因缘，又非自然。此乃法尔（天然）之运动。随此运动而轮转无穷者，即众庶之徇生趣也。止此运动之流，而归还寂然，空无一物一法之本体者，二乘之极果。而沉空住寂，非究竟也。何以非究竟？盖本体常有而常空，虽生而无生，有成者如水之波，乃一期之幻质，动态也。空之寂者，如还波之全水，静态也。动、静、空、有，皆为本体法尔天然之用相，如阴阳翕辟之交互往来。当其运动之时，静止之体已在动中，动极则终于静。当其静止之时，动向之用，已在静止之中，静极则必动。本体之于动静，均为体相之二用。故大乘菩萨道中，旷观生死与涅槃，皆如梦幻之不可住，不可得，不可把握。唯众生痴迷，智慧暗钝，不能了知此理，不能证入此事,乃兴同体之悲、无缘之慈,往来于生死轮转之流,牺牲自我,救度群迷。虽曰住于有生,而实无生,虽曰入灭,而实无灭。故曰:涅槃与生死,如梦幻空花,两不可执,执则终为病态耳。知此病态,见及本体,证入不生不灭。往来自由,去住由我,则非唯理可了,须理事双致,此吾佛之教也。

此土圣人孔子之教,则曰:"未知生,焉知死?"释其义者众矣,若以上述理观,孔子之意,亦谓生与死乃一事。换言之,即为若知生从何处来?即知死向何处去矣!孔子又曰:"逝者如斯夫,不舍昼夜!"若以此观,皆比类可明。道家以"生者寄也,死者归也。"道家所谓:"即生即死,即死即生。"则皆于生死之道,别有会心之见也。是同是别,在仁智所见各异,留为参详。至若诗人所谓:"悟到往来唯一气,不妨胡越与同丘。"此乃文人学士,旷达之辞,笔墨游戏,偶合于道耳。若文天祥之《正气歌》,则极尽死生之义,非平常学养有得于心,曷能至此哉!其从容就义,炳耀千秋者,岂偶然乎!

佛说生死,极尽精详,如为阿难所说《住胎经》等,剖析人之入胎,七日一变化,十月而胎全,方得其生。远在二千余年前,绝无现代科学知识,而其精辟独到,超乎新说,非今日生理学所可几及,岂不奇哉!由生而至死,由死而至生,则有《唯识》、《瑜伽师地》诸论,阐说其理。密宗之中阴身救度密法、六成就之"颇哇"法等,显说其事。集生死学说之大成者,莫胜于此矣。以理事过繁,兹不具说。

佛法之言人生者,则以现实人生为本位。我为正业之存在。形器与人间世,乃我相依之存在。物我同体,如儒家所谓"民胞物与"同一观念,且皆具仁慈之大悲。既有生矣,则如《法华经》所云:"是法住法位,世间相常住。"又云:"一切治生产业,皆与实相不相违背。"六祖所谓:"佛法在世间,不离世间觉。出世觅菩提,犹如求兔角。"近如太虚法师有言:"仰止唯佛陀,完成在人格。人成即佛成,是名真现实。"故佛说人生阶段,则以针对现实,牺牲自我,救度大我中之众生。说大乘六度万行,乃充伦理之极致,使行为人格,完成至真至善至美之大成。说"缘生性空,性空缘生"之理性,使精神超拔于现实形器之世间,升华为真善美光明之域。而入世较之出世,犹为难甚! 乃教诫行于菩萨道者,须具大慈、大悲、大愿、大行之精神,难行能行,难忍能忍,若地藏菩萨之愿,度尽地狱众生,我方成佛。南泉禅师曰:"所以那边会了,却来这边行履,始得自由分。今时学人,多分出家,好处即认,恶处即不认,争得! 所以菩萨行于非道,是为通达佛道。"其意亦极言入世之难。药山禅师所谓:"高高山顶立,深深海底行。"岂非皆教人要"极高明而道中庸"乎? 宗门古德,无论在家出家,观其临生死患难之际,类皆从容不迫。至若坐脱立亡于指顾之间,尤难枚举。平生行迹,取义成仁,尤为至伙。苟或事不得已,宁以身殉道,高山景仰,殊增企慕之思。如古德临危之际,有偈曰:"四大原无我,五蕴本来空。将头临白刃,犹似斩春风。"寥寥二十字,足与《正气歌》互相媲美。他如高僧大德,谈笑脱去,指不胜屈。永觉和尚有言:"欧阳修作《五代史》,谓五代无人物。余谓非无人物,乃厄于时也。至若隐于山林,如五宗诸哲,则耀古腾今,后世鲜能及者。余故曰:非无人物,乃厄于时也。"此论极是。凡禅门大德,足为宗师者,类皆气宇如王,见识学问,人品修养,皆足彪炳千秋。以无意用世,恬退山林,苟时会所际,欲其舍出世之业,入世而成人成物者,必能临危授命,而为忠贞伟烈人物矣。今简禅宗居士中,死生之际,足为道范者,略举数人,以为景行之资。

都尉李遵勖居士,谒谷隐,问出家事。隐以崔赵公问径山公案答之。公于言下大悟,作偈曰:学道须是铁汉,著手心头便判。直趋无上菩提,一切是非莫管。宝元戊寅,遣使邀慈明曰:海内法友,惟师与杨大年耳。大年弃我而先,仆年来顿觉衰落,忍死以一见公。乃书以抵潭帅邀之。慈明恻然! 与侍者舟而东下,舟中作偈曰:长江行不尽,帝里到何时? 既得凉风便,休将橹棹施。至京师与李公会。月余而李公果殁。临终画一圆相。又作偈献师:世界无依,山河非碍,大海微尘,须弥纳芥,拈起幞头,解下腰带,欲觅生死,问取皮袋?慈明曰:如何是本来佛性?公曰:今日热如昨日。即随声便问临行一句作么生,慈曰:本来无挂碍,随处任方圆。公曰:晚来倦甚。更不答话。慈曰:无佛处作佛。公于是泊然而逝。仁宗皇帝,尤留心空宗,闻李公之化,与慈明问答,嘉叹久之。师哭之恸,临圹而别,有旨赐官舟南归。

文公杨亿居士,字大年。于广慧禅师处得法。有偈曰:八角磨盘空里走,金毛狮子变作狗。拟欲将身北斗藏,须应合掌南辰后。临终书偈遗李都尉曰:沤生与沤灭,二法本来齐。欲识真归处,赵州东院西。尉见遂曰:泰山庙里卖纸钱。尉既至,公已逝矣。

丞相张商英居士,字天觉,号无尽。得法于云峰悦(事具详《指月录》)。公尝云:先佛所说:于一毛端现宝王刹,坐微尘里转大法轮,是真实义。法华会上,多宝如来,在宝塔中,分半座与释迦文佛,过去佛,与现在佛,同坐一处,实有如是事,非谓表法。公于宣和四十年十一月黎明,口占遗表,命子弟书之。俄取枕掷门窗上,声如雷震,众视之,已蜕矣。(以上皆载《指月录》)

参政李邴居士,字汉老。参大慧果得悟。疾革,以偈寄教忠晦庵禅师,偈和毕,怡然而寂。

参政钱端礼居士,字处和,号松窗,从此庵净发明己事。丁酉秋示疾,修书延简堂机,及国清瑞岩主僧,有诀别之语。机与二禅师诣榻次,公起趺坐,言笑移时而书曰:浮世虚幻,本无去来。四大五蕴,必归终尽。虽佛祖具大威力,亦不能免这一著子。天下老和尚,一切善知识,还有跳得过者无?盖为地、水、火、风,因缘和合,暂时凑泊,不可错认为己。有大丈夫磊磊落落,当用处把定,如顺风使帆,上下水皆可。今吾如是,岂不快哉!尘劳外缘,一时扫尽。荷诸山垂顾,咸赐证明,伏维珍重。置笔顾机曰:某坐去好?卧去好?堂曰:相公去便了,理会甚坐与卧!公笑曰:法兄当为祖道自爱。遂敛目而逝。

　　知府葛郯居士,字谦问,号信斋。得法于灵隐远。宋孝宗淳熙六年,守临川,有仁政。至八年,感疾。一日忽索笔书偈曰:大洋海里打鼓,须弥山上闻钟。业镜忽然扑破,翻身透出虚空。召僚属示之曰:生之与死,如昼与夜,无足怪者。若以道论,安得生死! 若作生死会,则去道远矣。语毕,端坐而化。

　　扬州素庵田居士,世为江都名族。以弟子员屡试不第,遂一意空宗,猛力参究。时何密庵太守,唱道东南,士为入室高弟。钳锤久之,顿付心印。士乃手握竹篦,勘验僧徒。四方来学,无不仰其为现在古佛,通国称田大士而不名。士居城之田家巷,以宅为庵,四方参叩之士,日拥座下。一日与众禅人茶话,忽然掷杯合掌,别众而逝(聂先乐按语,谓嘉隆以前,临济有扬州田大士一宗,盛行大江南北云)。

　　江阴黄毓祺介子居士,久依密云悟和尚,大有入处。悟化后,同门法嗣诸士,结集《悟和尚语录》,书问行世。后鼎迁(清兵入关),士被执石头城狱,越三日,将决矣,作绝命诗曰:剑树刀山掉臂过,长伸两脚自为摩。三千善逝原非佛,百万波旬岂是魔? 潦倒不妨天外醉,掀翻一任水生波! 夜来梦作修罗手,其奈双丸忽跳何! 以破瘴书寄牧云门禅师,然后坐脱圜中(即狱中也)。

　　太史蒋超虎臣居士,悟缘于金山铁舟海禅师。后入都,寄书于孝则居士曰:此行良苦,幸早为我赋招魂也! 孝复曰:安得便心动,北风有何恶? 士请告归,道经高邮,乃别孝曰:子将浪荡了此一生! 孝曰:何处去? 士曰:过得庐山,又峨岭矣! 后果终于峨眉伏虎寺。临寂留诗一律云:悠然猿鹤自相亲,老衲无端堕业尘。直向镬汤求避热,又从大海去翻身。功名傀儡场中物,妻子骷髅队里人。只有君亲无报答,生生一念祝能仁。题毕,趺坐掷笔而逝。(以上皆载《续指月录》)

　　张钰居士,字凤麓,广西人(待考)。因父母皆参学禅宗,八岁即有入处。前清时,随父宦游,后为某县令主幕。有寡妇受欺于族，讼涉冤诬，某令因受略，拟曲断。鞠审次，士坐内室，愤然不平，以手击桌厉声曰：天下有此等冤屈事，岂神明所许哉！言甫毕，天际忽起霹雳，击断公堂梁木。令惊悸木然，冤赖以白。从此终生无疾言怒色。常云：学般若菩萨，不可妄动嗔心。旋出任川南某县令（待考），有仁政。一日坐堂审案，吏报夷人反，兵已临南门。士曰：无恐，我已有却敌策矣。即亲出率勇卒与夷人战，败之，追逐数十里。众返城，而士犹坐堂问案未辍，人惊为神。自显神通后，不肯留任，即辞官遁去。晚年，隐于蜀之新都桂湖畔，茅屋三椽，破釜啜粥，优游卒岁。新都距成都四十里，常徒步晋省，访诸禅人。一日暮归，出成都北门，过毗河；河阔甚，误堕水中。及旦，有舟过，见河中有人，顶出水面，从容而动。亟拯之。见是居士，手持念珠，口喃喃宣佛号不辍。询之何以在水中？曰：不知也！我惟觉仍在坦途中行耳！有法国神父某，慕名访之，与论义，折服甚。一日，某神父携西药"杀虫剂"一瓶过士。曰：服之必戕命。士曰：有是哉？我愿尝之。坚阻不顾。饮尽一瓶，谈笑自若，唯略感倦容，移时如故。神父惊异赞叹久之。民国肇建，士喜甚，趋成都，行市中，左右顾盼，中途即洒泪而返。曰：今后世将大变，苍生苦甚！我必再来也！不一月果殁。其著作，成都志古堂有刻板。抗战初，其长公子任成都高等法院首席检察官。尝访问士之遗事，曰：家父在日，视一切众生如子女，唯视我辈子女如一切众生，他不悉也。又闻士于其长子，不惟钟爱，且常敬之如对大宾。人询其故，曰：其为我祖再来身也，不敢以异世易之（士之事迹，常闻吾师盐亭袁公，及成都谢子厚老居士，言之极详。盖皆亲沐法化者。今以时变，士之遗书散佚殆尽，附志之，以备他日参考）。

上举诸公案，皆为禅门之居士兼宰官身，其生死之际事迹之大略也。《易经》示人生责任，为"裁成辅相"，"参赞天地之化育"。其意盖谓此娑婆世界（娑婆有堪忍缺陷意），人之为人，应尽人事以救此本然之缺憾耳。故无论出世入世，出家在家，各须尽一己之分，以求利他者。况幸而学佛,更幸而参禅,参禅而有成者,安可自遁以求适了乎! 唯在家入世,较出家出世尤难。因缘时节,步步维艰。福德资粮,积修不易。妻儿宾客,晋接周旋,处处动心拂志,开眼闭眼,尽是障道冤魂。能于此中行得过,打得透,其力大难。永嘉曰:"在欲行禅知见力,火中生莲终不坏。"夫在欲行禅,如火里栽莲,岂易事哉! 当此国家多难,修罗攘据大地,时会澔屯,莫此为甚。望诸学者,进德修业,以待天心之转换。此处所谓在家尤难者,非指在家学佛,胜于出家,但谓在家修行为更难耳! 何则? 既已出家,身为人天师表,一意专修,坚心向道,时时处处念念皆在定慧中,迨其生死之际,悠然脱去,已于平素积力有成矣。较之在家之众,工深力锐,必当有进焉。例如:

隐峰禅师,邓氏子,相传皆呼为邓隐峰。临化时,先问众曰:诸方迁化,坐去卧去,吾尝见之,还有立化也无? 曰:有。师曰:还有倒立者否? 曰:未尝见有! 师乃倒立而化。亭亭然其顺体。时众议异就茶毗(火化),屹然不动,远近瞻视,惊叹无已。师有妹为尼,时亦在彼。乃捬而咄曰:老兄畴昔不循法律,死更荧惑于人。于是以手推之,偾然而踣。遂就阇维(火化),收舍利建塔。

华亭性空妙普庵主,得法于死心新禅师。尝有偈警众曰:学道犹如守禁城,朝防六贼夜惺惺。中军主将能行令,不动干戈致太平。绍兴甲子冬,造大盆,穴而塞之,修书寄雪窦持禅师曰:吾将水葬矣。壬戌岁,持至,见其尚存,作偈嘲之曰:咄哉老性空,刚要喂鱼鳖。去不索性去,只管向人说。师阅偈笑曰:待兄来证明耳。令遍告四众,众集,师为说法要,乃说偈曰:坐脱立亡,不若水葬。一省烧柴,二省开圹。撒手便行,不妨快畅。谁是知音,船子和尚。高风难继百千年,一曲渔歌少人唱。遂盘坐盆中,顺流而下。众皆随至海滨,望欲断目,师取塞屏水而回。众拥视,水无所入。复乘流而往。唱曰:船子当年返故乡,没踪迹处妙难量。真风遍寄知音者,铁笛横吹作散场。其笛声呜咽。顷于苍茫间,见以笛掷空而没。众号慕,图像事之。后三日,于沙上趺坐,颜色如生,道俗争往迎归。留五日,阇维,舍利大如菽者莫计。二鹤徘徊空中,火尽始去。塔于青龙。

上举两则,为诸禅德坐脱立亡之尤具奇特风趣者,余多未引。虽然,禅宗尚正知正见,不斤斤于生死间以坐脱立亡为极则也。若预知时至,悠然坐化,不唯专事参禅者始能之。通常修行念佛之人,临终若此者众矣。其故何在? 此但能一心不乱,专志在定,用工既久,自可达矣。但问耕耘,莫问收获。此乃工用,于见地不尽攸关。惟见行俱圆,尤为殊胜。有医者曰:此类人临殁,殆皆为脑溢血耳! 曰:不尽然也,凡溢血症亡者,必皆昏迷。临殁前,谈笑自若,从容而去,岂病态乎? 至已神迁形遗,事后验之,皆有溢血症状,盖亦形躯委蜕后之当然事耳! 况复有不尽如此者。夫死亡于顷刻之间,毫无疾苦,即为溢血症,亦人生最后阶段之得大自在者,胜于通常之呻吟迷乱者多矣,庸何伤哉!

复次,深于禅定工夫者,有时偶入空定,或忽气住脉停,如大死者,实非死亡,乃定相耳。旁人不知,往往认为已死,即为之火化或埋葬者,此大误也。凡此之类,不知埋没几多道人,深可太息! 当视其平生定力行径,仔细判断,且须常备击子(俗名引磬),平常嘱咐道侣,于入定时,向其耳边敲击,徐徐轻呼之,即可出定。倘仍不出,久而发生异相,则为真寂矣。此事亟须注意也。

或问:通常言生死之间,皆为鬼神之说,系合为一,意谓如何? 曰:佛法言鬼神者,乃天道,或修罗,或鬼道所摄,非如俗所言人死即为鬼。人死之灵魂,在佛法曰中阴身,或称中有身。中有者,由舍此而未取彼,中间所有之存在也。俗称为鬼,习惯之观念耳。佛法至极处,实为破除迷信之至理。虽设六道轮回,有天堂、地狱之说,而皆剖明为三界万有之本体所变化。此本体之功能,在人含义于心性中,故曰"三界惟心,一切唯识。"《华严经》曰:"若人欲了知,三世一切佛。应观法界性,一切惟心造。"三途六趣,九幽十二有之分析,总归纳于自他同体之心性所变化耳!明乎此,则知生死之说、鬼神之情状。如《易经·系辞传》所谓:"仰以观于天文,俯以察于地理,是故知幽明之故。原始反终,故知生死之说。精气为物,游魂为变,是故知鬼神之情状。"然则,既皆唯心所造,所谓鬼神六道之说,皆虚妄耳!曰:是又不然!此理至繁,且录智藏禅师之言以明之:

　　有一士人,问智藏禅师曰:有天堂地狱否?师曰:有。曰:有佛、法、僧三宝否?曰:有。更有多问,尽答:有。曰:和尚恁么道,莫错否?师曰:汝曾见尊宿来耶?曰:某甲尝参径山和尚来!师曰:径山向汝道作么?生曰:他道一切总无。师曰:汝有妻否?曰:有。师曰:径山和尚有妻否?曰:无。师曰:径山和尚道无即得。俗士礼谢而去。此则问答虽简,理实至邃。

　　复曰:既有此说,则一切迷信者,求神拜佛、祈祷冥佑者,皆为合理乎?曰:此有说也。所谓迷信,以迷其真理所在而即妄信者,斯为迷信。岂但诸宗教之说,凡事之未至,理之未明,遽加相信,皆迷信也。例如曰:前途有梅可止渴,众信其说,而实不知前途有梅否?类此之信,世间事例多矣,皆迷信也。故佛法尚理明事圆,有隐而不明示者,为愚昧众生,入此一信之途。若精神信仰有托,则渐可离非向善矣,不尽求必知可矣。况知亦不能尽者,庄子有言曰:"生也有涯,知也无涯。以有涯之生,穷无涯之知,殆矣!"诚哉言乎!培养功德,敬事鬼神之说,以人间世本位而言,即"居敬存诚"励德之阶也。及其至也,当不可自我执著此事。若有一毫染著,何得自在无为哉!为道为学者,既不能染著,则于功名富贵等诸行业,皆一视为幻境,但为成德权宜之用耳!即功满人寰,德遍沙界,亦当空其所有。名立而退,功成不居,方得至乎灵光独耀,迥脱根尘。若心系此事物之中,佞于功德而为道者,适为害道种子。故于立德、立功、立言,三不朽之业,功参造化,德配天地者,亦只为仁心仁行之当然事。夫然后可以亲民,可以入道,外王而内圣矣。须知以道体而言,功德原为外事,非关本分,但堪为尽性至命之基,作后世之楷模也。而道体亦非德行无以明,德业非体道而成滞,取舍之间,智者方达。鬼神无亲,唯德是辅。德业既至,诸为顺缘矣。儒家"慎独",不欺暗室,懔十手十目之指视者,恰如禅门古德所谓"无边刹境,自他不隔于毫端"也。十方圣者,同此明示,无可疑矣。"居敬存诚"者,亦即为禅定之一端。积久工深,自通于神明,其于生死之间洒然矣,何独有于鬼神哉!曰:吾已明矣!故达摩祖师对梁武帝论功德之事曰:此乃"人天小果,有漏之因"耳!曰:此又不然!人天小果,尚未能至,更何能透脱而入于大道哉!故由人天乘至二乘,以及大乘佛果,步步上进,未可遗前而失后。祖师之答,为对一时之机耳,不可刻豆腐为宝印也。

中阴身略述

佛法基本,在说明三世因果、六道轮回之可畏,故所期在了生脱死,而修解脱道。三世者,指过去、现在、未来之时间言。六道者,指分段生死之种类言。而空间则无量无边,涵在其中矣。今论死生之际,为便于说明,使易于了解,顺现实人生由生而至于老死,首先说明死之现状与过程。夫人之由生而至于死,古人谓之大事。致死之由,约为二类:一、顺天年而老死。二、遭意外而暴亡。前者谓之善终,后者谓之横折。兹分述其情状。

临 命 终 时

临命终时,经谓先由地大分离,所谓地大,即筋、骨、肢体等生理固体之机能。此时临终之人,必感觉身体之骨节四肢,初如重物下压,痛楚难言,或麻木不仁,渐失其知觉运用之功能。眼之瞳孔放大,耳之听觉渐失,视目前物,或分裂为二为多,或大而为小,小而为大,渐离渐远。耳边之声,虽近如远,或骤闻崩裂之巨声,极为惊怖,此即地大分离现状。然如业命未断,犹可为医药所强支,如业命临断,则非医药所能为力矣。次则水大分离,所谓水大者,即血、汗、涕、唾、便、溺等。此时身发冷汗,或任意便溺,一切知觉已渐丧失;或闻波涛巨浪汹涌之声。再次,乃火大与风大分离。所谓火者,即身中暖热。风者,即呼吸气息。此之二者,相依为命。息之所在,热亦随之,气息一断,暖热顿消,发生冷觉,或感风骤寒生,异常懔悸。火大分离时,与气息同时消失。常言所谓人在命终时,叹出最后一口气,全身之热力亦失。死之情状,约略如此。

中阴身缘起

　　唯死者,神识至临死一刹那间,其与躯体之关系,有如遗蜕者
然。觉一切痛苦消失,轻快安乐无比。但如石火电光,刹那即逝,
完全入于不知不觉死寂之境。忽尔如梦初觉,如醉方醒,有如梦中
身之存在。一切见、闻、觉、知,皆历历如故。闻人之哭泣呼号,或
自发回忆感觉,乃知吾身已死。虽亦如人之有声音笑貌,但非生人
所可感知,此即所谓中阴身,亦有称为中有身者,即俗所谓人死为
鬼之鬼身也。所谓中有者,即舍此而未入彼,中间存在之身,乃意
识所生也。经云:由死寂境而至中阴身之生起,约人间时计一昼
夜。有云:约人世三日又半,或四日。此中时间之长短,殆无一定
之计数。而由临终死寂境至中阴身生起阶段,其中有几种现象:当
此之时,忽有一道强烈之光明现前,其光非如世间日月电灯等可
比,其强度甚大,晃耀至烈。当此光明现前时,必生起一极度恐怖
之感觉,由此感觉,复入于一昏迷状态,经时不久。如素习佛法,或
平生修持于戒定慧之力有成就者,认知一切色象之光明现前,皆如
定中所习见之自性所生幻想光明。一念灵明照了,迅断念力之流,
寂然入此光明本体之无相定中,即可顿断生死。然去究竟菩提、无
上之果,尚不可以道里计。但常人之中阴身,未有不随此强烈之光
明而旋转者。或有于此种光明照耀之中,回忆生前或往世所为善
恶等事,一如世间之影戏然,则于此中自起理性之审判,随业转身
矣。然此所述,犹为平生修善道,或稍具定力现象。如为通常之
人,当临终各种痛苦恐怖之现象发生时,意识完全慌乱,或奔驰逃
逸,即受他道之轮转。如遇险峻之峭壁,或见各种颜色之境象,俯
视莫穷其底,偶一不慎,即坠于中,即入三恶道之轮回中矣。堕白
色峭壁者,生于天趣。红色者,生于饿鬼趣。黑色者,生于地狱趣。

或谓此之三色道,即由于贪、嗔、痴三业力之所感。又或现五种光明径道,如平生修习有素者,此时现前,即知了别。如白色光径,乃导入天道者。如烟雾光径,乃导入地狱道者。黄色光径,乃导入人道者。红色光径,乃导入饿鬼道者。绿色光径,乃导入阿修罗(魔)道者。此外,尚有其他种种现象,亦常发生,如见强烈之巨光,夹杂无边之火焰,喷射炽烈。或见闻中有极可怖之狂风暴雨,交迫而至。或出现狰狞丑恶之鬼物,来相攫哝。或见地狱境相中,阎罗恶鬼,惨刑迫害。或见种种极可怖恶之地狱现相,一生恐惧、避免之情,即不期然而随业往生。如堕湖中,水面有雁类游行者,即生“东胜神洲”。若湖岸有牛啮草而食者,即生“西牛贺洲”。若岸际有马啮草者,即生“北俱卢洲”。若见有房舍,其中有男女正行房事者,即生“南赡部洲”。若见天宫辉煌庄严,喜爱而入者,即得生天趣矣。凡此之类,皆根于自心三世业力所现,随因缘业力而生(具如经说)。

中阴至此时期,求生之趣,极为炽盛。若独简人中趣生者,则于此时,随其光象因缘业力之所牵引,见有男女房事,如磁电吸力,骤尔亲近,不见男女之相,唯见二根。于男生贪,即自感为女身。反之,即为男身。以此中阴凝合男女精血,三缘和合,即尔入胎。初入胎时,又入极昏迷状态。将满十月而出产门,又经一极大痛苦。且住胎期间,七日一变,种种现象,具如佛为阿难所说《入胎经》所述。唯人中趣生,或不定现此种景象。如忽于中阴境时,感狂风暴雨而避,或见天日晴和而游林园等境,亦即可托生。或当生畜生道者,见彼欲事,亦同人间,随业感召,即入斯类;种种现象,不一而足。穷通富贵,随业而转。既无主宰之者,又非自然之力,乃因缘力之所生。业由心造,心赅时间之三世、空间之无边,六道生趣,皆自心体性之所变现。随累积之业力而自个别于果报之不同。业力为因,趣生为果也。

善根至熟,当生天道。恶业至深,当入地狱。皆无中阴身阶段。当此命终,即往生彼。如修净土法门,或专志往生他方佛土者,临终即应念而生。中阴身者,乃意识所生之身。经七日一生死,至多为七个七日,未有不转生者。若生于鬼趣,或属修罗道中所摄,或属饿鬼道中所摄,则于多生之事,仍可记忆。故俗称鬼神者,能记前生,非无因也。中阴身不若吾人为色身业力所囿,一得其身,即具五通之力。唯力有强弱,独无漏尽通耳。故曰:中阴身可自在至一切处,唯有二处不能入,一者菩提道中,一者产门。盖中阴若入菩提道中,即正觉无漏。若入产门,即生他趣矣。中阴之神识力量,自由自在,山河金石,所不能阻碍。倘一时尚未能转胎,往来一大千世界,随其念力,随想即能。且在中阴境中,彼此之因缘业力相同者,亦可相见,如人间世之对晤然。若生天趣,自然报得神通,于其宿命,更所知晓。唯是有限神通,非为无限。中阴境中,唯以香嗅为食,界中日月不见,故无昼夜,常处于似明似暗中,如天之将曙,或黄昏时之景象。

人当临命终时,乃至中阴将生未生时期,依诸经教,其所趣生,可以验知。如由下部渐冷至头面,或眼部热力最后灭者,即生天道或阿修罗道。唯此中有别,生于天道者,死状吉祥,临终洁净,或无疾而终。若入修罗道者,则临终有起嗔恚忿怒之容。如心胸部分,热力最后灭者,即生人中,且现象亦佳,于人世间事,大多有留恋意者。如腹部热力后灭者,则生饿鬼。膝部如此,则至旁生(畜生)。足心如此,即入地狱。而下三道现象,极为丑恶,或昏迷狂号,屎溺满身。至若暴横夭折,虽急骤无此现象,趣生与中阴之理,应无异也。故佛诫在临命终时,切勿骤为沐浴移动。因其余命未断,知觉尚未全失,一遇动触,痛苦难言,必使其起嗔恨之念。复诫人对于死者,不可悲号。盖生死乃必然之事,悲泣何益。但在耳边或顶上,为说法要,最好嘱其提起正念,念佛求生西方。因此时悲号,中阴之见、闻、觉、知依然,徒增其意念之乱。若平时于佛法薰修有素,或念佛志专者,临终由顶超出,即随念往生佛国,不在此例矣。

凡此生死之间,与中阴现状,可参究"唯识"诸论,及藏密中之中阴身救度密法,及六种成就法(此二种皆有美国伊文思温慈博士纂集,张妙定居士译本),佛与阿难所说《入胎经》等。

生 死 决 疑

俗谓人死如灯灭,他生来世,因果业报之说,皆诞言也。佛称此为断见。今世信唯物论者,率皆类此。或有问曰:果有三世轮回之说,人何不自知耶?曰:转世不迷,世间此类事实亦随在而有。唯言之者,人非目为诞而不言,即一人一时一地见之闻之,亦无法使千万人同时得见得闻。兹依理而言,科学犹称质量互变。唯今日科学尚在进步,未可遽以为确定之真理;况现代学者,亦有灵魂不灭之说。欲明乎此,首当了解佛法所称业力之究为何物?佛说业而曰力,亦曰念力。所谓业者,若善若恶,或非善非恶,凡有意识思维之言行动作,皆谓之业。业者,事也,由心意识之所生。西洋哲学家笛卡儿见仅及此,故曰:"吾思则吾存。"此吾思吾存者,业力也,念力也。吾人与宇宙万有同体,此之谓体,即心物一元本体之体性也。在人具于一心。身者,心之附庸,佛说为依报,物也。体性能生万法,具足一切。故心身亦具足一切,亦能生万法。人之所不能者,心意识之念力,如轮之旋转,无时或已,率染于外境他物之力而囿于物矣。故此心念之业力,即同电磁之力。唯电磁为物质,异性相吸,同性相排,人之于男女亦然。人之于事物,有同具电磁为力之用,其现象不仅止于同异性之相吸排。或有心念业力之强者,排时同异性俱排,吸时同异性俱吸。世间事物之例如此者固多。凡此业力,亦如电磁之在空间,虽不见其形,实能起用,不受时空所限。当因缘遇会之时,即随业生矣。中阴之存在,如强以科学名词解释,殆如纯为阴性磁电乎?唯昔时英国有菩提学会,有根据佛法所说,研究中阴问题者,名曰"死的科学之研究"。终经证明中阴存在之有。且谓男女精血若无中阴神识之加入，不能受胎云云。
唯彼另取以名曰：此非物质，亦非精神，姑名之曰"超等的电磁波"。
今于此学，当尚在继续研究之中，姑俟其新说。然则人之生死，何
以不能自知耶？曰：吾人昨日所为之事，今日尚忘。不但经昼夜而
忘，且时刻而忘。人于过去之事，能历历分明，如对当前之境者，能
有几耶？且人受刺激，或遭外境之大变故者，往往变易心理，如痴
如呆。现代心理学所谓之人格变换者，其故又安在？故佛说善恶
二性外，尚有无记性也。神识于生死间，中阴几度昏迷，入胎长住
十月，出胎又经剧烈之痛苦，皆能使记忆丧失，人于无记，庸有何
疑！故经称罗汉有隔阴之迷，圣者如斯，其他何论。欲有转生而不
迷，非仗戒、定、慧薰修之力，终不可得。此中禅定法门，犹须依特
别教授，非浅见所知也。又曰：依诸科学，人从物种嬗变而生，遗传
所禀，今乃云有中阴神识之加入，殊难置信。曰：若纯为遗传，则尧
之子何以有丹朱，舜之何以有父瞽瞍。谚云："一娘生九子，九子各
不同。"此又何故耶？何其遗传之各别如此。曰：此视受胎时之环
境思想等等，以为区别也。曰：理虽近似，终非究竟之旨。佛说入
胎时，即第八阿赖耶识（种子识）和合男女精血而成。如无此神识
持种住胎，胎必死坠。婴儿初生，唯有赖耶与第七末那识（俱生我
执）。色身日长，六根之用日具，方渐有意识及前五识分别起用。
故曰：赖耶种子本识，为"亲因缘"；男女精血合成形身，为"所缘
缘"；遗传影响等为"增上缘"；生生不已，为"等无间缘"。万事万
物，相资为生者，因缘互为因果，统名之曰因缘所生。故极称无主
宰，非自然。人也，物也，固皆如此。唯其体性功能，如来藏性之本
然，则非自然、非因缘之所及，强名之曰真如。顺世俗之见而谓其
为宇宙万有之主者。理析玄微，事通幽奥，宁非至理乎？又曰：道
家所谓，人在母胎，犹为一囫囵先天之太极全体。一出娘胎，脐带
剪断，一点灵光，方入其窍，岂不近于科学耶？曰：科学之为学，今
尚在未定之天，何必以近似科学为真耶？其迷也孰甚！即依此论，

先天之性与后天之性，宁非一体乎？若为二者，各不相干。若为一者，分而为二之阶段，体宁非同？其说含糊，不值一辩。此皆后世方士之托言，非至论也。

了 生 脱 死

如来藏性，常寂光住。耀明力久，动而暗生。灵知之性，本了明耀。一念之动，变易而为无明。无明为用，不知返于本然体性，随念力而行，故曰无明缘行。行者，念也，亦名为识，故曰行缘识。心识遇缘，即住生趣。生之为用，依附于物体而得。即依附于物体，有其名，即有色。色者，物之总称也。故曰识缘名色。名色既得，六根以生。故曰名色缘六入。六入所用，即发感触，故曰六入缘触。触之感者，必有受，故曰触缘受。受之贪者，必有爱，故曰受缘爱。爱难以舍，数取不失，故曰爱缘取。有取因有物，故曰取缘有。有则方生，故曰有缘生。有生则有老死，故曰生缘老死。此佛说十二因缘。凡人与物之生住异灭，皆可循此因缘旋转不息之定律以说明之。老死而又缘无明而至生，故见人世之生生不已。今脱此生之力，必须了其死之阶段。故曰了生脱死。若得不生，何死之有？如前述生死中阴之义，例彼可知。故谓无明缘行为过去阶段之"因"。识至受为现阶段之"果"。爱至有为现阶段之因。生缘老死为未来世之果。故云："欲知前世因，今生受者是，欲知来世果，今生作者是。"不但三世因缘、生死之间若此，即吾人日常之间，念念迁流，皆可以例此而观。若依佛所教，奉行修习，即此之生，渐薄生缘，断念力之流，住于寂灭之定，则现前即得不生。现前念力不生，寂灭现前。依此定力薰习既久，业力习气，渐可自在控制。待报尽身离，现前寂然，即入不生之常住定矣。纵有如中阴光色发现，概知为体性自心所变化，性光寂现，不循无明业力，顿断念流，则不循业以生，顿时近其寂灭矣。故曰："诸行无常，为生灭法，生灭灭已,寂灭现前。"此即二乘极果之工用见地。然犹非究竟也。
若大乘道者,证知本自无生,虽生而常寂。本自无灭,虽灭而犹生,
生灭之间,了无一法可得。万象森罗,既不可舍,又不可取。不属
死生涅槃之羁锁,故能不畏生死,不入涅槃。行于梦幻生死之道,
随流不止,而常流归性海。广度众生,作彼佛事。固已自证自知其
生死涅槃皆如昨梦矣!虽然,此岂思议中事,稍有未实,是谓自欺。
若为出格超人,冷暖自知,则虚空有尽,我愿无穷。大地众生,亟待
援手,此之所云,皆如呓语耳!

醒与梦

　　昔人云:"浮生若梦"。然则人生而有梦,殆乃梦中说梦耳。佛法常引梦以为喻,古今论此者,多矣。《礼记》列梦为数十种,《列子》亦为梦作分类。《黄帝内经》亦有梦与病之分类。现代心理学,谓梦乃潜意识之作用。亦有谓乃心理病态之现象,如"梦游症"、"离魂症"等,皆属梦之所摄。

　　洪迈《容斋随笔》曰:"汉《艺文志·七略》杂占十八家,以黄帝、甘德占梦二书为首。其说曰:杂占者,纪百家之象,候善恶之证,众占非一,而梦为大,故周有其官。周礼太卜掌三梦之法:一曰致梦,二曰觭梦,三曰咸陟。郑氏以为,致梦夏后氏所作,觭梦商人所作,咸陟者,言梦皆得,周人作焉。而占梦专为一官,以日月星辰占六梦之吉凶,其别曰正,曰噩,曰思,曰寤,曰喜,曰惧。季冬聘王梦献吉梦于王,王拜而受之,乃舍萌于四方,以赠噩梦。舍萌者,犹释菜也。赠者,送之也。《诗》、《书》、《礼经》所载,高宗梦得说。周武王梦帝与九龄,伐纣梦叶朕卜宣王考牧,牧人有熊罴虺蛇之梦,召彼故老,讯之占梦。《左传》所书尤多。孔子梦坐奠于两楹。然则古之圣贤未尝不以梦为大,是以见于《七略》者如此。魏晋方技,犹时时或有之,今人不复留意,此卜虽市井妄术,所在如林,亦无以占梦自名者,其学殆绝矣。"

　　佛法论梦之起缘,约分为五:一想,二忆,三病,四曾更(经验影像),五行引起(未来事实)。梦之起作用者,乃独头意识,亦称独影意识。相当于心理学上之潜意识。意识具分别明了功能,独头意识乃意识之影子。独于睡眠昏迷,乃至静定境中,自起作用。兹分论五种梦缘。

一、想梦者:如思想专精,意思胶着于人事物欲等,于睡眠时即现梦境。但只能影射事物,或梦境独影中,联合生理病态,以及过去经验等,支离破碎之残存记忆,而构成梦境。其最明显之例,如男女相思,易形梦寐。此皆想之成梦也。

二、忆梦者:亦近于想,而忆之与想,功能不同。想者,意识起思想作用;忆者,于人事物欲,或见、闻、觉、知之事,习惯已深,无须意识运思,不期然如有事存心。例如陆放翁诗云:"死去原知万事空,但悲不见九州同。王师北定中原日,家祭无忘告乃翁。"唐人诗云:"行过疏篱到小桥,绿杨阴里有红娇。分明眼界无分别,安置心头未肯消。"此等所谓心头未肯消者,即忆念现象也。复如李后主词云:"剪不断,理还乱,是离愁,别是一般滋味在心头。"皆忆念至深之现象也,凡此形梦寐者,忆梦也。

三、病梦者:如饮食停滞,生理障碍而梦重魇,或被人追逐而足步艰难。又如血液不清、湿盛者,则梦水。生理发炎、火盛者,则梦火。血液循环太速、风气盛者,则梦飞翔。如血压高而梦冲举,血压低而梦下堕,肝病梦色青蓝,心病梦色红紫,脾病梦色黄,肺病梦色白,肾病梦色黑,乃至恐怖惊悸而梦恶,喜悦欢欣而梦祥,皆可统摄于病。亦可通于前之二者。

四、曾更梦者:即于前三种梦象,或牵连过去经验而成梦,或前尘影事,于梦中重温,故梦中之见、闻、觉、知,绝少有超过平常知识经验之印象者。有之,则非梦所诠矣。

五、引起梦者:非常情所可测,如梦入素未历之境,素不相识之人,素无经验之事等,但经若干时日,身之所接,悉与梦符,此即梦有引起之作用也。此种梦理,须研究佛法,知夫"三界唯心,一切唯识。""十世古今,始终不离于当念,无边刹境,自他不隔于毫端。"究明此理,方知心意识与如来藏性之用,具足一切,遍含三际,含裹十方矣。

知梦之成因若此,然后可知吉祥善梦与惊怖噩梦,皆属意识之变现,来因去果,自有蛛丝马迹可寻,实无奇特之处。观乎世人常有因吉梦而欣悦,或凶梦而忧惧,其实同一颠倒也。庄子不云乎:"吾固不知蝶之梦周?抑周之梦蝶?"岂非一大痴事乎!既知为梦,早成过去之幻影,执此以求验,其与刻舟求剑,事将毋同。藏密中有修梦成就之法,以梦为入道之门。又如判刑待决之囚,一切希望已绝,当亦无梦。佛道中人,知见工用有得者,夜眠往往无梦;或虽在梦中,仍历历耳,盖已达醒梦一如之境地矣。有谓庄子曰:"至人无梦",即误谓圣人皆无梦;实则,非无梦也,醒梦一如耳!苟绝无梦,何以释迦犹梦金鼓,宣尼犹梦周公、奠两楹。庄周梦蝴蝶,此岂非至人之梦欤!其义可深长思也。寻常所谓梦者,皆在睡眠昏迷状态中。梦境所起作用,现代生理学者,谓乃脑神经尚未全部休息所致。唯心唯物,姑置勿辩。其所谓梦者,乃人于醒后,五官感觉依然起用,意识分明时,能记昨梦。凡梦中一切,不可捉摸,不可控制,故称之曰梦。执知我人日常生活,六根运用,迁流不停,例如眼之视色,一转动间,刹那即逝,与梦无别也;耳之闻声、鼻之辨气、舌之尝味、身之运动、意之思惟,皆无常存之可把捉,其与梦也何别?一日作为既毕,双眼闭而入睡,一切了不可得,则日间之所为,非即所谓梦乎!已去者不复来,未来者尚未至,年之与月,日之与时,分之与秒,刹那变易,安有一事一法之可得;所谓现实者,不过一刹那间之缘会,缘灭即散矣!若能仔细观察,昼之与夜,梦固无别也。

　　人如能常空其意念,如庞居士所云:"但愿空诸所有,慎勿实诸所无。"念念之间,于过去不留,未来不逆,现在不住,忽然三际托空,意识不行,则于应缘动作间,但前五识(即五官直接感觉,不再缘意识分别之知觉),对境起用,则此心如无,此身如一真空之球或瓶等,即唯识学所谓之现量境,小乘之人空境,可得现前。此时对缘外境,一切皆如梦中。视山河大地人物动作声音等,皆如活动影像。不但对外境他物觉其如梦、如幻、如影,即我此身心亦同于诸梦。动静行为,皆能行所无事,如永嘉云:"恰恰用心时,恰恰无心用。无心恰恰用，常用恰恰无。"岂不乐哉！虽然，此犹梦语。必曰"百尺竿头须进步，空花镜里莫藏身。"迨至远离颠倒梦想，得究竟涅槃，方可出世入世，一切自在矣。但于圣凡情断、超佛越祖之地，尚须痛吃辣棒。云门云："此即为慈悲之故，有落草之谈。"若欲究明斯事，当复观云门语："扇子踍跳上三十三天，触着帝释鼻孔。东海鲤鱼打一棒，雨如倾盆。"毕竟如何？曰：参！

禅宗与教理

佛法之在吾国,大致有十宗之分途,禅宗以外各宗皆依教理经、律、论而言修证,独禅宗标旨为佛之心宗,"不立文字,直指人心,见性成佛。"似与教下诸宗,了不相关。禅宗之徒,并有斥究心教理者为非,岂知佛心者,宁独能自外于文字,教下经藏之学,果非佛说耶?若为佛说,说岂非心,心生万法,文字岂非万法所涵耶?若不依文字,则凡人之言语及动作表示,乃至默默无语等,皆为未成文之文字也;记之则为文字,弃之皆无所立。纵禅宗仅以动作(如吹布毛、瞬目扬眉等)示法,亦仍未离文字窠臼也。况宗者,乃教理之纲宗;教者,乃宗旨之阐演,离宗旨以何为教,离教理安可标宗。初祖达摩付法,亦授《楞伽》以印心,五祖六祖传心之际,以《金刚经》为依据,永嘉禅师云:"宗亦通,说亦通,定慧圆明不滞空。"宗门古德言:"依文解义,三世佛冤;离经一字,允为魔说。"若六祖之不识文字而解诠义理,靡不深入经藏。禅宗之徒,排弃教理,视为不屑为者,唯恐其笼统真如,颟顸佛性,又如此郎当去也! 故曰:"通宗不通教,开口便乱道。通教不通宗,好比独眼龙。"岂止教理而已,若果明心,一通百通,五明(内明、因明、声明、医方明、工巧明)之学,凡外诸说,无不通达。何则? 明心同佛,森罗万法,岂非一法之所印,如其未能,切勿空疏狂妄,以自己罔也。

由 教 入 禅

从上宗门古德,虽非尽皆先由学习教理而入禅,大抵皆于悟前或悟后通晓义理,融会心宗。凡著名宗匠,靡不贯通宗教,岂局守偏隅,闭户称尊者可比。然则,既悟之后,何不起而讲教,而独唱宗旨耶? 宗门鼎盛时期,在唐宋之际,义学座主(如今称讲经法师),如麻如粟,佛法宣明,普及社会,修持行人,亦复不少,故悟后宗师,单提向上一著,不预讲座,亦足多矣。若际末法,明心宗师,必肩此责任,宁有别于他途乎! 如药山禅师曰:"经有经师,律有律师,争怪得老僧!"兹略举古德之由教入禅者,以资省发。

药山惟俨禅师,绛州韩氏子。年十七出家,纳戒衡岳,博通经论,严持戒律。一日叹曰:大丈夫当离法自净,谁能屑屑事细行于布巾耶! 后见马祖而悟。

德山宣鉴禅师,简州周氏子,早岁出家,依年受具,精究律藏,于性相诸经,贯通旨趣,常讲《金刚般若经》,时谓之周金刚,后于龙潭得悟。

洛浦山元安禅师,早岁出家,通经论,具戒,为临济侍者。济尝称曰:此临济门下一支箭,谁敢当锋。

疏山匡仁禅师,吉州新淦人,投本州元证禅师出家。一日告其师,往东都听习,未经岁月,忽曰:寻行数墨,语不如默,舍己求家,假不如真,遂造洞山。

风穴延沼禅师,余杭刘氏子,少魁磊,有英气,于书无所不观,然无经世意。父兄强之仕,一应举,至京师,即东归,从开元寺智恭律师剃发受具。游讲肆,玩《法华》玄义,修止观定慧,宿师争下之,弃去。

投子义青禅师,青社李氏子,七龄,颖异非常,往妙相寺出家,试经得度,习《百法论》。未几,叹曰:三祇途远,自困何益! 乃入洛听《华严》,五年,反观文字,一切如肉受串,处处同其义味;尝讲至诸林菩萨偈曰:即心自性。忽猛省曰:法离文字,宁可讲乎? 即弃去游方,后于浮山远禅师处得法。

五祖法演禅师,绵州邓氏子,年三十五,始弃家祝发受具,往成都习《唯识》《百法论》。因闻菩萨入见道时,智与理冥,境与神会,不分能证所证。西天外道,尝难比丘曰:既不分能证所证,却以何为证?无能对者,外道贬之,令不鸣钟鼓,反披袈裟。三藏玄奘法师至彼,救此义曰:如人饮水,冷暖自知。乃通其难。师曰:冷暖则可知矣,如何是自知底事?遂往质本讲曰:不知自知之理如何?讲莫疏其问,但诱曰:汝欲明此,当往南方扣传佛心宗者。师即负笈出关。

凡此诸师,皆弃教入禅,得乎心法。往昔居士之参禅者,多皆宿学俊彦,不待记摘。然则,习教者,终不得悟佛之心要耶?岂宗门既悟之后,法竟超于教理耶?如作此见,允为魔说。须知悟者,益见其深入经藏,其所得法,固未离于教理之外也。且由经教而悟入心法,而后阐宏教理者,亦大有人。略举如下:

玄沙师备宗一禅师,福州闽县谢氏子,少渔于南台江上,及壮,忽弃舟从芙蓉山灵训禅师断发,诣南昌开元通玄律师所受具足戒,芒鞋布衲,食才接气,宴坐终日,众异之。初,兄事雪峰,既而师承之,峰以其苦行,呼为备头陀。一日,峰问:啊!哪个是备头陀?师曰:终不敢诳于人。异日,峰召曰:备头陀,何不遍参去?师曰:达摩不来东土,二祖不往西天。峰然之,暨登象骨山,乃与师同力缔构,玄徒臻萃,师入室咨决,罔替晨昏。又阅《楞严》,发明心地,由是应机敏捷,与修多罗(经藏)冥契,诸方玄学,有所未决,必从之请益。至与雪峰征诘,亦当仁不让,峰曰:备头陀再来人也。

圆通居讷禅师,生而英特,读书过目成诵,初以义学冠两川,耆年多下之。会有禅者自南方来,以祖道相策发,因出蜀,放浪荆楚,久之无所得。复西至襄州洞山,留止十年,读《华严论》至“须弥在大海中,高八万四千由旬,非手足攀揽可及,以明八万四千尘劳山,住烦恼大海。众生有能于一切法无思无为,即烦恼自然枯竭,尘劳成一切智之山,烦恼成一切智之海。若更起心思虑,即有攀缘,即

尘劳愈高,烦恼愈深,不能以至诸佛智顶也。"三复叹曰:石巩云:无
下手处。而马祖曰:这汉旷劫无明,今日一切消灭。非虚语也。

温州瑞鹿寺上方遇安禅师,师事天台,阅《首楞严经》到"知见
立知,即无明本,知见无见,斯即涅槃。"师乃破句读曰:知见立,知
即无明本,知见无,见斯即涅槃。于此有省。有人语师曰:破句了
也! 师曰:此是我悟处。毕生不易,时谓之安楞严。

西蜀鉴法师,通大小乘。佛照谢事,居景德,师问照曰:禅家言
多不根何也? 照曰:汝习何经论? 曰:诸经粗知,颇通《百法》。照
曰:只如昨日雨,今日晴,是甚么法中收? 师瞢然,照据痒和子击
曰:莫道禅家所言不根好! 师愤曰:昨日雨,今日晴,毕竟是甚么法
中收? 照曰:第二十四时分不相应法中收。师恍悟,即礼谢。后归
蜀,居讲会,以直道示徒,不泥名相。

建康府华藏安民禅师,初讲《楞严》有声,谒圆悟,闻举国师三
唤侍者因缘,赵州拈云:如人暗中书字,字虽不成,文彩已彰,哪里
是文彩已彰处? 师心疑之,告香入室。悟问座主讲何经? 师曰:
《楞严》。悟曰:《楞严经》有七处征心,八还辨见,毕竟心在什么处?
师多呈解。悟皆不肯。师复请益,悟令一切处作文彩已彰会。偶
僧请益十玄谈,方举"问君心印作何颜?"悟属声曰:文彩已彰! 师
闻而有省,遂求印证,悟示以本色钳锤,师则罔测。一日,白悟曰:
和尚休举话,待某说看,悟诺。师曰:寻常拈槌竖拂,岂不是经中
道:一切世界,诸所有相,皆即菩提妙明真心? 悟笑曰:你元来在这
里作活计? 师又曰:喝敲床时,岂不是返闻闻自性,性成无上道?
悟曰:你岂不见经中道:妙性圆明,离诸名相。师于言下大释然。

嘉兴府报恩法常首座,于《楞严经》深入义海,谒雪窦,机契,命
掌笺翰,首众报恩室中;惟有矮榻,余无长物。宣和庚子九月中,语
寺僧曰:一月后不复留此。十月二十一,往方丈谒饭,将晓,书渔父
词于室门,就榻收足而逝。词曰:此事楞严曾露布,梅花雪月交光
处,一笑寥寥空万古。风瓯语,迥然银汉横天宇,蝶梦南华方栩栩,

斑斑谁跨丰干虎？而今忘却来时路。江山暮，天涯目送飞鸿去。

　　除上述诸师外，若行思、圭峰、永嘉、本净、子浚，皆研习教理，契证行果，而复阐扬教乘者，多不备载。禅宗之所以呵斥研习教理者，乃以其寻行数墨，浮于义海而忘返归航，则于行证之事，终不相应；致使青春数典，白首空劳！禅宗之徒，首重事入，如空手夺刃，直探骊珠，及其事至，则理自圆通，此诚佛所教诫，以修证为上也。故德山悟后，举其平生《疏钞》，投之一火，且复叹曰：“穷诸玄辩，似一毫置于太虚。彻世机枢，如一滴投于巨壑。”世之知解宗徒，不尚行证，徒于只字片语，文字理趣中，偶有会心，自夸为得；终日缘心不息，称谓思维之修，视人皆狂，不知自狂之甚也，殊为可叹！若能息心澄虑，照见真头，则当下理事圆融，不落筌象矣。如净因禅师论宗与教云：

　　东京净因继成禅师，同圆悟、法真、慈受，并十大法师，禅讲千僧，赴大尉陈公良弼府斋。时徽宗私幸观之。有善《华严》者，贤首宗之义虎也。对众问曰：吾佛设教，自小乘至圆顿，扫除空有，独证真常，然后万德庄严，方名为佛。常闻禅宗一喝能转凡成圣，与诸经论，似相违背。今一喝若能入吾宗五教，是为正说，若不能入，是为邪说！诸禅视师，师曰：如法师所问，不足三大禅师之酬，净因小长老，可以使法师无惑也。师召善，善方应诺。师曰：法师所谓愚法小乘教者，乃有义也。大乘始教者，乃空义也。大乘终教者，乃不有不空义也。大乘顿教者，乃即有即空义也。一乘圆教者，乃不有而有，不空而不空义也。如我一喝，非唯能入五教，至于工巧技艺，诸子百家，悉皆能入。师震声喝一喝，问善曰：闻么？曰：闻！师曰：汝既闻此一喝，是有，能入小乘教。须臾又问善曰：闻么？曰：不闻。师曰：汝既不闻，适来一喝，是无，能入始教。遂顾善曰：我初一喝，汝既道有，喝久声消，汝既道无，道无，则原初实有，道有，则而今实无，不有不无，能入终教。我有一喝之时，有非是有，因无故有,无一喝之时,无非是无,因有故无,即有即无,能入顿教。须知我此一喝,不作一喝用,有无不及,情解俱忘,道有之时,纤尘不立,道无之时,横遍虚空,即此一喝,入百千万亿喝,百千万亿喝,入此一喝,是故能入圆教。善乃起再拜。师复谓曰:非唯一喝为然,乃至一语一默,一动一静,从古至今,十方虚空,万象森罗,六趣四生,三世诸佛,一切圣贤,八万四千法门,百千三昧,无量妙义,契理契机,与天地万物一体,谓之法身。三界唯心,万法唯识,四时八节,阴阳一致,谓之法性。是故《华严经》云:"法性遍在一切处。"有相无相,一声一色,全在一尘中含四义,事理无边,周遍无余,参而不杂,混而不一,于此一喝中,皆悉具足,犹是建化门庭,随机方便,谓之小歇场,未至宝所。殊不知吾祖师门下,以心传心,以法印法,不立文字,见性成佛,有千圣不传底向上一路在!善又问曰:如何是向上一路? 师曰:汝且向下会取。善曰:如何是宝所? 师曰:非汝境界。善曰:望禅师慈悲! 师曰:任从沧海变,终不为君通! 善胶口而出,闻者靡不叹仰。

此则因缘,必有人谓禅师太不慈悲,吝于说法,否则,何以说"任从沧海变,终不为君通。"殊不知此正为宗门机用,早已于此言句下通了矣。奈迷悟由人,不识其旨。有曰:通即不通,不通即通,此即禅宗之意。苟作此解,则止能瞒尽无识苍生,若以宗门正眼观之,不值嗤之以鼻也! 何则? 且观渤潭英禅师与南昌潘居士同宿双岭讲论之言,可通其解矣。

居士曰:龙潭见天皇时节,冥合孔子。师惊问:何以验之? 孔子曰:"二三子以吾为隐乎? 吾无隐乎尔! 吾无行而不与二三子者,是丘也!"师以为如何? 师笑曰:楚人以山鸡为凤,世传以为笑。不意居士此言相类,"汝擎茶来,我为汝接,汝行香来,我为汝受,汝问讯,我起手。"若言是说,说个甚么? 若言不说,龙潭何以便悟? 此所谓无法可说,是名说法。以世尊之辩,亦不能如此两句耳。学者但求解会，譬如以五色图画虚空。鸟巢无佛法可传授，不可默坐，闲拈布毛吹之，侍者便悟。学者乃曰：拈起布毛，金体发露，似此见解，未出教乘，其可称祖师门下客哉！九峰被人问深山里有佛法也无？不得已曰：有。及被穷诘无可有，乃曰：石头大者大，小者小，学者卜度曰："刹说众生说，三世炽然说。"审如是，何必更问祖师意旨耶？要得脱体明去，譬如眼病人，求医治之，医者但能去翳膜，不会以光明与之。居士推床惊曰：吾忧积翠法道未有继者，今知尽在子躬，厚自爱！

禅须通教

参禅之辈，甚有蔑视教理，视三藏十二分教，皆为剩语，撅拾谚语村言，巧立名目，如以三关称之曰："雁门关、山海关"等类，惊世骇俗，借以鸣高。若斯之徒，落知见愚，殊足叹惜！后世宗门竞相传习曰：《法华》、《楞严》，把本参禅，以此二经，为禅宗所据宝典，与初祖之授《楞伽》，六祖之授《金刚经》，尤有进焉。既或熟习之矣，而与三论、成实之言，唯识华严天台之学，诸多未解。然则纵悟此心，便同于佛，而三祇劫论，菩萨五十三位，天台之三止三观，华严十重玄义，唯识家五法三自性、八识二无我，其中如帝网重重，如何同异？如何相印？皆当一一透过，一有滞碍，何得云然。如笼统颟顸，自招罪过，反不如依教奉行，踏实修行为是，何事参禅。尤其当今之世，百家学说争鸣，甚于印度佛在世时，与吾国春秋战国时代。不能温故而知新，融通诸说，徒知"乾矢橛"、"麻三斤"、"云门饼"、"赵州茶"，老死语下，称佛山中，则吾佛之所寄望于荷担大法，嘱咐正法眼藏者，又何益于众生耶！多闻慧解，固为所知障，但根本智易得，差别智难求，文字因缘，虽曰习气，而亦通于般若，彰明文彩，舍此谁寄！

例如六祖云："不是风动，不是幡动，乃仁者心动。"宗门风行此语,传诵千古。今试思六祖所谓心动,为指此意识之心,抑另有其义?如指此心,禅宗之徒,用功得至身定心空,万缘都寂,其他外境之风动也好,幡动也好,与我了不相关,即自肯曰:我已明得六祖之意,已明此心矣。苟如此,禅宗之所谓心,只为第六意识之识心耳。纵饶此心无念无动,而外境外物之风幡,依然在动,与我又有何涉?如曰本不相涉,则万物一体之说,山河大地,宇宙万法皆为阿赖耶识所变。《楞严经》云:"不知色身,外洎山河虚空大地,咸是妙明真心中物。"又是何解?风幡既未外于宇宙,此心纵然不动,风幡仍在飞扬,如认到此为是,则禅宗之所谓心法者,止属现代心理学之一部分,又何得为超三界外之无上妙法耶!此时风幡与心,与华严法界、涅槃妙心、唯识法性等学,又如何沟通?即使理无碍矣,又须事理无碍,证此风幡心动之极,又复如何?若此类课题,宗门中公案,比比皆是,一有未透,且莫妄说明心。

　佛语心者,有时指宇宙万法本体,称谓心名。有时指此妄念,亦名为心。此因翻译名言,偶有疏忽。且文字语言,往往不能表达深意,故贻淆讹之误。例如马祖有时云:"即心即佛。"有时云:"非心非佛。"或云:"不是心,不是佛,亦不是物。"复云:"心佛众生,三无差别。"凡此等等,如以知解诠通,则可用几何算法,求出答案,亦知此所谓心者,非指第六意识之心也。所谓此心,实心物一元之本体心也。悟者,悟此心之用,证者,证此心之体。体用皆如矣,然后或摄用归体,或摄体归用,任运作为,终合于道。故云:修行法门有二种:一从法界归摄色身。一从色身透出法界。从法界摄色身,《华严》尚矣。从色身出法界,《楞严》诸经有焉。虽然用此求知,仍为解悟,与宗门之证悟,相距岂止十万八千里而已。

　三藏十二分教,论为疏释经律之学。主于论者,未可数典忘祖,若独以此如海经藏,分类排列,融通诸经语句,取以经注经方法,则求得知解总和,足可通诠诸法矣。何待创立知见,别尚玄奇乎!

　　佛法本体之论,借用名词言之,略如《华严经》以本体为真善美之极致。宇宙万有,皆为本体起用中生生不已,互为因缘,法尔(自然)如此,涵盖无遗。《涅槃经》以本体为真常寂住,原始返终,不出其位,宇宙万有生灭不停,皆涅槃寂静中之如性,本无来去也。《起信论》则以真如本体,起用为生灭,生灭迁流,真如泊然,一切真妄皆为如来藏中之同体。《楞严经》则以本体圆明,含裹十方,宇宙万有之起用,为本体之病态,如空花翳眼,须教返本还元。他如唯识唯心,则言认识之变态。根尘色法,以指心理之愚妄。真如本性、涅槃妙心,统称本体之别名。般若菩提、转识成智,或谓正觉之了了。凡此之类,不尽例举。

　　禅宗之证悟本性者,即证心物一元之本体也。及其至也,方得心能转物,即同如来。然有一体性可立,已属教乘所摄,能立则能破,循因明辩法可诤,见滞筌象,则非宗旨。及乎心超象外,知有机先,物我两忘,人法透脱,如如亦扫,非言语文字表示动静之可及,亦不离一心,“即一切法,离一切相”。终使释迦掩室于摩竭,维摩杜口于毗耶,一会拈花,只当游戏耳!复何言教之可资哉!金圣叹云:“达摩大师,用条短秤,一喝便了;六十四卦钉作长秤,这句在我此卦前,这句在我此卦后,花拳绣腿,一路短打,又手松脚快,捉摸不定,大易之文也。”可谓深得禅宗与教相之妙评矣。

禅宗与禅定

"禅"一名词,即为梵语"禅那"转音,通常谓之"禅定"。凡"禅观"、"止观"、"瑜伽"等学,皆摄于其中。由博地凡夫而至成佛,皆以禅定为阶。小乘之析有入空,断惑证真,非禅莫属。即大乘六度,亦必经禅定而入般若智海。故禅定之学,实佛法镕基也。但禅定为世间、出世间、凡夫、外道之共法,佛法虽不离于禅定,而亦不依于禅定。佛之不共法,为"缘起性空,性空缘起"与"实相无相"之中道正知正见,非以禅定为极则也。外道为生天而修禅定,佛法则为依此而发无漏智以修之。若欲成就禅定,必须超脱欲界生得之散心妄念。故外道与佛法,其始虽一,其终则大不相同。禅宗虽以禅为名,实非禅定之旨,此乃佛之心法,证取涅槃妙心之极致,非以禅定之果为其宗旨。故禅宗者,乃佛之心宗也。而以与禅定混为一谈,其谬误岂止毫厘千里之差。虽然,"即一切相,离一切法",固亦未尝尽斥禅定为外也。

禅 定 之 学

"禅那"原为梵语,简译为禅,或译为弃恶、功德丛林、思维修、静虑等名。《大乘义章》十三曰:"禅定者,别名不同,略有七种:一名禅,二名定,三名三昧,四名正受,五名三摩提,六名奢摩他,七名解脱,亦名背舍。禅者,是其中国之言。"类其迹相,大抵有三种禅(如世间禅、出世禅、出世间上上禅),四禅(色界四天之四禅定),五种禅(四念处、八背舍、九次第定、师子奋迅三昧、超越三昧),九种大禅（即出世间上上禅、如自性禅、一切禅、难禅、一切门禅、善人禅、一切行禅、除烦恼禅、此世他世乐禅、清净净禅）。凡此种种，立名别相，同中有异，一可成万。异纳于同，止是一定。或以定之缘境，为分齐之差，或以定之程度，为等次之别。如修"止观"者之"六妙门"、"十六特胜"、"通明禅"等，各应根机不同，以适为宜。"瑜伽"诸多观行，循其相应而任抉择。又若《菩提道次第广论》，依中观法行而立"奢摩他"（止）、"毗钵舍那"（观）之宗。方便虽多，归于一致。既不散乱，又不昏沉，定心澄止，则诸异名别意，皆当如箭中的，不必寻弦矣。

　　若简其定序，则四禅九次第定之学，通而明之，普于世出世间，外凡大小乘者，无不相应。所谓四禅者：即心一境性、离生喜乐（初禅），定生喜乐（二禅），离喜妙乐（三禅），舍念清净（四禅）。复以空无边处定、识无边处定、无所有处定、非想非非想处定，合四禅为八定。及至灭尽处定，统之曰九次第定。然所谓次第者，虽有阶梯渐进之义，但亦非为定法。惟视修学行人，根性相应，或为历阶上进，或为一时之中，出此入彼，或止于一禅，终难进步，或立及于灭尽，而不复返。及夫得至灭尽定者，积久熟练，工力自在，如灰身灭智，入于空寂，则小乘极果于是具矣。但灭尽者，亦唯依住定时间而言其迹象，盖真如自性，本非断灭。真如可灭，即落断见，况自性本非断常之可及。故修定至于灭尽者，犹为中途化迹。出灭尽定，发菩提心，福智二圆，方成正觉。若初发菩提心，即修此定门，则九次第者，适为菩萨地地升进之基，自无大小之别矣。

　　何谓定学共于凡外？如世间凡夫，精勤一艺一事，或注想一机一境，皆须专精不易。所谓"精诚所至，金石为开。"佛云："制心一处，无事不办。"人如无专精坚定之毅力，终不能成就世间人事，此即凡夫粗犷定也。复如科学家专心研究一事，思入玄微，虽泰山崩于前，麋鹿兴于左，无稍顾盼。理学家之"思入风云变幻中"时，更不知天地间复有何事何物。他如读书作画，寻诗觅句，皆须与定心相应，方得佳构。至若宗教家由统一意志，专精信仰，或为祈祷，或作存想，及其至也，靡不忘我忘身，自觉已超拔于性灵之中，发生无比欣悦，此皆为定境所生之现象也。故思想专极，倩女离魂。注想功深，水火可入。举凡画符念咒，种种技术，乃至如催眠、瑜伽之学，皆以专一境性而奏其功。故曰：定为一切共法，非独家之学。凡外诸道，虽不明定理，或不知定之深微差别理趣，而于定之功用，并不依赖于知与不知间也。

佛法之修定，初亦通诸定法，最后以得无漏根本智为归，则非常定所及。修定亦如作诸事业，必得依仗工具而成。人之生存于世间，造作种种善恶诸事业，均仗五官心身而为之，佛法统此心身内外诸法，归纳为六根（眼、耳、鼻、舌、身、意），触对外之六尘（色、声、香、味、触、法），以及实质地、水、火、风，乃至空等。从此演绎，一一法中，产生若干差别不同之法。定其名目，次为分类，共称为八万四千法门。以此尘尘驰逐，如轮之旋转，无有已时。凡修定法，即从此根尘中任取一项，先使其宁静专一，不使散乱，不令昏沉。初则勉强令返，久则不加工力，得纯熟自然，而住于专一之境，此身渐得宁静安谧，此心渐至专精不散。如儒家之先由知止而得定静之境，终以虑（思维修）而后得致知，进于明德之域。佛法亦有同于此历阶上进达于究竟，唯较之更精微耳。

无论入定之门，取何依持，用何方法，而其程序，大体有一定通例。此之通例，若取四禅八定（九次第定）而言，亦可赅而无遗。初禅者，心一境性，离生喜乐。凡修定行人，专精一念，百骸宁谧，制心一处，此外一切尘尘色色，均不足引散此一专精之念，即可得心一境性。住此境久，心身必另有一转变，例如心境不散，寂止清快，如云开日出，天朗气清，自然有无比欢喜发生。但须知欢喜之来，亦是此心觉受所生，不可随之，任其自然，自归消散。如循欢喜而转，则心已不能专一境性矣。如此专一定止，先发轻安。所谓轻安者，此心此身，轻清安适，无与伦比。发起轻安时，身宜调直，忽由顶上微生清凉感觉，贯及全身，暖软如春。当此之时，身体之累，忽然如忘。心一境性，不加工力，自然而至。修定初阶，于是乎立。轻安久久，由粗入细，不若初发时之感觉。但一念专精，色身业力习气，渐渐减薄，六根明利，逾于平时，气质之性，渐渐转变，轻安之力，忽焉增强，转入乐境。此之谓乐，尤胜轻安。如经所云"菩萨内触妙乐"，非世间心身安乐所可比拟。如醉如痴，犹不足形容其万一。言之恐落筌蹄，令人耽著，故佛有所戒也。所谓离者，于心身世间善恶、是非、人我、烦恼诸法，自然厌离，不恋世味，心身超脱，胜乐难言；久久功深，乐久明生，即进入二禅定生喜乐。专精一念，忽如弦断，犹截众流，空无边颇，与明显现，进入三禅。空明亦舍，唯此识，似想亦复非想，觉受尚在，心身触乐，入于极微细轻妙之境，安静宁谧，譬如高峰绝顶，万籁无声，晴空万里，片云不滓，由此进入四禅。舍此等等胜境，得清净住，心身两忘，万境顿闲，以往之扰扰胜境，到此皆寂，皆如昨日梦中之事。再舍于此，入于灭尽定境，寂然不动，长劫可超，坐脱立亡，已成剩法。凡此定之次第，若与菩萨明智相应，阶阶进取，即为菩萨地地上升之功德。如唯耽于定，未发智明，纵饶住灭尽定，经八万大劫，仍须转出无生，发菩提心，入正觉智，方得究境。又有以念住为初禅，气住为二禅，脉住为三禅，舍念清净为四禅者，殆为不经之论，乃以功用现得境象，据实验而言之，并可资为参考，未可泥之。

　　复于定中，易起境界。种种魔境，具如《楞严经》等所说，不及细述。须知魔境之来，皆为六根六尘磨荡，引发心气之抟击，如石击火，发此光影，若执为实，或自谓已得胜法，则忘失本心，执著成魔矣。既有外境实在魔障之来，但使此心坚定，不忘本念，不起爱怖诸心，自然自息。若逢此等事，著之成魔，搬弄光影，自以为已得神通，终堕魔道矣。修定行人，到此切记《金刚经》云："凡所有相，皆是虚妄。若见诸相非相，即见如来。"《华严经》云："若人欲了知，三世一切佛，应观法界性，一切唯心造。"禅宗古德之言："起心动念是天魔,不起是阴魔,倒起不起是烦恼魔。"简之,若能实验明了一切唯心所造,此心不著任何根尘色空诸法,自然当此魔境,即入清凉地,转魔成佛,则怨亲皆成平等善眷矣,于魔何有哉!

佛法教人,由博地凡夫而至成佛,以教理行果为其一定次第。教须由多闻而坚此信,理须由思而解,行果须由修慧而证得,仅事佛学解诠注疏于义理之间,终如数他人财宝,非自我家珍。故学佛行人,应取知行合一,努力修证,佛法非仅是一种学术思想,乃离于思议,重在证得,实超科学哲学之一大实验事也。学佛行人,动斥魔外之学为非,殊不知魔外之道,皆从定中而误入歧途。矫枉过正,嫉恶如仇,安知彼之视我,亦不犹我之视彼哉!况戒、定、慧三学,为佛遗教之准则。戒德非定难圆,定慧非戒不发。佛经赞叹定德者,亦至多矣。何哉?心如昏散,所持之戒,只乃相似。心一境性,戒德庄严,相用俱足。心空境寂,戒体现前,智慧自发。"净土"之持名念佛,"天台"之止观双运,"禅宗"之观心参究,"密乘"之观想持明,"华严"法界澄观,"唯识"现量趣入,凡此等等,理虽罄竹难书,而其入门方法,要皆以择善而固执,由一门而深入,莫非以定为拄杖,理入于事为梯航也。若不此之求,狂心未歇,自云为正知正见者,不知其可矣!欲修禅定,须广读大小乘及诸禅定经论,及天台、唯识、密乘等法要,兹不繁引。

禅宗与禅定之间

宗门之禅,并非修定之"禅那"。六祖曰:"吾宗以直指人心,见性成佛,不论禅定解脱。"曹溪以下,破斥禅定谓非宗旨者,明且多矣。他如马祖道一禅师,未见南岳让禅师时,在山中习定,让师问曰:大德坐禅,图作甚么? 一曰:图作佛。师乃取一砖,于彼庵前石上磨。一曰:磨作甚么? 师曰:磨作镜。一曰:磨砖岂得成镜耶? 师曰:磨砖既不成镜,坐禅岂得成佛? 一曰:如何即是? 师曰:如牛驾车，车若不行，打车即是，打牛即是？一无对。师又曰：汝学坐禅？为学坐佛？若学坐禅，禅非坐卧，若学坐佛，佛非定相，于无住法，不应取舍。是以论者，谓禅宗法门，不须坐禅。往昔宗师，皆只须于一机一境上，骤然悟得，即便休去。孰知古人之顿悟去者，在彼未悟以前，都已修习禅定久矣。但观马祖、牛头融诸师公案，如四祖道信、南岳二师之所示者，皆于其久已薰习禅定深处，拨机一点，透出重围。既已悟去，故能得之而休去。休者，一切都息，非泛泛之辞也。后之学者，偶于光影门头，瞥尔一闪，如石火电光，稍纵即逝。或偶得片刻清净之念，便谓是无念之门。从此狂慧（经称乾慧，见《楞严》、《楞伽》等经）勃发，不得定力灌溉，郎当颠狂，丑状毕陈。正如古德所谓：孟八郎（狂妄之意）汉，又如此去也！须知古人言下顿悟者，皆积数十年修持之力，如永明寿禅师所言："灵丹九转，点铁成金。至理一言，转凡成圣。"即或偶有上根利器，一日之禅定未修，言下顿悟者，亦其宿根深厚，多劫薰修，因缘时熟，立地顿超，安可以泛泛视之？当人于己，是否为上根利器，如人饮水，冷暖自知，德行未圆，切毋自误。古德宗师，如长庆二十年中，坐破七个蒲团，方得一悟。雪峰三上投子，九到洞山。此外数十年胁不至席者，如麻似粟。岂可谓禅宗不注重于修定耶！

既已见地廓彻，定与不定，已成剩语。而佛法威仪，非定莫属。况见地工用。尚有走作者，安能忽此。如仪宴禅师，乘多生修力，悟于现世，犹示常定之迹。《指月录》载云：

衢州乌巨山仪宴开明祥师，吴兴许氏子，于唐乾符三年生，诞之夕异香满室，红光如昼。光启中随父镇信安，强为娶。师不愿，遂游历诸方，机契镜清。归省父母，乃于郭南勒别舍以遂师志。舍旁陈司徒庙有凛禅师像，师往瞻礼，失师所之，后郡守展祀祠下，见师入定于庙后丛竹间。蚁蠹其衣，败叶没胫，或者云是许镇将之子也。自此三昧忽出忽入。子湖讷禅师未知师所造浅深，问曰：子所住定，盖小乘定耳？时方啜茶，师呈起橐曰：是大？

是小？讷骇然。寻谒括苍唐山德严禅师，严问：汝何姓？曰：姓许。严曰：谁许汝？曰：不别。严默识之，遂与薙染。尝令摘桃，浃旬不归。往寻，见师攀桃倚石泊然在定，严鸣指出之。开运中，游江郎岩，睹石龛，谓弟子慧兴曰：予当入定此中，汝当垒石塞门，勿以吾为念。兴如所戒。明年兴意师长往，启龛视师，素发披肩，胸臆尚暖。徐自定起，了无异容。复回乌巨。侍郎慎公镇信安，馥师之道，命义学僧守荣诘其定相。师不与之辩，荣意轻之。时信安人竞图师像而尊事，皆获舍利，荣因愧服，礼像谢愆，亦获舍利。叹曰：此后不敢以浅解浅度矣。钱忠懿王感师见梦，遣使图像至，适王患目疾，展像作礼，如梦所见，随雨舍利，目疾顿瘳，因锡号开明。宋太宗闻师定力，加礼延师，师不赴。特以肩舆迎至便殿咨对，太宗深契。寻即乞归。淳化元年示寂，寿一百十五，腊五十七。阇维白光烛天。舍利五色。

然则，禅宗即禅定下事耶？曰：唯唯，否否，不然！不然！若禅定即禅宗，则禅宗仅为定学中事，何得云为佛之心宗耶！故宗师之破斥禅定，盖为执著禅定者，解粘去缚耳。若知见透脱，凡此两头话，皆非中道言也。故沩山禅师曰："但贵子见正，不贵子行履。"定与不定，皆行履（工夫日用也，亦简称工用）中事耳；如若未然，能于弹指间坐脱立亡，或驻世不老，皆为外学矣。例如《指月录》载：

瑞州九峰道虔禅师，为石霜侍者。洎霜归寂，众请首座继住持。师白众曰：须明得先师意始可。座曰：先师有甚么意？师曰：先师道：休去歇去，冷湫湫地去，一念万年去，寒灰枯木去，古庙香炉去，一条白练去。其余则不问，如何是一条白练去？座曰：这个只是明一色边事！师曰：原来未会先师意在！座曰：你不肯我耶？但装香来，香烟断处，若去不得，即不会先师意。遂焚香，香烟未断，座已脱去。师抚座背曰：坐脱立亡即不无，先师意未梦见在！

云居膺禅师,曾令侍者,送裤与一住庵道者。道者曰:自有娘生裤。竟不受。师再令侍者问:娘未生时,著个甚么?道者无语。后迁化,有舍利,持似于师。师曰:直饶得八斛四斗,不如当时下得一转语好!

欧阳文忠公,昔官洛中,一日游嵩山,却去仆吏,放意而往。至一山寺,入门,修竹满轩,霜清鸟啼,风物鲜明。文忠休于殿陛,旁有老僧,阅经自若,与语不尽顾答。文忠异之,问曰:道人住山久如?对曰:甚久。又问诵何经?对曰:《法华经》。文忠曰:古之高僧,临生死之际,类皆谈笑脱去,何道致之耶?对曰:定慧力耳。又问:今乃寥寥无有,何哉?老僧笑曰:古之人,念念在定慧,临终安得乱?今之人,念念在散乱,临终安得定?文忠大喜,不自知膝之屈也。(谢希深有文记其事)

如斯等等,禅宗之定门,又复如何?曰:不离禅定,亦不取于禅定也。《大智度论》云:"不依心,不依身,不依亦不依。"永嘉云:"恰恰用心时,恰恰无心用。无心恰恰用,常用恰恰无。"《顿悟入道要门论》上曰:"问:云何为禅?云何为定?答:妄念不生为禅,坐见本性为定。本性者,是汝无生心。定者,对境无心,八风不能动。八风者,利、衰、毁、誉、称、讥、苦、乐是。若得如是定者,虽是凡夫,即入佛位。"若此之定,已非定相可迹。又古德云:"有佛处莫留恋,无佛处急走过。"如船子诚示夹山曰:"藏身处没踪迹,没踪迹处莫藏身。"参此自可通悟,故如古来大德,六祖以次,诸多宗师,平时行仪,咸不以执著禅定为尚也。

又复所谓禅定者,非独指跏趺禅坐而言,如执跏趺禅坐而言定,则四威仪中,独以坐相为法矣。无论宗门或修止观禅定者,要当于行、住、坐、卧四威仪中,处处薰习。宗门则有诸祖语录,教下则有经藏诸修定经典(大小乘中,无不具载),毋待赘言。

近人言及禅宗,动辄以坐禅坐得多少时间,为定其造诣之深浅。则所谓宗门者,乃禅定耳,于宗旨何关耶!此风自元代以来,至今犹未少戢。天下丛席,聚得数十百众,群居禅堂,长年打坐,或垂头丧气,或勾背驼腰,或借此为安闲休息之区,或借以作逃避现实之薮,调身无法,百病丛生,观心无门,永抱话头以终老,方沾沾以此为禅之极则。不知达摩一脉,慧命坐杀为可叹矣!

禅宗与净土

净土一宗,为佛法入吾国后,最早创建之宗派。自晋时慧远法师创设白莲社于庐山,历代相继,虽无法统之传承,而已普及于社会。本宗祖师,多为世人公认修持确有成就之大德名僧。千余年来,于弘扬佛法及维系吾佛之教,其功至巨。自禅宗之兴,其修持教迹,俨若相违。盖净土以信、愿、行为彻始彻终之法则。禅宗则扫除诸法,佛亦不取。表面观之,有如泾渭之分,实则尽为未了宗徒,自作担板汉之见耳!其互相作短长之见者,大抵可纳于三途:

一、主禅宗者:谓净土为愚见,徒仗他力,冀得往生,终为未了。法界同体,自性是佛,借他力而往生,非为究竟。

二、主净土者:谓禅宗徒恃自力,称即生成佛,非魔即狂。众生自无始以来,业习深重,功未齐于诸圣,云何能得顿悟成佛?不若持名乘愿,带业往生,亲近弥陀,修成正觉,为万稳万当之事。

三、调和论者:主禅净双修,最为稳当切实,其所立见,约有两说:(一)念佛念至无念而念,念而无念,可见自性弥陀,成就唯心净土。(二)即或不然,必可乘愿力以往生,花开见佛,立证菩提。

主禅宗者,执著古德“念佛一声,担水洗三日禅堂。”“佛之一字,吾不喜闻”等语,食古不化,死死认定。主净土者,闻禅者之言,即心即佛,怖而却步,如对仇雠。迨宋时永明寿禅师提倡禅净双修,作四料简偈语,调和之说,于以大行。元代之后,禅林提倡参“念佛是谁”话头,于禅净双修之外,别创一格,永为禅林规范。凡此诸见,且试论之。

净 土 究 竟 论

大藏之中,专言弥陀净土者,有三部经、一部论。即《无量寿经》、《阿弥陀经》、《观无量寿佛经》、《往生论》是也。《无量寿经》人称大本,说弥陀因地法行,果满成佛,摄受十方念佛众生,往生彼国。所摄之机,通于凡圣。凡位具摄三辈,唯除五逆诽谤正法,其余均为所摄。《阿弥陀经》,人称小本,略说西方净土依正庄严等事,令人执持名号,一心不乱,即得往生,最为切要。此经所摄,拣除小善根福德因缘,唯摄一类纯笃之机。《观无量寿佛经》摄机最广,十恶五逆,临终苦逼,十声称名,即得往生。或者疑十恶五逆之人,善根全无,何能感佛接引?且亦与本宗教义相违。须知《华严经·随好光明功德品》有言:阿鼻狱中,夙根成熟,蒙光顿超之说。且经称"三界唯心","心生种种法生,心灭种种法灭。"恶逆之人,临苦改悔,一念回心,已与佛心相应,其蒙光接,了了何疑。

净土一宗,确属三根普被。极乐国土,多为一生补处之不退转菩萨。华严会上,菩萨如云,等妙二觉如雨,最终一会,普皆回向净土。如云:此为方便表法,则佛为不妄语者,安得诳言!须知净土因缘,确为无上甚深微妙,多劫薰修菩萨道者,亦不能知,况可以凡情而测圣量乎!欲明此事,略析如后。

一、极乐净土何以实有?此须明乎天文之学,参酌佛法,自能通之。以太虚之间,星云群聚,每一星云,附诸星球,星球之间,即为形器世界。如此地球,乃太阳系星云中面积最小、寿数最低之一星球。凡此无量无数无边星云,佛说绕须弥山而行。须弥山者,旧称非实,有邃于天文学者之阮印长所著《造化通》,谓须弥山乃是太空之银河;有谓此乃一假设之宇宙中心,顺世俗之说,以山名之,如科学称地轴,地岂实有轴耶!凡诸星云,依住于太空,太空依本体(佛教称如来藏)而存在。则所谓极乐净土,若以实有言之,准此义可明其为另有存在之世界。人智有限，本土所在之地球，其国土疆宇，是否完全已经发现，现尚不能无疑，何况超此形器以外，另有世界存在，而可言其为必无非有耶！

二、何以持名念佛，一心不乱，即可往生净土？又何以佛光能来接引？欲明此义，须先取自然科学中之光学、力学，参酌佛法，自可会通。首须了解，佛之一名，涵有体用之义。佛之体，乃法身如来藏性，即宇宙万有之本体。佛之用，即报身、化身，如释迦、弥陀之各别应身。次须了解，如来藏性之为力为明。初有常寂光，此光无相无形，具含于宇宙万有法界之尘尘物物。世界形器有坏，此光不灭（参看《心法与光》篇）。净明初动，快速无比，乃发光明，于是有色之光得以生起。粗看无形，实则光波随时自在振动。其速度之快，科学家称之为光年。地球高空以外进入黑暗，然黑暗亦为有色光之一种，其振动当亦存在。唯速度之快，尚非今日科学所知。过此黑暗光层，必另有一色光之境。太虚之间，纯为光照。无论光色不同，其为光则一。光能发热，同时与力并具，而光与力，皆依本体这法尔（自然）功能所生，涵于常寂光中。万有众生之心身性命，皆为如来藏中之一环。此心具足力之与光（参看《心法与力学》篇）。念念专精得至一心不乱，则光力专精统一，自可与佛之常寂光接流。加以自他二力互相忆引，临命终时，形器毁坏，常光现前。复有弥陀愿力，与行者之往生愿力相应，自然不消弹指之间，乘彼常寂心光之无比速度，往生净土矣。故"阿弥陀"译义为无量寿光也。

三、如来藏性中，光之与力，犹为物之极微。原子、电子，犹非极微之极，仅为体性具足万有之一点。觉性心光，灵知昭昭，无相无形，遍含万类，往来翕辟，为万物之主宰者此也。姑名曰心。而此心物二者，实同一体。所谓体者，谓其往来翕辟而互为因果，相成相灭，轮转不易，实相无相，体亦强名。当心之用，具带质而生。所谓带质者，即具光与力之功能。愿念之起，为心之动用，用之所至,光与力皆具矣。故愿力存在,世界形器得以成住(佛经称娑婆世界,为众生业力所成,极乐世界,为弥陀愿力所现)。故发愿往生,信心不二,自他力固,胶结为一,其终也必生,不复有疑。

四、如来藏性,本以空为体,以有为用。而用时,体在有中;空时,有在体中。不易之理,如翕辟之称阴阳。华严所谓法界重重无尽者,法性功能之起用也,即为真空之妙有。全体纯真,体入于用,地上菩萨,未尽其义,当有疑矣。若已入妙觉之海,则观空无有,仍为半截之言。故念佛者,无论凡圣,单提一念,专心不乱,必可成办。故曰:"凡念佛者,千句万句,即是一句。前句已灭,后句未生,当念一句,刹那不住。念佛之心,不缘过去,不缘未来,但缘现前一念,以为往生正因。此是万修万人去之法也。"

五、一心不乱,缘现前一念,即制心一处、心一境性之禅定要法。所谓:"一念万年,万年一念。"能作是观,必可得无上殊胜之定。但恐修学行人,住空则散乱如雨,执有则不得专精。无论净土禅宗,皆非所企。须知临终之时,众苦逼临,平常无熟练之功,此时必身苦心乱,丝毫不能得力。若能念念专一,而谓不得往生净土,必无是理。

禅宗究竟论

禅宗修行,从参究自心入门。"三界唯心,万法唯识",犹如擒贼,必先擒贼之王。心识之王,一旦成擒,则本体自性,顿时显露,如久客还家,依然故主。众生与佛,无始以来,原本同体,念念不觉,忘失本妙明净,随无明以迁流,沉沦难拔。一旦尘尽光还,从本以来,性心依然未动。故禅者曰"明心见性"。明者,明此心之妙用灵光,见者,见此性之寂然本体。既得见性,则十方三世诸佛,与一切众生,原皆同体,何来何去,一道如如。故曰:"诸佛法身入我性,我性还共如来合。"如曰:佛道远旷,经有明文,须薰修无量功德,经三大阿僧祇劫，历四十一位，登菩萨十地，方能成佛。即生成佛之说，抑可狂妄！孰知此皆泥相滞教，未透吾佛全部教法圆极之理。佛谓一句弥陀，能灭八十亿劫生死重罪。又常赞叹定德，为功德丛林，能消多劫之业，此岂皆非佛言耶！经复有云“劫数无定”，足见非为泥执之论。又云：地位互通，如“初地即通十地”。昧于此者，缘皆未明佛所说时间空间等法，皆为心法之所内涵也。若心念专诚，立心向道，即生成办之事，纵我有不能，人或能之，安得以偏概全乎！

禅宗之徒有云：抱定一句话头，死死不放，今生纵不悟去，临命终时，天上人间，任意寄居，岂非同于一心念佛，乘愿往生之说。须知十方三世，成佛者无数，既成佛已，则皆有其愿力所成之国土。如此十方三世，佛之国土无量。我愿西，彼愿东迈，其愿力不同，亦犹众生之欲乐不一。安得以此佛国土为是，他佛国土为非耶！抱定话头，死死不放，亦即一心不乱，无上定也。如能一心不乱，临命终时，遂愿往生，必然可至。如密乘行人，专持一本尊咒，亦乘愿力而生彼土。人同此心，心同此理，若云：只说天上人间，随意寄居，非指佛土。孰知天上一词，非独谓三界之天，乃为经说国土同义。不可泥相执文，顽固不化。

既悟本性之辈，见地廓彻，自同于佛。本性体用齐彰，光含万有。徒知空为胜缘，性我自性，即为成佛；则性空缘生，妙有之旨，何所立耶！苟知见透彻，则佛佛道同，自他不二，必知弥陀愿力，确为佛之无上大悲，甚深微妙之事。释迦教主，赞叹极乐，咐嘱众生，发愿往生。亦犹他方佛土，赞叹释迦。岂悟后见性者，犹有彼此人我分别心之存在乎？李长者云：“十世古今，始终不离于当念。无边刹境，自他不隔于毫端。”弥陀自性，非一非异，为后进众生，开此方便法门，岂止大悲愿力所必具，亦维系慧命之要著也。况一心念佛，遍含百千法门于一乘。无念一心，正是如来所加护。禅宗见性之人，正好念佛，一则自为钳锤拄杖，一则澄潭月影，捞逾再三，方见大事原来如此。永嘉云:"弃有著空病亦然,还如避溺而投火。"赵州云:"念佛一声,罚令担水洗三日禅堂。"又云:"佛之一字,我不喜闻。"乃宗师锻炼为人,婆子心切之语。盖欲其专一参究之中,用志不纷,自信不二,努力参禅。岂若末学之辈,执著古人牙慧为金,死守成语,枉生诤议,致成自智自德之累也。古德有曰:"如此事不明,专办一心,速去修行。"岂谓参禅非修行事耶!盖谓其顿悟不能,速去依教奉行。故禅门课诵,有《弥陀经》及念佛法门,祖师之用心,亦良苦矣!

禅净双修调和论

禅净双修,自宋时永明寿禅师提持以来,由来久矣。及禅门衰落后,用"念佛是谁"话头,天下丛林,入此话中,终至滞壳迷封者,如麻如粟,于是使参话头者,如念佛号,持名念佛者,亦有如参话头。虽使二者合流,别创一格,参究不通,可以往生,免至流落娑婆,永沉苦海。然禅门参究之旨与方法,势将永沦丧失矣(参看《参话头》篇)。今专言调和之修法。先当明夫《楞严经》中大势至菩萨念佛圆通章。节云:

彼佛教我,念佛三昧。譬如有人,一专为忆,一人专忘。如是二人,若逢不逢,或见非见。二人相忆,二忆念深。如是乃至从生至生,同于形影,不相乖异。十方如来,怜念众生,如母忆子。若子逃逝,虽忆何为。子若忆母,如母忆时,母子历生,不相违远。若众生心,忆佛念佛,现前当来,必定见佛,去佛不远,不假方便,自得心开。如染香人,身有香气,此则名曰香光庄严(一)。我本因地,以念佛心,入无生忍。今于此界,摄念佛人,归于净土(二)。佛问圆通,我无选择。都摄六根,净念相继,得三摩地,斯为第一(三)。

本章此节,试分作三段:第一段,说念佛入门之方法。第二段,说念佛之成果。第三段,说念佛最高方法,净念与净土之关系。必先解决此三前提,而后禅净双修之事与理,于以完备。

　　第一,方法,分念与忆之二途,皆为定止之学。念又分为持名与默念二门。先说念法:(一)十方如来之与众生,皆具"无缘慈"、"同体悲"之忆念。非独阿弥陀为如此。今简极乐净土一尊而言,以符净土宗之旨。修习净土行者,此心执持阿弥陀佛名号,出声念之,耳返闻闻其声,眼返观观此念,得使念念不间断,视而不见,听而不闻,一切言语动作,皆了不相关,如死如痴,专此一念。(二)念得专一,用功既久,此心念佛之一念,默然在心,虽不著意起念,而自然在念。到得此时,修学行人,往往心虽在念,六根缘外之境,仍可作为。如此佛亦在念,其他散心,亦可为用。自以为至于胜境,实则已成"老婆念",不足论也。何以故?因此时在念佛之念,为独头意识发起作用。第六意识,仍然波动,有何用处!必须要将六根收摄,归此一念,意识不行,念方专一而得真纯,此为念佛法门之要髓也。如何称为忆佛?忆者,与念有别。念犹是粗,忆则为细。念是第六意识在用。忆则此之种子,已种于八识(阿赖耶)田中,根深柢固。故大势至菩萨,以母之忆子为喻。世人母之忆子,虽无口号心思,而此心耿耿,坐卧不安,片刻难忘。如儒家所谓:"必有事焉!"诚敬之极也。忆之为象,菩萨已用善法言之矣。今复不惜眉毛,以众所习知之恶法为喻。此事必要如求名求利,念念孜孜,片刻不忘;乃至如男女恋爱,永缩相思之结,心心相印,灵感互通。如第六代达赖喇嘛之情歌云:"入定修观法眼开,启求三宝降灵台;观中诸圣何曾见,不请情人却自来!"又云:"静时修止动修观,历历情人挂眼前;若把此心移学道,即生成佛有何难?"若能如此如此,依法深入,则由念而入忆,即由粗而入细。如此久久,念忆工深,不必着力,自如有事拳拳服膺,若有物在心,团团不化。或在现在,或在未来,忽尔此忆之一念,顿时开发,如洞开无物。此心此身,脱焉如忘,所谓花开见佛,自然不假方便,常光互接,入于净土佛之心中。

此中微妙,非言可诠,惟到时自知耳。若以散心念佛一声,或唯具一信愿深心,临终亦必可往生,惟品位有别耳。

第二,念佛成果,以净土为极则。净土亦分为二门:(一)唯心净土门。(二)实有净土门,皆为观慧之学。先释净土:土之与地,在理为表持种之义,在事为实质土地。净者,为对染说。粗则一切恶法,如贪嗔痴,人我是非之念(具如《百法明门论》所云),皆为染污之法;细则善见法执,亦为染法。如得至上节所述心开念寂,心身两忘,忘亦不立,空亦不见。无物无心,离诸二边对待之见。对待不立,绝待之体现前。了了分明,常寂圆明。到得此时,自己此心,合于如来藏体。唯心净土,不待他求。反观世间,犹如梦中事。即此秽土世界,亦立转成净,无一而不自在也。到得此时,此心净土现前,与十方如来接法性流矣。方能切实正知正见,西方极乐净土,亦同此性。且复知确有实在国土之存在。欲愿往生,即不移一步到西天,如壮士伸臂顷,即生彼土,与诸佛菩萨,同游寂止之门。不但往生可必,净土西方,亦可应念就我,因法本无来去也。

心体离念,为无生法忍。念佛人于佛心,相接合流,专一精诚,是谓因地。心开意解,一念不生,入无生忍。大势至菩萨,以此行门成就,复来此土,传兹胜法,摄一切众生,归于净土者,具如上述。

第三,最高净土方法。修习行人,到得此境,犹未为圆。必须不稍放逸,莫自得少为足。于一切时、一切处,收摄六根,不使外驰。保养前之净念,心心无间,长住净土之境。"一念万年,万年一念",即为人净念之三摩地(大定)。故菩萨之于圆通法门,无有选择,而亦不必选择矣。

如净念现前,不加精进,如击石火,如闪电光,稍纵即逝,故曰不放逸心所。精进无间,此之谓也。到得行满功圆,不修亦修,修亦不修,佛佛心同,了了无可说矣。

此义既明,参禅与念佛,何以能调和耶?若念佛人,持现前一念,往生净土,则念佛参禅,于此分途。若念佛与参禅,无论提一句话头,或持一句佛号,但于一念过去,后念未起,此之中间,一觑觑定,即二者同途,了无差别。所谓前念已灭,灭不追往,后念未生,未生不引,当前一念,既前不著边,后不落际,当下即空。此之境界(此无一空之境界,姑以境界名之),在净土为唯心净念之开端;在参禅为三际断空,明见此心之初曙。到此无论参禅或念佛,即心即佛之事理,于是可明。然尚未尽其妙,以佛具如来藏全体之大用,若止于此境,犹为小果所诠。参禅者,若以此为至,更无余事,无怪其不知如来藏中,妙有愿力之全体功能也。念佛者,止守此净心一念,不知如来藏中之大机大用,无怪其不识法界无边,头头是道。

虽然,一落言诠,法身亦堕,唠叨多嘴,不若珍惜眉毛。"尽回大地花千万,供养弥陀净土身!"我愿如斯,复何言已。

金圣叹有《念佛三昧》一文,虽为慧业文人之知见,而皆不随一般口头禅语。文字原通般若,盖亦有得于心者也。附录参考,可发深省:

娑婆世界,释尊住持。华藏世界,卢舍那世尊住持。释尊新成佛,卢舍那本成佛也。他方世界,有阿弥陀佛,住于极乐国土。一花一世尊,非算数譬喻之所能及。所以《阿弥陀经》,为无问自说经。首题佛说阿弥陀,下加不得一佛字。

然灯佛者,一微尘佛也。释迦佛者,无量微尘佛也。释迦佛者,名为病愈。阿弥陀者,名本无病。世尊说《阿弥陀经》,另一设施,与诸经不同。乃是为一切众生,毕竟不能破我故,特地全举法界,说你本在极乐国土中,各各莲花化生,有甚不好。譬如丑妇人一般,贮之洞房深宫,亦自觉标致也。喜怒哀乐四字,以乐为极,所以知之学者,好之圣人,乐之即天地也。莲花取相连义曰莲(三世相连,花有房,房有蕊),因非实相曰花。一一众生,各坐一花,花开见佛,则见释迦佛也。极乐国土,九品化生。上品上生者,乃是弥勒一生补处,于此成佛。下品下生者,乃是阿鼻大地狱罪人,于此成佛。是人因犯极恶大罪,下阿鼻狱,有善知识,以种种因缘,唱阿弥陀佛,如千年暗室,一灯照之。而此罪人闻此名字,地狱即生莲花中。而此莲花,即在极乐国土中。而此极乐国土,在阿弥陀佛世界中。此阿弥陀佛世界,乃即在无量大地狱内一罪人之八识田中。是人纵犯极恶大罪,不敌阿弥陀名字,所以地狱应时粉碎,此谓下品下生也。

　　菩萨不愿住于恶浊世界,则不得不求生极乐。然而生极乐,乃是果事。欲获果者,先须造因。云何造因?念佛三昧是也。念佛之法,不可以妄心念于遥佛,亦不可以妄心念于妄心。何以故?妄心者,是生死因,不能感通于本际故;以生死因不能感通故,故佛本不遥而遂遥也。复次,妄心念于妄心者,凡大正以妄心连持,至堕地狱。今复教以如是念佛,彼即以前妄心为念,后妄心为佛,或以前妄心为佛,后妄心为念,如是即与世间流浪何异!是故此法所不应用。夫念佛之法,不应先见佛,次作念,正应先念成,次见佛。所以者何?若先见佛,佛是何事?如是名为大妄语人。又即使感应道交,佛或示现,然佛来寻念,佛去久矣。又况能念,正是妄心,妄心何可唐突于佛?所谓先念成,次见佛者,念是实,佛是假。菩萨以本际为念,而以妄心为佛。问:何故不以妄心为念,本际为佛?答:本际者不可见,不可见则不能令行人发欢喜心。又本际纤尘不立,若行人于念处用力,即大不应。又师子乳用玻璃盏盛,他器不受。若行人欲以妄心念本际,譬如毒器,盛师子乳,终竟不受。又念佛三昧,对治生死,若用妄心追逐,终入生死海无疑也。(《唱经堂才子书汇稿》)

禅宗与密宗

　　近代治佛学或专事修证者,颇有重视西藏佛学及密宗之势。甚之谓西藏密宗,乃为纯正完美之学,堪依修证。藏译经典,文义湛深,足资式范。汉土佛学,乏一贯传承,修证方法,皆不足取;禅宗亦为邪见。欲沟通学术,互资观摩,时代虽同,山川各异。一门深入,各擅胜场,容有可供审别抉择于其间,未可率尔妄断,遽分轩轻也。

西藏佛学渊源

　　密宗在中国分为两类:盛唐时,印度密宗大德善无畏、金刚智、不空三藏,世称开元三大士,传入中国之密宗,至明永乐时被放逐至日本者,统称东密。初唐贞观时,西藏王松赞干布(王当西藏王统第三十世)遣僧留学印度,首有寂护师弟,及莲花生大师之入藏,密乘道遍及于西藏全部,先后再传至汉地者统称藏密。无论东藏二密,通途皆祖于龙树(龙树又称龙猛,是一是二? 已不可别,近代学者考证,又谓名龙树者有二人:一为创大乘之学者,一为始学于婆罗门而创密乘之学者)。而龙树之于密乘,纪述渺茫,无可证信,因舍而推论其源。

　　藏密亦渊源于印度,初为显密通途之学。印度后期大乘佛学,由龙树、提婆,递至世亲,主毗昙、俱舍诸论之学者为一系。陈那法称、护法等,主因明、唯识之学者为一系。德光主毗奈耶律学者为一系。解脱军主般若之学者为一系。复有提婆者,直承龙树,再传至僧护复分二派：一为佛护，至月称等；一为清辨，皆主中观之学。此外又有兼涉龙树、无著两家之学，而不入其系统，即为寂天。此为印度后期大乘显学，皆本龙树、世亲之学以各主其说者。世亲学系，传承愈趋愈繁，且学风亦为大变。在昔大乘教法，以经文为主，义疏注释之论学为其附庸，此时皆已全恃论注为准。后贤于此事当特别注意，仍当以经学为归，方为正途。无著、世亲之学，数传于月称。龙树、提婆之学，数传至佛护、清辨。门户对峙，诤论时兴。佛护、清辨二家注释龙树中观论，皆立无自性中道之说，自谓得不传之秘。而于世亲之徒，染指中观，有所谓唯识中道者，痛加抨击。二师殁后，大乘学徒，依违于无自性及唯识之间，争端不绝。瑜伽、中观分河饮水，显密亦复异趣矣。西藏显教，般若唯识中观之学，皆由上来传承，及藏土后贤著述，加以发扬者。

至于密乘，在印度有可据者，弘开于僧护。在波罗王朝第四世达摩波罗王时，密乘益见发达。王专信师子贤，及智足二师，建超岩寺成为密乘教学中心。智足为师子贤之弟子，后得金刚阿阇黎之传而弘密乘，遍及作、修、瑜伽三部本典。密集、幻网、佛平等行、月明点、忿怒文殊等，皆广事流布，而于密集解释尤工。其后继为上座者，为燃灯智、楞伽胜贤(弘上乐轮)、吉祥持(弘夜摩)、现贤(弘明点等)、善胜、游戏金刚、难胜月、本誓金刚(弘喜金刚)、如来护、觉贤(弘夜摩上乐)、莲花护(弘密集夜摩)。此外在超岩寺同时弘此宗者尚多。如寂友，则通般若、俱舍，及作、修、瑜伽三部。又如觉密、觉寂，则精三部又特精瑜伽，著作金刚界仪轨、瑜伽入门，及《大日经》集释等。又如喜藏亦弘瑜伽密部。又如甚深金刚、甘露密等，始传甘露金刚之法，而弘无上瑜伽。若时轮之学，似为后出。

据史而论，印度后期大乘佛学，一变再变，有密乘之兴，此时印度本土，波罗王朝岌岌已危，其最甚者，即为回教徒之侵入，使王朝终亡。佛教本身，在此以前，多受异学外道所侵，几不能保其余绪。

密乘之兴,本以对待波罗门教,而图挽回世俗之信仰。至后独立发展,支蔓纷繁,集收愈多,创作愈紊,亦时势使然也。

西藏佛法之崛起

藏人称远在东晋时,已有佛典输入,其说自不足信。藏土开化较迟,其初流行一种拜物神教,名曰笨教(俗称乌教),以禁咒役神,示人祸福。至松赞干布王,先与尼泊尔通婚媾,娶其公主,据云携有佛经。次于唐贞观十五年,娶唐文成公主,公主素信佛教,由是佛法经像,随以传播。唐太宗时,藏王遣兵威胁边陲,以天下初定,用和亲策略而羁縻之。藏王条件,须得公主为偶,并请儒书等入藏。太宗商之宰相房玄龄,有谓圣人经史之教,不可传之番夷。太宗乃选宗女,号之曰文成公主,遣嫁于藏。侍从有儒士数人,道士五人。故西藏内地,及今可见太极图、八卦等标记。后世神庙,更有祀关羽之祠(喇嘛大德,有以念卜课,法同汉地之占卜)。藏王受二妃信佛影响,又以接壤印度边境,诚信骤隆,乃派选大臣子弟端美三菩提等十七人,赴西北印度迦湿弥罗求佛典。七年乃归,仿"笈多"字体制定西藏文字,并译《宝云》《宝箧》等经,实为佛学传播之始。史称此为前期佛学,迄今无存矣。中间亦经一次排佛灭僧时期,如汉土之厄。自此役后,佛学再兴,史称后期佛学。后先之间,事实多有不同,初期尚翻译整理,后期则事弘化矣。

西藏王统,至三十五世,当唐玄宗、肃宗之时,其王乞里双提赞工在位,力排朝臣异议,从印度聘致阿难陀等从事翻译。又遣巴沙南,赴尼泊尔,访求大德,遇寂护,即延入藏弘化。寂护以藏土信仰迷离,复返印度,再复重致,住藏达十五年之久,其学属中观清辨学派一系。秉律行持,悉从旧范。于藏都拉萨,建立三姆耶寺。聘印度比丘二十人居之,始建僧伽制度。此时有汉地僧徒,在藏讲学,其中领袖,名大乘和尚,说颇近似禅宗。以直指人心,乃得开悟佛性,依教修行,均为徒劳。被寂护弟子莲花戒驳斥无余,乃放逐出藏。故后世藏密之徒,谓中国无真正佛法,禅宗为外道知见,盖源于此。斯时一般藏人,以素奉神道,佛法传播,颇受阻碍。寂护请之于王,请乌仗那延的莲花生入藏弘法。莲花生大师,偕其弟子二十五人入藏。约经数月,以密咒法力,摧伏外道,为佛教护法,厥功至巨。莲师自无著述,其学说无从考证。藏中传其史传,谓为释迦化身、密宗教主,谓释迦灭后八年,不经母胎自莲花化生。并谓西藏佛法,皆传自莲师,故为旧派密乘之祖。此说多可议者,且存勿论。盖斯时印度佛教,已渐北移,后期名僧大德,以壤连西藏,皆由西北部逐渐入藏。如法称、净友、觉寂、觉贤等,皆入藏传密乘道者。

此后王统三传,至徕巴瞻王(西藏王统三十八世,当唐宪宗至唐文宗时),大弘佛法,翻译经典,于以完备。定立僧制,称师僧谓喇嘛,各给俸禄。旋王本身被其弟朗达玛王所弑。弟既嗣位,五年间,破坏佛法,杀戮僧众。几举提赞王百年来之培养,及徕巴瞻王廿载之盛业,毁之一旦。朗达玛王又被喇嘛吉祥金刚暗杀。王之党羽复仇杀喇嘛不稍宽假。僧众逃亡,国内分裂,全藏陷入黑暗期约及百年。此与唐武宗会昌之厄,先后相似。唯西藏佛教之受摧毁者,较会昌尤甚耳!

西藏后期佛法及派系

朗达玛王毁佛灭僧之际,拉萨西南翠葆山间,有修行僧三人,出亡甘肃西南之安土,师事大喇嘛思明得具足戒。复有西藏梅鲁之僧众十人来学,复得具戒。后此诸人偕还藏土,恢复旧观。但秉持密法,掺杂神道,未为纯善。时有藏地额利王智光者,热情兴学,从东印度聘致大德法护及其弟子辈,广事译订,密乘复兴。其间密乘经典增译者,较昔为多,史称此谓后期佛学。

智光之嗣菩提光，延致阿底峡入藏弘法，尤为胜事。阿底峡尊者，一名吉祥燃灯智，东印度奔迦布人，博通显密，德重当时，曾为超岩寺上座。于公元一〇三七年(宋仁宗景佑四年)入藏，巡化各地，凡经廿载。德行所感，上下归依。藏土佛学，为之一新。中间多事翻译，并著述《菩提道炬论》，极力弘扬显密贯通之学。尊者示寂(七十三岁，公元一〇五二年)，其弟子冬顿等益阐其说，针对旧传密法专尚咒术者，别立一切圣教，皆资教诫为宗。判三士道(下士人天乘、中士声闻缘觉乘、上士菩萨大乘)。摄一切法，又奉四尊(释迦、观音、救度母、不动明王)，习六论(菩萨地、经庄严、集菩萨学、入菩萨行、本生鬘、法句集)。次第四密(作、修、瑜伽、无上瑜伽)。而以上乐密集为最。组织精严。迈于昔贤。遂称为甘丹派(甘丹之义，为圣教教诫之意)。藏土后之分立四派，于是兴矣。

宁玛派(意即古派，俗称红教)。此即旧传前期密乘之学，大要分九乘道。应身佛释迦所说者：声闻、缘觉、菩萨三乘。报身佛金刚萨埵所说者：密乘、外道、作修瑜伽三乘。法身佛普贤所说者：内道大瑜伽、无比瑜伽、无上瑜伽三乘。而复以无上瑜伽中之喜金刚为最究竟。行持随俗，不事律仪，但观修现显契证明空智，即得解脱云云。

迦尔居派(意云教敕传承，俗称白教)。创自摩尔瓦。其人曾三度游学于印度，师事阿底峡，复受密乘学于超岩寺诺罗巴之门。得金刚萨埵、娑罗诃、龙树以来之真传，精通瑜伽密中之密集，及无上瑜伽中之喜金刚、四吉祥座、大神变母等法。尤于空智双融解脱大手印等法，通达底蕴。归藏以后，授其学于弥拉莱巴。再传至达保哈解，取阿底峡《菩提道炬论》，与弥拉莱巴之大手印法，著《菩提道次第随破宗庄严论》，盖有取乎佛护中观之说以为诠释也。后因流传渐广，更分九小派，不一其说。九派中杜普派，于元初有大学者布顿者出，博贯五明，精通显密，整理注解大藏要典，创护律学密乘道甚多。立说平允，后世推重。

萨迦派(俗称花教)。创自藏王族衮曲爵保。后自藏州西百余里萨迦地方建寺聚徒教学,故得名焉。此派学说,融会显密,取清辨一系中观为密乘本义作解释。又以显教之菩萨五位(资粮、加行、见、修、究竟)与密乘四部对合而修,以彼此经相因果。以加行位中暖、顶、忍三昧耶断所取惑,世第一法三昧耶断能取惑,同时以菩萨智慧本性光明而入大乐定,则已达显密融合之境地矣。此说与宁玛派之学迳庭,故又谓之新学也。

希解派(意即能灭)。以元初南印度阿阇黎敦巴桑结为始祖。其学出于超岩寺,要以密乘四种断法除灭苦恼,极其通俗。有除灭三灯、夜摩帝成就法等。敦巴五度入藏行化,三传至玛齐莱冬尼,行脚一生,开化至盛云。

此外尚有爵南派。迄明万历间,此派有大学者多罗那他,博学能文,深通梵语,为译经之殿军。但此派至清初已改宗,今已无传。

上述诸派,除甘丹派专事教化以外,余均与政治有关,援引势力,施行威福。迦尔居派曾握揽藏中政治大权。萨迦派第二世孔迦宁保,尝由元成吉思汗予以西藏统治权。复受命开教于蒙古,至第四世孔迦嘉赞,学尤精博,应元库腾汗之召入朝,依用"兰查"字体,改定蒙文,受帝师尊号。其侄第五世炉思巴,更大得元帝信任,入朝为帝灌顶,亦受帝师之号,王公后妃,踊跃参加灌顶,秽迹流言,传之史乘。既而归藏统一久事纷争之十三州,悉举以臣事于元。西藏之喇嘛教者,即随之遍行汉土内地,内廷供养喇嘛费用,耗国库十之六七,其声势之大,岂可想象!

黄衣士派。降及明代,鉴于元代纵容喇嘛之弊,册封各派喇嘛为王,以杀萨迦派专横之势。迨永乐年间,西宁西南,有宗喀巴者出,游学全藏,目击颓败,慨然有改革之志。乃秉阿底峡之宗,采布顿之说,励行律仪,采诸派之长,而合一经咒之教融为一说。宗喀巴学行优越,德重当时,教化所及,靡然从风。门人学者,皆染黄衣冠,以别于旧时各派,故世称为黄衣派。于拉萨东南,建甘丹寺,弘传其学。后又建色拉、哲蚌二寺,为著名之三大寺焉。藏土久衰之佛法,焕然昭苏矣。

宗喀巴弟子有嘉察伯,及开珠伯二大家,均能传承其学。其在甘丹住持,而传宗师之衣钵者,为大弟子法宝,遂成后世甘丹座主传承之法统。后其高弟根敦、珠巴二人,创历世转生之说,班禅(梵语意谓大宝师)、达赖(蒙语意谓大海)二人,以师弟而相约,世世互为师长,弘传教法(班禅为其师转生,达赖为其弟也)。及明宪宗加以册封,势力更盛。清初达赖五世罗赞嘉错,博学多才,蜚声学界,而复借蒙古和硕部(青海附近)固始汗及清朝武力,底定全藏,即置班禅于后藏,自居前藏,分揽统治之权。于是政教合一,悉掌于达赖。及至近世,班禅来汉,彼此纷争不已,权利争夺,自启纷争,岂佛法之本意,良可慨也!故后之言西藏佛学显密完整者,咸以宗喀巴之传承为宗。

西藏之显教

西藏经典及佛学之传播,直承印度晚出之后起大乘佛学。般若、唯识、中观之说,月称、护法之论,蔚然罗列,经阿底峡、布顿、宗喀巴之组织,蔚成一条贯系统完美之大乘次第之学。尤以宗喀巴之著作,主阿底峡《菩提道炬论》,而广集成《菩提道次第广论》,为其中坚代表。于五乘佛学,次第进修,系统条理,井然不紊,诚千秋杰作也。但其立说,取显密圆融,以后贤之论说为宗,学者当有所审慎抉择于其间也。

西藏大藏经,翻译典籍,较之汉地三藏,少有出入。印度后期诸贤之论著,及密乘经典,则较汉地为多。明代永乐间,曾取其经藏,翻刻成永乐版(见永乐八年御制经赞)。万历间,又翻刻为万历版。清康熙、雍正间,又翻刻为北京版(见雍正二年御制序。有云雍正曾自译大威德金刚修法仪轨,较之后世诸译为佳)。其中密乘经典,较之东密,尤有胜焉。惟汉地经藏,西藏所缺者亦多,如龙树所著《大智度论》、《十住毗婆沙论》,皆于戒学多所阐明,而其籍印度失传,藏中亦付缺如。仅知无著、寂天之书而已。又如无著组织瑜伽之作,有《显扬论》,广陈空与无性,阐发现观瑜伽,实为此宗根本典籍,藏土亦缺。至如唐代善无畏、金刚智、不空三藏,传自西南印度之密乘学术,两界仪轨,既具规模,多非北印学宗所及者(即作、修、瑜伽三部密法)。若概纳于外道,岂非主观武断者耶!

佛学而宗注疏论说,衡以佛说"依经不依论"之旨,不无乳酥掺水之憾!精密可能过之,近似之言,常可变易原旨,以之参证则可,以之衡量其他,容有不当。唯宗喀巴之学,自明迄今,流传六百余年未替,而试举与汉地流行佛学相较,得失短长,不易轻议。如"华严"、"天台"、"三论"、"唯识",诸宗之学,精深博大,各有独到。而云汉地无真正佛法,何其见之浅陋!华严诸疏、天台之《摩诃止观》诸论,岂无创见?尤以汉地唯识之学,则非藏土所及矣!若云藏密学者,必先习显教十余年,较之汉地学佛法者为胜,殊不知汉地宗师大德,皆有好学一生而少怠者,因名匠辈出,互相赞许,不事文字之诤耳。

西藏之密法

西藏佛法,固皆显密相共以行,至谓密乘,则谓不共之行,称能疾速圆满菩提,非余宗可比云云。由显入密,无别有发心,但始从一切共同陀罗尼仪轨(即息灾、增益、降伏等八种仪轨),及密咒经典所说种种,进而修证两俱瑜伽、大瑜伽等本续,以各种真言之力,而得宝瓶、宝剑、隐身、如意树等八大悉地,则能疾具资粮而登正觉。而此种修行,悉待阿阇黎之灌顶加被而后能入,故其始应竭财物以供养阿阇黎,得其欣悦而蒙灌顶,则罪业清净,堪任悉地矣。至以修行之实,应待亲承教授,非文字所可诠也(此种意义,《炬论》

及《释论》中甚详,不再繁述)。

　　藏中密法,大体汇为四部:即作、修、瑜伽、无上瑜伽。作修之部,为资粮之修集,积福德基。瑜伽之部,已会福德智慧二种资粮而并修迈进。仪轨修法,均有一共通组织,即生起次第,与圆满次第。所谓生起、圆满二次第者,于密集仪轨程序而言,似乎有异于显教种种修学法门。然依佛法之信、解、行、证,次第而言,一切众生,由初发心而登正觉,无论何地何时,若因若果,固皆循此生圆二次第而修者。即如净土一宗,单以持名念佛法门而论,亦已具备生圆之序,而不别列其次第名目者,正为诸佛菩萨之密因密意耳,岂独于密宗而后有此奇特事乎!无上瑜伽之部,以喜金刚、上乐、忿怒文殊、时轮,乃至大圆满、大圆胜慧、各种大手印等法,为其宗之最殊胜者。由瑜伽而进修至无上瑜伽,于密法所特具之气脉明点诸法,又已视为余事。若大圆满、大圆胜慧、大手印,其所标旨,即有弹指成佛、立地见性之方便。故以无上瑜伽而论作、修、瑜伽诸部,乃为资粮位上修集之事。此中理趣方便,行持修证,渐近于禅宗,故有谓大手印等诸法,实同于禅宗。且谓达摩祖师只履西归时,显化于西藏而传大手印法云云。然欤?否欤?乃历来心口之传说,无足为据。要之,大手印等之与禅宗比较,同异短长,显然不一。方法既殊,宗纲各别,若以之拟于北宗渐禅之法,恰尽相似。至于南宗正脉,则非上述密法所可窥测也!大圆满大手印等法,固已殊胜,然以禅宗"正法眼藏"观之,则迷封滞壳,摩挲光影,仍易滞于法执。所谓仗金刚王宝剑,踏毗卢顶上行者,舍禅宗正法以外,其孰与归?

藏 密 之 特 点

　　通常一般异宗异学之于密宗,或赞或毁者,统皆以密宗修持方法中若干特殊之事,作为雌黄月旦,隔靴搔痒,言不中的,且于密宗显教理趣,大抵茫然。密乘之所谓密者,究其极则,非自谓其行怪索隐,盖菩提心印,妙密难明也。若言下顿悟,法外忘象,正如曹溪六祖所云"密在汝边",复何秘密之有?然后返观一切世间出世间等等诸法,无非佛法。如实如是证入华严海藏境界,显密妙言,无一而不平实。

密乘中若干特殊方法,显而习见者,如礼拜、供养、护摩、念诵等法,似有异于显教各宗修持之趣。实则,如诸宗所习之禅门课诵、十小咒、蒙山、焰口等等,念诵法器,礼仪诸法,靡不来自密乘。原始佛法,以三十六道品、禅观、戒、定、慧等正统修持外,何尝有此科仪?方便权化,归元无二,未可是此非彼。若论密宗之注重气脉、明点、双身等法,视为外道,则正不知菩萨道中密因法行。双身法者,乃诸佛菩萨,为诱导多欲众生,设此一方便。《法华经》云:"先以欲钩牵,后令入佛智。"有谓即吾国古代之房中术,则有毫厘千里之谬,谓其流弊为祸,自毋庸讳!气脉、明点之术,因为密乘所特尚,而言无上瑜伽者,视此仍为方便,未可与论究竟。气脉、明点,持为调身,血气之障未除,不能变化气质,而遽言证悟菩提,非狂即魔。密乘学者有言:"气不入中脉,而云得证菩提者,绝无是处。"以此视一般修持学者,盲修瞎炼,终至身病心执,愈求解脱,而愈被法缚,诚多优胜矣。他如密乘典籍中,有《甚深内义根本颂》一书,剖析人身气脉至详,取与吾国内经等书参读,精微奥妙,迥非现代解剖生理学、医学等可及。惜乎世之学者,心粗气浮,未能身证其实验堂奥,玩忽弃之,浅陋轻狂,岂容回护!稽之显教各宗,以及教外别传之禅宗,若禅观诸经、止观修法、宗门参究工夫,虽不特别注重气脉,而调柔身心之妙,皆寓气脉于其中矣,唯后世学者未能深入耳!

密法特点,探其原委,气脉、明点等,事非奇特。若藏密融合显密共通,罗致一切魔外诸法,投之一炉,应众生心,遍所知量,对症下药,别开生面,综罗组织,蔚成奇观,洵为密乘特异之学。然无论其应用何种修法,统皆循有一定的五种次序,其次序谓何? 曰"加行瑜伽、专一瑜伽、离戏瑜伽、一味瑜伽、无修无证"。如礼拜、供养、护摩、念诵、研习教理等等,皆为"加行"之事。专精观想,住于禅观等等,皆为"专一"之事。定久慧生,待至脉解心开,如"仰首枝头,即见熟果",如"拔矛刺背,顿脱苦厄",证悟菩提,还同本得,皆为"离戏"之事(所谓离戏者,谓诸离四句、绝百非之戏论法也)。入此"离戏"三昧,向上精进,打成一片,即是"一味瑜伽"。再进而得到"无修无证"果位,方入圆满菩提之域。密法中此种组织,钩索一切修法之要,次第井然,允为特点矣。亦有以前修加行瑜伽,而立四瑜伽之说。

显密优劣之商榷

西藏密宗,传入汉地,早在宋末。而以元室入帝,为鼎盛时期。明代表面上,虽已销声匿迹,而流行于社会间,仍未根绝。清室入关,复挟之俱来。现代开藏密先声者,即以民初西藏大德,多杰格西、白尊者等,来北京弘法开其端。汉僧相率留学西藏者,为僧大勇等随多杰入藏为始。此后康藏各派大喇嘛,若诺那、贡噶、根桑、班禅、阿旺堪布、东本格西等,先后相率来汉地弘化。各地僧俗随之入藏者,风起云涌,形成一种佛学界之时髦风气。回内地传法,而专门提倡密宗者,如蜀僧能海、超一等,为其中翘楚。译经则有法尊、满空、居士张心若等。欧美方面学者,因英人势力入藏探奇者,亦络绎于道。一般知识人士,学得密法以后,翻译经典甚多,例如密法中之六种成就法,汉文译本,远不如美国伊文思温慈博士之佳。一般欧美学者,常有以密法与印度瑜伽学互混研究,几已成为一种新兴之术,渐距佛法而独立一系矣。如欧美流行之催眠术,乃瑜伽术之支流也。抗战末期,有一法国女士(中文名戴维娜),寓居成都学习禅宗,据云:学佛二十多年,曾游学于印度、缅甸、日本等地,住藏中习密法,将近十年,且遣其子随贡噶上师已达六年。以其个人游学各国所得结论,称真正佛法,唯在中国,且以达摩宗(即禅宗)为最胜云。

藏密在现代崛然兴起,治佛学或专事修行者,耳目为之一新,优劣诤辩,于以支蔓。崇密宗者,则云修习密法,必可"即身成佛",次亦可"即生成就",最迟或三生至七生。复云:密宗学者,"即身成佛",神通可徵。又云:密宗之方便殊胜,显密双融,皆非各宗所及,中国无完美佛法,禅宗乃邪见,且引宋代在藏弘法汉僧大乘和尚为证。毁密宗者,则云:密宗之法,乃魔外之说,托依佛教而立足。复云:密法乃偷袭中国道家方术而改头换面者。口给干戈,均为智者所笑。佛于显教,虽云由博地凡夫而至成佛,须经三大阿僧祇劫,而经云"劫数无定"。且今生修持,孰知又非三大劫来,唯欠此一生?稽之中国历代大德,尤其禅宗,能"即生成就",或"即身成就"者,代不乏人,而皆持律綦严,不以神通为尚。记载所传,历历可数,择其彰明较著者,如六祖展衣布山,有四天王坐镇四方。复如引头就刃,如击木石。邓隐峰禅师,飞锡腾空,倒身立化。普化禅师,振铎归空,即身超脱。元圭之服岳神。破灶之度土地。黄龙师弟,皆具神通。普庵师徒,神变莫测(相传之普庵咒,灵验殊胜)。唯禅宗风尚,不以神通为胜,恐乱世人知见,其密行密意,有非密法可测,岂地前菩萨所可妄议!故有赞禅宗实为大密宗也。若谓气脉、明点、双身等法,可得"即身成就",事非显教及禅宗所能;稽之密典,修此等法,仍易落于欲界、色界之中。于光影门头事多胜境,直超圣量,立地成就,仍须有审慎抉择于其间。禅宗大德,见性之后,此等功用,不期自生,唯皆不作圣解耳。视密宗之执著胜法,又有过焉!至谓大乘和尚,宋时在藏传化,其人立说,近似禅宗,以为直指人心,乃得开悟佛性,依教修行,均徒劳耳;以是流于放逸,全无操持,后因莲花戒来自印度,陈词破难,和尚无以应答,遂放还汉土。观大乘和尚所说,尚未及禅宗所谓之知解宗徒,何论实证?以之概汉土禅宗及各宗佛法，皆纳于大乘和尚之流，实无异因噎废食耳。

　　论者谓密宗皆为魔外之说，拟托佛教，立言亦嫌过于草率！密宗诸法，诚为纳诸魔外之学，熔之一炉，权设普门广度，既为对待诸异学魔外之说，亦复遍逗群机，导之入大觉智海，终结与第一义而不违背，则于魔外何有哉！佛所说法，五蕴、八识、天人之际、因明之说，皆非初创，亦如中土圣人，述而不作，删集以成。考之印度婆罗门及诸异学等，原有吠陀诸典，皆显见易明。岂可尽举佛法而付之魔外乎！佛所证悟之不共法行，独为第一义谛之不可说、不可思议之"性空缘起，缘起性空"。中道不二法门，此非诸异学魔外所可妄自希冀者。密法极则，以佛之正知正见为归，途中化境，皆为权巧方便。若未见本性，而言证悟菩提者，心法未明，统为魔外亦可，何独于密法而斥为魔外乎！至谓密法乃偷袭中国道家方术，或谓道家乃学习密宗法门，此二争端，千古无据。要之，方法相似，且几不可分，门庭设立，各有差别，姑存而不论。或疑为远古法源，皆出于一途，源流支蔓，因时间空间而独立发展。道家修法，常有崇密咒，及作、修、瑜伽部分之术。而密宗祖师，身为汉人者，亦大有人。如大圆胜慧法中，"澈却"、"妥噶"二法，据云原由普贤王如来证得本具五智体性，显现五方佛，传金刚萨埵，递传极喜金刚(嘎拉多杰)至妙法喜，复传与希立省(汉人)，递传住罗叔札、婆妈拉别札，至莲花生大师云云。唯密宗传法上师，不限于僧俗，而严于得法，此尤与显教各宗不同耳。观音以三十二身，而应化世间，华严以万行庄严，纳诸圆觉，事非佛智，难以窥测。疑谤互从，不如自省，偏执之争，正见其未达也。东密盛行于唐宋，早已与显教合流，如禅门日诵中，密咒部分、瑜伽焰口等，随处皆是。诸部密法，大致在藏经中可见，不再繁述。

　　学佛乃大丈夫之事，非帝王将相之所能为，无论志学何宗，要当以证悟无上菩提为归。若欲达此，首当自廓其胸襟，广其识见，穷理于诸说,行脚遍天下,然后以教乘戒行,滋茂福德,使能自成法器,方有相应之分。唐太宗所谓:"松风水月,未足比其清华! 仙露明珠,讵能方其朗润。"有此气度,方能会万物于己。若目光如豆,心仄似拳,先入之见塞其胸中,门户之诤堵其智思,无论习教学禅,若显若密,皆非所望矣! 何则? 佛能通一切智,穷万法源,心等太空,悲无缘起,岂踽促一隅者,所可妄冀乎!

禅宗与丹道

　　道家渊源远古,穷源探本,上古时期,乏文献可徵。原始道家、学者皆裁自东周时代与孔子并世而生之老子为代表。道家者流,则高推圣迹,相传发轫于黄帝,通常皆以黄老并称。周代前,儒道本不分家,儒术亦属道之一种学问,道即儒之全体。迨周秦间,儒道始分为二。历汉至南北朝间,始成宗教之道教,与儒佛鼎足而三。三教思想学术,领导吾国文化二千余年,人才辈出,派衍支流;道教文化,亦遍及东亚各地。其间各有短长优劣,立说圆通者固不少,而偏执己见、互争上下者,由来亦久。稽其变迁,共分为三个时期,其思想学术,与佛法禅宗沟通处,颇值探讨。

周秦时代之道家

　　春秋战国时期,吾国社会政治,由上古至此起一大变动,诸侯征伐,人心动乱,百家异说争鸣,各持所见,思有以措天下于治平,儒墨名法等外,老庄之说,亦为当时思想之一大主流。老子学说,主"清净无为"为道之宗旨,以"无为而无不为"为道之用,以"虚心实腹"、"专气致柔"为养生入道之方,以"以正治国"、"以奇用兵"、"以无事取天下"为治世之则。庄子思想学术,不若老子之严整,其逍遥博大,思入玄微,则与老氏之说,格调又多不同。其主"养生适性"、"忘我复外天地",视人间世尘尘逐逐,一皆平等齐观,归于乌有! 宗主于"归真返璞",处世如游戏,胸怀无物,遗世如脱。世奉二氏之说为道家宗主,举与儒佛之说并驱天下,非无因也。老庄之说,在当时亦如诸家学术,代表某一种学问造诣与其治世主张,初非具有为百代宗师之意,后世奉为宗教之主者,乃学者钦仰其崇高而相与尊之耳。

世传孔子曾问礼于老子,道教之徒,据以自夸,或非其说为伪造,千秋疑案,考证无从。司马迁著《史记》,亦述其事云:

老子者,楚苦县原乡曲仁里人也。名耳,字聃,姓李氏。周守藏之史也。……孔子适周,将问礼于老子。老子曰:子所言者,其人与骨皆已朽矣,独其言在耳!且君子得其时则驾,不得其时则蓬累而行。吾闻之:良贾深藏若虚,君子盛德容貌若愚;去子之骄气与多欲,态色与淫志,是皆无益于子之身!吾所告子者,若是而已。孔子去,谓弟子曰:鸟,吾知其能飞;鱼,吾知其能游;兽,吾知其能走;走者可以为罔,游者可以为纶,飞者可以为缯;至于龙,吾不知其乘风云而上天。吾今日见老子,其犹龙耶!……自孔子死后,百二十五年,而史记周太史儋见秦献公曰:始皇与周合而离,离五百年后而复合,合七十岁而霸王者出焉。或曰:儋即老子。或曰:非也。世莫知其然否!

史迁所述,迷离若此,抑其抱"整齐百家什语"态度,兼蓄并存,无与考证之事耶!然则,老子之东出函谷,西至流沙,不知所终者,又何说耶?此皆阙疑可耳。孔子之问礼于老子,事固足信,当时儒道之学,本不分家,老子既为周守藏史者,其学问渊博,识养皆深,亦无足异。以孔子学无常师,从而问礼,既不足增老氏之华,自亦非孔子之陋,学术探求,理应如是。而老氏告诫之语,与乎孔子赞叹之词,其人其行,均可想见其高远。唯孔老之间,仁慈济世目的虽同,所取途径各异,此老氏终成为道家之宗主,孔子永为人世之圣人。若后世道儒两家,执此互为毁赞者,固乖二氏之旨,信非二氏之徒矣!

庄周养生之说，与老子所言者，已渐差异，为后世道家，初启其萌蘖矣。若庄子之依乎天理，固其自然，吐故纳新，导引为寿。乃谓姑射仙人，不食五谷，吸风饮露，乘云气御飞龙而游乎四海之外。广成子自云：修身千二百岁，而形未尝衰。华封人云：千岁厌世，去而上仙，乘彼白云，至于帝乡。如此之言，皆为清静无为之道外，别具一种神秘色彩矣。然老庄之说，在当时之地位，仅亦为百家学术中之一流耳。

迨战国末年，燕齐之间，忽有所谓方士者流（饵丹药服食成仙之术士），称为道家，宗奉老庄而别成为丹道一途者，颇为社会所信奉。且自齐人驺衍倡五行之说，为阴阳家之大者。其学术内容，渐渐与方士之流接撰，亦复浸濡及于儒家之言，启后世以阴阳五行之说而言道术，并成为春秋图谶之学，直至于今。则为道家广汇众流，臻于博大之始矣。

秦始皇统一天下，妄求万世基业于不坠，希冀长生不死，信任方士，百计以求神仙丹药于海外，终至身死沙丘而不悔。方士者流，声名因得以大起，而于原始道家及老庄之道无与焉。盖以心劳日拙于穷兵黩武，而欲希冀长生不死，其于清静无为之道，岂非背道而驰！非始皇之误于方士，实方士之故误始皇耳！但在此时，印度之婆罗门教，已有至吾国传教者。佛家史籍称秦始皇时，有沙门至者，当非佛教之比丘，应为婆罗门教之沙门。"沙门"一名，在印度乃是出家人之统称。若以此观，秦时方士之术，与婆罗门瑜伽术等，似已早有沟通因缘。抑东亚诸神秘之术，大抵皆同出一源，亦未敢遽断。

汉晋南北朝之道教

自秦始皇混一海内，划分郡县，自以功德迈于往古，乃思求长生不死之术，遣徐市（括地志谓即徐福）发童男女数千人，入海求仙人。影响所及,丹道之声势渐普。汉兴虽尊儒家为治世正道,然一种学术,既已深入民间,自有其深固地位,况人谁不欲长生。丹道之说,既可超脱现实世间,复得乘云凌虚,而遨游于八荒之表,于现实而外,另有一神秘莫测之境可以追求,乃人类思想心理所向往。刘汉断秦而有天下,上至帝王,下及皂隶,此种传说与观念,更属普及。迄汉文帝用黄老之学施于政治,使人民于厌战之余,得以休养生息,一时大收功效,道家之说,尤征绩效。然文帝之尊奉黄老者,非方士之术,乃取法黄老之内主清静无为,外除多欲之治道,非求神仙不死之方。汉武帝则求仙之心特切,《史记·封禅书》记其礼李少君,信祠灶谷道却老方,遣方士入海,求蓬莱安期生之属,封禅以事鬼神,感黄帝鼎湖升天之事。又如《神仙传》等书,载其礼栾大,筑承露台,感西王母降神之事,异说神秘,迷离莫测,内宫巫蛊之祸,实自启其端也。

后汉桓帝信道亦笃,沛人张道陵客蜀,学道于鹄鸣山中,造作道书,传流各地,创"五斗米教"(从之学道者出米五斗)。其弟子中有鬼卒祭酒等名号,以符水咒术治病,百姓信尚至多。陵死子衡行其道。衡死,张鲁复行之,乃启汉末黄巾张角等借术倡乱之渐。实则,黄巾张角之徒,所谓"太平道"者,第如清代之"太平天国",借天主教而笼络人心,与张道陵之五斗米道,并无直接关系。后世之混为一谈者,误矣(事见《三国志·张鲁传》、《后汉书》皇甫嵩、刘焉二传)。张道陵之教,自张鲁修其祖之术,称天师君,其子盛移居江西龙虎山后,遂代袭其职。直至元顺帝至元间,策封其后裔张宗演为"辅汉天师",遂成后世所称之张天师道,为历代王朝及民间公私默认之道教领袖。其实此派道术,崇尚符箓术法,既不同于方士之服炼,更非原始道教及老庄道家之道。后之并入为道教,称之谓"正一派",乃时势使然耳。三国时,异人辈起,如于吉、管辂、左慈等,或以卜筮占验,或以方术炫奇,则又为道教之另一派系矣。若费长房,与佛教初期入吾国时,已早结有因缘,后著有佛经目录之事,另有其人,异代而同名也。

晋时葛洪崛起,已渐开道教之通途。洪著之《抱朴子》中,已有汇集玄道、炼服、符箓、占验等于一家之趣。后代学者考证,谓《列子》、《淮南子》等书,皆两晋时人托古之作。审如是,此时之道家思想,启后世继往开来之作,皆肇于斯矣。梁代为道家卓荦代表者,则为陶弘景,世称陶隐居,隐居以清才绝世,博学能文,怀王佐之才,隐山林之中,被尊为山中宰相,虽名尊位重,而终身以修道为务,诚为千古高人。平生著述甚富,然大半皆为道家立说,因其精于烧炼服食,故于医学尤有特长,所著《肘后百一方》等,为医学界所崇。卜筮略要、七曜新旧术数等为占验所宗,而以《登真要诀》、《真诰》二书为道家不易之旨。其博学多能,会通诸说,较之葛稚川(洪)言丹道学术者,尤多扩充矣。

齐梁间,王侯公卿,从先生受业者数百人,一皆拒绝。唯徐勉、江祐、丘迟、范云、江淹、任芬、萧子云、沈约、谢瀹、谢览、谢举等,在世日,早申拥彗之礼。绝迹之后,提引不已。沈约尝疾,遂有挂冠志。疾愈,复留连簪绂,先生封前书以激其志。约启云:上不许陈乞。先生叹曰:此公乃尔寒薄。(《华阳陶隐居内传》)

陶隐居毕生致力于道,而当时佛法在吾国,已有风雷日盛之势,隐居博学穷究,已留心及此,且推佛法终为究竟之意。窥其踪迹,时之佛道二家,似已互排复互渗矣。隐居《答朝士访仙佛两法体相书》有云:

至哉嘉讯,岂蒙生所辩。虽然,试言之:若直推竹柏之匹桐柳者,此本性有殊,非今日所论。若引庖刀汤稼从养溉之功者,此又止其所从,终无永固之期。但斯族复有数种,今且谈其正体。凡质象所结,不过形神,形神合时,则是人是物,形神若离,则是灵是鬼,其非离非合,佛法所摄,亦离亦合,仙道所依。今问以何能而致此仙?是铸炼之事,感受之理通也。当埏埴以为器之时,是土而异于土,虽燥未烧,遇湿犹坏,烧而未熟,不久尚毁,火力既足,表里坚固,河山可尽,此形无灭。假令为仙者,以药石炼其形,以精灵莹其神,以和气濯其质,以善德解其缠,众法共通,无碍无滞,欲合则乘云驾龙,欲离则尸解化质,不离不合,则或存或亡。于是各随所业,修道进学,渐阶无穷,教功令满,亦毕竟寂灭矣。(《艺文类聚》七十八)

　　由后汉至南北朝间,佛教东来,势如风偃。其与儒家之间,摩擦尚少,而与道家之间,在南方者,尚骖靳相安,在北方者,则抵触颇大。在此四百年间,吾国道教,已由原始道家老庄之学,渐收罗方士之烧炼养生、服食、医药、占验、符箓等术,而形成一宗教,与佛教互争短长矣。道教初起之时,如奉诵经典,建筑寺观,和各种礼拜仪式等,吾国原无创制,多皆仿模佛教而来。渐至内容如"无极"、"太极"之说,又与佛法"空"、"有"之义,互相渗通。既成宗教以后,彼此间应具宗教之仁慈宽容大度者,往往惑于主观形式之见,致成水火。自东晋道士王浮,伪造《老子化胡经》以自托其高远,至北魏太武帝时,权臣崔浩信寇谦之之辈,怂恿武帝灭僧排佛,至北周武帝,又有灭佛之事,此皆佛道互争地位之惨史。正如唐高祖时,傅奕请除佛法,萧瑀与其互争于朝,云"地狱正为此人设也"。但此所争者,乃宗教之事,由于自我私心所驱使,与仙学之丹道无与焉。

唐宋元明清情形

　　自唐一天下,尊崇道教,不逊儒佛,三教并驱局面,于以大定。以老子同为李姓,基于宗族观念,推尊为"太上玄元皇帝"。庄子封号"南华真人"。列子号"冲虚真人"(将《庄子》一书改为《南华真经》,《列子》一书改为《冲虚真经》)。两京崇玄学,各置博士助教,又置学士一百员（事见《旧唐书·礼仪志》）。唐室历代帝王，求长生服丹药者，屡见不鲜。羽客女冠，遍于州郡。武则天、杨贵妃、至真公主等，一代妃主，凡为女道士，可考者约四十余人。诗人墨客，尝见刺于辞句，如韩愈"云窗雾阁事窈窕？"李义山之《圣女祠》诗："绛节飘香动地来"等，皆其讽刺女道士之作；琳宫鹤观之多，亦遍布寰宇，义山《题中条山道静院》诗云："紫府丹成化鹤群，青松手植变龙文。壶中别有仙家日，岭上犹多处士云。独坐遗芳成故事，褰帷旧貌似元君。自怜筑室灵山下，徒望朝岚与夕曛。"直至武宗，又成一度灭僧毁佛之事。佛道二教，至此时代，皆臻鼎盛时期，道教典籍，亦至繁赜。若僖宗时之道士杜光庭，著述尤多，如《道教灵验记》、《神仙感遇传》、《墉城集仙录》、《洞天福地岳渎名山记》等，皆出诸其手。杜后入蜀，复为王建宠遇，历官至谏议大夫、户部侍郎，而杜复伪造佛经及道经多种，故后世之称伪书之无据者，皆曰"杜撰"。

　　然在唐末，有直承原始道家，祖法老庄之神仙丹道一派，已隐然特立，与禅宗渐至合流。为其彰著之代表者，厥为吕岩真人号洞宾者。

　　迨乎宋代，徽宗笃重道教，崇奉道士林灵素，事以师礼。而尤以降鸾扶乩之术，昌盛一时，愚昧迷惑，招致父子北狩，身为臣虏，老死他邦，抑何可叹！虽然，此非道教之过，其国破家亡之祸，亦不全系于信奉道教一事。徽宗虽未排佛，其崇信道教殊力，曾屡废佛寺改为道观。时之禅师，以身殉道，或以道行感悟之者，颇不乏人，如：

　　处州法海立禅师，因徽宗革本寺作神霄宫，师升座告众曰："都缘未彻，所以说是说非，盖为不真，便乃分彼分此。我身尚且不有，身外乌足道哉！正眼观来，一场笑具！今则圣君垂旨，更僧寺作神霄，佛头添个冠儿，算来有何不可！山僧今日不免横担拄杖，高挂钵囊，向无缝塔中安身立命，于无根树下弄月吟风。一任乘云仙客，来此咒水书符，叩牙作法，他年成道，白日上升，堪报不报之恩，以助无为之化。只恐不是玉，是玉也大奇！虽然如是，且道山僧转身一句作么生道？还委悉么？"掷下拂子，竟尔趋寂。郡守具奏，诏仍改寺额曰真身。

又汝州天宁明禅师，改德士（即道士）日，登座谢恩毕。乃曰："木简信手拈来，坐具乘时放下。云散水流去，寂然天地空。"即敛目而逝。

道家学术，由秦汉方士类变为道教，至唐宋间，受禅宗影响，渐有摆脱支离驳杂之道教趋势，直承原始道家及老庄之言，而产生金丹大道之说。其代表人物，当以唐之吕纯阳，宋之张紫阳（伯端）、白紫清（玉蟾）等数人为最。此后，丹道学术，与道教原来面目，不无改头换面之处。后之言道家者，皆以丹道为道教中心，亦如唐宋后之言佛教者，统以禅宗概观佛法之全，实有异曲同工之妙。清人方维甸于其《校勘抱朴子内篇序》中有言云：

余尝谓汉之仙术，元与黄老分途。魏晋之世，玄言日盛，经术多歧，道家自诡于儒，神仙遂涸于道，然第假借其名，不变其实也。迨及宋元，乃录参同炉火而言内丹，炼养阴阳，混合元气。斥服食胎息为小道，金石符咒为旁门，黄白元素为邪术，惟以性命交修为谷神不死羽化登真之诀。其说旁涉禅宗，兼附易理，袭微重妙，且欲并儒释而一之。自是汉晋相传神仙之说，尽变无余，名实交涸矣。

唐宋间丹道学术，已由原始道家出入于儒佛禅宗之间，有直取禅理而言炉鼎丹药之道者，如张紫阳、白紫清二人，尤为显著。至宋室末造，北方崛起一邱长春（处机）真人，学问道德，冠迈群伦，乃奠定道教"龙门派"之基础。邱长春原与马丹阳、孙不二等七人，同学于重阳真人王嘉之门，其年事道力较幼，唯力学精勤，终成大器。金人慕其德行，屡聘不赴，而应元太祖之隆重礼聘，兵骑维护，间关至于雪山。应对之间，劝以戒杀，且谈玄论道，至为平实，崇尚清虚之旨,一洗历来方士习气,丹道门庭,焕然一新。其于西行经历,著有《西游记》一书,以纪其实(非小说之《西游记》也)。长春之学术务实,有会三教一元之趣,时之儒者,有曾接近其人,咸叹为一代之圣,足见其感人之深。而此派又有称之谓"全真教"者,盖隐谓其有别于方士之道术,全三教之真也。金元好问《离峰子墓铭》云:

> 全真道有取于老佛家之间,故其饿憔悴,痛自黔劓,若枯寂头陀然。及其得也,树林水鸟,竹木瓦石之所感触,则能颖脱,缚律自解,心光晔然,普照六合,亦与头陀得道者无异(《元遗山文集》)。

又,元代元和子《长春观碑记》云:

> 全真之教,微妙玄通,广大悉备,在人贤者识其大,不贤者识其小。大抵绝贪去欲,返璞还淳,屈己从人,懋功崇德,则为游藩之渐。若乃游心于澹,合气于漠,不以是非好恶,内伤其生,可以探其堂奥矣。

宋元以后,所谓道家者,大抵皆举南(张紫阳)北(邱长春)二派丹道之学。然丹道学术,与昔来道家或道教,迥然有别,学者不能不察。及乎明清二代,于南北二派以外,异宗突起,诸说纷纭,其中较著者,乃有西派东派之谓。或主单修性命以为宗,或主双修阴阳以为旨,要皆祖崇吕纯阳,合四派之流,统不外于吕祖之支分焉。清代学者颇多,而以乾嘉道学之著者刘悟元、朱云阳二人为其翘楚。刘朱道学,皆出入于禅,尤以刘悟元之说理修炼,纯主清静,力排方士诸说,参合佛理要旨,于丹道法中,又别创一格。其人羽化以后,肉身尚留于甘肃成陵朝元观。此外,成都双流刘沅(止唐)为乾嘉时之大儒,讲道学于西蜀,世称为"刘门",传为亲受老子口诀,边居青城八年而道成。著作丰富,立论平允,于三教均多阐发。其授受方法之间,颇有藏密成分,抑其地居近于康藏,其学术思想,不无挹此注彼之处,此一系,相当于元之"全真教"、明之"理教",亦为三教之变焉。

道家学术,在晋宋元三个时期,另有三家,均为诸家所重视,而不入派系之列者:即汉之魏伯阳,著有《参同契》,以阴阳五行炉火丹鼎之说而言道者。宋之陈抟,以易理无极太极之学,而言丹道,数传至邵康节,发挥易数之学,至于鼎极,并渐变涸入儒家之理学。宋元之间张三丰,以烧炼丹法修气调御为主者。此之三者,当以魏伯阳为丹道正统之宗祖,陈抟不失为道家之真,张三丰则为方士中之卓越仙才。

此外,明代万历时,有伍冲虚、柳华阳师弟,传授性命双修之学,独成丹道之特别一派,世称之谓"伍柳派",其学术思想,浸淫于佛道之间,而皆错解经义,附之异说。以修气修脉,锻炼精神为主。方法不外于服气之域,理论则为佛道糟粕,于养生祛病,或稍有助,以之探求大道,殊有旁驱歧路之虞!但此之一派,盛行各地,以及于今,世之言丹道者,竞以为归。学术之惑乱人心者,实亦甚矣!

道教之经籍

古代儒道不分,南宋陆九渊(象山)、清初崔述,早曾有见及此。如战国末年《吕氏春秋》、西汉初年《淮南子》、《韩诗外传》、《春秋繁露》,他如《论语》、《礼记》,皆掺入道家议论。骆衍援《尚书》洪范九畴之篇,创五行学说,使吾国二千余年学术思想,均未离于阴阳五行之藩篱。西汉末年所出《纬书》,启两汉乃至后代图谶学说之门,阴阳术数之学,掺变于儒道中心思想者,其由来已久且固矣。宋明之间,道教经典,仿佛教藏经之例,亦汇编为《道藏》,经历代增添,全藏共有五千四百八十五卷。其他丹经旁说,散佚流通者,亦复不少。《道藏》收集至广且杂,举凡儒家、阴阳家、兵家、医家诸书,统为罗致。例如成都青羊宫兼收《诸葛武侯全集》而入《道藏》,学者有谓其"综罗百代,极尽精微广大"者,亦非过誉之言。

宋真宗时,张君房奉敕校正秘阁道书,撮其精要而成《云笈七籤》，为道教经籍丛编之宗典，道家之言，于以大备。其书以天宝君说洞真、灵宝君说洞元、神宝君说洞神，为上中下三乘。以太元太平太清三部为辅经，又以正一法文遍陈三乘别为一部。统称三洞真文，总为七部，凡一百二十二卷。凡经教宗旨及仙真位籍之事，服食、炼气、内丹、外丹、方药、符图、守庚申、尸解诸术，以及前人诗歌、文字、传记之属，涉及于仙道者，均悉编入（有商务印书馆《四部丛刊》影印本）。

《道藏》编辑，全仿佛经，有三洞十二类。洞真、洞元、洞神，为三洞。以太元部辅于洞真，太平部辅于洞元，太清部辅于洞神，而统会于正一部，共为七部大纲，与《云笈七籤》编汇相合。复以本文、神符、玉诀、灵图、谱录、戒律、威仪、方法、众术、记传、赞颂、表奏，为十二类子目。明正统中，宋披雪雕印《道藏》四百八十函，五千三百零五卷。万历三十五年，天师张国祥复编辑《道经》，续加三十二函，百八十卷，粲然备陈，都成今藏。中所收罗，多有周秦诸子、晋唐佚书，于保存吾国文化，功实非细。天启间，上元道人白云霁（字明之，道号在虚子）作《道藏目录详注》四卷，考证颇具崖略，足资研究。通常流通，尚有《道藏辑要》二百册，另有《道藏精华录》一百种，皆钩元提要之作。

道家学术，有特立独行，摆脱道教方术范畴而直指丹法者，凡此著述，统名之曰"丹经"。自魏伯阳援《易》作《参同契》后，历世之所言丹道者，皆祖述其旨。自宋张紫阳《悟真篇》以次，如《入药镜》、《翠虚篇》、《指玄集》、《性命圭旨》、《规中指南》、《中和集》等著作，皆为丹道正统之言。清人著作若朱云阳之《参同契阐幽》、《悟真篇阐幽》，以禅理而溶入于丹道，别有会心，允为伟著。刘悟元著书十二种，清虚平实，力扫方士积习，俨然开佛知见。尤以其名著《修真辨难》一书，特论笃实，足为丹道式范。至若闵一得（小良）《古隐楼丛书》，则驳杂无归，离道尚远。清人黄元吉著有《乐育堂语录》，乃儒化道家之正者，言多隽永。复外如伍柳著作《天仙正

理》、《仙佛合宗》、《金仙证论》、《慧命经》等,则为丹道之歧,不能视
为正途。依道家而言道家之正者,除上述诸书外,若吕祖之《百字
铭》、曹文逸之《灵源大道歌》、孙不二之《女丹诗》等,已简摄玄微,
直指窍妙,丹道之旨尽在其中矣。依经而论,则太上十三经(《道德
经》、《阴符经》、《清净经》、《玉枢经》、《日用经》、《洞古经》、《五厨
经》、《金谷经》、《循途经》、《护命经》、《大道经》、《定观经》、《明镜
经》、《文终经》、《老子真传》、《辨惑论》),已尽其大。若《黄庭内外
景经》,当与《黄帝内经》(灵枢素问)参研,再参合于藏密之甚深内
义根本颂,于养生服气修气修脉之术、中西医学生理学等,必另有
汇通与新知,贡献于世界人类者,更为有功。至若陆潜虚之《方壶
外史》、张三峰(三峰言阴阳双修之术,另有其人,非张三丰也)《丹
诀》等作,皆当别列一类,入于双修之宗。上焉者,同于密宗无上瑜
伽双身修法之欲乐大定,而潜虚之术,或有过于此矣。其次,皆不
外于《素女经》、《玉房秘诀》等房中术之流亚,邪见谬术,无足言者。
唐代帝室宫廷,乱于此道,亦如元代内廷,乱于密宗之双修,皆为佛
道之大不幸者。

其他或托乩笔,或借伪名,或假古仙遗著,或演寓言隐秘;若创
作,若注释,玉石并陈,真伪莫辨,皆不足观矣。此之一类。无以名
之,姑称之谓"道瘤部"。

要之,道家学术,再变而为道教,复演而成丹道,历代罗致,驳
杂已极。纪昀尝论之云:

后世神怪之迹,多附于道家,道家亦自矜其异,如《神仙传》、
《道教灵验记》是也。要其本始,则主于清静自持,而济以坚忍之
力,以柔制刚,以退为进,故申子韩子,流为刑名之学。而《阴符经》
可通于兵。其后长生之说,与神仙家合一,而服饵导引入之。房中
一家,近于神仙者,亦入之。鸿宝有书,烧炼入之。张鲁立教,符箓
入之。北魏寇谦之等,又以斋醮章咒入之。世所传述,大抵多后附
之文,非其本旨。彼教自不能别,今亦无事于区分。然观其遗书,

源流变迁之故,尚一一可稽也。(《四库全书总目提要》子部道家类)

道教典籍,名辞闪烁,寓言法象,如阴阳、炉火、坎离、龙虎、男女、黄白之类,各师其说,定义不一。且文辞理则,大抵诡诞浅陋,以至学者茫无所归,愈入愈迷。至若琼寰玉宇,芝阁琳宫,缥缈清虚,读之令人有翩翩霞举之概! 此为文辞之另一境界。

丹道之类别

道家学术,内容罗致极广,举凡天文、地理、阴阳、术数、医药、星相、符箓、技击等学,皆其所尚;以之配合服气、炼养、服饵、烧炼等而归入于玄微。地理之有堪舆,术数之有卜筮,符箓之有驱遣,技击之有剑术与外功(炼形气合一为剑术之最高造诣,以炼气炼筋骨为内外功之分途)。无论为学为术,要皆归合于道,汪洋博大,确非浅见可窥。梁启超论道家学术,曾分为四派:以丹鼎为一派,符箓为一派,卜筮占吉凶为占验一派,以何晏、王弼、向秀、郭象等为道家玄学之正派。此犹以道家整体而为类别者也。符箓之学,在道家称为正一派,皆归入"南宫"一途。"南宫"者,谓其司天人祸福之际,非道之宗主也。

道家之言,修仙皆以丹法为主。金丹之事,又有内外之别。以守一、服气、炼养,为内丹之学。以服饵、烧炼,为外丹之术。而内外丹皆有上中下三品之说,以别其成就之等差。复有天元、地元、人元之分,单修、双修方法之不同,而要皆须具备法、财、侣、地为修道之基本条件。及其成就,复有神仙、天仙、地仙、人仙、鬼仙,种种差别。略举如薛道光注《悟真篇》所云(按:《四库全书总目提要》谓薛注实乃翁葆光注之误):

仙有数等,阴神至灵而无形者,鬼仙也。处世无疾而寿者,人仙也。飞空走雾,不饿不渴,寒暑不侵,遨游海岛,长生不死者,地仙也。形神俱妙,与道合真,步日月无影,入金石无碍,变化无穷,隐显莫测,或老或少,至圣如神,鬼神莫能知,著龟莫能测者,天仙也。阴真君曰:若能绝嗜欲,修胎息,存神入定,脱壳投胎,托阴阳化生而不坏者,可为下品鬼仙也。若受三甲符箓、正一盟威、上清三洞妙法及剑术尸解之法而得道者,皆为"南宫"列仙。在诸洞府修真得道,乃中品仙也。若修金丹大药成道,或脱壳或冲举者,乃无上九极上品也。

若此之说,各宗其传,大体无多出入。唯至朱云阳注《悟真篇》,则述天仙之义,迹中为仙,事则入佛矣。如云:

世人才说学仙二字,除却黄白男女,便以吐纳导引,搬精运气者当之。至为浅陋可笑,不必言矣。又闻道家说有五等仙,天地神鬼,优劣判然。佛家说有十种仙,寿千万岁,报尽还堕。学道之士,茫茫多歧,莫知适从。岂知无上至真之道,只有天仙一路而已。此非五等仙中留形住世、十洲三岛之仙,亦非十种仙中,不修正觉、报尽还堕之仙,乃无上仙也。此天非凡夫欲界、色界有漏之天,并非外道非想非非想定无色界,销碍入空;与夫穷空不归,八万劫终,毕竟轮转之天,乃第一义天也。

正统之天仙丹道,其学术思想,至此为极,一变再变,已纯入于禅。至若旁门左道、邪僻之说,统皆不足观矣。

丹道门庭,共衍为四派,有南北东西四者之分。南宗丹道,以东华帝君授丹法与钟离权,权授吕洞宾,宾授刘海蟾,蟾授张紫阳,递传至石杏林、薛道光、陈泥丸、白紫清、彭鹤林为南派。张紫阳、白紫清之最高指授纯以禅语而言丹道。如紫阳之《悟真篇外集》、紫清之《指玄集》,皆力扫寓言法象而直陈心法。北派丹道,复以钟吕传授王重阳,王传邱长春等七人,而以邱大其阐扬,成为北宗之"龙门"一派,邱祖授受之际,亦复归于平实,无诸怪诡之言。迄明隆庆时,陆潜虚亲感吕祖降于其家,留于"北海草堂"二十日,得其丹法,而成东派云云。陆之丹法,以双修为宗,迷离莫测,后世借附致成邪说者亦多。清咸丰间,李涵虚曾于蜀之峨嵋山亲遇吕祖于禅院,密付玄旨,李著有《道窍谈》等书传世,公推为西派之祖云云。四派丹法,通途皆祖述吕纯阳、上溯东华帝君而云直接于"老君"。老子之学,清静无为之旨,见于遗文,而以炉鼎、水火、阴阳、五行之说言丹道者,当以汉之魏伯阳为始。吕祖实此中集大成者。若四派之学,皆自吕祖而分途,穷源探本,自可悉其旨归。伍柳一系,当在例外。

至若旁门左道,乃流为邪魔之说者,即道家自宗,亦力加排斥,如称旁门八百,左道三千,种种名目,各标邪说者,屈指难数。道家学术,易入神秘邪说者,不但现在如此,晋时葛洪《抱朴子》,已详列当时妖妄之言甚众。若今世之相传某某道、某某社、某某会者,大抵多为元代白莲教之遗流,复采集佛道之言,牵强附会,自命为道之宗,历传久远,蛊惑已深,自亦不明其本矣。凡此之类,亦多小善可风,唯借道学而淆惑人心,不入正途,且易被狡黠者所利用,具有政治野心而复不明人文政教之本,终至身罹刑辟,神堕泥犁,殊为可悯!虽然,有地藏菩萨相待于地狱之中,当可拯斯族类之痴迷矣!

佛道优劣之辨

道家以金丹为方便,以登真而证仙位为极则。内丹以一己心身为起修基础,所谓炉鼎、坎离,不外此一心身止观之异名寓象。守窍存神,初以调和气脉,解脱身执,终使制心一处,渐达禅定阶梯。外丹则以药物服饵,初以变此气质之躯,使归于心定神闲,趣入禅定解脱。要之,正统丹道学术,所谊寓言法象,皆指禅定过程中种种觉受境界而言。其中以禅定解脱程度深浅之不同,而定其地位之等差，别无神秘可言。若上品丹法，以心身为鼎，天地为炉，则冥合顿超之趣。进而接触佛法，与禅宗接流，则于昔来丹法以外，终以禅宗圆顿之旨为其旨皈矣。禅宗知解宗徒，与乎狂禅之流，舍弃禅定工夫者，比之丹道尚犹未足。若具正知正见，透顶透底，涣然解脱者，则视丹道之言，皆为有过，凡所说法，尽成多余矣。

众生心行，有种种不同积习，故从上诸佛圣贤，设许多方便，循其所欲，导登无上正觉之道。如《普门品》所谓："应以何身得度者，即现何身而为说法。"奈吾佛之徒，一触异说他宗，即嗤之以鼻，目为外道。殊不知"外道"一名词，凡诸宗教，指他宗异学，统皆称为外道。此所谓外道者，实乃外于我之道也。以彼之视我，亦犹我之视彼，"才有是非，纷然失心"。徒以自形其隘耳。佛所谓外道，指"心外觅法"、"向外驰求"之事也。如此则纵依正教，未见自心，虽行埒圣贤，说超佛祖，安得谓独非外学哉！若以正智视之，只觉可愍，须谋拯救，视之为仇，亦乌乎可！况左道亦道也，唯左于直道耳。旁门亦门也，惜旁于正门耳。不能拨乱而反正，愚在众生，过在圣贤，于人何尤乎！道家之徒，大抵皆推崇佛法，唯所崇拜者，独为佛及菩萨，且极尊禅宗六代以前诸祖，盖言佛及祖，皆为"大觉金仙"。而云自六祖以后，法已不传，故佛之徒，仅知修性而不修命，但能证解脱之鬼仙，未能得形神俱妙之无上大道；殊不知彼所谓性者，事非真性，所谓命者，亦乃形质之滓耳。真能证悟真如本性，自体本具万法，所谓命者，咸在其中矣，岂假造作而后得哉！

凡此之论，皆为成见碍膺，未达诸学之圆极也。穷诸万变，不出一心，试举丹道家言，自可明其梗概。张紫阳真人《悟真篇》原序有云：

> 故先圣设教，开方便门，教人了性命以脱生死。释氏以了性为宗，顿悟圆通，则直超彼岸；故习漏未尽，尚徇生趣。老氏以了命为本，得其枢要，即跻圣位；如未明本性，又滞幻形。……根性猛利者，一见此篇，便知仆得达摩西来最上一乘妙法。如其夙业尚存，

自堕中小之见，则岂仆之咎也哉！

原著后序复云：

欲体至道，莫若明乎本心。心者，道之枢也。人能时时观心，则妄想自消，圆明自见，不假施功，顿超彼岸，乃无上至真妙觉之道也。此道直截了当，人人具足，只因世间凡夫，业根深重，种种迷惑，以致贪著幻身，恶死悦生，卒难了悟。黄老悲其贪著，先以修命之术，顺其所欲，渐次导之了道。

又其诗曰：不移一步到西天，端坐西方在目前。顶后有光犹是幻，云生足下未为仙。

白紫清《指玄集》中，论药物、炉鼎、火候，皆是一心，丹道之旨，于斯毕露。三复其吟"金丹"、"冲举"诸诗，尤为亲切。如：

佛与众生共一家，一毫头上现河沙。九还七返鱼游网，四谛三空兔入罝。混沌何年曾结子？虚空昨夜复生花。阿谁鼎内寻丹药，枯木岩前月影斜。（金丹）

自从踏著涅槃门，一枕清风几万年。弱水蓬莱虽有路，释迦弥勒正参禅。谁将枯木岩前地，放出落花雨后天。两个泥牛斗入海，至今消息尚茫然。（冲举）

凡此之说，仅举其略。如吕纯阳见黄龙而明最后一著子，释道光遇杏林而成丹，禅定与丹道，又各据为长短之争。究为如何，略复论之。

吕岩真人，字洞宾，京川人也。唐末，三举进士不第，偶于长安酒肆遇钟离权，授以延命术，自尔人莫之究。尝游庐山归宗，书钟楼壁曰：一日清闲自在仙，六神和合报平安。丹田有宝休寻道，对境无心莫问禅。未几，道经黄龙山，睹紫云成盖，疑有异人，乃入谒。值龙击鼓陞座。龙见，意必吕公也。欲诱而进，厉声曰：座旁有窃法者。吕毅然出问："一粒粟中藏世界，半升铛内煮山川。"且道此意如何？龙指曰：这守尸鬼。吕曰：争奈囊有长生不死药？龙曰：饶经八万劫，终是落空亡！吕薄讶，飞剑胁之，剑不能入。遂再拜求指归。龙诘曰："半升铛内煮山川"即不问，如何是"一粒粟中藏世界"？吕于言下顿契，作偈曰：弃却瓢囊摵碎琴，如今不恋汞中金。自从一见黄龙后，始觉从前错用心！龙嘱令加护。（事载《指月录》）

　　说者有谓此则公案，疑为后人所诬。以吕祖之贤，岂必待黄龙方能见道乎？殊不知大道平易，愚者不及，智者过之。吕之工用见地，已臻玄境，唯此向上一路，待黄龙一指方破，盖亦时节因缘，触此机境耳。未见黄龙时，正此一著子，见亦见得，明亦明得，用亦用得，只是不能放舍。待黄龙点破而大休大歇去，方见本具之性，不因工夫修证而有增减取舍于其间也，容复何疑！

　　丹道学者则谓南宗祖师薛道光，虽参禅已悟，不得究竟，乃转而学道，故谓禅宗只是修性，未得修命之诀，非为究竟。如云：

　　紫贤真人，名式，字道源，一字道光，陕西鸡足山人也。尝为僧，云游长安，参开佛寺长老修岩，岩示以道眼因缘：金鸡未明时，如何没这音响？又参僧如环，问：如何是超佛越祖之谈？环曰：胡饼圆陀陀地。参讯有年，一夕，闻桔槔有省，作颂曰：轧轧相从响发时，不从他得豁然知。桔槔说尽无生曲，井底泥蛇舞柘枝。二老然之。自是顿悟无上秘密圆明法要，机锋迅速，宗说皆通，积有年矣。一日，复悟如上皆这边事，辩论纵如悬河，不过是谈禅说道，尚未了手。遂有志金丹修命之道，竭力参访。崇宁丙戌冬，寓郿县佛寺，适遇杏林（陵）道人石泰得之，时年八十五矣；绿鬓朱颜，夜事缝纫，紫贤密察焉，心窃异之。偶举张平叔（紫阳）诗句为问，石矍然曰：识斯人乎？吾师也。紫贤闻其语，即发信心，稽首皈依，请卒业大丹。得之悉以口诀授之。且戒之曰：此非有巨公外护，易生谤毁，可疾往通都大邑，依有德有力者图之。紫贤遂弃僧伽黎，幅巾缝掖来京师,混俗和光,方了此事。薛成道后,以丹法授陈楠(翠虚),陈授白玉蟾(紫清),总是南方人,并紫阳、杏林,共五代,所谓南宗五祖也。(《石薛二真人纪略》)

稽此一则公案,薛道光于宗门所悟处,实为解悟,非力透三关之证悟也。充其极,亦只于光影门头,觌面一见,即乾慧勃发,茫无旨归,复发真疑,事所必至。若僧如环示以"胡饼圆陀陀地",为超佛越祖之言,实为颠顸般若,于佛祖心印,迥没交涉。及见紫贤一偈,许以见道,骤加印证,不知其仅在声色门头,领会境界而已。紫贤转而学道,适见其参学之诚,于禅宗无咎!此皆误于无目宗师,盲人瞎己,与禅宗圆顿旨归,所距至远。禅宗无师,过复谁属!石杏林乃直承张紫阳之学,紫阳自称得达摩无上之诀,紫贤终复入于丹道家传承之禅矣。

朱云阳注《悟真篇》有云:

金者,不坏之法身,丹者,圆成之实相。复云:言其真,则性命在其中矣。以此视世之妄指肉团身中而修性命者,当可猛省。

又:大抵是恐泄天机,不敢直说,故有药物、炉鼎、火候之法象,有乾坤、坎离、龙虎、铅汞之寓言。奈何言之愈淳,世人愈加茫昧。孰知真者,即人人具足之真性命也。……篇中种种法象寓言,迷之则一切皆妄,悟之即一切皆真。盖言真,则性命在其中矣。言性,则穷理尽性以至于命,悉在其中矣。(注《悟真篇》前言)

清帝雍正,以帝王身入道,自命为禅宗宗师,褒贬诸方,以圆明大觉而自号,独于丹道张紫阳真人法语,备加推崇。且其论仙佛之道,尤为允当。世之言性命双修者,参究雍正之言,当可知所旨归矣。如云:

紫阳真人,作《悟真篇》以明玄门秘要。复作《颂偈》等三十二篇,一一从性地演出西来最上一乘之妙旨。自叙云:此无上妙觉之至道也,标为外集。审如是,真人止应专事元教,又何必旁及于宗说,且又何谓此为最上?岂非以其超乎三界,真亦不立,故为"悟真"之外也欤!真人云:世人根性迷钝,执其有身,恶死悦生,卒难了悟。黄老悲其贪著,乃以修生之术,顺其所欲,渐次导之。观乎斯言,则长生不死,虽经八万劫,究是杨叶止啼,非为了义,信矣。若此事,虽超三界之外,仍不离乎一毛孔之中,特以不自了证,则非人所可代。学者将个无义味语,放在八识田中,奋起根本无用,发大疑情,猛利无间,纵丧身失命,亦不放舍,久之久之,人法空,心境寂,能所亡,情识灭,并此无义味语,一时妄却,当下百杂粉碎,觌体纯真。此从上古德所谓:绝不相赚者!真人以华池神水,温养子珠,会三界于一身之后,能以金丹作无义味语用,忽地翻身一掷,抛过太虚,脱体无依,随处自在,仙俊哉!大丈夫也!篇中言句,真证了彻,直指妙圆,即禅门古德中如此自利利他,不可思议者,犹为希有!如禅师薛道光,皆皈依为弟子,不亦宜乎!刊示来今,使学元门者,知有真宗,学宗门者,知惟此一事实,余二即非真焉。是为序。(雍正御制《悟真篇·序》)

雍正一序,所谓金丹大道,与乎禅宗圆顿之旨,皆已回互阐出,而无余蕴。丹道之学,终入于禅,于兹可证。虽然习丹道者,亦如密宗学人,终执幻形,易滞法执。不若自心法入门,了则透体放下,提则拄杖可依。此中微细差别,学者不能不察也。

丹道入禅,已臻化境。唯禅宗以及佛法诸宗,受老庄道家影响者,亦复不少。如傅大士之偈云:"有物先天地,无形本寂寥。能为万象主,不逐四时凋。"此所谓"先天地"、"本寂寥",非老子之"有物混成,先天地生。""寂兮!寥兮!"之脱胎乎?昔来宗师,斥狂禅之说,为"空腹高心",非取老子之言"虚其心,实其腹"之为是乎?又若"回光返照"、"无位真人"等等名言,借引之处,亦至多矣。

虽然,圣贤仙佛,要皆具大悲愿,以自觉觉他为本行。但能救度众生,解脱苦海,证登正觉,不论其化迹为何,当勿以门户之异而兴诤讼。唐代仙人谭峭有言曰:

线作长江扇作天,靸鞋抛向海东边。蓬莱此去无多路,只在谭生拄杖前。

世之学道者,应须速抛靸鞋,急觅拄杖,得失短长,是非人我之见,绝不可萦于胸中。不然,无论学佛学仙,均非用心之所宜矣。

禅宗与理学

中国文化,渊源深远,周秦之际,百家争鸣。迨汉武帝尚儒术,诸子百家之流,如百川之汇海,而一尊于儒,皆讲习六经,明体达用,于人文政教之道外,初非有标新立异,自命得孔孟心学不传之秘者。自董仲舒以下,精疏博证,浸成为训诂之学,历代传习,固无所谓心性理气等玄妙之旨。时至北宋,儒家之学,忽有理学崛起,谓得孔孟以来心法,大变从来讲学之趣,遂成儒家道学一途。儒者之言,别开生面,产生心性、理气、性情、中和、形上、形下、已发、未发诸问题;初则自分四派(濂、洛、关、闽),后惟朱(熹)陆(象山)是争。在君子,只是讲明正学,互诤意见之不同,在小人,终窃师儒之道,而成门户之私,援讲学之名,而滋朋党之祸。乃酿成元佑庆历二次之党禁,欲求至善而反流于狭隘,洵足为学术之悲也。清儒纪昀有云:

> 儒者本六艺之支流,虽其间依草附木,不能免门户之私,而数大儒明道立言,炳然具在,要可与经史旁参。

> 古之儒者,立身行已,诵法先王,务以通经适用而已,无敢自命圣贤者。王通教授河汾,始摹拟尼山,递相标榜,此亦世变之渐矣。迨托克托等修宋史,以道学、儒林,分为两传。而当时所谓道学者,又自分二派,笔舌交攻。自时厥后,天下惟朱陆是争,门户别而朋党起,恩仇报复,蔓延者垂数百年。明之末叶,其祸遂及于宗社。惟好名好胜之私心,不能自克,故相激而至是也。圣门设教之意,其果若是乎!(《四库全书总目提要·子部·儒家类序言》)

儒家至北宋间,理学之异军突起,并非偶然之事。一种学术之成衰,必然有其社会环境之背景,及为当时文化潮流所驱使。理学之兴,亦循此例。其故为何? 断言之曰:受禅宗之影响也。

理学之先声

汉代诸儒,于义理上既无新见地,唯致力于注疏考证,末流余习,渐趋于词章小道之学。两晋以还,天下大势,继承平而渐肇变乱,吾国民族文化精神,乃有一新的嬗变。士大夫间谈玄风气,与佛法传播,同时称盛。当时学者,以三玄(《易经》、《老子》、《庄子》)之学为哲学思想归趋,已渐疏忽经世之学而趋向于虚渺幽玄之域。自时厥后,西域高僧,如鸠摩罗什等远来东土,大阐佛法,国中大师蔚起,如道安、道生、慧远者,皆毕生尽瘁弘法。如慧远之入庐山结"白莲社",一时名士若刘遗民等,皆依习净业,陶渊明亦时相过从。足见当时知识阶级之思想风气,不免随政治及社会环境而转移。迨隋唐之间,王通起而讲经世之学于河汾,继之天下升平,贞观间多数文武将相,均出于王氏之门,儒学至此,复臻昌明。

南北朝间,禅宗初祖菩提达摩,已由印度渡海至梁,传佛心法。至初唐有六祖惠能与神秀者出,南北宗徒,风起云涌,上至帝王,下及妇孺,靡不涵濡沾被,因之佛教文化,与盛唐治绩,并烛寰宇。禅师辈之膺封国师者,屡见不鲜,朝野趋向,风靡可知。肃宗时,韩愈为迎佛骨一事,上表谏阻,而排斥释道为异端之说,于以滋兴。其时儒者为卫道(儒道)而非诋佛法者,不乏其人,然皆不若韩愈之立言激烈。其《原道》、《原性》诸篇之作,实欲高张儒家道统之说,揭儒门之帜,以凌驾于佛老之上。实则受禅宗传心之影响,而目儒学为道统一贯之传。次则,李翱著《复性书》阐发性情之说,为北宋理学滥觞。其后理学崛起,当以韩李之说,启其端倪。然韩李生平之学术思想,亦终不能自固封畛,丝毫不受佛老影响。亦如南北宋诸大儒,固皆出入于佛老之间,而别倡理学之说。韩愈贬潮州后,常问道于大颠禅师。故其在潮州，有三简大颠，在袁州时，曾布施二衣。周濂溪《题大颠壁》云："退之自谓如夫子，原道深排佛老非。不识大颠何似者？数书珍重寄寒衣。"《五灯会元》、《指月录》等书，则有记云：

韩愈一日白师曰：弟子军州事繁，佛法省要处，乞师一语？师良久。公罔措。时三平为侍者，乃敲禅床三下。师曰：作么？平曰：先以定动，后以智拔。公乃曰：和尚门风高峻，弟子于侍者边得个入处。

李翱曾屡问道于当时名僧，且数向禅师药山惟俨问法。金儒李屏山则云："李翱见药山，因著《复性书》。"《传灯录》载之甚详：

朗州刺史李翱，初向师玄化，屡请不赴。乃躬谒师，师执经卷不顾。侍者曰：太守在此。李性褊急，乃曰：见面不如闻名！拂袖便出。师曰：太守何得贵耳而贱目？李回拱谢，问曰：如何是道？师以手指上下。曰：会么？曰：不会。师曰：云在青天水在瓶。李欣然作礼。述偈曰：炼得身形似鹤形，千株松下两函经。我来问道无余话，云在青天水在瓶。李又问如何是戒定慧？师曰：贫道这里，无此闲家具。李罔测玄旨。师曰：太守欲保任此事，须向高高山顶立，深深海底行，闺阁中物舍不得，便为渗漏。宋相张商英曾颂其事曰：云在青天水在瓶，眼光随指落深坑。溪花不耐风霜苦，说甚深深海底行？

按：张颂之意，盖谓其未见道也。李翱曾受知于梁肃，为作感知遇赋。而梁肃为天台宗之龙象，《大藏经》中有梁肃之《止观统例》。

《复性书》认为性本明净，为七情惑而受昏浊，故为"制情复性"之言。如云："人所以为圣人者，性也。人之所以惑其性者，情也。喜、怒、哀、乐、爱、恶、欲七者，皆情之所为也。情既昏，性斯溺矣，非性之过也。七情循环而交来，故性不能充也。水之浑也，其流不清。火之烟也,其光不明。非水火清明之过。沙不滓,流斯清矣。烟不郁,光斯明矣。情不作,性斯充矣。"又云:"性与情,不相无也。虽然,无性则情无所生矣。是情由性生,情不自情,因性而情。性不自性,由情而明。"

张商英之颂,嗤李翱之未见性,颟顸承当,自以为是,适成其非。观《复性书》之所言,学者谓其含有佛学成分,依梁肃止观之说,而变易其名辞而作。实则,李氏出入佛学,仍未彻底。诚如李氏之言,性本圣洁,因情生而惑乱,此圣洁净明之性,何因而起情之作用? 岂谓性不自生,因情故明。则情返而性复,复性而当复生情矣。若谓置制此情而后复性,则制之一著,岂亦非情乎? 性能自制,情何以生? 制亦情生,终非性明自体。此则自语相违,矛盾未定。所以然者,盖其自未见性,但认得清明在躬,性净明体者,即为自性。殊不知此乃心理上意识明了,澄澄湛湛觉明之境,以之言性,谬实千里。明亦性境,情亦性境。此性不住于明暗昏清,亦未离于明暗昏清,则非李氏之所知欤? 以此见地,而李氏于《大学》之"至善",《易》之"无思也,无为也,寂然不动,感而遂通天下之故"均有未彻。后世之言理学者,大抵亦如李翱之徒耶! 若有透此藩篱者,皆入于禅矣。

北宋理学之崛起

唐祚既移,历五代而至宋,禅宗声教,渐被上下,五家宗派兴盛,而与吾国原有政教,并无磨擦。佛法解脱之学,纯为出世,其超哲学之精神领域,坠裂世谛。而大乘之慈悲济物精神,与圣人王道大同思想,蕲向吻合,功成辅翊,故儒佛之间,融合无间。唯少数偏执之人,笃于守旧,以卫道自任,出而排斥,立言之间,仍不免此疆彼界,比长絜短。此类儒家之激进者,盖为韩愈、李翱、欧阳修数人而已。然其所以辟佛者,大抵摭拾形迹,指为异端,非圣人之教。

且力诋其教徒（出家比丘）之弃家披剃，为无父无君，不忠不孝。然于佛法之中心奥义，固多茫然。

时至北宋，有世所称五大儒者出，于儒家道学（理学）门庭，创立端绪，学校渐遍于四方，师儒之道于以奠立。学者所谓相与讲明正学，自拔于尘俗之中。五人皆并世而生，且均交好，吾国学术思想，遂呈云蒸霞蔚之观，故后世谓为聚奎之占验。五大儒者，即周敦颐、邵雍、程灏、程颐、张载。厥后，加朱熹、陆象山、吕祖谦，并为继往开来南北宋间八大儒。虽中间魁儒硕彦颇多，要以此为其宗主。八大儒之学说，异同之处，颇多争论。要皆以祖述尧舜禹汤、文武周公、孔孟之言，为圣贤授受一贯之心学，阐明仁义之说，演绎心性之际，为远承先圣之道统。与历来儒者唯知讲经注疏之因袭风气，大相径庭。其中思想之嬗变，学说之创获，探其蛛丝马迹，颇多耐人寻味之处。而其启导后世道统之争，门户之战者，当非其初心所及也。纪昀于《四库全书总目提要·子部·儒家类》案语云：

> 王开祖以上诸儒，皆在濂洛未出以前，其学在于修己治人，无所谓理气心性之微妙也。其说不过诵法圣人，未尝别尊一先生号召天下也。中唯王通师弟，私相标榜，而亦尚无门户相攻之事。今并录之，以见儒家初轨与其渐变之萌蘖焉。

吾国学术，历来自儒道两家并驱以来，至后汉历南北朝而至唐，突然而有佛家加入，实质渐变，至北宋为一大转纽。而承先启后，一直支配东方学术思想者，亦始终不离儒、佛、道三家之学。宋代大儒，学者认为佛化儒家，以禅论道者之领袖如陆九渊，亦公认其事。《象山全集》卷二《与王顺伯书》中尝云：

> 大抵学术，有说有实，儒者有儒者之说，老氏有老氏之说，释氏有释氏之说，天下之学术众矣，而大门则此三家也。

儒家至北宋，八大儒讲道论学，而构成理学一派。时之学者，循此一思潮而向前发展，为数颇众。发其轫者，厥为学者所称之安

定(胡瑗)、泰山(孙复)、徂徕(石介)三先生。黄震曾云:

宋兴八十年,安定胡先生、泰山孙先生、徂徕石先生,始以师道明正学,继而濂洛兴矣。故本朝理学,虽至伊洛而精,实自三先生始也。(《宋元学案卷二·泰山学案》黄百家案语引)

此外门户攻伐,学术异趣,与程朱对立者,厥为苏学(即苏洵父子三人之说)。而苏东坡、黄庭坚辈于从政以外,为学途径,尝直认游心佛老门庭而不讳,视一般理学家之高立崖岸,排斥异说,复然不侔。故于政见之争外,即学术主旨,亦大相径庭。而后世正统儒家,以其说之不洽于程朱,亦相与摈之于度外。

所谓承儒家道统之正者,学者皆以程朱并提,夷考其实,则所谓八大儒者,思想学术,殊多不同。二程学于周敦颐,而复自成一系。后之承其的绪者,为婺学(金华)永嘉二派,变为史学及事功之途。朱熹之说,初承二程,后复创见颇多,非但不尽同于程学,有时且大异其趣。后贤有谓朱子之学,出入佛老,终为一道化之儒家,朱子自亦直认与程子意见有不同者。《朱子全集》卷二十三有云:

伊川之学,于大体上莹彻,于小小节目上,犹有疏处。
某说大处,自与伊川合,小处却时有意见不同。

论程朱不同之说者,明末有刘宗周,清代有黄宗羲、纪昀、皮锡瑞,及现代学者何炳松等,皆主此说。

程朱以外,张载有张氏之见,邵雍有邵氏之学,吕祖谦则有吕氏独特见地,主经世实用之史学,而于朱陆异同,尝作调和之努力者。而邵雍则主易数之学,迥然不同于众,但出处仍一准于儒,唯与二程之间,仍难协调。邵氏与程子居处相邻,交往甚密,但相见虽频,而不语及于道与学也。朱熹则于其易数之学,大加推重,有异其师承观念者巨矣。

儒家理学初兴,数十年间,门户异见,终成攻伐之党祸者,略陈其梗概如此。内容出入,罄竹书劳。见地未臻圆通,致使末流推荡,愈演愈烈,良用致慨!清初诸儒,重返汉学路线,盖深有感于此。论者有云:"宋儒好附门墙,明儒喜争同异,语录学案,动辄灾梨。"纪昀谓其"是率天下而斗也,于学问何有焉!"又云:

> 门户深固者,大抵以异同为爱憎,以爱憎为是非,不必尽协于公道也。(《四库全书总目·史部·传记类》存目孙承泽《益智录》提要)

理学初兴,志在阐明儒家正道,排斥佛老异端之说。孰知出入佛老之间,用以驳入佛老者,终成为佛化儒家,或道化儒家。且所立说,排斥佛老者,仍不能摧撼其中心。唯此一相激相荡之局,却开拓一代学术之领域,以创兴理学门庭,洵为奇特,至其外排佛老则不足,内起戈矛而有余,卒至于伤残相及者,则洵为学术之大不幸焉!

佛化儒家之踪迹

东方文明,在中国独有儒佛道三家之说互相异趣而复殊途同归者,诚非偶然。历来学者,努力于三教合辙,代不乏人。偏执者,虽互相排斥,博达者,仍力主沟通。其中要以东汉末年《牟子理惑论》为最早。历唐宋元明清各代,高僧大德,尤以禅门宗匠辈,烛照群像,洞穷法源,大抵皆淹博世典,出儒而归于佛。其中之彰明较著者,厥为北宋名僧契嵩,以沙门立场,大唱佛儒一家之论。永明延寿禅师,在其巨著《宗镜录》中,每引儒老之言,通诠佛法。宋金居士李纯甫体道最深,其所议论,常分润于佛老二家,阐发其蕴义。南宋诸儒受其影响,亦复不浅。《续指月录》中亦曾载述其事云:

> 屏山李纯甫居士,初恃文誉,好排释老。偶遇万松秀和尚于邢台,一言之下,遂获契证。乃尽翻内典,遍究禅宗,注《金刚》、《楞严》等经,序《辅教》、《原教》等论。尝著《少室面壁记》。略曰:达摩

大师西来,孤唱教外别传之旨,岂吾佛教外,复有所传乎?特不泥于名相耳!真传教者,非别传也。自师之至,其子孙遍天下,渐于义学沙门,以及学士大夫,潜符密证,不可胜数。其著而成书者,清凉得之以疏《华严》,圭峰得之以钞《圆觉》,无尽得之以解《法华》,颍滨得之以释《老子》,吉甫得之以论《周易》,伊川兄弟得之以训《诗》《书》,东莱得之以议《左氏》,无垢得之以说《语》《孟》。使圣人之道,不堕于寂灭,不死于虚无,不缚于形器,相与表里,如符券然。虽狂夫愚妇,可以立悟于便旋顾盼之间,如分余灯,以烛冥室,顾不快哉!士著述甚多,开发后学,大有功于宗乘。临终无疾,趺坐合掌面西而逝。(《续指月录》卷八"曹洞宗"报恩秀嗣)

李纯甫以居士身,偶遇万松秀,言下契悟,著述弘化,普及僧俗。若二程兄弟、吕祖谦等大儒,均逊其智量。学者得其片羽吉光,而阐明体道者,事当甚多,皆源流淹没,师承不彰,殆以李氏中心致学于佛,为门户之见所囿耳!《宋元学案》原列屏山之学为殿,后儒疑其学无师承,并予删去,益见其浅陋也。

初期理学大儒周敦颐,著《太极图说》启发诸家思想,厥功甚巨。而濂溪(敦颐)曾师事鹤林寺僧寿崖,得太极图,自加阐说。此图原出于道家之陈图南(陈抟),本原易理,汇通儒道之产品。僧寿崖得而藏之,以授濂溪,不啻还其故物。故濂溪之受学,不能无丝毫之影响,世传濂溪参禅于黄龙南,问道于晦堂,谒佛印、了元于归宗。太极图经此三家授受,其思想必有会三为一之旨,况南北宋百余年间,正禅宗鼎盛时期,名匠如林,士庶争趋,其间之思想沟通,错综互摄者,尤属显而易见。

宋至南渡以后,儒家外排佛老之事,已成习见之举。然惟见之于思想上之攻击,尚无实际上之行动。其朱陆门户之争,则势成水火。自佛教中人视之,则一任其自然发展,不惟不加抨击,且常疏释理实一致之说。南宋禅师如名震一时之大慧杲,绎其言行,力主息争。杲师于南渡以后,诏主径山法席,门下问道者,达官名士、博学鸿儒至多。秦桧忌其与岳飞、张九成等交往,贬之衡阳十年,复移梅阳五年。而僧俗间关相从,常至数千。其论儒佛一致之言,往往超人意表。如云:

博及群书,只要知圣人所用心处。知得了,自家心术即正,心术正,则种种杂毒,种种邪说,不相染污矣。

为学为道一也,为学则未至于圣人,而期以必至。为道则求其放心于物,物我一如,则道学双备矣。(示莫润甫)

予虽学佛者,然爱君爱国之心,与忠义士大夫等。但力所不能,而年运往矣! 喜正恶邪之志,与生俱生。永嘉所谓:假使铁轮顶上旋,定慧圆明终不失。予虽不敏,敢直下自信不疑。(示成机宜季恭)

杲师之时,朱陆之争方盛。"尊德性"与"道问学"方兴未艾。杲师以片言匡救而成之。至其忠君忧国之言,原非为辩护佛教徒之无父无君、不忠不孝而发,实杲师之目击时艰,恻然心悯,为佛门吐其不平之气。大权应化,固应如此。观其辩三教一致之主张,尤为明显。如云:

士大夫不曾向佛乘中留心者,往往以佛乘为空寂之教,恋着这个皮袋子。闻人说空说寂,则生怕怖。殊不知只这怕怖底心,便是生死根本。佛自有言,不坏世间相而谈实相。又云:是法住法位,世间相常住。《宝藏论》云:寂兮寥兮! 宽兮廓兮! 上则有君下则有臣,父子亲其居,尊卑异其位。以是观之,吾佛之教,密密助扬至尊圣化者亦多矣! 又何尝只谈空寂而已! 如俗谓李老君说长生之术,正如硬差排佛谈空寂无异。老子之书,原不曾说留形住世,亦以清净无为为自然归宿之处。自是不学佛老者,以好恶心相诬谤尔,不可不察也。愚谓三教圣人,立教虽异,而其道同归一致,此万古不易之义。然虽如是,无智人前莫说,打你头破额裂(示张太蔚书)。又云:

在儒教,则以正心术为先。心术既正,则造次颠沛,无不与此道相契。前所云:为学为道一之义也。在吾教,则曰:若能转物,即同如来。老氏则曰慈,曰俭,曰不敢为天下先。能如是学,不须求与此道合,自然默默与之相投矣。佛说一切法,为度一切心,我无一切心,何用一切法?当知读经看教,博及群书,以见月忘指,得鱼忘筌为第一义,则不为文字言语所转,而能转得语言文字矣。(示人)

南北宋间之名僧古德,世称宗门大匠者,其讲论主张如此。而儒家学者,往往先多问道受学其间,启发新机,归温故物,使东土圣人言教,昔疏难明者,今乃焕然大彰。奈何始终局于门户之见,不得不于佛法故作贬词。惟佛教之智者则不然,如元代禅师高峰中峰师弟,于三教一致主张,尤为著力。明代憨山大师,学通坟典,常以佛理疏注学庸老庄。藕益大师则以易义释禅,固无所谓内外之见,横梗于胸,而避讳之也。近代之印光法师,则常以儒理诠佛,可称卓识。梁武时之傅大士,据《五灯会元》记载中有云:

傅大士一日披衲顶冠靸鞋朝见。帝(梁武帝)问:是僧耶? 士以手指冠。帝曰:是道耶? 士以手指靸鞋。帝曰:是俗耶? 士以手指衲衣。

四朝儒者以道统自命之理学家,乏此包罗万象之量。否则,不入于佛,即入于道,却为儒者所斥。唐宋间较为彰著者,如裴休、房融、富弼、赵忭、王安石、苏东坡、黄山谷、陆游、张商英、杨大年辈,皆游心禅观。影响所及,历代之文人学士,凡其著作,以具有文字禅之隽永有味者为高。理学家讲学,亦多剿袭禅师辈之法语。北宋以前诸儒,著述流传,一仍旧贯。自理学家兴,动有"语录"、"学案",以绵其世泽,大反昔儒方式,盖多取则于禅宗也。禅师辈平生法语,门弟子记载之者,统称"语录",且皆为当时之平实语体,不事藻饰。凡其致力体道,参究事迹,记述之者,统称曰"公案"。宗门之"语录"、"公案"，搜罗至广，儒者学之，以产生"语录"、"学案"之体例，复撷其精华，诩为创见，自张门户，以遂其推排，殆不足法。若赵忭以北宋名臣，高风亮节，昭垂史册，并未尝以学佛为讳，《指月录》载其事云：

清献公赵忭，字阅道。年四十余，摈去声色，系心宗教，会佛慧来居衢之南禅，公日亲之。慧未尝容措一词。后典青州，政事之余，多宴坐。忽大雷震惊，即契悟。作偈曰：默坐公堂虚隐几，心源不动湛如水。一声霹雳顶门开，唤起从前自家底。慧闻笑曰：赵阅道撞彩耳！公尝自题偈斋中曰：腰佩黄金已退藏，个中消息也寻常。世人欲识高斋老，只是柯村赵四郎。复曰：切忌错认！临终遗书佛慧曰：非师平日警诲，至此必不得力矣。

赵阅道进士及第，累荐殿中侍御史，弹劾不避权倖，京师目为"铁面御史"。知成都，匹马入蜀，以一琴一鹤自随，擢参政知事。王介甫用事，屡斥其不便，乞去位………以太子少保致仕，卒年七十七。他如此类之儒者尚多，未尽据引。

老氏有言："为学日益，为道日损。"日益为"道问学"，日损为"尊德性"。"道问学"须广其知见，"尊德性"须放心旷寂。放心必要空其所有，广知见则须实其所无。日益不已，则自我伟大之见愈高，宋儒之大抵陷于此微细习气者，殆不自省耳！若蒋山元禅师之于王安石，直规其过，可谓理学家共通之病。《指月录》载云：

荆公原与蒋山元禅师，少时游如昆弟。荆公尝问祖师意旨于师，不答。公益扣之。师曰：公般若有障三，有近道之质一，更一两生来，或得纯熟。公曰：愿闻其说。师曰：公受气刚大，世缘深。以刚大气，遭深世缘，必以身任天下之重。怀经济之志，用舍不能必，则心未平。以未平之心，持经济之志，何时能一念万年哉？此其一。又多怒，此其二。而学问尚理，于道为所知愚，此其三。特视名利如脱发，甘淡泊如头陀，此为近道。且当以教乘滋茂之可也。

公再拜受教。及公名震天下,无月无耗,师未尝发现。公罢政府,舟至石头,入室巳三鼓。师出迎,一揖而退,公坐东偏,从官宾客满座。公环视问师所在,侍者对曰:已寝久矣。公结屋定林,往来山中,稍觉烦动,即造师相向,默坐终日而去。公弟平甫,素豪纵,但甚畏师。请问法要,师勉为说之。……且戒之曰:申公论治世之法,犹谓为治者不在多言,顾力行何如耳?况出世间法乎!

　　儒者论心性之学,原非所尚,纪昀论之甚力。宋代理学,统由禅宗蜕变而来。南宋以来,朱熹集理学之大成,而其立论,颇多躲闪。朱氏虽继承程门,而于尧夫(邵雍)之数理,张载之性气二元之说,濂溪之"太极图",彼此常为畛域者,朱氏皆并宗之。复尝于武夷山中,与道家南宗祖师白紫清(玉蟾)交往颇切,欲随之学道而不得请。且化名崆峒道士邹䜣,注《参同契》。纪昀曾力证其事。有曰:

　　殆以究心丹诀,非儒者之本务,故托诸廋辞欤?考《朱子语录》论《参同契》诸条,颇为详尽。年谱亦载有庆元三年,蔡元定将编管道州,与朱子会宿寒泉精舍,夜论《参同契》一事。文集又有蔡孝通书曰:《参同契》更无罅漏,永无心思量,但望他日为刘安之鸡犬耳云云。盖遭逢世难,不得已而托诸神仙,殆与韩愈贬潮州时邀大颠同游之意相类。(《四库全书总目提要·子部·道家类》朱子撰《周易参同契考异》按语)

　　复次,明代大儒如王阳明,亦初习佛法天台止观,且曾于定中得相似神通,后复失之。又三度求道于道人蔡蓬头,不遂而罢。终成一代儒宗,《王文成公年谱·辛酉事》有云:

　　先生录囚,多所平反。事竣,遂游九华,作《游九华赋》,宿无相化城诸寺。是时,道者蔡蓬头,善谈仙,待以客礼,请问,蔡曰:尚未。有顷,屏左右引至后亭,再拜请问,蔡曰:尚未。问至再三,蔡曰:汝后堂后亭,礼虽隆,终不忘官相!一笑而别。闻地藏洞有异人,坐卧松毛,不火食,历岩险访之,正熟睡,先生坐旁抚其足。有顷醒,惊曰:路险何得至此? 因论最上乘。曰:周濂溪、程明道是儒家两个好秀才。后再至,其人已他移。故有会心人远之叹!

宋明诸儒,固皆出入佛老,尤多取自禅宗,而复排斥之者。而究之取者或为糟粕,舍者皆为精华,其见地诚多罅漏! 近世梁启超评之甚当。《万有文库·清代学术概论》三中有云:

> 唐代佛学极倡之后,宋儒采之,以建设一种"儒表佛里"的新哲学;至明而全盛。此派新哲学,在历史上有极大之价值,自无待言。顾吾辈所最不慊者,其一:既采取佛说而损益之,何可讳其所自出,而反加以丑诋? 其二:所创新派,既非孔孟本来面目,何必附其名而淆其实? 是故吾于宋明之学,认其独到且有益之处确不少;但对于建设表示之形式,不能曲恕;谓其既诬孔,且诬佛,而并以自诬也。明王守仁为兹派晚出之杰,而其中此习气也亦更甚;即如彼所作《朱子晚年定论》,强指不同之朱陆为同,实则自附于朱,且诬朱从我。

又云:

> 进而考其思想之本质,则所研究之对象,乃纯在昭昭灵灵不可捉摸之一物;少数俊拔笃挚之士,曷尝不循此道而求得身心安宅,然效之及于世者已鲜;而浮伪之辈,摭拾虚词以相夸煽,乃甚易易;故晚明狂禅一派,至于"满街皆是圣人","酒色财气不碍菩提路",道德且堕落极矣。重以制科帖括,笼罩天下;学者但习此种影响因袭之谈,便足以取富贵,弋名誉;举国靡然从之,则相率于不学,且无所用心。故晚明理学之弊,恰如欧洲中世纪黑暗时代之景教。

禅宗与理学之渊源

两宋学术,既受禅宗影响而兴,其工夫见地,又不能深入禅宗心法之奥，灯分余焰，以立理学一门，而成一家之言；其来龙去脉，略如上述。若其讲明心性之理，参究天人之际，罅漏至多，不及详矣。清初诸儒，如黄黎洲、顾亭林、李二曲、颜习斋、王船山辈，以遭逢世乱，鉴于宋明诸儒空疏迂阔之弊，力图矫正；以四朝之"平时静坐谈心性"，无补时艰者，欲悉举而反之。且目宋明诸儒，均为怪物，若谈虎而色变者然，亦已过矣。以学术而言学术，但论其内容之价值，至措之以收效于治平，而非治学者之责；衡之史乘，千百年间，学为圣贤仙佛者，代不乏人，而治臻上理，比隆前古，反多不觏，此岂为学者所能悉任其咎乎？

　　无论理学家学术思想之造诣如何，其一己之律己持躬，大都淡泊自甘，不求温饱，善恶之际，辨别尤严，岩岩行履，深有合于佛家之大乘行道，或同于比丘之戒律精严者，此皆足资矜式。宋末如文天祥，虽未标于理学之门，然观其所作《正气歌》，足为其人格之崇高代表，从容就义，殉道以终，非学究天人之际者，其孰能之？明代如王阳明之功业彪炳史册；此外，如李二曲、黄宗羲、顾炎武辈，其学养多从理学中陶冶而来，以成其充实光辉之美；故理学之陶钧万类，鼓铸群伦，其功实不可及。

　　综观理学之整个体系，可析为一大纲、两宗旨、三方法：一大纲者，要使学问与道体合一，至于"极高明而道中庸"，此为朱陆及各派之所同；两宗旨者，即朱子以"道问学"为尚，陆子以"尊德性"为主。"道问学"须多识前言往行，以博识弘文为务；"尊德性"则以体会得心性本然，则本立而后道生，其余皆在其中矣，此朱陆之所以异也。然其宗旨虽异，但皆主张从用工夫入手，至用工夫之方法，则有主"敬"、主"诚"、主"静"之不同；不论其用工夫方法以何者为是，而此所称用工夫之实，稽之先儒，均乏前轨，《语》《孟》之教，未尝及斯，《大学》所举之止、定、静、安、虑、得之次第，不过提示其要略耳。夫用工夫之说，本起源于佛法中之禅定，唐宋间禅宗之辈，不论僧俗，统皆于此致力，儒者效之，乃倡致学之道，必须于静中养其端倪,所谓"主敬"、"存诚",皆止静工夫之一端耳。禅定所诣,差别多途,毫厘有差,谬隔千里;况禅定之极,仅为佛法中一种"定解脱"之学,至于"慧解脱",则当尤有进焉。理学儒者于静定工夫,确有一番心得,但论其极致,大抵至于初禅二禅境地者为多,若言圣凡迥脱,如肇法师所云:"能天能人者,岂天人之所能。"非其所诣矣。禅宗三祖有言:"才有是非,纷然失心。"理学家者,尤皆未脱此一圈套,如能进而超越乎此,则两宋理学,当别有一番面目矣。

宋明诸儒之论心性、理气、性情、中和、形上、形下、已发、未发之理,皆有其独到之处,故认心身性命之学,宇宙万有本体之元,都已透彻见到,只从此一理上出发,未免有草率之嫌。充其所学,只是心理学上最高修养,使妄心意识,磨砻干净,留个荡荡无碍,清明在躬,即认为是妄心净尽,天理流行,衡之唯识家言,正是澄明湛寂之处,尚为第七末那识窠臼也。以言禅宗门下,正好痛吃辣棒,此中理则,比引繁多,姑置毋论。

以去人欲之私,存天理之正,为理学家修养之鹄的,如程明道云:"天理二字,是我自家体贴出来。"程伊川云:"人只有个天理,却不能存得,更做甚圣人。"周敦颐主"诚",平生以默坐澄心,体认天理。伊川及朱晦庵(熹)则主"敬",上蔡之"常惺",龟山主"静"中观喜怒哀乐未发前,作为气象。和靖之使其心收至不容一物。虽皆精辟独到,要之不外乎有个澄澄湛湛境象,都是识阴区宇,若到禅宗门下,首须痛捧一顿,教令放下,直叫大死一番,贬轧得无地可容,而后转身一路,方可认得从来门户;若此之不落凡情,即取圣量,尚非知解宗徒所取,以言证悟,戛戛乎难矣。以此而论宇宙万有本体,终不外以思量分别之心,从我此心内之宇宙,比拟万有之宇宙,以推测其似,非究竟之理也。禅宗心法则超于是;故理学家言,若引之哲学思想范畴,则有可取,谓其进乎道矣,实为大有问题。

明儒王阳明,远绍陆象山心法,世称其已近于禅,其著名之四句教,为毕生学术思想中心,至有以之与禅宗心法并提者,实则大误。四句教云:"无善无恶心之体,有善有恶意之动,知善知恶为良知,为善去恶是格物。"若心之体,本无善恶,则此体为一废物,意动而忽生善恶,此善恶之来,纯出无根,而其于心体两不相关,何须为善去恶;为善去恶又与心之体有何关系?纵不为善去恶,心之体亦自无善无恶也,此其误一。心既有体,在善恶之意未动以前,非绝无善恶,为潜伏于体中耳;此心可称之曰性善,亦可称之曰性恶;因善恶两俱潜伏。如心之体,在意未动前,是净明无过;则应准《大学》之义称之曰"至善";否则当用《荀子》之意,称之曰"本恶";何得言无善无恶。无与有乃相对意义,各代表绝对之词;天下之无,何能生有,既认有心之体,而云无善无恶;于辩正名词上,不免过失;不若以"无"易"非"之为有当矣,此其误二。四句教中,为学得力处,只是一个"知"字;"良知"得辨其善恶,是以用为善去恶工夫,返此动意之初;如返之于无,则终成一个废物,明此心性何用? 最不解者,此"知"之一字,又从何处生起?"良知"若从心体自生,心体绝非无物,"良知"若从外来,于心体绝无交涉;况此一知者,为是意动,为非意动? 若为意动,落在善恶中矣;若非意动,"知"之一字,即为心之体,何云无善无恶为心之体,此其误三。阳明以一代儒宗,其四句教纲领,大误如此,世不之察,推为心性理学之极则,殊为识者所惜! 儒师针石老人者,尝为文辨之,论说颇当。大慧杲禅师有言曰:

而今学者,往往以仁义理智信为学,以格物忠恕一以贯之类为道;只管如博谜子相似;又如众盲摸象,各说异端。释不云乎! 以思惟心测度如来圆觉境界,如取萤火,烧须弥山,临生死祸福之际,却不得力,盖由此也。杨子曰:学者所言复性,性即道也。黄面老子云:性成无上道。圭峰云:作有义事,是惺悟心,作无义事,是狂乱心;狂乱由情念,临终被业牵,惺悟不由情,临终能转业。所谓义者,是义理之义,非仁义之义;而今看来,这老子亦未免析虚空为两处;仁为性之仁,义乃性之义,礼乃性之礼,智乃性之智,信乃性之信;义理之义,亦性也;作无义事,即背此性,作有义事,即顺此性,然顺背在人,不在性也;仁义礼智信在性,不在人也;人有贤愚,性即无也;若仁义礼智信在贤而不在愚,则圣人之道有拣择取舍矣;如天降雨,择地则下矣。所以云:仁义礼智信,在性不在人也;贤愚顺背在人,而不在性也。杨子所谓修性,性亦不可修,亦顺背贤愚而已矣;圭峰所谓惺悟狂乱是也;赵州所谓使得十二时,不被十二时使也。若识得仁义礼智信之性起处,则格物忠恕一以贯之在其中矣。肇法师云:能天能人者,岂天人之所能哉!所以云:为学为道一也。(示人)

儒者之见,若能进而体会于善恶、心物、理气之外,打破漆桶,则知佛出世入世之言,与乎心性"修齐治平"之道,悉在其中,何被滞于化迹,析虚空为两橛哉!

理学与禅宗之异同

宋兴七十余年,学术黯淡,至安定、泰山、徂徕、古灵兴起,始以师儒之道明正学,而范高平(仲淹)、欧阳庐陵(修)实左右培掖以成。逮仁宗末年,五大儒并世而生,理学门庭,于以建立;厥时禅宗声教,正方兴未艾也。

百源(邵雍)濂溪之学,皆源出道家。宋初道士陈抟之"先天图"四传而有百源,衍为象数术之宗主;"太极图"亦三传而有濂溪,濂溪复于僧寿崖处得先天地偈,乃互参而明性命之理;二程于此二者,素皆不喜。横渠(张载)之学,主于论气,以变化气质为穷理尽性至命之道;及朱晦庵则统集诸说,以集其大成。陆象山有谓其学无师承,有谓其源出上蔡(谢良佐);后有谓学于僧德光。至若洛(伊川)学后人,多归于佛;程门高弟,如荐山(游酢)等终入于禅;横浦(张九成)实问道于大慧杲禅师,而识旨归,此皆显明可徵者,余犹未尽。百源之学,纯出道家外,诸儒初皆出入佛老固无疑矣。

在儒言儒,宋代理学,自有二程出,方揭示宗旨而立门户。其初如高平之《潜虚》,百源之《皇极经世》,濂溪之"太极图",固皆宗于易学象数,以窥天人之秘者。迄濂溪之《通书》始括《语》《孟》《学》《庸》之要,以阐述性命根源。同时横渠著《正蒙·西铭》,以训示学者,理学根基,实植于此。诸儒之学,要皆宗于孔孟,汇于五经方为其道统之正者。

而宋代诸儒,大抵于禅道之学,有所参悟,方得启发其真知,只可论其成分多少,实不能别其掺杂有无。盖自唐代禅宗兴盛以来,道家学术,亦受其影响,而起一大变,融会圆通,大有人在,亦学术潮流之必然趋势也。及宋代禅宗特盛,禅师兼通儒学,以佛理说《中庸》《周易》及《老》《庄》之学者,著述颇多。而佛学说理,采用名言,多有取于儒书,固皆参研启发互资证明。儒者参禅,一变而有性理之学产生,实亦时会使然。其后之辟佛诽禅者,皆囿于道统观念,限于社会风气。而明达之士,犹多缄默。综其原因,厥有二者:一、为学目的与方法之不同。二、见地造诣之不同。儒者为学目的,学究天人之际,而以立人极(人本位)为宗;故学须致用,用世而以人文政教,为儒者之务;故以"诚意"、"正心"、"修身"、"齐家"、"治国"、"平天下"为入世准绳。佛学目的,以学通天人造化,但初以立人极为行道镑基,终至于超越人天,出入有无之表,应物无方,神变莫测。故以佛之徒视儒者,犹为大乘菩萨道中人;而以儒者视佛,则为离世荒诞者矣。复次,儒者为学之方法,以"闲邪存诚"、"存心养性"、"民胞物与"尽其伦常之极为归。佛者则以不废伦常,但尽人分为入道之阶梯;形而上者,尤有超越形器世间之向上一路,则非儒可知矣。有善喻者曰:譬如治水,儒者但从防洪筑堤疏导为工,佛者更及于植树培壤等事宜。远近深浅,方法迥异,此其为学目的与方法之不同者,一也。儒者出入于禅道,从诚敬用工入手,于静一境中,体会得此心之理,现见心空物如之象,即起而应物,谓"内圣外王"之道,尽在斯矣。而禅者视此,充其极致,犹只明得空体离念之事(亦可谓之但知治标),向上一著,大有事在(方可谓之治本)。而儒者于此,多皆泛滥无归也;若有进者,如洛学后人、象山门人,多遁入禅门矣。此其见地造诣之不同者,二也。至如理学而至于如狂禅一流,此皆二家所病诟,何独有于禅哉。

伊川十字之教云:"涵养须用敬,进学在致知。"又以"敬"与"致知"之不可分,云:"入道莫如敬,未有能致知而不在敬者。""诚,然后敬,未及诚时,却须敬而后能诚。""君子之遇事无巨细,一于敬而已。""唯上下一于恭敬,则天地自立,万物自育。""所谓敬者,主一之谓敬,一者,无适之谓一。"故其工夫从敬入手,而主于专一;而其所谓一者,无适无莫之谓;即实此意念,而无一物存胸之境也,以此起而应物用世,则近于道矣。孰知至此,但为佛法之见空、禅宗之初悟一著子也。伊川又云:"性即理也",且单提理字,又云:"天之赋予谓之命,禀之在我谓之性,见于事业谓之理。""自理言之谓之天,自禀受言之谓之性,自存之人言之谓之心。"于此而见伊川之言心者,即指此意识心也。由诚敬入手,至于主一,而无适也,无莫也,即明此心。明此心而体会天命、性理,皆具于我矣。具于我,乃有诸己也,要须保任得,应用得,如明道所言:"有诸己,只要义理栽培。"理学家明体而达用,未有出此藩篱也。故晦庵尝曰:"才主一,便觉意思好,卓然精神,不然,便散漫消索了。"又云:"以敬为主,则内外肃然,不忘不助,而心自存。""整齐收敛这身心,不敢放纵,便是敬。""当使截断严正之时多,胶胶扰扰之时少,方好。""惺惺乃心不昏昧之谓,只此便是敬。"凡此皆近习禅定,于静中体会得一念在,清明之象也。静坐之说,则始于洛学,静非冥然无知之谓。故曰:"所谓静坐,只是打叠心下无事,则道理始出,今人都是讨静坐以省事,则不可。"乃主动中静中,都须用工夫,及会得道时,亦有同于参禅者之初悟境象。如赵宝峰(偕)读慈湖遗书,静然省悟,有见"万象森罗,浑为一体。"曰:"道在是矣! 何他求为!"理学家见地,类皆至此为极。见此之后，发为圣解，析理出语，迥然超群者，盖儒者得文字便宜，由此而发知解，不可一世矣。

象山一脉，世称为佛化儒家，乃理学之禅者，但亦只认得此心。陆门巨子，甬上四先生中，有袁洁斋(燮)者，象山教以直指本心，初未之信，一日，始豁然大悟，笔于书曰："以心求道，万别千差，通体吾道，道不在他。"又曰："大哉心乎！与天地一本。""道不远人，本心即道。""人生天地间，所以超然独贵于物者，以是心耳，心者，人之大本也。"其于心法所明者若此，亦只明得吾人心中这一著子也。复如杨慈湖(简)谓"人心自明，人心自灵，意起我立，必固碍塞，始丧其明，始失其灵"。学者称其言直截洞彻，谓慈湖以不起意为宗，复议其为禅。若以不起意与禅之无念为宗，相提并论，无怪儒者所知之禅，止此而已，其于佛也，禅也，实未梦见。故谓理学家之见地造诣，只明得意识心念清净，起而应用为极则，其于用工夫，则只入于冥坐澄心之途，余犹非所及。

至于立言悬解，如濂溪之《太极图说》，"实足以阐性命之根源，作人生之准则"，当之无愧。明道之《定性书》，价值亦足千秋。横渠之《正蒙·西铭》，阐说"民胞物与"同体之理，无欲之仁实云至矣，固亦可为禅者之参考也。宋元明清四朝理学，要皆不能超越于此，若治平事业之说，义不干此，所不及论。

儒家至宋而有理学崛起，远迈往昔，传述千秋，至为盛矣，固为其治学精严，足堪淑世。而儒者有硕德崇望，大抵皆得居高位，学以致用，以立身廊庙，以行道要务，实亦有政治之栽培使然也。若禅宗虽亦有依附于帝王卿相，为之倡率，大致皆由民间自由推戴而成，价值重轻，亦有轩轾。至于理学末流于空疏迂阔，禅宗末流于知解狂禅，亦势所使然，可谓同病相怜者也。今而后，禅亦以学名，禅亦理之禅矣；二家志士，固当勖之。

佛道儒化之教

儒佛道三家学术思想，二千余年间，迹虽相距，理常会通；外则各呈不同之衣冠，内容早已汇归一途，共阐真理。尝谓三家学术，论其端绪，则各有偏重。所谓偏重者，第言其入门途径之所取尚，非谓整体皆然。如儒家则偏重伦理，留心入世，善则有侠气，弊易入霸道。佛家则偏重心理，志求解脱，善则无可非议，弊则流于疏狂，而皆以心法入门，超拔精神进于"形而上"者。道家则偏重生理，从形质入门，善则出神入化，弊则易落私吝，而亦终外形器，而达"形而上"者。入门方法既有不同之等差，故为学为道之始，不期然而见偏重之异迹，及其终皆归于道。佛说"一切贤圣，皆以无为法而有差别。"旨哉言乎！"会万物于己者，其唯圣人乎！"故为学为道之极致，皆以"无缘慈"、"同体悲"而兴"民胞物与"之思，此皆三家之同一出发点也。

历来三家之徒，欲调和偏执而会归一致，代不乏人，然终不能化其迹象；盖亦如形器名相之难脱也。明社将屋，有"理教"者崛起山东，仿元代"全真教"之迹，而成新兴宗教之一门，风行草偃，遍及南北，尤以北方为盛。理教之为学为道，一则为化易人心，一则为保存民族正气，虽不足语正大之宗教，实亦有可取之处。且其汇合三教，宗奉一尊，为"圣宗古佛"（即观世音菩萨），而以四维八德为入德戒持之门，工夫日用，则以道家之修炼为法则；教以理名，即儒家理学之义，"理即是道，道即是理，理外无道，道外无理。"理学至有"理教"产生，遂化佛道之迹，而别成一教矣。

"理教"创自崇祯末造之杨来如（教中尊称为羊祖，或杨祖）。登进士第时，适逢李自成、张献忠之乱，继遭亡国之痛，乃归里养亲，日诵观音圣号及诸佛经，效善财童子之五十三参，自称得感悟而成道。出而度世，终清之季，遍及朝野，风行南北，自为应此一时代之机而勃兴者。

　　乾嘉间,西蜀双流,有刘沅(字止唐)者出,初以博学鸿儒,不猎功名,归而学道,相传得老子亲传,居山八年而成道。以儒者而兼弘佛道之学,著作等身,名震当世,世称其教曰"刘门"。长江南北,支衍甚多,而尤以闽浙为盛;其学以"沉潜静定"为旨,工夫口诀,采于道家,说理传心,皆撮三教之长;而其实质,亦为儒化佛道之另一教门,虽其标榜为调和三家之业,然亦"断崖无路只飞梯"耳。

心物一元之佛法概论

佛法言心,厥有二义:一指妄念意识之心,亦曰妄心。一指如来藏性之心,亦曰真心,复名为性。此二义之所示,研习佛法者,首当抉择;须视其经文全部教理,而审辨其所标之义别。若断章取义,以偏概全,则佛法与近代心理学所不同者几希。故视佛法为唯心论者诚误矣;然则,同于唯物论乎?斯尤误矣,盖佛法认心物二者,皆一体所生之用,亦即一元之二面也。故禅宗古德之言性,有时曰"即心即佛",有时曰"不是心,不是物,亦不是佛"。以人智易执,一落言诠,即便迷头认影,故须种种巧设权言,以透脱滞见,独露真如。不知色身外泊山河大地,咸是妙明真心中物。唯识概八识于心王含藏宇宙万有心物之种子,皆标明佛法之言心,即谓心物一元之体性。又曰如来藏性,亦曰真如。如者,如其真耳,非离诸妄以外,而别有一真如独立常存。苟其若此,则真如为常,常见者,佛所呵斥。盖真与妄对,凡有对待,真亦成妄,同遭真妄对待二边之见,故曰真如,乃无以名之强立之名也。

本体之性,心物一如。寂然空净,能生万法。所谓法者,概心物等一切之理事而言。故谓自性具足一切法,不因修证而有增减,不因聚散而有生灭,不因动静善恶而有净染。虽能生万有,而不随万有迁流,故生生不已而实无生。万有虽灭而不随之断绝,故生灭轮旋而终无生灭处。夫既寂然不动,从何而得万有之生灭往来?盖体性功能,本然运行不息;运行者,体性无始功能之力,亦曰风,亦曰气,而非习知之风与气,故以功能之力言。功能之力,运行不息,常寂而常动。空寂之性,性自功能,无有主宰之者。唯动静二方,互为循环,运动发光。光明常寂而常照,明照极而暗生,明暗代谢,亦如动静之往复,皆为体性功能性自本然之力。光与热俱,光热炽然,电磁物质之极微,涵绷而成,热极而为溶液。复随力与光热电磁液体等物之互相化合,地质物质,于以形成。故谓万有之成,非自然而有,乃因缘所生。因缘者,多种生元之互为化合也。唯体性功能,既非自然,又非因缘所生,能生万有者,非万有所能。非生因之所生,乃自性之所现。故力者光电等之互为化合,万有得以滋生,天地由是乎分。然此地质物质总依虚空而住,虚空犹为体性功能之一现相,空间无际无量无边,与体性合其寂然。而虚空非即体性,乃真如本然一相也。

于体性寂然空净之中,含有一灵明妙觉之知性。性净妙明,含裹十方,光耀独朗,能用于物,非物所容。灵明之光,为常寂无相之光,不倚物而常存,及其起用,须依物而相应。虽灵光独耀,而与体性功能力之运行,同其动静明暗,循环往复,运动力强;强力妄行,动极生乱,则灵明觉知,变易为动乱之无明矣。无明者,变易其明而不明也,虽然无明,而其为灵知之性光者一也。徇无明以依附于物体,带质而生我人之生命色身;身之生理,与物理同其功用,心之性理,则不同于物而异于本性之妙明寂净矣。然所谓异者,变异也,若力能反此变异,虽动而固常静,虽明暗生灭而不失其灵明妙觉,虽依附于物而常离,则复于体性寂然之功能,至此则灵光独耀,迥脱根尘矣。迥脱根尘者,非物所能拘也。而体性功能者,以空为体,其起用也,以万有一切之用为用,以一切相为相,本即空寂,故灵明妙觉亦空寂,物亦空寂,虽有相之与用,皆一时间空间上之偶然缘合。故万有之有,乃一时假聚化合而有,非有一常存者。唯体性能生空有,而非空有之所能。故曰:“缘生性空,性空缘生。”妙矣哉! 诚非心思口议所可及矣。

佛法于体性之颂名别号甚多,略举如曰“真如”,以其真而复如;如曰“涅槃”,状其寂然本净而圆寂;曰“法身”,为体性之自身;曰“如来藏”,表其含藏万有而本无去来;又曰“般若”,示灵明妙觉本空之灵知。凡此之类，异名罗列，皆体性一心之多名也。异学立为别名，尤多不胜收，如涵义同斯，则皆一法之所印，等无差别，否则，概非正见也。复如曰"佛陀"，曰"正觉"，曰"见性明心"等，亦皆表诠证悟体性之极果耳。等次以还，名、相、理，皆可汇推；要皆标示治心之学，或为心法之分析，不尽繁列矣。

是知心物为一元之体性，证知体性者，乃明此心不复逐妄而迷真。而此非生因之所生，乃了因之所了，非徒为理知可及，乃心物之证验可圆。故华严宗立四法界，曰"理无碍"、"事无碍"、"理事无碍"、"事事无碍"，若透彻事之与理，证得真如，则心能转物，即同如来。倘逐物而迷心，认心而非物，则皆见未圆融，自生障碍也。

心法与力学

心理现象，与力学运动，其原理与事实，完全相通，心理现象所生之见、闻、觉、知，归纳称之曰念。当一意念生起作用，即发生联想，或忆念之过程，亦如力学之圆周运动。所以然者，即如一意念初起时，刹那之间，即循此一意念而联想，或忆及其他；当次一意念生时，前之初生意念，早已消逝。如此络绎不断，犹如一星之火，旋转而有轮圈现状，亦如波浪之相续，而见不断之瀑流。实则，水流乃波波相续而成，轮圈乃火星联转而有。此心之意念，虽自觉如流之不息、轮之无端，实亦始于一念，虽其中间经过无数其他意念，而终归于初生意念之流转。

意念生起，或引发回忆，或引起联想。细者为思，粗者为想，一刹那间，速率频繁，不可捉摸。纵使捉摸得意念，已非初一意念。盖心理现象，亦如物体运动之力，一意念之生起，即为"向心力"，由内外界交感之"向心力"而构成一意念。但当一意念生时，同时即起"离心力"作用，"离心力"起作用，"向心力"即随之而生，故意念终不能停止于一，如此旋转不停，人之思想，永在变动，不得停止。

试以念起之"向心力"生时,称之曰生,念起"离心力"散时,称之曰灭,如此生灭不已,交互循环,终无已时。即使在睡眠状态,所起梦境,仍为思想意念之一种,即心脑思维,亦未稍减,虽睡眠住在一种极度昏迷状态,亦有意念,自不觉察耳。即使完全停止意念而不起作用,谓之静力之 境。所谓静力者,力之动向与功能,潜在未发也。如静极而动,亦可谓乃"向心"、"离心"二力之交互作用,何则?以静极为"离心力"之极致境界,变动为力之起用现象,故以"离心"、"向心"二力之交互往返,而见人生日常意识与生活动态;如强以"离心力"名之曰空,则"向心力"名之曰有,或代名谓之阴阳,均可象征表示其体用。"离心力"中,含有"向心力"之能,"向心力"中,亦即具"离心力"之能;故空有阴阳动静,交互为用,心理生理,互为消长,心理之悲欢喜怒,精神之衰旺,衡以力学,莫不皆如。故物极必反,乐极悲生,心雄万夫,身力不及,身欲冲举,力不从心,疲劳而思休息,休息复又思动,个人心身,终如二力之生灭,天地昼夜、风雨晦明,亦皆二力之盈虚消长。推而观之,人与人间,人与社会间,人与宇宙间,亦复如是。如喜爱一物一人,久则生厌。久雨思晴,久旱祈雨,静极思动,常动欲静,皆同此离向二力之往复也。

故佛法名心意识之力,而曰念力,曰业力,曰通力,曰不可思议力等,总之为一心之力也。此心力乃妙不可思议之物,视而不见,听而不闻。其静也,动力潜能于静,故静极而必动;其动也,静力亦含于动,故动极而必静。盖心力亦如物力,有波动作用,其频率至速。故人与人间,人与物间,心力坚强者,可互通,所谓心灵感应是也。如力之波率方向相同,由二而合于一,共成为"向心力",反之,复亦相排相荡,心力速率方向各异,而互成其"离心力"。故"三人同心,其利断金。"同为"向心力"也,"一人一心,各奔西东",各为"离心力"也。个人之心力,名为别业之力,合众人之心力,则成共业之力,其相同相反,而生共别业力之等差平等。由个体心力物力之单位,而与群体共力为相推相荡,互为吸引,乃合于宇宙万有功能之共力。复由本体功能而产生"离心"、"向心"之功,于是"地心吸力"引聚万类,"万有引力"引聚地球,及诸星球,而运行不息。其理不易,可通万汇。旷观宇宙,唯一力之世界耳。

佛法治心,深明力之作用,以其"离心"、"向心"之力交互往还,旋转不停,生灭无已,不能自主其控制,又无一实体之存在。故喻此变易不定,如猿猴之不可捉摸,而又谓此心无一实体,只是空有盈虚消长,名之曰虚妄。《金刚经》云:"过去心不可得,现在心不可得,未来心不可得。"即极言此心无一永恒常止之"向心力"可得,亦无一永恒终止之"离心力"可得,但能互为变易。而此力能实非生灭,生者,为力之动,灭者,为力之静,动静往返,互为消长。然当其力之波动功能起作用现象时,在个体与共体之力与力间,其相排相吸,互为摩荡,而形成因果关系,故因果律乃心力作用之不易原则也。然则,力之原起,又何自来耶?曰:本体之功能,本然具足也。然则,本体何状?曰:非状可及,姑谓之以空为体。然则,力之原起亦空耶?曰:诚然!诚然!性空真力,性力真空。姑举一相类似的譬喻,若吾人持一真空球,以其无一切之存在,故轻而易举,及其真空爆破,则其力至巨,故本体虽空,而真空中所含蕴之力源乃无穷也。

故治心法则,乃循于力学原理,导之使返于真空体性,如修止修观等禅定方法;初则使心意识先能单提一念,止于一点,止者,乃求力之支点集中"向心力"也。然愈求止,愈益纷扰,愈见其止向之难,于此中方见离向二力之交互迅速刹那不停。用志不纷,工力渐熟,迨能止于一念,已渐习渐凝,或出于自动,或出于自然,止之一念,骤然离舍,乃见"离心力"之现象。及乎此也,"离心力"现,"向心力"泯,远离离向之二边,而呈现心境一段空之现象;唯此中空如有境(即有一空之境界),尚为念之觉受,空亦为微细之念。及舍此空,心身两忘,住于非思议之体性真空,则了无一物可得,常寂常惺之性现前,返合于体性功能矣。然犹未也,迨真空呈现妙有,习知空有离向之为用,然后自主自在,控制操纵总由一心而应用,返其自然之力,而约之在我,则治心程度,可臻玄奥矣。此循"向心力"之途径所立之法则也。心法谓之止念,谓之收心,谓之内观等,皆此例也。反之,但不随念起止,唯静观念之生灭;其生也,知为"向心力"所聚集;其灭也,知为"离心力"所消散。或住于离散之有相空境,渐求进步。或于离向二力之往返,概放任其自然,而不制止,唯住于无静境之静,观其变易,不加造作。久而久之,生灭二力之交还,皆消失于无形,唯一静极呈现,亦无静相之可得,然后离静离动,能静能动,皆操持由我。但须知动静犹皆为自性境也。如此顺习,亦可入于玄闳。此循"离心力"之途径所立之法则也。心法谓之空,谓之放心,或谓之放下等,皆此例也。如禅宗有言:放下,放下的亦放下。又曰:放不下提起走。此皆指示治心之善巧矣。

综上所述,本体功能运行而为力,力有动静离向等作用,生灭于万有,而本体功能非动静离向所能也。于此观察,透彻证入性真,则于心物力之为用了然矣。

心法与声音

佛法于声音之学,虽未详说有如物理之声学,而于人类心身与声学之关系,特多阐发,并应用于心法之起修,约分为二:

(一)寻求闻性之根源。

(二)自发声音之缘起。

二者统为观世音菩萨法门,亦曰耳根圆通。

凡耳之于声,以闻性为用也。今首言前之一者:但择钟鼓铃铎风声水声等任何一种或多种,专意于耳根,以听闻其声。于此,又姑分为内外二法:(1)外闻者,当听觉缘此声时,闻有声时,此谓之动相。而声终无常,不能久住,当前声已灭,后声未生,此中间无声可闻,虽有听觉,亦了无用处,此谓之静相。夫声有断续之相,听缘可知,复乃追寻返闻,我之闻性,究有断续否?当其闻声闻性,是有忽无,闻时闻性何存?如是心观,追寻闻性,有声时不因静性而不闻,无声时不因有声而常存。如是久久渐纯,方知声有断续来去有无,而我此闻性,终未有变。或有习此者,虽无外声,而耳根似有声存,此乃意识自生影响,非真声也,未可自认为奇特。倘有迷恋,即成心理幻觉之精神变态矣。(2)内闻者,即于闻性听觉有声时,谓之动相,声无闻时,谓之静相,于动相闻时,不住于动,无闻静相时,亦复离舍,不住于静,于此动静二相之来去,了了分明,此了了者,亦复舍离,离至于无时,知得动静二相,皆为外缘所引发,我此闻性,非属动静,亦复当舍,舍之又舍,忽尔心身两忘,了不可得;于不可得中,无有内外动静诸相;经称此谓返闻闻自性,远离动静二相之法门。然犹未也,即此心身不可得中,又为静相,尚当舍离,迨至舍无可舍,动静如一,虽有二相,了然不生,则于闻性法门,可以入道矣。

次言后者:今日我人所居之世界,其已为科学知识实验所了知者,为万物及人类所发之声,谓之动声也。然声亦如光,尚有非我人听觉及科学知识所及知者,姑名为静声。何谓静声?试为例证:如修习禅定之人,至极静境,其所闻声,无远弗届,无微不至。以其静也,故能闻虫鸣如雷震,闻远处声音如在耳边,同时可闻十方之声。此即闻性功能凝聚于静定境中,故不因物而阻隔;及其至也,虽在万籁无声之高峰绝顶,亦可得闻空中旋律清绝之声;此声也,复非世间声,或曰:此即"天乐"也,或曰:此即庄子所谓"天籁之音"也,此说容亦有之。唯本体自性功能,具足一切法,体性之运行,声随光起,此体性功能自发之声,要非心身常在动乱者可闻,必至此心如空,接近于自性空体,方得知之。唯光之与声,自性均具,亦以空为自性也,其受干扰于万有之动乱,故通常所不能闻,唯自空其念力,能渐空清,接近于体性功能之波率者,即得闻知。如婴儿初生,首能闻声,动物无思维意识亦能辨声,五官感觉作用,唯以耳之听觉,其应用力所及程度,为最远而普遍,故有耳通性海之说。复次,五官为用,专事于一,易感疲劳,唯事听觉者,可以持久,如闻音乐,可以移人性情。靡靡郑声,令人心荡,易水悲歌,令人慨慷;以音乐训练动物,功效亦著,凡此之类,皆足见声之功能。

故佛法教人,造作自发之音声,如持咒、念经、念佛号,以极和谐之旋律,先自怡悦,开廓其心情,然后依此音声,又自返闻其声,观察此声之缘起,乃喉、舌、口、齿、气、鼻之交作;主之者,意也,因此诸缘和合,乃有声音。有声之起用也,谓之动相,其无此声,谓之静相,并复追寻,虽无声音可闻,而心意识习惯已久,口虽无声,心声历然。迨至动静相灭,心声不生,静极无声,内外皆寂,寂与性合,了然于声之动静有无。缘声之动静有无,易现空寂之境,空寂境界,接近于体性本然之真空;则知经称“此方真教体,清净在音闻”者,义究何指。声以阻碍干扰而无,因空而传播,闻性以寂时而无,因有而起闻,由此声与闻二者之间,可明心法之理矣。

心 法 与 光

现代物理学之言光,凡发光之体,谓之光能,光有辐射折射等,光波互为干扰,光速至快,科学计程称谓光年,凡物皆在发光,只因光波振动,而使光波之长短不同,乃有种种颜色不同,其为光者一也。复谓自然光则遍满空间,本此等原理,应用于事物者,洋洋乎大观矣。

自然光者,遍满空间,红、橙、黄、绿、蓝、靛、紫,皆光之色相,亦光波振动所变现。自然光之光能,即为本体功能显现,与力俱生,含照万有,日月星辰等发光体,皆借本体功能自然之力而放射光能,其力尽时,光亦消散。万有亦秉此事理而存在,亦随时在振动,我人心身,亦复如此。光之在人,曰神。心意识生起念力时,即有光之放射,唯非肉眼形器所能见。而眼之与心,互通作用,故心念静定,精神强盛者,目光炯炯,心邪则目邪,衰老则目昏,孟子所谓观眸子而知心者,良有以也。故佛法教修习禅定之人,"回光返照","内观其心",皆借光之作用,而使渐返于本体之方法也。密宗"妥噶"(看光)、"光明成就"等法,亦即用此方便。禅定法门,初以两目垂睑,先使目光凝定,目光宁静,即不攀缘外物而逐色相,心念虽动,力渐薄弱,迨心目之光凝定于一,即至心无念可起,目无相可见,住于初禅。如初得定者,用功至力既久,必色泽光鲜,目光定而有神。盖心目静定于无念境上,心身念力少有波动,既少波动,乃保持其饱和状态,若能保持饱和状态,自然减少放射。故得精神充沛,色泽光润,此乃自然之理,不足为异。若在禅定过程境中,心身内外,发现种种幻相之光,即为念力未定,心力交互于动静之间,摩荡发光,统为幻相。禅宗名为"光影门头","弄识神影子"。此如人以手揉目,可见面前点点星光,体弱力衰,亦可见空中光或圆圈。此皆心身病态,未可认为奇迹,若一著此等,即成魔事,被幻觉错觉所转,而成心理变态之精神病象矣。凡修习禅定有经验者,初则目光最不易定,心念亦随之不止,迨将定时,目之与光,必如有外力骤使之返,乃入于宁静之境,心身两安矣。然虽至目光静定,心念无起时,亦但属初禅境象,及乎外观无相,人物天地,皆如在梦幻光中而观,一切觉无实体之存在;此时心身愉悦,无与伦比,虽视而不视,心而无心,用功至此,往往自谓已见本性,孰知此犹为"光影门头"事也。心身二者,已稍接近本体光力功能,犹为未是。然后心身内外,与自然光能同成一片,久久定深,返于本体无相光境,则常寂光现,实相无相之体以见。而此中过程,微细难言,要在学者之实验体会。苟至于此,与见性明心之事,犹迥无交涉,必如《楞严经》云:"见见之时,见非是见,见犹离见,非见所及。"若能如此,方许有少分相应矣。

故以佛法而观空间之自然光,及物体个别之光;在物言物,则今日物理学所谓之光学知识,洵有所见;若以光透心物一元之本体而言，尚未能确为究竟之论。盖如来藏性，性自发光。唯体性之光，寂然无象，非视觉仪器可见，名曰常寂光，亦曰法身之光。其体空而常寂，以光名者，顺世间之习称也。然此实非通常光明之光，常光寂然，先宇宙万有而常住，唯常光流注，静力饱和而忽动；动力与光热俱生，此之光明，即我人视觉仪器而测可见者；明暗代谢，昼夜往来，皆自然光之盈虚消长。而明暗皆为光也，以光波振动不同，复生种种光色；万物借之以资生，非光能生万物，实为同体而互为用也。个别光体，振动放射，力尽时即消灭归于自然之光，自然光则返于空之体性。生灭旋轮，只是本体功能运行不息之现象也。以此旷观宇宙，真有"身世蜩双翼，乾坤马一毛"之感矣！

　　人之心目为咎，念念生灭不休，目如照相机，心如摄影师，以机照相，留影而起分别者，我人心意识之作用也。如是念念旋流，心光振动频繁，从朝至暮，无有已时，使心光放射消耗而终归于无。迨生命灭时，即沦于黑暗状态，此明暗代谢，如旦暮往返，永无停日。故须假定慧之力以凝之，使返于常寂光体，则可不随生灭明暗之迁流，而能自为之主矣。经云："静极光通达，寂照含虚空，却来观世间，犹如梦中事。"通乎其理，明乎其事，则于物理学所言光学，可推究其未及知者矣。

心法与电磁

　　盈天地间，万物之生，皆一本体功能，性自运行，凝结而成，既成而住，又不断放射其功能，乃至消散坏灭，于是复变易互入于他物。物质不灭之说，以此现象，为其根据，迷于唯物论者，持之有故，言之成理。盖天地万物之生灭，乃本体自性功能变易之现象，其光力热电等物，互为化合，互为消长，入此出彼，无有穷尽，虽生生不已，有世界之成住坏空，而本体寂然无生，无丝毫动静往来；其有动静往来，成为宇宙间一切变化者，皆为本体功能起用之相状也。体性功能，动含于心物，其动也，即本然运行之力，力之运行，即具足声光电化之变化。本体功能力之运行，本自具足电磁作用，空静时，电力之用，潜蓄于空静中，有向心吸引之能，运动时，电力放射，可生声光化合之变化现象，有离心排外之力。天地之中心空静，而有子午线与南北极之互为吸引，故见天体为一电组织，大地为一电磁场。电磁之为体，亦空静如无物，迨其互为摩荡而起用，方见有迹象之可循。佛法所说"真空妙有，妙有真空"之原理，比类可通。而电磁之为用，又与太阳放射之光热有密切关系，不但依年月而变，亦且随时日分秒而变，由点而面，由面而体，随时皆在放射其功能；其生成于万有，亦复随万有而归灭。故人与人间，人与物间，人与宇宙万有间，其电磁可以互通，心灵可以交感，悉循其自然之生灭轮转而无已时。

人之为人，为有心身，心身生存于天地间，亦如天地同为一电磁组合，具放射与吸收作用，人物自然间，彼此互为排吸，互为因缘，而为其枢纽者，乃即此心，故须修定慧以凝固其功能，使返于体性相应。初修定慧，为求止念，念止，则使心身放射者凝固。外物皆在放射，而我能凝固，则彼之放射者，即皆被吸收于我，渐得与外缘隔绝。复而心空一念，如磁针"中和区"现象，两端虽有感应之用，而"中和区"终不能起感缘作用矣。终进而复返于体性，无我无物，同其一如，然后能使用生灭，转心转物，不为生灭心物之所转。常人心身，循声逐响，遇色追形，心识纷驰，骛于外境，如光电之放射无已，力难自主控制，强加制之，反生阻碍；若依定慧法门，久久修习，一旦豁然感通，则此心身，自与自然界之声光电化之力，同其作用，自可得神通之妙用矣。此中微妙，实验方知，略发其端，用供体究。

心 理 与 生 理

世出世间，一切事物之理，统摄于一心。而分析心法之最详尽者,莫过于佛法。如唯识学析心之法相,般若学辨心之法性,《楞伽》、《密严》、《大乘起信论》等,世称为如来藏宗者,详论心性之体用,渊深博大,迥非现代心理学所可几及。今之心理学,所牵涉范围,有生理、遗传、社会、病理等学,施之于实用。复有教育心理、群众心理二者,用之于政教。犯罪心理,用之于侦讯;变态心理,用之于医疗;而皆以心理现状为讨究之对象,用以培养人格,范围论理,功能至巨。但其为学内容,则以人类有生命存在,依此意识心活动现状为依据。故其所谓心理者,即现实人生意识活动之现象与变化也。现实人生,当不能离生理而独存,故学之造诣,亦止于意识而已。若离五官感觉与思想运用之明了意识,惟认知有一潜意识(或称下意识),以之比观唯识学之说,终不出第六意识范围。即所谓潜意识者,仅当唯识之独头意识(或称独影意识)。若唯识所说第七末那识(我执),第八阿赖耶识(含藏持种之义),固非今时心理学所知。故说如来藏性,乃心物一体,天地同根,万物一如,此中事之与理,若以心理学说观点视之,则幽玄而不切实际,几同于变态心理者知觉上之病态。复若般若学之说心识虚妄,体性空寂,意识运思,无一而非如空花梦幻,终无一实法可得,则尤为心理学所未知者。故以佛法视之,今时心理学者,实乃唯识法相学中之一分耳。苟谓佛法即心理学,或谓佛法乃一种学术思想者,其去佛法诚远矣。以此观念,谓之研究佛学则可,谓之学佛或深入佛法,诚有严格之辨别矣!佛法之言心言性,皆切就其通乎本体而论,虽亦有侈言法相,析说妄心意识现象,皆非究竟之第一义事。所谓第一义者,"言语道断,心行处灭",不可思议者也。佛法实乃超科学、哲学之一大实验事,一切学理寻绎,但为其入门之准备,若滞情于此,则迷化城为宝所矣。

不但一般学者,谓佛法乃心理之学,即学佛法者,在概念上,亦多落此窠臼,故于身心二者,在思想上,常截分为二。孰知心理与生理,亦即心物二事之交互作用,皆属一体之所生,《楞严经》及诸大乘经论,多涵此义。唯识学谓第八阿赖耶识,通含山河大地之种子。《大乘起信论》立一心真如生灭二门,而皆极论此二者一元之变。人而具有心身,心识之为用,名之曰心理,身体之为用,曰生理,心识强盛者,力可转变生理,例之精神治疗,及催眠瑜伽等术可知。但生理实足影响心理,如人有病,心理反常,事例尤多,若仔细实验观察,固知心身实为一体之所生。身同物理世界,气候之变化,通生理周期性之觉受,物质之转移,刺激心理变态之现象,此皆人所习知者。若人身之精气神同自然界之光热电,主其中枢者,寂然应物之心性也。明体达用,须融会而贯通,直入顿超,舍心宗而莫属。

然佛法心宗,禅门古德,均不言及此者何也?盖祖意隐晦,蕴之工用之中,言之则恐落筌蹄,易滞迹象。至若密宗,则以调色身气脉为其首当要基(他如正统道家,除旁门左道外,则依身根而起修)。欲实验修证佛法戒定慧,而不明斯理,轻心掉之,虽尽形寿,恐终难有成矣。盖调摄气脉,为对治生理之缺陷,色身既调,通于自然,影响心理,得至空忍,二者之间,如风静浪平,晴空无翳,则永住安谧晴旸之境,得于胜定。然后逆其变化之流,复返于体性本然之域,则于四大假合之身,六尘缘影之心,取舍由人,可得自在矣。故身在动者,心随之移,心常乱者,色随之变。故曰“心能转物,则同如来”。鸦片、吗啡之为物,吸之可转移人心理性情,砒霜、草乌之为物,食之戕人之生命。不能转物,即为物转,事理至明。而心能转物者,如来藏性之本体真心也,妄心意识力弱,仅可移易小变耳。而言生理,则今时物理世界,声光电化等学,略可通悟,善用之者,以之化物成性,不善用之者,随流乘化以归尽,波靡轮转,终无已时矣。此义深賾,冀毋以人而废其言,当今科学日进无疆,无数崭新之创获,正好为佛法作注脚,而益资证明,世有高明,必肯斯语。

附注:本篇匆促完成,未尽阐说,容后补充。

佛法与西洋哲学

西洋哲学,渊源于古希腊,流衍而成近代各学派之思想;有谓佛法亦系其中哲学思想之一派者,此实似是而非之论,须加辨正。按古代西洋之民族思想,多为神话所笼罩,希腊诸哲学家酷爱真理,探讨寻求,不遗余力,渐使神话理性化,而奠定哲学之基础,影响欧洲数千年之文化,其在西洋哲学之功勋,洵有足多者;盖希腊人生活简朴,蔬食饮水,芒鞋布褐,乐其天年,其政治则早已创立民主制度,思想自由,学说争鸣,故能孕育其哲学思想而发皇光大之,实非偶然事也。

希腊古代之宗教雏形,初亦为庶物之崇拜,而演进为多神教,终至成一有系统之神。如希西阿(Hesiod)之神统记(Theogong),阿斐克之宇宙开辟说,皆说明众神有一定之系统;而其神亦为人格化,人间亦必须神化。至若神自何来?与宇宙万有始末之关系为何?则又须哲学理论为之解释。哲学初起,皆为"宇宙论",其求证真理之方法,则多为"辩证法",苏格拉底建立"知识论"之基础,及黑格尔乃集辩证法之大成,溯至康德时代为止,常与科学相混合,无严格之区分;及后科学大兴,始渐脱其范围,二者俨然异趣。科学专重证验,哲学概属想像,门庭各别,愈离愈远,竟不知二者之本为一体,各执一端,而相水火,无有融会而贯通者,实为学术上一大缺憾!

希腊哲学初期心物之争

希腊最古学者泰勒斯,即为"唯物论"者,史称其为米利都学派之基石。彼认万有一切根源,发端于水,否认神为"造物主"。但承认世界有精神之存在,磁能吸铁,因磁最富于精神;且谓知识为固具,非外力所加附。其门人亚拿其孟特,以万有之根本为无限;无限之为物,充塞宇宙之间,既无一定性质,亦无一定界限。世界具体事物之形成,由于无定形之物质自身发冷发热,交互分化;先则为水,继复凝固而引导火气土之出现。一切万有,均生发于无限,终复归于无限。虽有消灭形成之过程,只如旧变为新,但不否认神之存在,唯神乃不参与世界之生灭;精神存在,同其师说。亚氏门人亚拿其孟斯放弃其师门之抽象物质论据,而以具体之物质空气,为万有之根本;谓人生与宇宙,皆假空气以维持其运行,空气之稀薄者变为火,浓厚者成风云水地,甚至谓神亦由空气所产生,但不直接否认神之存在;此皆为米利都学派哲学论说之特征,依违于心物二者之间,终不能化矛盾为统一;以现代科学进步之观点视之,不待辩而知其误矣。凡此诸说,与印度原有诸学派佛称为外道者,各家义理,大体甚为相近。

有赫拉克利特者,其立说不同于米利都学派之所云,更接近于近代之思想。如云:世界上无不动之实体,亦无不变之实体,万有一切,皆不断在变化和运动,固无片刻之停止;人生亦然,如火燃焰而复熄灭。所谓宇宙,即为生灭流转之过程,无始无终之大变化;如火灭而形现,形消复归于火。在此不断创造变化之世界中,所谓"固定"、"休止"、"存在"等等,仅为功能之幻觉耳。复谓事物都有内在矛盾而发生斗争,而又同时并存于统一之整体内,此种现象,不但为自然发展之根源,且亦为社会发展之根本,此皆为规律的,乃自身所固具,绝非神 之所赋予,故云:"生即是死,壮即是弱,少即是老。"而复反对调和矛盾之说,以为唯有斗争力量,方能使物质世界存在和发展。赫氏为当时"唯物论"者之巨擘,其思想不惟影响于当时,且波及于后代,成为"辩证法"之先导;此皆统一于"唯物论",但亦认精神现象为万物之要素。

　　复有毕达哥拉斯者,为"数论"之创说者。其本人毕生无著述,唯门徒记载其理论,推崇备至,称之曰"神人"。彼谓万有根本,即是"数","数"乃抽象的,脱离一切感觉性,合理而支配整个世界。人能认识万物,即是认识"数",盖万物由面而成,面由线成,线由点而成,"点"和"数",即为物之起源。能谐和世界秩序之存在,皆基于"数",人类社会生活亦然。对于"十"之一数,推崇备至,乃由"唯物论"而进入"唯心论"矣。其于矛盾斗争之说,则斥为无秩序而破坏均衡;故谓善之与恶,静之与动,凡矛盾事实,但为外表而非内在,矛盾乃彼此对立转化之现象耳。此派学说,影响亦巨,学者争趋其所立说,有相同于印度之"数论",而犹不知点之从来,故于"数"之学,终未能臻化境。吾国古人,讲《易经》"理"、"象"、"数"之学者,亦以太极始于一画,一始于点,点之连接为线,为一阳之初爻;而一犹非太极之究竟,必须知乎"画前一卦",方合于道矣;比之数论,较远胜矣。

　　及至埃利亚学派诸人,则宣称一切存在,皆属于"静止",本无矛盾可言,万有根本,为非感觉之物质,而为唯一"静止"不变不易之实在;其实在之特征,唯理性才为真知之渊源,一切多种变化,咸为感官之幻觉;彼依"唯心论"而诠释实在,但又否认"造物者"之存在,复否认矛盾与运动,以万物虽有运动,而每一一瞬间皆存在于空间一定之位置上,并未转移于他方,唯不在于原定之位置。即使运动存在,亦不外于感性;感性者,乃虚幻无常,自为变化耳;其思想已接近于"形而上"者,故黑格尔诋之为"消极辩证法"。

希腊盛时心物之争

　　迨纪元前五世纪至四世纪之前半期,希腊哲学已由"宇宙论"而转入于"人事论",前后百年之间,名人辈出,学术文化,达于鼎盛。为"宇宙论"者,皆依据其自发之"辩证法",竞以论证其主张。

而为"物质原子论"者,则开十八世纪"机械唯物论"之先河,例如阿那克萨哥拉和恩培多克勒二人,即为德谟克利特"原子论"之最前驱。阿那克萨哥拉对于宇宙万有,认为必须有无数之元素,始足以说明其万变之形状,彼谓元素为种子,以种子乃无始无终,不灭不变之微分子,生灭乃种子之离合聚散于空间;但为外形之转移,本质并无出入,而宇宙之运行,又非种子自能。假定物质以外,别有精神之存在,此精神具有伟大之能力,完全自由,而为一切运动及生命之根源,且能洞悉万物而支配宇宙。而复谓精神自体亦为一至精微巧妙之物质。

恩培多克勒亦为当时"唯物论"者,彼谓"地水风火",为宇宙之根本要素,一切生灭变化,皆此四种元素离合之现象;而其所以有离合者,则因有爱憎之存在。爱为结合之因,憎为离散之因;宇宙间一切事物之生灭,即此爱憎交迭而生。彼反对埃利亚学派不生不灭之"静止"说,而认伊奥尼亚派之运动说为真。及德谟克利特,乃集"唯物论"者之大成。彼坚决反对苏格拉底、柏拉图之"唯心论"及其政治观。谓世界根源,乃原子之结合。然原子不变化、不可分之说,经后世科学证明,而非真见;且于原子根本之所由来,终未探溯其究竟。

其时有苏格拉底,为当世唯心思想之大哲,彼谓宇宙为"神"所创造,研究宇宙,乃违反"神"之意志,一切善之观念知识,即乃人类认识自体。人之理性,谓之"普遍观念",道德为人类唯一之认识对象。依此,观念即是世界根源,产生万物,观念非自然界事物之反映,亦非知觉与感性之产物。彼为矫正"雄辩"、"怀疑论"等学说,鄙弃个人利益,提出人类普遍善良、公正、永久道德等观念,奠定后世遵循之一般理性。其于"伦理"、"形而上"学等,均大有阐发;有拟之为西方孔子者。然自然之反映,与理性之"普遍观念",其间关系,要不能尽洽其理,岂天命与性,亦夫子所罕言乎?而其学说,经门人柏拉图为之修正而益著。

　　柏拉图者，乃当时"唯心论"之泰斗，少游于苏氏之门，由其师之"普遍观念"，进而探寻宇宙根本之实在。彼分世界为二：一为理念世界，一为物质世界，而以前者为万有之根源，后者为理念世界之摹写；故前者能杂物而存在，后者仅为生灭虚幻之变化；且谓观念唯理性可知，非感觉所及。盖彼之思想，于一切存在之上，确立一永恒不变之理性，实为"唯心论"者"形而上学"之总归，影响古今唯心思想者至巨，其著述又全部留存，有拟之为西方之孟子，彼之学说，较其师尤备。

　　亚里士多德为柏氏门人，学问至博，其于哲学、伦理、艺术、自然科学之著作均多，可谓集希腊哲学之大成。凡其认为合理者，兼收而并蓄之，认为错误者，则删之务尽。其于中世纪哲学之思潮影响至巨；但其基本观念，终徘徊于"唯心"、"唯物"二者之间。对其师理念一说，则持反对态度；谓天体之运行，乃"神"力所引起，依"神"而有存在。综其学说，殆为本体一元之"神我论"，虽思想闪烁，理实糊模，盖一博学之儒耳。

希腊末期哲学

　　公元前三三六年，马其顿王亚历山大统治希腊，至公元前一四六年，马其顿与希腊，又为罗马所灭亡。随此政治之变动，希腊文化，相随分解，由"唯心论"、"形而上学"，转入于"唯物论"，注重自然界及社会生活之研究。

　　伊壁鸠鲁在雅典创立自己学派，拥护德谟克利特之"原子论"，分哲学为三部，一为物理学，二为论理学，三为伦理学。其于"认识论"，则又带有"唯心论"之说，主张感觉之存在，而以精神为特殊之运动，系圆形原子所构成，随人体而毁灭。其于"伦理"则认内心之闲静安逸，为人生之至乐，理想人格，即为澹泊宁静之智者，较昔勒尼学派之肉体快乐主义，更重真知之追求。继其后者，为罗马之卢克莱修,主张"无神唯物论",此外,尚有斯多亚学派、怀疑派、折衷派、及新柏拉图学派等。

斯多亚学派:乃芝诺所创,后继者大有人在,渐传至罗马森内加等处(当公元前三年至公元六五年间),人才辈起,学说纷陈,大抵皆为理性主义之倡导者。其早期学说,多接近于"唯物"思想,而非如"唯物论"者之偏执。彼谓火为世界之根源,与"神"同一重要。而于"认识论",多有同于亚里士多德。于"伦理",则立足于先天之理性,以人有天赋之理性,但能循理而行,即为有德之士,而合乎自然之理,若德与不德,善与恶,皆存于内心,且无中和可以缓冲者,故以从自然而生活,为人生之最高目的;而此自然者,谓之曰"神",谓之曰"理性",即充塞天地间之"天道",亦即为存在于人性间之法则。故以物欲乃反乎道者,顺从理性,弃欲绝物,隐遁山林,遨游湖海,以度其安逸之人生。可谓西洋出世学派之先导者,相当于佛法所称之自然外道。

怀疑派:乃皮浪所创,继之者有埃奈西德穆、恩培里柯。彼认"知识"为相对性,凡对一切事物之认识,如是非、真伪、善恶、妍媸之判断,皆是人以不同感觉之特点,遽下之"特称盖然判断",尽不可靠;当弃智绝欲,实践伦理道德,乐其安适之人生。盖乃达观一流,游心物外,浮沉于世者。

新柏拉图主义为基督教"神"学之创始,其中代表人物,如埃及之普罗提诺,极力反对"唯物论";谓物质为反统一,不协和,最丑陋;"神"为一切存在之根源,乃尽善尽美之精神实体;"神"以自身之"发放物"创造世界理性,理性依其顺序产生世界精神,此世界精神,复产生可感觉之形体,形体之后,始有纯粹之物质。故物质非为实体,乃神造一切中最低级之物,人体同于物体,固当为邪恶者;故能引导人之精神,走向罪恶途径,我人必须摈弃一切肉体物质之诱惑,救出精神,归于超感觉的"神"之世界,乃得与"神"相接。若沉湎感觉,其终将贬为物质之奴隶,或成动物,或成植物,此其所以异于柏拉图之学说者。盖柏氏论"神",仅能高于实在,而不能高于理念;新派之"神",则超越一世,尤非理念之可及,"神我论"之宗教学说,实植基于此。

希腊哲学合论

综观希腊哲学,归纳其类,不外于本体之寻求,称之曰"本体论"。知识之研究,称之曰"认识论"。"伦理"之建立,亦曰"人生哲学"。"本体论"者,大抵归于一元、二元、多元之别;为其根本者,或谓"精神",或谓"物质",或谓"神"。"知识论"者,大抵皆取证于"论理学",且极重"辩证法"。"伦理"之说,大抵皆求世界人生之真善美,唯观点不同,方法有异。综合各家学说,如主张"唯物"者,至德谟克利特而极盛;主张"唯心"者,至柏拉图而大成,渊源远溯于先民神秘之寻求,终以学者之观察,而为哲学之解释。其求证之方法与工具,端借聪明睿智之思想;故哲学者,实至高深之思想也。吾国宋儒程明道所谓:"思入风云变态中。"实极状邃于思想者之善变。当西方哲学之初入吾国,学术思想,均激而一变,甚之,有谓吾国文明,亦来自希腊,且周秦百家学说,皆系受其影响而产生,愚昧无知,曷胜感喟!世界文明古国,如中国、希腊、印度、埃及,源远流长,各有其独立之文化思想,虽略有出入,而亦互相形似者,盖人类思想智慧,大体均同,所谓"人同此心,心同此理"也。虽东西疆域各别,而其知见所及,终不越乎人心思想之范围,各以种种不同之名言理趣,阐说其理耳。至若取希腊哲学与吾国先哲学术思想,较其短长,此中轩轾,大须甄别,安可笼统而混为一谈。复推西洋宗教神学理趣,其内容罗致殊博,追溯渊源,皆由希腊哲学渐变而来,乃有中世纪"经院哲学"之产生,此实希腊哲学之结晶也。

欧洲中世纪哲学

中世纪一名，史家所言，各不一致。以政治史言，则自公元四六七年西罗马帝国灭亡，至公元一四五四年，东罗马帝国之灭亡止，前后约千年。以文化史言，则自公元五二九年罗马帝封闭雅典大学，及其他世俗学校，令文化事业，全归基督教会起，迄十五世纪欧洲人文运动之勃兴止，亦约一千年。以哲学史言，断自公元五世纪至十五世纪中叶止，由于基督教教权之伸张，迄至文艺复兴，创开世界思想自由之先河，为属此一时期。

当此时期，政治文化，变迁均大，罗马人起于意大利中部泰北河岸之罗马市，以智勇征服四邻，建设一大帝国，后复分为东西二罗马，渐以式微，先后继亡，代之而兴者，为日耳曼民族与沙拉逊帝国。日耳曼民族征服罗马，即吸收其文化（五世纪至十二世纪之间），其别支盎格鲁撒克逊人，和哥尔人，则在英法等地，分途建立王国，后复为英法德诸国发展之基。故此时实为基督教文化鼎盛时期，一切文化思想，皆以宗教信仰为主，于先哲遗训，教会特权，奉之惟谨。哲学思想中心，皆依从"教会"及"经院"，以奥古斯丁、柏拉图、亚里士多德之哲学为理据，尽其智能，以哲学解释其教义；复以信仰归纳其哲学之思维，一切皆假定宗教之真理为合理；理智与信仰，上帝启示与人类思维，皆当一致。故斯时之哲学，但努力与宗教信仰沟通，调和了解，以成"经院哲学"之大成；学者有称谓"神父哲学"云。其开创巨子，当推奥古斯丁，奥氏致力于证实已所习知之定论，范围宗教真理，不遗余力。其方法概用演绎法，依思维运用之三段论法，作为研究之资；其兴趣对象之所在，亦非"认识论"，而为超越世界之"真神"。故于自然科学及精神科学，皆所忽略。谓心灵不能用分析而知，伦理未可以经验而论，人间至善，皆上帝所赐福。故于昔来希腊之人本人文主张，皆易而为"神本"观念,一切以依靠于"神"之信仰为中心。

"经院哲学"之"宇宙观",认为世界乃上帝所创造,而非上帝本质中所产生。因上帝不断在创造,故宇宙不至于支离破碎;时间和空间,亦上帝所创造,而上帝自身,则无时间空间之限制。被创造之宇宙,则非永久存在,乃有限而为变化消灭者。又:上帝乃一全智全能全德之神,且可以设想之事物,皆可表示于其中;上帝所创造之事物,本为绝对之善,故于"人生观"完全以至善之道德观念为归;并以恶非真实之恶,乃善之缺乏,而善之缺乏,乃由人自身之所为,故人须避恶迁善,以返于上帝之至善意志。

当罗马帝国时代,因知识阶级之改变,教会组织之发展,基督教之僧侣,已渐起而替代往日之哲学家而掌握学问特权;及至日耳曼民族勃兴,其所有僧侣,殆尽为野蛮民族之子弟加入,知识浅陋,兴趣低级,对于古希腊之哲学精神,渐已消灭于无形。故当第七八世纪之际,实为欧洲文明最黑暗之时期,及至九世纪中叶,始复有埃里金纳之著作,公之于世,可称为"神父哲学"之继承者,于基督教之哲学史上,作为一种革新之先驱。此一阶段,如是持续,约五世纪半之久,统称为"经院哲学"时期;及至十三世纪,而亚里士多德之哲学复兴,基督教学者,依其学说为背景,渐为开明之说。虽承认绝对为实在,而不承认超越万有而存在,谓即在万有之中。此种思潮运动,以大阿尔伯特与托马斯·阿奎那为其中大师,盛于十三世纪,衰于十四世纪。厥后思想家遂认共相之"普遍观念",非为万有之本质,乃为我人心中之一般概念,或一名词而已。此与十一世纪之"唯名论"如出一辙,终至打破"经院哲学"设想信念之说,而摧毁其权威。

按:此一时期哲学与宗教之神学,若水乳交溶,成为一宗教"经院哲学"之特色;而以学术观点仔细观察,则二者之间,仍各有其藩篱,如泾渭之分清。盖宗教但使专于信仰,则应放弃理智,一切皆为多余之说;若欲依绝对真实之理性,依理智而入于信仰,则其中罅漏殊多,仍不得不有所审辨。唯经院学派之集思广益,汇诸异学他宗之说,而阐扬神学之教义,此种努力精神,至现代而弥坚,洵足嘉佩。即如一九四二年间,外国教会,尝以数百美元之代价,请燕京大学教授郭某,在西蜀灌县灵岩寺,译搜吾国道藏经典,以供参酌。我曾目击其事,深佩其存有中世纪经院集成学术之精神。复若香港道风山之基督教丛林,罗致他宗人物及其学术著作,亦至努力。故其教义常能随各国之人情文化,而求适合于时代,非偶然也。至若神之存在,神之体用等辨,义关宗教学术,姑置勿论。

阿拉伯哲学

初,穆罕默德之信徒,由于传教之热情,于公元六百三十二年起,至七百十一年间,竟以武力征服四邻,建立一地跨欧亚非之大帝国(即沙拉逊帝国)。斯时,叙利亚、埃及、波斯、阿非利加及西班牙,皆并入于东方大帝国之领域内,于是阿拉伯之学者,得有机会,认识亚里士多德之哲学。首由叙利亚文翻译,后由希腊文翻译,更进而究柏拉图之“共和国”之说;凡法律、数学、天文、医学,以及其他自然科学,皆得而研究发扬,于后世学术上之贡献颇大。

西欧学者,本带有新柏拉图学派之精神,回教学者自得希腊学术之助,乃将其宗教奠基于哲学之上,而创一不同于西欧之宗教哲学。其研究中心,为神之默示,以及人类之知识与行为有何关系,其目的在注释《可兰经》,使信仰合于理性。阿拉伯哲学之典范,乃一部“百科全书”,此书由五十篇论文组织而成,乃十世纪“伊斯兰胞教团”之产品,对伊斯兰教信仰,贡献至大。谓一切现象,皆由于“神”之一统而流露,终复归之于“神”。人生乃宇宙之缩影,必须脱离物质羁绊,自洁圣明,而后能返乎其所自出。

然伊斯兰教学者之间,争论亦多,如“神”之预言,与“人”之自由关系,“神”之统一和“神”之属性关系等问题。其正统派则认《可

兰经》教义,确定有一全知全能之真"神",支配万事万物。而自由
思想家,则反对其说,以理性为真理之标准,取哲学见解,以维持其
理论。而至十一世纪末,阿尔格泽又一面攻击哲学,一面并反对正
统派所持之理论,对于前此之创造说、人格不灭说、神为绝对预知
之信仰等,皆加以诋诽。遂使阿拉伯之哲学,一趋于衰微。及至十
四世纪间,又得有一派起而反对哲学,同情于正统派。此外如伊斯
兰教高等神秘派,则侧重于新柏拉图派之神秘说,谓现实为幻象,
物质是神所遗留之最低级产物;人能修炼至无我无欲境界,则灵魂
可远离迷梦,而得入于神之怀抱。而对此持反对论者,又有理性
派,如阿尔发拉比、阿非散拿等,皆注重"论理学"为哲学之入门。

东方阿拉伯之哲学,在十一世纪之末,固已式微,而西方阿拉
伯之哲学,则依然盛行于西班牙之穆尔地方,尤其在科多华,乃有
名学校之所在地;犹太教徒基督教徒,皆自由研究学问于其中,各
自相安而无忤。其中代表人物,如阿温柏斯、阿布巴塞、阿维罗斯
等,皆为物理学者兼哲学家,其思想影响于基督教经院学者亦巨。
阿温柏斯之学说,谓各人心中之"普遍智慧"为不灭,人生理想,可
超出心灵之低级阶段,而入于完全"自我意识";在"自我意识"中,
思想与对象,能为合一;而此种状态,可由各人之精神机能逐渐发
展,而达到其境界。其实践理论,稍似于禅观初修行者。唯以"自
我意识"为极则,正落在识神境上,距离究竟尚远。阿布巴塞赞成
其说,曾在哲学小说中,描写一人独居荒岛,其自然能力逐渐发展,
因禁欲与无我修养,而得与神相接。阿维罗斯亦认人类心理,有共
通现象,故曰:"灵魂不死";复谓宗教中所说之真理,乃系象征性
者,哲学家以比喻说明之,常人则于字面讲究之,故宗教与哲学,皆
彼此否认而异趣。以此见解,终被伊斯兰教逐出教廷。

按:伊斯兰教受希腊哲学之影响,故其宗教哲学,亦植基于此,
而且与基督教关系密切。近代学者,有谓基督教与印度教有关,且
谓伊斯兰教亦复如此。盖穆罕默德其初商旅于欧亚各地,复隐居

专修于青海边境山中数年,故其论教义与哲学,可能为东西哲学宗教文化交织之产品。

近代哲学之变革及影响

当十五世纪至十八世纪三百四十余年之间,史称近代,实为人类思想之一大转变时期。其时交通发达,经济繁荣,东西各国,往返频仍,物质文明,日新月盛,而"新大陆"之发现,尤使人之眼界扩充,自尊心理增强,于往昔之圣哲遗训、宗教道德,悉皆怀疑而毁弃之。所有谦让、退隐、顺从、皈依、信仰等观念,几尽视为变态之心理。而于一切政治、经济、知识等等,亦皆起一大变革运动。故其时西洋之宗教哲学,亦渐由"神本"思想而转为"人本"主张,一反过去之"经院哲学",而脱离其羁绊。然无论如欧陆之"唯理论"与英伦之"经验论",人才辈起,学说缤纷,而大抵皆承认其基督教之教义,并未能超出"神学"之范围,故学者谓西洋哲学家,都有"神"之观念存在,允为可信。

降至现代,各种新兴哲学,其精辟独到之论固多,而穷源溯本,亦皆远绍于希腊哲学之固有精神。虽因时代推移,人类思想进化,科学知识发达,理论依据虽新,要皆尽为支离之扩充,并无崭新高远之识见。

西洋哲学之批判

今者,综合以希腊为渊源,演变而成西洋哲学,古今诸家之知见缤纷综错,如网交织。无论其所立宗旨为何,要皆不能出于思想之范围。哲学者,以聪明睿智之思维,各言其是,作为人类思想之一类则可,若欲于此中寻求人生真谛,解决宇宙万有根源者,终见其有未可。如希腊时代各说,与印度各派主张,与佛称之谓外道者相同之处颇多。印度自释迦出世,遍习外道异学,终于菩提树下,证悟大觉;乃起而扫除邪说,建立法幢,如赫日经天,群阴扫迹;其所驳斥诸外道异学之见者,约纳为五类:曰身见、边见、邪见、见取见、戒禁取见。

所谓身见者:即执我有身,而以我身为主,观察万法。西洋哲学皆以执我之见,立主观之论。即使力避主观,自称客观者,孰知其所谓客观一观念,亦正为意识思维之主观也。

边见者:如执一元、二元、多元、唯心、唯物、唯神等,皆属于斯,何则? 皆依有一体而立,有边际之可循也。

邪见者:如肉体快乐之主张。以物质经济决定一切等,皆属于斯。

见取见者:即以我所见者为真,此之思想理念知见为最高,一切皆非,独取此见之极则为是。

戒禁取见者:自立此观念为真,立有禁犯范围,一切宗教之说,皆属于斯。

以此五见,例彼西洋哲学,实皆未脱此窠臼。佛说"如来藏性",姑顺学名,谓之"本体",然体非实相,体自性空,一既不立,多自何居? 主宰为神,神从何立? 神若非属本体,则本体与神析而为二;若谓是一,一则何独灵于其神? 论万有之生灭,以因缘缘起为妙有之用,故非自然能生。然依体性自空之如来藏性而言,则又非因缘,更非自然所能。论万有之生灭过程,皆是无常。无常者,即一切均在变化运动迁流而不常在也。体性真常,常亦名言方便之设词。故说本体为一"真如",如者,即如其万物之如。《楞严经》所谓:"离一切相,即一切法。"但有名言,都无实义。至若求证此体性之方法,在思维法则上,仍采用论理之"因明"。在实验证觉上,则采用思维禅定次序,而终趋智慧之性海。而"因明"三段论法,则以"中观"正见为依。"中观"者,不但舍二边而立"中道",即"中道"亦属空名,如有中可立,中亦同边矣。且力言意识运用之思维,终不能求证体性。盖体性正以思维而起自障也。故说认识之知识,终为虚妄,何则?若有所见则见仍非实;以无见为真见,而无又非冥顽断灭之无。其论人生以无常苦空为警戒;而生命虽幻而实有,世界虽幻而实存在;此过程以人为本位,范围于伦理,与物同如其一体,故兴"无缘之慈,同体之悲",牺牲自我,救度众生。复以生未可尽,而不以厌离。起无尽无量之大愿大行,以尽其至真至善至美之人事,且不以之为我之德,乃顺性为当然之行。

复以体性空而无相,一切之立皆为假有。而立假即真,以假妄而显真如之实相;故又不舍名言,示此真旨。空自性能,即生万法,心物二者,皆自性之所生。虽生终灭,真亦同妄,形似矛盾,其终统一矛盾而析入于空。空亦不立,权假中说,但皆非思维意识之可达,唯证方知。故极称"不可思议",以显体非思想可即。若如唯识所立:相分、见分、自证分、证自证分四者,衡诸哲学思想之旨归,则但为识见之一端耳。相分者,约一切万有现象存在之谓相。见分者,约以我之见而见相分。自证分者,复进而能证自见之体。证自证分者,即此自证之体,究竟为何,仍当再一返证。如此由外物现象而返证自心于知,终而空无实相。故遍观哲学思想之理趣,只在见分上立足,学者自身,大抵皆未返自证分之知见,故罅漏百出,罄竹难书。若知自心不得见乎自心,思而得者未必实,识所见者未必真,可入圣道矣。虽然,以《华严》十玄门之义,综合西洋哲学,亦可视为佛法之一门。若世称佛法,亦为一种哲学思想,实谬不可以千里计。今依佛法立场观点而言哲学,略如上述,此篇草就,为时过促,未暇详评;若以禅宗之祖师禅论之,则统为闲学解,亦何有于道哉!至如西方哲学与宗教哲学中之神秘学派等说,皆未涉及,统俟他日稍得从容,另作专论。

修定与参禅法要

佛说戒定慧,为三无漏学。即定言定,实为戒慧二法之中心,且亦为全部佛法修证实验之基础;盖由定而使戒体庄严,慧发通明,八万四千方便法门,皆乘定力而入菩提果海,各宗修法,皆定所摄。唯定并非专指跏趺坐(俗称打坐)而言,坐与行住卧等,各为四威仪之一,且坐有多种姿势,修定门中,约为七十二种;诸佛所说,以跏趺坐为最殊胜。跏趺坐中,既得定已,而后于行住卧中锻炼如一,乃至应事接物,定力不失,方为坚固。以此证取菩提,如攀枝取果,无不得心应手;然知见不正不彻,修法易歧,摄其理趣法要,略陈端绪,广探其奥,须遍习诸经论,尤于禅观等经,如天台止观、密宗法要等学,详为会通。

兹略述坐法——毗卢遮那佛七支坐法。

一、双足跏趺(俗名双盘),不能者或金刚坐(右脚放在左腿上),或如意坐(左脚放右腿上)。

二、两手结三昧印(右手掌仰放左手掌上,两大拇指相拄)。

三、背脊直立如串铜钱(身体不健康者,初任其自然,定久自直)。

四、肩平(不可斜塌拖压)。

五、头正颚收(后脑略向后收,下颚收压左右两大动脉)。

六、舌抵上颚(使舌轻接于上龈唾腺中心点)。

七、两目半敛(即半开半闭状,或开而易定则开,但不可全开,稍带敛意,或闭而易定则闭,但不可昏睡)。

附注事项:

1. 坐时裤带等束身之物,一并放松,使身体松弛,完全休息。

2.气候凉冷时,必使两膝及后颈包裹暖和,否则,风寒侵入,非药可治,须特别注意。

3.初习定者,空气光线应须调节,不可使光线太强或太暗;因光强易散乱,光暗易昏沉。座前三尺,空气务使对流。

4.过饱不可即坐,昏睡过甚不可强坐,待睡足再坐,方易于静定。

5.无论初习或久习,臀部必须稍垫高二三寸。初习者,两腿生硬,可垫高至四五寸,渐熟渐低(臀部不垫,身体重心必至后仰,气脉壅塞,劳而无功)。

6.下座时,两手搓揉面部及两脚,使其气血活动,然后离座,且当作适度运动。

7.坐时面带微笑,使面部神经松弛,慈容可掬,不可枯槁,免使面容趋于峻冷矣。

8.初习坐时,时间少坐,以适为度,次数多坐,以勤为用,如初练时,强之久坐,必生烦厌。

初习禅坐时,务须极力注意姿势,如渐久成习,无法改正,影响生理心理,反易成病。此七支坐法,所以必须如此规定,其中皆涵有深义,极合于生理心理之自然法则,不宜或违。

人之生命,首赖精神之充溢,故精神须加培养;培养之法,但使心空身宁,使生理机能,生生不已;生之不绝,耗之日少,自然充沛胜常。精神随色身气血之衰旺而见盈亏,气血以思虑劳疲而渐消失;故安身可以立命,绝虑弃欲,可以养神。古医者谓生机藉于气化,气运流动,循脉以行;脉非血管,谓身体内部气机运行必循此一规则之脉路;惟此事微妙,非粗浅所可知。内经言奇经八脉,当从古代道家脱胎;道家以任督冲三脉为养生修仙之要,西藏密宗亦以三脉四轮为即身成佛要法。密典如甚深内义根本颂,论气脉之学,较之《内经》《黄庭》诸书,各有其独到之处。唯藏密与道家,虽皆修三脉,而道家主前后,藏密主左右,此为修法之大不同者。但均重中脉(冲脉)为枢纽,两家之见皆同。坐禅姿势,采取毗卢遮那佛七支坐法,虽不明言专注气脉,而其功效,已涵蕴于中。两足跏趺,使气不浮,易沉丹田,气息安宁,心易静止,气不乱行,渐循诸脉流动,反归中脉,迨其脉解心开,妄念不生,心身两忘,斯入于大寂之境。如其气脉不宁,而云能得定,绝无是事。例如常人身体,健康正常,心感愉快,脑力思虑亦少;如有病态,则属相反。又如得定至初见心空者,必感身体轻安愉快,神清气爽,无可言喻。足见心理、生理二者,交互影响,元是一体也。人身神经脉络,由中枢神经左右发展,而相反交叉,故两手结定印,两大拇指相拄,成一圆相,左右气血,起交流作用。体内腑脏,皆挂附于脊椎,若曲脊弯背,五脏不能自然舒畅,必易致病,故竖直脊梁,可使腑脏气舒。肋骨压垂,肺即收缩,故肩平胸张,可使肺量自由扩张。后脑为思虑记忆机枢,颈间两动脉之活动,连输血液至脑,增加脑神经活动,故后脑稍向后收,下颚略压二动脉,使气血运行和缓,减少思虑,易得宁静。两齿唾腺间产生津液,可助胃肠消化,故舌接唾腺,以顺其自然。心目为起心动念之机括,见色而动,闻声逐象,皆目为之机,心乱则转动不止;傲而散者则上视,阴而沉思者则下视,邪险者常左右侧视,故敛视半闭,可凝止散乱之心。松解束缚,使身安适,常带笑容,使精神愉悦,皆为静定之要。故禅坐姿势,皆有关于气脉,虽不专言调和气脉,而已存摄于其中。若专修气脉,身见历然,我执难去,反为正觉之碍矣。倘不调正姿势,随意而坐,曲背弯腰,久必成病,故修禅习坐者,或致气壅,或致呕血,色身禅病,坐是丛生,可不慎哉!如依法修持,身体本能活动发生作用,气机流行,机能活泼,大乐现前,光明流露,皆为禅定过程,乃心身动静交互摩荡所生现象,概不可著,执之即为魔境,致成向外驰求。若修定合法,心身必得利益,如头脑清凉,目明耳聪,呼吸深沉,四肢柔畅,甘粗粝若珍馐,宿病消除,精力充沛。至此,须力戒消耗,若一著淫欲,则气塞脉闭,心身皆病矣。

初修禅定入门方法

　　定慧入门，首重发心，次当修诸福德资粮，方能入道。显密修法，各以四无量心为重，若无大愿大行，终入歧途。夫工欲善其事，必先利其器，吾人六根外对六尘，逐妄迷真，随流不止，《楞严经》中称谓六贼，如云："现前眼耳鼻舌及与身心。六为贼媒，自劫家宝。由此无始众生世界生缠缚故，于器世间不能超越。"今欲依禅定之力，而返还性真，亦当如世俗成事，而有藉于工具。修定工具，不待外求，即吾人六根是也。无论眼耳鼻舌身意任何种，系心一缘，熟练渐纯，即可得初止境。但每一根尘，可产生若干差别法门，分析难尽。佛说一念之间，有八万四千烦恼，故云："佛说一切法，为度一切心，我无一切心，何用一切法。"今言修定入门方法，亦随吾人根器相契者，任择其一，为所依止。试列通常习知者数种言之，广则应习显密诸经论（《楞严经》二十五位菩萨圆通法门，已多汇列）。

　　眼色法门：纳为二类，系缘于物，与系缘光明。缘物者：如于眼可见处，平放一物，或为佛菩萨像，或其他任何物件，但以稍能发光者为宜，而于光色选择，亦须配合个人心理生理。例如：神经过敏，或脑充血者，用绿色光，神经衰弱者，用红色光，个性暴躁者，用青色柔和光体；凡此须视现实情况而定，未可执泥一端，既选定一种，即不变更，若时常变易，反为累矣。

　　系缘光明者：如对一小灯光（限用清油灯），或香烛光、日月星光等（催眠术家用水银晶球光），此可纳为一类；但以光对视线，稍偏为宜。此外如观虚空，或空中自然光色，或观明镜，或观水火等物光色，亦统纳一类。唯鉴镜观形，习之纯熟，未达理趣，可致神离，幸勿轻试。

　　若斯诸法，内外诸道通用；其在佛法，首须知为尽是权设，不过初用系心，为入门方便耳。若执著为实，即落魔外，因心不能止于一缘，用作制止。而修定过程中，有种种差别境象，光色境中，易生幻象，或发眼通，不依明师，终为险道。而有上根利器，不即不离，于色尘境中，豁然而悟者，则非常例可拘；如睹明星，或瞥见物，即洞见本性。禅宗古德，灵云禅师，睹桃花而悟道，甚为奇特。悟后有偈曰："三十年来寻剑客，几回落叶又抽枝。自从一见桃花后，直至如今更不疑。"后贤有步其后尘，复颂曰："灵云一见不再见，红白枝枝不著花。叵耐钓鱼船上客，却来平地搣鱼虾。"诚能如是，自非诸小法所可囿矣。

耳声法门：约有内外二种：内则自作声音，如念佛念各种经咒等；此复分为三：有大声念、微声念(经称金刚念)、心声念(经称瑜伽念)。当念此声，即用耳根返闻其声。初则声声念念，渐渐收摄，终归于专心一念一声，即得系心初止。外则任缘何种音声皆可，但最好以流水声、瀑布声、风吹铃铎声、梵唱声等。凡缘音声，最易得定，《楞严》二十五位菩萨圆通法门，独以观音为最，故云："此方真教体，清净在音闻。"当初专一声音，不沉不散。已得定矣，持此有恒，忽入寂境，于一切声，皆不闻矣。此乃静极境象，定相现前，经称"静结"，不可贪著。当离动静二相，不住不离，证知中道，了然不生，则已由定而进于观慧之域矣。慧观闻性，非属动静，不断不常，体自无生。然此犹为次第渐法。若禅宗古德，不历阶梯，一句了然，言下顿悟，闻声解脱，忘其筌象者，为数至多，故禅门入道者，统皆谓观世音法门可也。如百丈会中，有僧闻钟声而悟，百丈即曰："俊哉！此乃观音入道之门也。"他如香严击竹而了，圆悟见雉飞而知声，又若圆悟勤之"薰风自南来，殿角生微凉。"又如举唐人艳体诗"频呼小玉原无事，只要檀郎认得声"等，皆于言下证入，伟哉胜矣！世之修习耳根圆通者多矣，于动静二相，了然不生句下死者，亦复甚众。纵然离外境音声，了不相关，自能寂然入定；孰知定相现前，仍为静境，不了自心自身，皆本来在于动静二相之中，犹为外见,若能超越于此,可许入门矣。

鼻息法门:统纳一类,即缘呼吸之气也。进而呼吸细止,即谓是息。凡修气修脉,练各种气功数息随息等法,皆摄此门;天台藏密二家,尤所注重。其最高法则,即为心息相依。凡思虑过多,散乱心盛者,依息缘心,易见功效,既得止已,细微体察,可见心息本来相依为命。念虑非缘息而不生,气息以念虑而起作,气定念寂,泊然大静。然斯二者,皆为本性功能之用,非道体也。道家之言,有先天一气(气或作炁),散而为气,聚而成形之说。一般外道,误执气为性命之根本,认物迷心,不知体性为用,内外之道,于是分歧。若了自性,工用日深,得心息自在之用,则归元无二,一切皆为权法矣。

身触法门:此分广狭两类。广义者,如上所述诸法,莫不依身根而修,苟我无身,六根何附?狭义者,如专注想色身一处,如眉间、顶上、脐下、足心、尾闾、会阴等;或作观想,或守气息,修气修脉之类,统摄于此。依身修法,易见感受、触觉、凉暖、和软、光滑、细涩等,不一而足。执此者,常视气脉现象等见,以定道力之深浅,终至陷于人相、我相、众生相、寿者相。密宗道家,易陷此过,终不易脱法执。身见难忘,黄檗禅师尝以为叹。《圆觉经》云:"妄认四大为自身相,六尘缘影为自心相。"古今愚昧,同此一例。故永嘉云:"放四大,莫把捉,寂灭性中随饮啄。"或曰:功未齐于诸圣,何能如此?要当借假修真,以此为方便,岂非入德之门耶?曰:苟知如此则可,唯恐迷头认影,终难自拔耳!老子曰:"吾所以有大患者,为吾有身!"至哉言乎!从知禅宗古德,绝口不言气脉者,信有以也。

意识法门:统摄诸类,广绎如八万四千,大体如《百法明门论》之所具。若上来诸法,虽有五根尘境,五识之所对摄,而五识由意识为主,如傀儡登场,中藉一线牵系。意识如统牵诸线之主力,心王为牵线之主人公,凡诸法相,无非心之所生。故一切法门,皆意识所造作也。独指意识自性,强为规范,则观心止观参禅等法,当属此门所摄。所谓观心,入门之初,非指具体真心,乃谓念头生灭之妄识心也。静坐观心,唯内观返照,觅此生灭妄心,来踪去迹,相续生灭之流顿断,前念已灭,灭而不追,后念未生,未生不引,当体空寂。喻如香象渡河,截断众流,当体此境,即为"奢摩他"之止。然犹未也,此犹住空,非为究竟,当体观有自空起,空自有立,生灭为真如之用,真如为生灭之体,不住二边,而见中道,中亦不立,边见舍除,即为"毗钵舍那"之观慧。由此而止观双运为因,得定慧等持之果,地地上进,可证圆满菩提。天台之学,与藏密黄教《菩提道炬论》,中观正见等学,不出斯门也。至于参禅,初期禅宗,不立一法示人,言语道断,心行处灭,何有于斯。后代参禅,以参话头,起疑情,做工夫,非意识而何?唯其用意识入门,而不同于他法者,即疑情之为用也。所谓疑情,非如止观之观心慧学,亦非百法所摄之疑,疑而曰情,实彻第八阿赖耶本识,带质而生。此心此身,互和而凝为一,如有物横胸,不可拔锲。必待遇缘触物,豁然顿破。故曰:"灵光独耀,迥脱根尘。""凡所有相,皆是虚妄"矣。若"末后一句,始到牢关,把断要津,不通凡圣。"此为踏破"毗卢"顶上,抛向"威音"那畔,千圣聚议,难措一词,岂是思知虑得,拟议所及哉!

定 慧 影 像

佛法小乘之学,由戒而定,得乎慧而解脱,终至解脱知见。大乘由布施、持戒、忍辱、精进,而禅定,终至般若之果海。曰止曰观,皆为定慧之因,言其初象耳。凡六根为用,演出八万四千方便法门,初皆为止此意念之用。念止为定,以功力之深浅,分别其次序。其方法则或先以有为之有而入空,或以空其所有而知妙有之用。方便多门,归元无二也。今拣修定,首明其定相。系心一缘,制心一处,即为止境,入定之基也。何谓定?即不散乱,又不昏沉,惺惺而复寂寂,寂寂而亦惺惺,定也。"不依心,不依身,不依亦不依。"

定也。修法之初，不为散乱，即为昏沉，此二者交相往来，吾人竟日毕生于此中讨生活而不觉耳！今析此二法之象。

（1）散乱。

粗名散乱，细名掉举。若心不能系止于一缘，妄想纷飞，思想、联想、回忆、攀缘等等形状，不能制心一处，此为粗散乱。若心似已系住一缘，而有若干轻微妄念，如游丝尘埃，犹在往来，虽不干扰，而终为缠眠，此如"多少游丝羁不住，卷帘人在画图中"之概，此为掉举。用工夫者，住此境中者至多，不识不知，自谓已得定矣。孰知其大谬不然！初用心人，先则妄念不止，心乱气浮，不得安静，可先劳其身，若运动，若礼拜，使其身调气柔，再行上座，但不随妄念，只住一缘，久久自熟。换言之，视妄念乱心，如宾客往来，我但专作一主，不迎不拒，渐渐可止。唯将止时，自心忽又觉此止境，即又起妄。再复去妄，妄去又止。如此周旋，终难止矣。须不作修止修定之想，止象现前，不必耽著，方可渐入。倘觉禅坐时，妄念反较平时为多，此乃进步之象，不必厌烦。喻如明矾投水，方见秽浊之质；又如日光过隙，方见飞尘之扬，不足为累。如散乱力大，不可停止，对治之法，可作数息随息等法，或观想脐下或足心，有一黑色光点。又出声念阿弥陀佛，念至佛时，使此最后声音，拖长下沉，好像心身皆沉至无底处。此皆为对治散乱之有效方法也。

（2）昏沉。

粗名睡眠，细名昏沉，睡眠乃身疲劳，或心疲劳所致，有此情形，不可强坐。先令睡足，方再上座，如借禅坐而睡，习惯一成，终无得定之望矣。昏沉者，心似寂寂，既不能系心一缘，亦不复起粗妄想，唯昏昏迷迷，乃至亦无心身感觉，此种现象初起时，或有幻境，如梦相似。换言之，幻境之来，必在昏沉状态中者。因在此境界时，意识不能明了，独影意识，生起作用也。修定者，最易落在昏沉状态，若自以为定，堕落可悲。宗喀巴大师尝云："若认此种昏沉为定，命终堕入畜生道。可不慎哉！"对治之法，观想脐中有一红色光明点,直冲上顶而散。或极力提全身力量,大呼一声呸,或捏闭两鼻,忍住气息,至无可忍时,极力用鼻射出,或用冷水沐浴,或作适度运动,如练习气功者,可能少有此种现象(又有认昏沉即顽空,非也,顽空乃木然无思念,类似白痴)。

散乱昏沉,若得离已,忽于一念之间,心止一缘,不动不摇,必生轻安现象。轻安生起,亦有二途:若初自顶上有清凉感觉,如醍醐灌顶,遍贯全身,心止身轻,柔若无骨,身直如松,所缘境念,历历他明,了无动静昏散之相,自必喜悦无量,但或久或暂,犹易消失。若初自足心发起,或暖若凉,渐上至顶,如洞穿天宇,则较易为保持。儒家称静中觉物,皆有春意,如云:"万物静观皆自得",即由此境中体会得来。轻安现象发后,最好独居静室,直道上进。倘复攀缘,终至消逝。如精进无间,轻安觉受渐薄,此非失去,亦如惯食其味,渐失初时异感耳。

由此精进不断,定力坚固,清明在躬,色身气脉,有种种变化,发暖发乐,微妙莫名,即得内触妙乐之趣,方可断除世间欲根。而初机发动,生机活泼,阳气周流,如忘系缘一境,必使欲念炽然,如履险道,可不慎乎!过此以往,发生顶相,气息归元,心止寂境,三昧所戒,难用言传。且此中过程,心身变化百端,皆须知其对治,方克有济,戒所遮止,姑置勿论。

止定之道,至此或有气住脉停现象,他家言其境象至详。邵康节诗云:"天根月窟常来往,三十六宫都是春。"但言之甚易,行之维艰。至此仍住定境,可发五种神通,神通以眼通最难发,如眼通发起,其余可相继而发。亦有根器不同,或发一通,或为并发,并无一定。眼通发时,无论闭目开目,彻见十方虚空,山河大地,微细尘中,一一如透明琉璃之体,不隔毫端。凡所欲睹,应念可见;其余四通,例彼可知。然当此时,定心未臻上乘,智慧未开,既随妄流转,失却本心矣。至若以此惑人,即成魔事。故以定为止境者,如履黑夜,最易落险。魔外分途,正在于此,不可不察。或不发通,而定心坚固有力,随意可控制心身,停止气息心脏活动,若印度婆罗门、瑜伽术、吾国之炼形器合一之剑术等,皆得此而用,以惊世骇俗。唯笃行至此,非摒除外务,穷年累月,专心致力,亦不可幸得也。

佛法内明定慧之学,以定为基,得此定已,终复舍此一念,住于"生灭灭已,寂灭现前"。此心此身,皆所不取,何况心身所发现之诸境界。一有境界可得,即为心所之所生,仍属生灭之念,终为虚妄。《楞严经》云:"现前虽得九次第定,不得漏尽成阿罗汉,皆由执此生死妄想,误为真实。"若舍定相,住于寂灭,性空现前,为小乘所宗之果,破了我执得人空耳。修大乘菩萨道者,犹舍空寂,转观假有实幻之生灭往来,缘起无生,成为妙有之用。终复不住不著,不执空有二边,舍离中道,不即不离,以证等妙二觉果海,方知一切众生,本来在定,不假修证也。其中理趣,佛说一大藏教,反复详论,毋待赘言。虽然舍定无基,徒知其理,未证其事,终为乾慧狂见,随流不返,不能主持由我,亦属虚妄耳。世之学贯古今,舌粲莲花者多矣,工用毫无,徒逞口说者,任从说得顽石点头,终见其无济于事,徒逞人我,毁他自赞,宁为佛心耶!古德云:"说得一尺,不如行得一寸。"必当猛自反省,痛砭斯病,循五乘阶梯之学,为不易之理,相期同勉之。

参 禅 指 月

参禅法门,不同禅定,亦不离禅定,其中关系(见禅宗与禅定,参话头各节),已略言之矣。今复画蛇添足,且作落草之谈。夫参禅者,首当发心。且须知直趋无上菩提,应非小福德因缘可办,由人天二乘而至大乘,五乘道所摄六度万行,修积福德资粮诸善法,均须切实奉行。达摩初祖曰:"诸佛无上妙道,旷劫精勤,难行能行,非忍而忍,岂以小德小智,轻心慢心,欲冀真乘,徒劳勤苦。"发心真切,福德圆具,自然时节因缘易熟,择法智慧分明,故曰:"学道须是铁汉,著手心头便判,直取无上菩提,一切是非莫管。"既具办此心胸见识已,须觅真善知识,依止明眼过来人,急觅拄杖,直趋大道,不生退悔心,今生不了,期之来生,坚志三生,无有不成者。古德有谓:"抱定一句话头,坚挺不移,若不即得开悟,临命终时,不堕恶道,天上人间,任意寄居。"须知古德中之真善知识,深明因果,绝非自欺欺人者,其所立言,宁不可信!话头者,即为入道之拄杖,善知识者,犹如识途老马,手握拄杖,乘彼良驹,见鞭影而绝尘,闻号角而脱锁,自他互重,子啄母啐,一旦豁然,方知本未曾迷,云何有悟耶!

若以起疑情、提话头、作工夫,而并论参禅,其中过程,可作影响之谈。须知此所言者,实为影响,非实法也,"与人有法还同妄,执我无心总是痴!"如执以为鉴,印已勘人,皆变醍醐成毒药,丧身失命,过在当人。倘轻以为非,则龙见叶公,顿时远避。是法非法,交代清楚,不任其咎矣。

青原惟信禅师。上堂法语云:"老僧三十年前,未参禅时,见山是山,见水是水。及至后来,亲见知识,有个入处,见山不是山,见水不是水。而今得个休歇处,依前见山只是山,见水只是水。大众,这三般见解,是同是别?有人缁素得出,许汝亲见老僧。"

故曰:"参要真参,悟要实悟。"若大死一番,忽然大活,初见悟境现前,心目定动,觅此身心,了不可得,古德所谓:"如在灯影中行",乃实事境象。到得此时,夜睡无梦,而可证得醒梦一如之境。三祖所谓:"心如不异,万法一如。眼如不寐,诸梦自除。"方乃亲见实信,纯为实语,非表诠法相。故陆大夫向南泉禅师曰:"肇法师也甚奇特,解道天地与我同根,万物与我一体。"师指庭前牡丹花曰:"大夫,时人见此一株花,如梦相似!"此所指梦相似,以及经教所示如幻如梦之喻,皆与事合。及乎至此,亦视力有深浅,须加保任。云岩示道吾以笠,嘱盖覆,庶免渗漏,正为此也。而盖覆保任之功,如百丈示长庆,曰:"如牧牛人执杖视之,令不犯人苗稼。"否则,仍复退失。世之禅人,亦多经此境,究乃"如虫御木,偶尔成文。"俗谓瞎猫撞着死老鼠,自无把握。若明得见得,如牧牛保任之功,自然复能深入。但初得此象,易发禅病。韶山示刘经臣居士曰:"尔后或有非常境界,无限欢喜,宜急收拾,即成佛器。收拾不得,或致失心。"黄龙新示灵源清曰:"新得法空者,多喜悦,或致乱,令就侍者房熟寐。"若到得此已,能随处茅茨石室,长养圣胎,只待道果成熟,然后向世出世间,两边行履,"一切治生产业,与诸实相不相违背。"说得的即是行得的,悟行合一,不落边际,大义当为之事,虽镬汤炭火在前,应无分别而行。久久锻炼,于念而无念之间,自在运用矣。

然犹未也,于此无实相境象,仍要舍离,著此即落法身边事,涅槃果海,犹隔重关。仍须死活几番,打得心物一如,方得心能转物。苟以前境纯熟,得如圆满月时,恰为初悟。曹山所谓:"初心悟者,悟了同未悟。"于此语中,须细检点。故南泉玩月时,有僧问:"几时得似这个去?"师曰:"王老师二十年前,亦恁么来!"曰:"即今作么生?"师便归方丈。何以谓至此须打得心物一如,方可转此重关?归宗曰:"光不透脱,只为目前有物。"南泉曰:"这个物,不是闻不闻。"又云:"妙用自通,不依傍物,所以道通不是依通。事须假物,方始得见。"又云:"不从生因之所生。"文殊云:"惟从了因之所了。"夹山曰:"目前无法,意在目前,不是目前法,非耳目之所到。"凡此等等,难以枚举,皆有事相,非徒为理边事也。既到此已,又须抛向那边,如灵云法语,可通斯旨。

长生问:混沌未分时,含生何来?师曰:如露柱怀胎。曰:分后如何?师曰:如片云点太清。曰:未审太清还受点也无?师不答。曰:怎么含生不来也?师亦不答。曰:直得纯清绝点时如何?师曰:犹是真常流注。曰:如何是真常流注?师曰:似镜长明。曰:向上更有事也无?师曰:有。曰:如何是向上事?师曰:打破镜来与汝相见。

　　然则打破镜来,已是到家否?曰:未也。到家事毕竟如何耶?曰:岂不闻乎:"向上一路,千圣不传。"虽然如此,姑且指个去路,曰:最初的即是最末的,最浅的就是最高深的,诸恶莫作,众善奉行。

　　如上简述,皆是事理并至,实相无相,影响之谈。是法非法,由人自拣。倘是上根利器,早已不受他人惑乱之言。但切勿轻率口说禅道,事相毫无证得,知解自重,狂言吞人。曰:古德云:大悟十八回,小悟无数回。我已身心皆忘,不识不知,顿然入寂,大死大活过几回,犹未在也,何得言之极简?曰:古德此说大悟小悟,非证事相之言,谓悟理入之门耳。此语固可激励后学,而误人亦匪浅矣。若言顿寂与大死大活无数回,统属工用边事,如曹洞师弟所称功勋位上事,不尽关于吾宗门之实悟事也。惟悟后行履,"不异旧时人,只异旧时行履处。"不执功勋,亦重功勋耳。利智之士,直探根源,但如贼入空室,赤条条来去无牵挂,何有于理于事哉!虽然,也须出一身白汗始得,非如画眉点额事,轻浅可及也。所言出一身汗,终亦不可执相,不出汗而悟者,亦大有人在。但示非甘苦到头,终不踏实耳。如:

　　龙湖普闻禅师,唐僖宗太子。眉目风骨,清朗如画,生而不茹荤,僖宗百计移之,终不得。及僖宗幸蜀,遂断发逸游,人不知者。造石霜,一夕,入室恳曰:祖师别传事,肯以相付乎?霜曰:莫谤祖师。师曰:天下宗旨盛传,岂妄为之耶?霜曰:是实事耶?师曰:师意如何?霜曰:待案山点头,即向汝道。师闻俯而惟曰:大奇!汗下。遂拜辞。后住龙湖,神异行迹颇多。

　　灵云铁牛持定禅师,太和磻溪王氏子。故宋尚书赟九世孙也。自幼清苦刚介,有尘外志,年三十,谒西峰肯庵剪发,得闻别传之旨。寻依雪岩钦,居槽厂,服杜多(头陀)行。一日,钦示众曰:兄弟家!做工夫,若也七昼夜一念无间,无个入处,斫取老僧头做尿屎杓。师默领,励精奋发,因患痢,药石浆饮皆禁绝,单持正念,目不交睫者七日。至夜半,忽觉山河大地,遍界如雪,堂堂一身,乾坤包不得。有顷,闻击木声,豁然开悟,遍体汗流,其疾亦愈。且诣方丈举似钦,反复诘之,遂命为僧。

五祖演参白云端。遂举僧问南泉摩尼珠语请问。云叱之,师领悟。献投机偈曰:山前一片闲田地,叉手丁咛问祖翁。几度卖来还自买,为怜松竹引清风。云特印可。………云语师曰:有数禅客自庐山来,皆有悟入处;教伊说亦说得有来由;举因缘问伊,亦明得;教伊下语,亦下得,只是未在!师于是大疑,私自计曰:既悟了,说亦说得,明亦明得,如何却未?遂参究累日,忽然省悟,从前宝惜,一时放下。走见白云,云为手舞足蹈。师亦一笑而已。师后曰:吾因兹出一身白汗,便明得下截清风。

若斯之类,方为亲切,而又何其便捷,倘执"大死大活"、"枯木生花"、"冷灰爆豆"、"囵的一声"、"普化一声雷"等。形容譬喻字句,认为实法,必有事相,则于宗门无上心法,永未梦见在,不值识者一笑。如认此皆是譬喻语,非关事相,亦如痴人说梦,不知梦是痴人也。

然则,参禅悟后人,复修定否?曰:修与不修,乃两头语。"不擒不纵坦然住,无来无去任纵横。"终日著衣吃饭,未曾咬着一粒米,未曾穿着一条线,如飞鸟行空,寒潭捞月,终无事相之可得。若犹未稳,一切法门,皆同实相,自可任意摩挲,不妨从头做起。临济示寂时有偈曰:"沿流不止问如何?真照无边说似他,离相离名人不禀,吹毛用了急须磨。"曰:还须坐禅否?曰:是何言哉!行住坐卧四威仪中,自然处处会得方可,未可独谓坐禅方是,亦不可谓坐禅不是,如是悟道人,自解作活计,"长伸两足眠一寤,醒来天地还依旧。"又有何处不是耶?黄龙心称虎丘隆为瞌睡虎,岂偶然哉!又如:

　　临济悟后,在僧堂里睡,黄檗入堂,见,以拄杖打板头一下。师举首见是檗,却又睡。檗又打板头一下。却往上间,见首座坐禅。乃曰:下间后生却坐禅,汝在这里妄想作么?

　　铁牛定悟后,值雪岩钦巡堂次。师以楮被裹身而卧。钦召至方丈,厉声曰:我巡堂,汝打睡,若道得即放过,道不得即趁下山。师随口答曰:铁牛无力懒耕田,带索和犁就雪眠。大地白银都盖覆,德山无处下金鞭。钦曰:好个铁牛也。因以为号。

　　但石霜会中,二十年间,学众多有"常坐不卧,屹若株杌。"天下谓之枯木众。亦非独谓睡方是道也。玄沙见亡僧谓众曰:"亡僧面前,正是触目菩提,万里神光顶后相。学者多溟涬其语。"复有偈曰:"万里神光顶后相,没顶之时何处望? 事已成,意亦休! 此个来踪触处周,智者撩着便提取,莫待须臾失却头。"此之所举,须切实参究,不可草草,落在断常二见。至若禅门之禅定,《六祖坛经》、诸祖语录,言之甚众,文繁不引,且录南泉语,以殿其后。

　　据说十地菩萨,住首楞严三昧,得诸佛秘密法藏,自然得一切禅定解脱,禅通妙用,至一切世界,普现色身,或示现成等正觉,转大法轮,入涅槃。使无量入毛孔,演一句经,无量劫其义不尽。教化无量千亿众生,得无生忍,尚唤作所知愚,极微细所知愚,与道全乖。大难! 大难! 珍重。

　　《金刚经》云:"我所说法,如筏喻者;法尚应舍,何况非法。"然则上来所述种种,皆作梦语观可也。若有作实法会取,即化醍醐成毒药,言者无心,听者受过矣。

跋

　　心地法门,单提直指,向上一路,密不通风。盖直下即会,箭过新罗,竖拂擎拳,皆成话堕;惟离心意识参,绝圣凡路学,将一句无义味语,含裹识田,如金刚圈、栗棘蓬,吐吞不得,直饶到坐地断,爆地折,方许少分相应。其或顶上闻雷,豁开正眼,彻底掀翻,失声一笑,始知截流一句,不涉唇吻,堂堂岁月,空费草鞋。从此虚空为口,万象为舌,灯笼露柱,昼夜常说,刹竿倒却,处处逢渠矣。乐清南怀瑾先生,诞邻玄觉之乡,密契曹溪之要,具透关眼,现居士身,髫龄誓志,遍历诸方,禅教道密,不舍一法,以道无内外,法泯中边,语其究竟,靡不涵盖,真为佛子,作丈夫事,横流泛滥,仅觏斯人。所撰《禅海蠡测》一书,包孕群品,翕纳众流,百川虽殊,海水味一,于无说中,炽然有说,举从上祖师缄封密固,不肯与人道破者,不惜拈出龟毛,显透消息,洵可谓婆心片片,痛切肺肝者矣。此事如粉雪煤墨,毫厘千里,未明者个,皆在骑牛觅牛,直须毒手一击,顿教伎俩都尽,然后太虚迸裂,千山独露,经尘点劫,何曾暂离! 宝兹妙药,普愈喑聋,无米油糁,尝者有分。以如是眼,读如是书,作者苦心,庶不唐丧。

佛历二五二〇年岁次乙未仲夏月

优婆塞菩萨戒弟子张无诤谨跋

禅海蠡测剩语

萧 天 石

　　禅宗一门,为我国佛教中之一革新派,旨在传佛心印。自释迦牟尼传大迦叶,递至二十八代菩提达摩,东来震旦,是为此土初祖。复自二祖僧璨递传至六祖惠能,弘开五叶,宗风大振。虽所提倡以"不立文字,直指人心,见性成佛"为宗旨,惟文字语言,亦未始非心传方便法门。故达摩初亦曾用《楞伽经》四卷以印心。惠能于黄梅,刚道得"本来无一物"一偈,便得衣钵,惟当授受之际,犹为说《金刚经》。其在曹溪弟子亦有《坛经》之记。厥后二派五宗,无不直指向上,皆令自求、自行、自悟、自解;然亦究不能无说,说不能无文。盖借语传心,因指见月,语言文字,有时亦不失为接引开示之方便也。

　　世谓禅宗为教外别传,实则谓之别传固可,谓之非别传而为嫡传亦可。盖真谛不二,以教证宗,以宗举教,教实有言之宗,宗本无言之教。三藏十二部,默契之则皆宗;千七百公案,举扬之则皆教。佛说法数十年,未尝说得一字,以法尚应舍也。故究竟言之,教原未尝有言,而宗亦未尝无言也。天下同归而殊途,百虑而一致。归元无二路,方便有多门。能彻悟自心是圣,自心是佛,则触著便了,更无余事。天地与我同根,万物与我一体,岂可因门庭施设,而分宗分教,俨然门户峥嵘,自生差别哉!

　　南君怀瑾,顷以所著《禅海蠡测》书稿见寄。细读之,深觉其超情离见,迥出格量。君虽深契禅宗,然不以话头为实法,不以棒喝作家风;横说竖说,语语由自性心田中流出,绝非如优人俳语者可比。其中冶儒释道各家之言，而综诸一贯，会归一旨，倘非能如大海之纳百川者，曷克臻此？是书虽累十余万言，要亦只道得一字。若会时，看固得，不看亦得；不会时，不看固不得，看亦不得。洛浦安答僧云："一片白云横谷口，几多飞鸟尽迷巢。"是佛固著不得，经典公案亦著不得。读者于此书所示，一字一句，又岂能著得？"不离文字难为道，尽舍语言始是经。"读者切勿泥于语句，堕入文字禅中，而宜独超冥造乎语言文字之外，是为近之。否则依然陷在妄想知见网中，虽一辈子学佛，一辈子参禅，一辈子求道，骑驴觅驴，与自己本来面目，毫没干涉，而终归是凡夫。余昔赠灵岩寺僧传西有句云："不学佛时方成佛，非参禅处即参禅。"此与张拙见道偈之："断除烦恼重增病，趋向真如亦是邪。"及憨山大师所谓："妄想兴而涅槃现，烦恼起而佛道成。"其义一也。

余与怀瑾，论交十余年矣。抗战初起时，君甫逾弱冠。殚力垦殖，深入夷区，部勒戍卒，蛮烟瘴雨，跃马边陲，气宇如王，高自期许。卒以囿于环境，单骑返蜀，复事铅椠。曾述其经历，著《西南夷区实录》一书，则又恂恂儒者，非复向日马上豪雄矣。无何，任教军校，时余主持日报，每相与论天下事，壮怀激烈，慨然有澄清之志。惟以资禀超脱，不为物羁，故每尝芒鞋竹杖，遍历名山大川，友天下奇士，不知者辄目为痴狂，而君则恬然乐之。尝曰："钟鼎山林，固皆凤愿，苟顿脱可企，则视天下犹敝屣耳！"一九四三年，余以婴疾，药炉禅榻，时益相亲；曾与遍访高僧，并同师事 光厚老和尚。不期年，君辞军校事，而致学于金陵大学研究院社会福利系。后又弃隐于青城之灵岩寺，霜枫红叶，日伍禅流。旋从禅德袁焕仙居士游，契入心要。嗣即不知踪迹者久之。一日，忽有客自峨嵋来，始知闭关于中峰绝顶之大坪寺，西川旧好，相顾愕然！耆年如谢子厚、傅真吾，及君师袁焕仙等，相约入山访之，始知由名僧普钦之介，悄然至峨嵋，初于龙门洞猴子坡等处，叠示灵异之迹，乃获寄迹该寺。在此期中，并曾折服当时负有盛名之唯识学者王某。龙门寺僧演观,曾记其事与对话,刊有专册行世,不胫而走。龙泉有匣,光芒不掩,真性情人,行事大抵固如是也。

后三年,余宰灌县,君飘然莅止,美髯拂胸,衲衣杖策,神采奕奕。问从甚处来?答谓:"前从灵岩去,今自金顶回。"问:在峨嵋山何为?曰:"三年闭关,阅全藏竟。"复问其今后拟往何处?则曰:"到处不住到处住,处处无家处处家。"相视而失笑者久之。憩夏青城后,即远游康藏,穷探密宗之奥;行迹遍荒山绝巘,丛林古刹。行脚愈远,所接大德高僧奇人异士亦愈众,而迹亦愈晦。盖所谓"就万行以彰一心,即尘劳而作佛事"者也。嗣闻其经康藏至昆明后,曾讲学于云南大学。折返锦城,并一度应川大哲学教授傅养恬之邀,讲学于哲学研究会。斯时已声光并耀,缁白闻风问道者络绎。迨抗战胜利后二年,君即返里省亲,嗣复深隐于天竺灵隐山中,栖心玄秘。尔时,余适于役京畿,彼此不相闻问矣。

一九四九年夏,余自沪来台。一夕,君忽枉访于台北寓所,始悉其方有所营为。越明年,事与愿违,忽尔晦迹,行藏莫卜者久矣。迨去冬,因某居士之约而复聚于海滨一陋巷中,破窗尘几,意趣萧然;当力促以重亲笔砚。初不谓然,几劝始诺。曾未数月,遂成斯篇,都凡二十章,钩元提要,探幽阐微,手眼别具,发前人之所未发。全书以禅宗为主眼,而融会众流,归趣大海,虽于从上各家之说,略有损益,要皆言必有宗,指归至当。至若《参话头》、《中阴身》,及《修定与参禅法要》诸篇,则皆古人稳密缄固不肯为人说破者,今皆不惜眉毛,金针巧度。虽小出作略,而其资益于真心向道者,宁为浅鲜?至其提持纲要,语不滞物,思泉坌涌,如山出云,殆今日之广陵散矣。余初识怀瑾,英年挺拔,跌宕磊落,前途正未可量;卒之鄙弃功名,参伍猿鹤,得以博览法藏,独契心源,返朴还淳,泥涂轩冕,所谓游于方之外者非欤?又君髫年曾习武技与方术,卒致力于佛法;深入禅教密各宗之堂奥。今后究将以何者为其归止,则又未可逆测。其殆游戏人间,应物无朕者耶?爰因其书成,略缀其生平行履一斑以附,庶读其书者,亦得略知其人。余虽早岁皈命瞿昙,然放逸怠荒,惮于精进,似草野人,为廊庙语,门外之诮,宁能幸免?惟承命为校订,于义不能无言,拉杂书之,亦自哂也。

一九五五年六月于台中草庐

·禅　　话·

出版说明

　　禅宗,是中国佛教的一大宗派,独特的人生态度、价值观念、审美情趣和思维方式,曾对古代社会的朝野人士,尤其是士大夫阶层产生了极为深广的影响,使之与中国思想文化史结下了不解之缘。研究禅宗的形成、发展和演化,探求它在各个时期的特点,也因此而成了学术研究领域的一大课题。本书是著名学者南怀瑾先生撰写的一部介绍早期禅宗的人物和史事的著作。通俗易懂,简明扼要,甚便初学者阅读。兹经作者和原出版单位台湾老古文化事业公司授权,将老古 1994 年版校订出版,以供研究。

复旦大学出版社

1996 年 11 月 27 日

话　头
——答叔、珍两位质疑的信

　　清人舒位诗谓:"秀才文选半饥驱。"龚自珍的诗也说:"著书都为稻粱谋。"其然乎! 其不然乎? 二十多年来,随时随地都需要为驱饥而作稻粱的打算,但从来不厚此薄彼,动用头脑来安抚肚子。虽然中年以来,曾有几次从无想天中离位,写作过几本书,也都是被朋友们逼出来的,并非自认为确有精到的作品。

　　况且平生自认为不可救药的缺点有二:粗鄙不文,无论新旧文学,都缺乏素养,不够水准,此所以不敢写作者一。秉性奇懒,但愿"饱食终日,无所用心",视为人生最大享受。一旦从事写作,势必劳神费力,不胜惶恐之至,此其不敢写作者二。

　　无奈始终为饥饿所驱策。因此,只好信口雌黄,滥充讲学以糊口。为了讲说,难免必须动笔写些稿子。因此,而受一般青年同好者所喜,自己仅觉脸红。此岂真如破山明所谓:"山迴迴,水潺潺,片片白云催犊返。风潇潇,雨洒洒,飘飘黄叶止儿啼。"如斯而已矣乎!

　　但能了解此意,则对我写作、讲说,每每中途而废之疑,即可谅之于心。其余诸点,暂且拈出一些古人的诗,借作"话题"一参,当可会之于心,哑然失笑了! 关于第一问者:

> 　　中路因循我所长,由来才命两相妨。
> 　　劝君莫更添蛇足,一盏醇醪不得尝。

(杜　牧)

　　　促柱危弦太觉孤,琴边倦眼眺平芜。

　　　香兰自判前因误,生不当门也要锄。

　　　　　　　　　　　　　　　　　　　　（龚自珍）

关于第二问者：

　　　饱食终何用,难全不朽名。

　　　秦灰招鼠盗,鲁壁窜鲰生。

　　　刀笔偏无害,神仙岂易成。

　　　却留残阙处,付与竖儒争。　　　　（吴梅村）

关于第三问者：

　　　一钵千家饭,孤身万里游。

　　　睹人青眼少,问路白云头。　　　（布袋和尚）

　　　勘破浮生一也无,单身只影走江湖。

　　　鸢飞鱼跃藏真趣,绿水青山是道图。

　　　大梦场中谁觉我,千峰顶上视迷徒。

　　　终朝睡在鸿蒙窍,一任时人牛马呼。

　　　　　　　　　　　　　　　　　　　　（刘悟元）

　　　　　　　　　　　　　　　　　南　怀　瑾

　　　　　　　　　　　　　　　　　1973 年孟春

中国禅宗的初祖——达摩大师

据禅宗史料的记载，菩提达摩秉着他师父(印度禅宗第二十七祖般若多罗)的遗教，正当中国南朝梁武帝普通元年、后魏孝明帝正光元年(公元五二〇年)期间[①] 到达了中国。他师父的遗言说："路行跨水复逢羊，独自栖栖暗渡江。"便是指他由南印度渡海东来，先到南朝与梁武帝见面，话不投机，因此就栖栖惶惶地暗渡长江，到了北朝的辖区河南的嵩山少林寺。佛典中对于杰出的人才，向来比之为龙象。达摩大师在南北朝时代，传授了禅宗的心法，虽然有了二祖慧可(神光)接承了他的衣钵，但是道育和尚与道副和尚以及比丘尼总持，也都是他的入门弟子。尤其是神光与道育，更为杰出。但是他们遭遇的时势，与传教的阻力也更为艰难。这便是他师父遗言所谓"日下可怜只像马，二株嫩桂久昌昌"的影射了。

中国的画家，在元、明以后，经常喜欢画一个环眼碧睛而虬髯的胡僧，足踏一枝芦苇，站在滔滔的波浪间，作前进的姿态，那便是描写达摩大师由南朝暗渡长江而到后魏的典故。达摩偷渡过江到北方去是不错，是否用一枝芦苇来渡江，却无法稽考。这很可能是把神僧"杯渡和尚"的故事，纳入"独自栖栖暗渡江"的诗情画意中，以增添达摩的神异色彩。

---

① 　据《景德传灯录》(宋本)的西来年表。

对我是谁人不识

　　达摩大师由南印度航海东来,先到了广州。那时,距离唐太宗时代大约还差一百年,玄奘法师还没有出生。而在这以前,印度的佛教与印度的文化传入中国,都是从西域经过中国西北部而来的。中国历史上所称的北魏(或称后魏),便是佛教文化的鼎盛地区,也是南北朝期间佛教最发达的时期。同时,也是中国佛教从事翻译,讲解佛经义理,寻思研探般若(慧学)等佛学文化的中心重镇。

　　同此时期,南朝的梁武帝也是笃信宗教的统治者,他以宗教家的资质,虔诚地相信佛教与道教。曾经亲自讲解佛经与《老子》,又持斋信佛,舍身在佛寺里做工。作为一个政治上的统治人物,以帝王之尊,舍身佛寺为奴,又充当传教师,讲解道书,过一过传教师与学者的瘾,这已是违背大政治家的法则,没有做到无偏党而“允执厥中”,也可以说,因此便注定他要失败的后果。所以达摩大师的师父(般若多罗),六十年前远在印度时,便预言他会失败。他告诉达摩说:“你到中国传道,将来悟道之士,多不胜数。但在我去世后六十多年,那一个将有灾难,犹如‘水中文布’(指梁武帝),你须好自为之。最好不要在南方久耽,因为南方的领导者,只是喜欢世俗有所为而为的佛教功德,对于佛法的真谛,并没有真正的认识。”

　　达摩大师又问他师父,中国佛教以后发展的情形。他师父说:“从此以后再过一百五十年,会有个小灾难。”同时告诉他另一预言:“心中虽吉外头凶,川下僧房名不中。如遇毒龙生武子,忽逢小鼠寂无穷。”这便是指中国佛教僧众中有些不自检点,因此招来北周武帝的废佛教、废僧尼的灾难,也就是中国佛教史上有名的“三武之难”之一。

　　预言的偶中也罢,不幸而言中也罢,这是禅的零星小火花,而非禅的重心,并不足为奇。后来达摩大师初到南方与梁武帝见了面,梁武帝果然问他:"朕(我)登位以来,造佛寺、写佛经、引度人们出家为僧,多得不可胜记。我这样作功德,请问会有什么结果?"大师说:"这些并无功德。"梁武帝问:"何以没有功德?"大师说:"这些事,只是人们想求升天的果报,终归是有渗漏的因果关系。犹如影子跟着形体,虽然是有,毕竟不是真实的事。"梁武帝又问:"怎样才是真的功德呢?"大师说:"真正智慧的解脱,是证悟到智慧的体性,本来便是空寂、圆明、清净、妙密的实相无相。这种智慧成就的真功德,不是以世俗的观念求得的。"梁武帝问:"怎样是圣道最高的第一义呢?"大师说:"空廓无相,并无圣道的境界。"梁武帝问:"那么,与我相对的是谁呢?"大师说:"不知道。"

新语云①:原文记载:"帝问:'如何是圣谛第一义?'师曰:'廓然无圣'。帝问:'对朕者谁?'师曰:'不识'。"今皆擅加语体新译,以便此时此地的读者容易晓了。如要求准确,仍须读原文为准,不必随便阿从。

唯"不识"一句,应照唐音读之。相当于现在的广东话、闽南语。盖广东话及闽南语,还能直接唐音。如照现代语读之,认为"不识",就是不认识的意思,大体固然可通,究竟离禅宗语录的原意甚远了。

又:禅宗教人直接认识"我"是什么? 什么是"我"? 元、明以后的禅师,教人参"念佛是谁?"也便是这个意思。梁武帝被达摩大师迫得窘了,问到得道圣人们至高无上的真理,第一义谛的境界是什么? 大师便说那是空廓无相,也无圣道存在的境界。因此使梁武帝更窘,所以他便直截了当用责问的口吻说:"对朕者谁?"这等于说:既然没有境界,也没有圣道和圣人的存在,那么,你不是得道的祖师吗? 得道的祖师岂不就是圣人吗? 那你此刻和我相对,你又是谁呢? 这一句,真问到关节上去了。大师就抓住这个机会说:

---

① 本书作者的案语。

"莫知"啊！这等于说：不要说我本非我，你梁武帝若能真正懂得我本非我，现在相对之你我，毕竟无"我"可得时，你便成了！可惜梁武帝真"莫知"啊！所以大师也只好溜之大吉，偷偷地暗自渡江北去了！

　　关于"廓然无圣"一语，解释得最透彻的莫过于明末禅宗大师密云圆悟的答问《中庸》"虽夫妇之愚，可以与知焉。及其至也，虽圣人亦有所不知焉"的话了。密云圆悟禅师说："具足凡夫法，凡夫不知。具足圣人法，圣人不知。凡夫若知，即是圣人。圣人若知，即是凡夫。"《尚书》多方说："唯狂克念作圣，唯圣罔念作狂。"皆作如是观。

面壁而坐　终日默然

　　达摩大师渡过长江，到达少林寺后，便一天到晚默然不语，面对石壁跏趺而坐(俗名打坐)。他本来是从印度过来的外国和尚，可能当时言语不太通。同时，那个时代的人们，除了讲论佛学经典的义理以外，只有极少数的人学习小乘禅定的法门，根本就不知道什么是禅宗。因此，一般人对于大师的"终日默然，面壁而坐"就莫名其所以然了。所以大家便替他取了一个代号，叫他"壁观婆罗门"。当此之时，举世滔滔，哪里找到明眼人？哪里找个知心人？又向哪里找个"举世非之而不加沮，举世誉之而不加劝"，立志以天下为己任的继承人呢？所以他只有独坐孤峰，面壁相对，沉潜在寂默无言的心境里，慢慢地等待着后起之秀的来临了！

　　新语云：后世学禅的人，有的"拿到鸡毛当令箭"认为要学禅宗，便须面对墙壁打坐，才是禅门的心法。而且这种情景，愈传愈久，流入唐、宋以后的道家，修炼神仙丹法者的手里，就变成"百日筑基，三年哺乳，九年面壁"的修道程序了。换言之，只要花上十二三年的修炼代价,便可"立地成仙"而"白日飞升"。比起六岁开始读书求学,花上十二三年的时间,才拿到一个学位,然后谋得一个职业,也仅得温饱而已。如此两相比较,学仙实在太划得来。究竟是耶?非耶?或仅为梦寐求之的呓语耶?暂时保留意见,姑不具论。但把达摩大师初到中国,在少林寺"面壁而坐"的故事,变成修道或学佛的刻板工夫,实在令人哑然失笑。因为在大师传授的教法中,实在找不出要人们都去面对墙壁而坐的指示啊!

为求真理而出家的少年学僧——神光

中国的文化思想,到了南北朝时代,承接魏、晋以来的"玄学"和"清谈"之后,翻译佛经与精思佛学的风气,空前兴盛。那种盛况,犹如现代追求科学的风气一样。于是,有一位杰出的青年,便在这个时代潮流中冲进了禅宗的传统,打破了大师"终日默然,面壁而坐"的沉寂。这就是后来中国禅宗尊为第二代祖师的神光大师。

神光大师,正式的法名叫慧可。他是河南武牢人,俗家姓姬。据说,他父亲姬寂先生在没有生他的时候,常常自己反省检讨,认为他的家庭,素来是积善之家,哪里会没有儿子呢?因此他开始祈祷求子。有一夜,他感觉到空中有一道特别的光明照到他们家,随后他的妻子就怀孕而生了神光。因此就以光命名,纪念这段祥瑞的征兆。这些都无关紧要,但照本直讲,略一叙说而已。

神光在幼童时代,他的志气就不同于一般儿童。长大以后,博览诗书,尤其精通"玄学"。可是他对家人的生产事业并无兴趣,而只喜欢游山玩水,过着适性的生活,因此他经常来往于伊川与洛阳一带。这在古代的农业社会里,也并不算是太奢侈的事。

后来他对于"玄学"的道理,愈加深入了,结果反而感觉到空谈"玄学"的乏味。并且常常感叹地说:"孔子、老子的教义,只是人文礼法的学术,树立了人伦的风气与规范。《庄子》、《易经》等书籍,也不能尽穷宇宙人生奥妙的真理。"由此可见他研究得愈深入,对形而上道愈抱有更大的怀疑了。后来他读佛经,觉得还可以超然自得,因此他便到洛阳龙门的香山,皈依宝静禅师,出家做了和尚。又在永穆寺受了佛教所有的戒律,于是便悠哉游哉,往来于各处佛学的讲座之间,遍学大乘与小乘所有的佛学。

到了三十二岁的时候,他又倦游归来,回到香山。一天到晚,只是静坐。这样经过了八年的苦行,有一天,在他默然静坐到极寂静的时候,忽然在定境中看见一个神人对他说:"你想求得成就的果位,何必停留在这里呢? 光明的大道并不太远,你可以再向南去。"他听了以后,知道这是神异的助力,因此,便自己改名叫神光。但到了第二天,便觉得头部犹如刀刺一样的疼痛。他的师父宝静法师知道了,想要叫他去治病。但空中又忽然有一个声音说:"这是脱胎换骨,并非普通的头痛。"于是神光便把自己先后两次奇异的经过告诉了师父。他师父一看他的头顶,真的变了样,长出了五个峥嵘的头骨,犹如五个山峰挺立而出一样。因此便说:"你的相的确改变了,这是吉祥的兆头,是可以证果的证明。你听到神奇的声音,叫你再向南去,我想在少林寺住着的达摩大师,可能就是你的得法师父。你最好到少林寺去探访他,听说他是一位得道的'至人'呢!"神光听了他剃度师宝静法师的教导,便到少林寺去找达摩大师。

新语云:后世讲解禅宗或禅学的人,一提到二祖神光悟道的公案,便将神光向达摩大师求乞"安心"法门一节,认为是禅的重心。殊不知"安心"法门的一段记载,只是记述达摩大师在那个时候当机对境,借此接引神光悟入心地境界,一时所用权巧方便的教授法,而并非禅宗的究竟,即止于如此。其次,大家除了追述神光因问取"安心"法门而悟道以外,完全忽略了二祖在未见达摩大师以

前的个人经历,和他修习佛学的用功,以及他未见达摩以前,曾经
在香山"终日宴坐"修习禅定工夫达八年之久的经过。同时更忽略
了达摩大师从般若多罗尊者处得法之后,以他的睿智贤达,还自依
止其师执役服勤,侍奉了四十年之久。直到他师父逝世以后,他才
展开弘法的任务。现在人习禅学道,不切实际,不肯脚踏实地去做
工夫,而且只以主观的成见,作客观的比较。自己不知慧力和慧根
有多少,不明是非的究竟,而以极端傲慢自是之心,只知诛求别人
或禅人们的过错,却不肯反躬而诚,但在口头上随便谈禅论道,在
书本上求取皮毛的知识,便以此为禅,真使人油然生起"终日默然"
之思了!

神光的断臂

　　神光到达嵩山少林寺,见到达摩大师以后,一天到晚跟着他,
向他求教。可是大师却经常地"面壁"而坐,等于没有看见他一样,
当然更没有教导他什么。但是神光并不因此而灰心退志,他自己
反省思维,认为古人为了求道,可以为法忘身;甚至,有的敲出了骨
髓来作布施;还有的输血救人;或者把自己的头发铺在地上,掩盖
污泥而让佛走过;也有为了怜悯饿虎而舍身投崖自绝,布施它们去
充饥(这些都是佛经上叙说修道人的故事)。在过去有圣贤住世的
时代,古人们尚且这样恭敬求法,现在我有什么了不起呢? 因此,
他在那年十二月九日的夜里,当黄河流域最冷的季节,又碰到天气
变化,在大风大雪交加之夜,他仍然站着侍候达摩大师而不稍动。
等到天亮之后,他身边堆积的冰雪,已经超过了膝盖(后来宋儒程
门立雪的故事,便是学习神光二祖恭敬求道的翻版文章)。

　　经过这样的一幕,达摩大师颇为怜悯他的苦志。因此便问他:
"你这样长久地站在雪地中侍候我,究竟为了什么?"神光被他一
问,不觉悲从中来,因此便说:"我希望大和尚(和尚是梵文译音,是

佛教中最尊敬的称呼,等于大师,也有相同于活佛的意义)发发慈悲,开放你甘露一样的法门,普遍地广度一般人吧!"我们读了神光这一节答话的语气,便可看出他在求达摩大师不要缄默不言地保守禅的奥秘,而希望他能公开出来,多教化救济些人。虽然每句话都很平和,但骨子里稍有不满。达摩大师听了以后,更加严厉地对神光说:"过去诸佛至高无上的妙道,都要从远古以来,经过多生累劫勤苦精进的修持。行一般人所不能行的善行功德,忍一般人所不能忍的艰难困苦,哪里可以利用一些小小的德行、小小的心机,以轻易和自高自慢的心思,就想求得大乘道果的真谛。算了罢!你不要为了这个念头,徒然自己过不去,空劳勤苦了。"神光听了达摩大师这样一说,便偷偷地找到一把快刀,自己砍断了左手的臂膀,拿来放在大师的前面。

　　新语云:这是中国禅宗二祖神光有名的断臂求道的公案。我们在前面读了神光大师求法经历的记载,便可知道神光的聪明智慧,绝不是那种笨呆瓜。再明白地说,他的智慧学问,只有超过我们而并不亚于我们。像我们现在所讲的佛学之理,与口头禅等花样,他绝不是不知道。那么他何以为了求得这样一个虚无缥缈而不切实际的禅道,肯作如此的牺牲,除非他发疯了,有了精神病,才肯那么做,对吗?世间多少聪明的人,都被聪明所误,真是可惜可叹!何况现代的人们,只知讲究利害价值,专门喜欢剽窃学问,而自以为是呢!其次,更为奇怪的是神光为了求道,为什么硬要砍断一条臂膀?多叩几个头,跪在地上,加上眼泪鼻涕的苦苦哀求不就得了吗?再不然送些黄金美钞,多加些价钱也该差不多了。岂不闻钱可通神吗?为什么偏要断臂呢?这真是千古呆事,也是千古奇事。神光既不是出卖人肉的人,达摩也不是吃人肉的人,为什么硬要断去一条臂膀呢?姑且不说追求出世法的大道吧,世间历史上许多的忠臣孝子、节妇义夫,他们也都和神光一样是呆子吗?宁可为了一个不着边际的信念,不肯低头,不肯屈膝,不肯自损人格而视死如归;从容地走上断头台,从容地钉上十字架。这又是为了什么呢? 儒家教诲对人对事无不竭尽心力者谓之忠,敬事父母无不竭尽心力者谓之孝。如果以凡夫看来,应当也是呆事。"千古难能唯此呆",我愿世人"尽回大地花千万,供养宗门一臂禅"。那么,世间与出世间的事,尽于此矣。

此外,达摩大师的运气真好,到了中国,恰巧就碰上了神光这个老好人。如果他迟到现在才来,还是用这种教授法来教人,不被人按铃控告到法院里去吃官司,背上种种的罪名才怪呢! 更有可能会挨揍一顿,或者被人捅一短刀或扁钻。如果只是生闷气地走开算了,那还算是当今天底下的第一等好人呢。后来禅宗的南泉禅师便悟出了这个道理,所以他晚年时,厌倦了"得天下之蠢材而教之"的痛苦,便故意开斋吃荤,赶跑了许多围绕他的群众。然后他便说:"你看,只要一盘肉,就赶跑了这些闲神野鬼。"多痛快啊!

达摩禅

了不可得安心法

　　神光为了求法斩断了一条左臂,因此赢得了达摩大师严格到不近人情的考验,认为他是一个可以担当佛门重任,足以传授心法的大器。便对他说:"过去一切诸佛,最初求道的时候,为了求法而忘记了自己形骸肉体的生命。你现在为了求法,宁肯斩断了一条左臂,实在也可以了。"于是就替他更换一个法名,叫慧可。神光便问:"一切诸佛法印,可不可以明白地讲出来听一听呢?"达摩大师说:"一切诸佛的法印,并不是向别人那里求得的啊!"因此神光又说:"但是我的心始终不能安宁,求师父给我一个安心的法门吧!"达摩大师说:"你拿心来,我就给你安。"神光过了好一阵子才说:"要我把心找出来,实在了不可得。"达摩大师便说:"那么,我已经为你安心了!"

　　新语云:这便是中国禅宗里有名的二祖神光求乞"安心"法门的公案。一般都认为神光就在这次与达摩大师的对话中,悟得了道。其实,禅宗语录中,只记叙这段对话,并没有说这便是二祖神光悟道的关键。如果说神光便因此而大彻大悟,那实在是自误误人了。根据语录的记载,神光问:"诸佛法印,可得闻乎?"达摩大师只是告诉他"诸佛法印,匪从人得"。也就是说:佛法并不是向别人那里求得一个东西的。因此启发了神光的反躬自省,才坦白说出"反求诸己"以后,总是觉得此心无法能安,所以求大师给他一个安心的法门。于是便惹得达摩大师运用启发式的教授法,对他说:

"只要你把心拿出来,我就给你安。"不要说是神光,谁也知道此心无形相可得,无定位可求,向哪里找得出呢? 因此神光只好老实地说:"要把心拿出来,那根本是了无迹象可得的啊!"大师便说:"我为汝安心竟。"这等于说:此心既无迹象可得,岂不是不必求安,就自然安了吗? 换言之,你有一个求得安心的念头存在,早就不能安了。只要你放心任运,没有任何善恶是非的要求,此心何必求安?它本来就自安了。虽然如此,假使真能做到安心,也只是禅门入手的方法而已。如果认为这样便是禅,那就未必尽然了。

除此以外,其他的记载,说达摩大师曾经对神光说过:"外息诸缘,内心无喘。心如墙壁,可以入道。"神光依此做工夫以后,曾经以种种见解说明心性的道理,始终不得大师的认可。但是大师只说他讲得不对,也并没有对他说"无念便是心体"的道理。有一次,神光说:"我已经休息了一切的外缘了。"大师说:"不是一切都断灭的空无吧?"神光说:"不是断灭的境界。"大师说:"你凭什么考验自己,认为并不断灭呢?"神光说:"外息诸缘以后,还是了了常知的嘛! 这个境界,不是言语语文字能讲得出来的。"大师说:"这便是一切诸佛所传心地的体性之法,你不必再有怀疑了。"有些人认为这才是禅宗的切实法门,也有人以为这一段的真实性,值得怀疑。因为这种方法,近于小乘佛法的"禅观"修习,和后来宗师们的方法,大有出入,而达摩大师所传的禅,是大乘佛法的直接心法,绝不会说出近于小乘"禅观"的法语。其实,真能做到"外息诸缘,内心无喘",就当然会内外隔绝,而"心如墙壁"了。反之,真能做到"心如墙壁",那么"外息诸缘,内心无喘"自然就是"安心"的法门了。所以神光的"觅心了不可得",和达摩的"我为汝安心竟",虽然是启发性的教授法,它与"外息诸缘"等四句教诫性的方法,表面看来,好像大不相同。事实上,无论这两者有何不同,都只是禅宗"可以入道"的方法,而非禅的真髓。换言之,这都是宗不离教,教不离宗的如来禅,也就是达摩大师初来中国所传的如理如实的禅宗法门,地道笃实,绝不虚晃花枪。这也正和大师嘱咐神光以四卷《楞伽经》来印证修行的道理,完全契合而无疑问了。现在人谈禅,"外着诸缘,内心多欲",心如乱麻,哪能入道呢!

禅宗开始有了衣法的传承

　　达摩大师在少林寺耽了九年,将要回国之前,便对门人们说:"我要回国的时间快到了,你们都各自说说自己的心得吧!"

　　道副说:"依我的见解,不要执著文字,但也不离于文字,这便是道的妙用。"

　　大师说:"你得到我的皮毛了。"

　　总持比丘尼说:"依我现在的见解,犹如庆喜看见阿閦佛国(佛说东方另一佛之国土)的情景一样。见过了一次,认识实相以后,更不须再见了。"

　　大师说:"你得到我的肉了。"

　　道育说:"四大(地、水、火、风)本来是空的,五阴(色、受、想、行、识)并非是实有的。依我所见,并无一法可得。"

　　大师说:"你得到我的骨了。"

　　最后轮到神光(慧可)报告,他只是作礼叩拜,而后依然站在原位,并未说话。

　　大师说:"你得到我的真髓了!"

　　因此又说:"从前佛以'正法眼'交付给摩诃迦叶大士,历代辗转嘱咐,累积至今,而到了我这一代。我现在交付给你,你应当好好地护持它。同时我把我的袈裟(僧衣)一件传授给你,以为传法的凭信。我这样做,表示了什么意义,你可知道吧?"神光说:"请师父明白指示。"大师说:"内在传授法印,以实证心地的法门。外加传付袈裟,表示建立禅宗的宗旨。因为后代的人们,心地愈来愈狭窄,多疑多虑,或许认为我是印度人,你是中国人,凭什么说你已经得法了呢? 有什么证明呢? 你现在接受了我传授衣法的责任,以后可能会有阻难。届时,只要拿出这件征信的僧衣和我传法的偈语,表明事实,对于将来的教化,便无多大妨碍了。在我逝灭后两百年,这件僧衣就停止不传了。那个时候,禅宗的法门,周遍到各处。不过明道的人多,真正行道的人很少。讲道理的人多,通道理的人太少。但在千万人中,沉潜隐秘地修行,因此而证得道果的人也会有的。你应当阐扬此道,不可轻视没有开悟的人。你要知道,任何一个人,只要在一念之间,回转了向外驰求的心机,便会等同于本来已自得道的境界一样。现在,我把传法偈语交代给你:

吾本来兹土,传法救迷情。

一花开五叶,结果自然成。

同时引述《楞伽经》四卷的要义,印证修持心地法门的道理。接着大师又说:"《楞伽经》便是直指众生心地法门的要典,开示一切众生,由此悟入。我到中国以后,有人在暗中谋害我,曾经五次用毒。我也曾经亲自排吐出毒药来试验,把它放在石头上,石头就裂了。其实我离开南印度,东渡到中国来,是因为中国有大乘的气象,所以才跨海而来,以求得继承心法的人。到了中国以后,因为机缘际遇还没到,只好装聋作哑、如愚若讷地等待时机。现在得到你,传授了心法,我此行的本意总算有了结果了。"

新语云:除此以外,其他的事理应该去研读原文,如《传灯录》、《五灯会元》、《指月录》等禅宗史书,不必多加细说。

达摩所传的禅宗一悟便了吗

看了以上所列举的达摩大师初到中国传授禅宗心法的史料故事,根本找不出一悟就了了,便是禅的重心的说法。所谓"安心"法门,所谓"外息诸缘,内心无喘"等的教法,也不过是"可以入道"的指示而已。尤其由"外息诸缘,内心无喘"与"安心"而到达证悟的境界,实在需要一大段切实工夫的程序,而且更离不开佛学经论教义中所有的教理。达摩大师最初指出要以四卷《楞伽经》的义理来印证心地用功法门,那便是切实指示修行的重要。

在佛学的要义里,所谓"修行"的"行"字,它是包括"心行"(心理思想活动的状况)和"行为"两方面的自我省察、自我修正的实证经验。如果只注重禅定的工夫以求自了,这就偏向于小乘的极果,欠缺"心行"和"行为"上的功德,而不能达到觉行圆满的佛果境界。其次,倘使只在一机一境、一言一语上悟了些道理,认为稍有会心的情景就是禅,因此便逍遥任运,放旷自在,自信这就是道,这就是禅的悟境,那不变为"狂禅"和"口头禅"才怪呢!这样的禅悟,应该只能说是"禅误",才比较恰当。可是后世的禅风,滔滔者多属此辈,到了现在,此风尤烈,哪里真有禅的影子呢!

达摩大师所传的禅宗,除了接引二祖神光一段特殊教授法的记载以外,对于学禅的重点,着重在修正"心念"和"行为"的要义,曾经有最恳切的指示。可是人们都避重就轻,忽略了"安心"而"可以入道"以后,如何发起慈悲的"心行",与如何"待人接物"的"方便"。

达摩禅的二入与四行

新语云:达摩大师东来中国以后,他所传授的原始禅宗,我们暂且命名它为"达摩禅"。现在概括"达摩禅"的要义,是以"二入"、"四行"为主。所谓"二入",就是"理入"与"行入"二门。所谓"四行",就是"报冤行、随缘行、无所求行、称法行"四行。

"理入"并不离于大小乘佛经所有的教理,由于圆融通达所有"了义教"的教理,深信一切众生本自具足同一的真性,只因客尘烦恼的障碍，所以不能明显地自证自了。如果能够舍除妄想而归真返璞，凝定在内外隔绝"心如墙壁"的"壁观"境界上，由此坚定不变，更不依文解义，妄生枝节，但自与"了义"的教理冥相符契，住于寂然无为之境，由此而契悟宗旨，便是真正的"理入"法门。这也就是后来天台、华严等宗派所标榜的"闻、思、修、慧""教、理、行、果""信、解、行、证"等的滥觞。

换言之，达摩大师原始所传的禅，是不离以禅定为入门方法的禅。但禅定（包括四禅八定）也只是求证教理，而进入佛法心要的一种必经的方法而已。如"壁观"之类的禅定最多只能算是小乘"禅观"的极果，而不能认为禅定便是禅宗的宗旨。同时如"壁观"一样在禅定的境界上，没有向上一悟而证入宗旨的，更不是达摩禅的用心了。例如二祖神光在未见达摩以前，已经在香山宴坐八年。既然能够八年宴然静坐，难道就不能片刻"安心"吗？何以他后来又有求乞"安心"法门的一段，而得到达摩大师的启发呢？这便是在禅定中，还必须有向上一悟的明证。因此，后来禅师们常有譬喻，说它如"狮子一滴乳，能迸散八斛驴乳"。

"行入"达摩大师以"四行"而概括大小乘佛学经论的要义，不但为中国禅宗精义的所在，而且也是隋、唐以后中国佛教与中国文化融会为一的精神之所系。可惜后来一般学禅的人，看祖师的语录、读禅宗的史书等，只喜欢看公案、参机锋、转语，而以为禅宗的宗旨，尽在此矣。殊不知错认方向，忽略禅宗祖师们的真正言行。因此，失却禅宗的精神，而早已走入禅的魔境，古德们所谓"杜撰禅和，如麻似粟"，的确到处都是。

（一）所谓"报冤行"

这就是说，凡是学佛学禅的人，首先要建立一个确定的人生观。认为我这一生，来到这个世界，根本就是来偿还欠债，报答所有与我有关之人的冤缘的。因为我们赤手空拳、赤条条地来到这个世界上，本来就一无所有。长大成人，吃的穿的，所有的一切，都是众生、国家、父母、师友们给予的恩惠。我只有负人,别人并无负我之处。因此,要尽我之所有,尽我之所能,贡献给世界的人们,以报谢他们的恩惠,还清我多生累劫自有生命以来的旧债。甚至不惜牺牲自己而为世为人,济世利物。大乘佛学所说首重布施的要点,也即由此而出发。这种精神不但与孔子的"忠恕之道",以及"躬自厚,而薄责于人"的入世之教互相吻合,而且与老子的"生而不有,为而不恃"的效法天道自然的观念,以及"以德报怨"的精神完全相同。达摩大师自到中国以后,被人所嫉,曾经被五次施毒,他既不还报,也无怨言。最后找到了传人,所愿已达,为了满足妒嫉者仇视的愿望,才中毒而终。这便是他以身教示范的宗风。以现代语来讲,这是真正的宗教家、哲学家的精神所在。苏格拉底的从容自饮毒药;耶稣的被钉上十字架;子路的正其衣冠,引颈就戮;文天祥的从容走上断头台等事迹,也都同此道义而无二致。只是其间的出发点与目的,各有不同。原始在印度修习小乘佛学有成就的阿罗汉们,到了最后的生死之际,便说:"我生已尽,梵行已立,所作已办,不受后有。"然后便溘然而逝,从容而终。后来禅宗六祖的弟子,永嘉大师在《证道歌》中说:"了即业障本来空,未了先须偿宿债。"都是这个宗旨的引申。所以真正的禅宗,并不是只以梅花明月,洁身自好便为究竟。后世学禅的人,只重理悟而不重行持,早已大错而特错。因此达摩大师在遗言中,便早已说过:"至吾灭后二百年,衣止不传,法周沙界。明道者多,行道者少。说理者多,通理者少。"深可慨然!

僧昙琳序记达摩大师《略辨大乘入道四行》云:

"谓修道行人若受苦时,当自念言:我从往昔无数劫中,弃本从末,流浪诸有,多起冤憎,违害无限。今虽无犯,是我宿殃,恶业果熟,非天非人所能见与。甘心忍受,都无冤诉。经云:逢苦不忧。何以故?识达故。此心生时,与理相应,体冤进道,故说言报冤行。"

（二）所谓"随缘行"

　　佛学要旨，标出世间一切人、事，都是因缘聚散无常的变化现象。"缘起性空，性空缘起"，此中本来无我、无人，也无一仍不变之物的存在。因此对苦乐、顺逆、荣辱等境，皆视为等同如梦如幻的变现，而了无实义可得。后世禅师们所谓的"放下"、"不执著"、"随缘销旧业，不必造新殃"，也便由这种要旨的扼要归纳而来。这些观念，便是"淡泊明志，宁静致远"的更深一层的精义。它与《易经·系辞传》所谓"君子所居而安者，易之序也。所乐而玩者，爻之辞也""居易以俟命"，以及老子的"少私寡欲"法天之道，孔子的"饭蔬食，饮水，曲肱而枕之，乐亦在其中矣。不义而富且贵，于吾如浮云"等教诫，完全吻合。由此观念，而促使佛家许多高僧大德们"入山唯恐不深"、"遁世唯恐不密"。由此观念，而培植出道、儒两家许多隐士、神仙、高士和处士们"清风亮节"的高行。但如以"攀缘"为"随缘"，则离道日远，虽然暂时求静，又有何益？

　　僧昙琳序记云：

　　"众生无我，并缘业所转。苦乐齐受，皆从缘生。若得胜报荣誉等事，是我过去宿因所感，今方得之。缘尽还无，何喜之有。得失从缘，心无增减。喜风不动，冥顺于道，是故说言随缘行也。"

（三）所谓"无所求行"

　　就是大乘佛法心超尘累、离群出世的精义。凡是人，处世都有所求。有了所求，就有所欲。换言之，有了所欲，必有所求。有求就有得失、荣辱之患；有了得失、荣辱之患，便有佛说"求不得苦"的苦恼悲忧了。所以孔子也说："吾未见刚者。"或对曰："申枨。"子曰："枨也欲，焉得刚。"如果把孔子所指的这个意义，与佛法的精义衔接并立起来，便可得出"有求皆苦，无欲则刚"的结论了。倘使真正诚心学佛修禅的人，则必有一基本的人生观，认为尽其所有，都是为了偿还宿世的业债，而酬谢现有世间的一切。因此，立身处世在现有的世间，只是随缘度日以销旧业，而无其他的所求了。这与老子的"道法自然"以及"不自伐，故有功。不自矜，故长。夫唯不争，故天下莫能与之争"；乃至孔子所谓"富而可求也，虽执鞭之士，吾亦为之。如不可求，从吾所好"都是本着同一精神，而从不同的立场说法。但是后世学禅的人，却以有所得的交易之心，要求无相、无为而无所得的道果，如此恰恰背道而驰，于是适得其反的效果，当然就难以避免了。

僧昙琳序记云：

"世人长迷，处处贪着，名之为求。智者悟真，理将俗反。安心无为，形随运转。万有斯空，无所愿乐。功德黑暗，常相随逐。三界久居，犹如火宅。有身皆苦，谁得而安。了达此处，故舍诸有，息想无求。经云：有求皆苦，无求乃乐。判知无求，真为道行。故言无所求行也。"

（四）所谓"称法行"

这是归纳性的包括大小乘佛法全部行止的要义。主要的精神，在于了解人空、法空之理，而得大智慧解脱道果以后，仍须以利世济物为行为的准则。始终建立在大乘佛法以布施为先的基础之上，并非专门注重在"榔栗横担不见人，直入千峰万峰去"，而认为它就是禅宗的正行。

僧昙琳序记云：

"性净之理，目之为法。此理，众相斯空，无染无着，无此无彼。经云：法无众生，离众生垢故。法无有我，离我垢故。智者若能信解此理，应当称法而行。法体无悭，于身命财，行檀舍施，心无吝惜。达解二空，不倚不着。但为去垢，称化众生，而不取相。此为自行，复能利他，亦能庄严菩提之道。檀施既尔，余五亦然。为除妄想，修行六度而无所行，是为称法行。"

以上所说的，这是达摩禅的"正行"，也便是真正学佛、学禅的

"正行"。无论中唐以后的南北二宗是如何的异同,但可以肯定地说一句:凡不合于达摩大师初传禅宗的"四行"者,统为误谬,那是毫无疑义的。如果确能依此而修心行,则大小乘佛学所说的戒、定、慧学,统在其中矣。

达摩大师曾经住过禹门千圣寺三天,答复期城太守杨衒之的问题,其原文如下:

杨问师曰:"西天五印师承为祖,其道如何?"师曰:"明佛心宗,行解相应,名之曰祖。"又问:"此外如何?"师曰:"须明他心,知其今古。不厌有无,于法无取。不贤不愚,无迷无悟。若能是解,故称为祖。"又曰:"弟子归心三宝,亦有年矣。而智慧昏蒙,尚迷真理。适听师言,罔知攸措。愿师慈悲,开示宗旨。"师知恳到,即说偈曰:"亦不观恶而生嫌,亦不劝善而勤措。亦不舍智而近愚,亦不抛迷而就悟。达大道兮过量,通佛心兮出度。不与凡圣同躔,超然名之曰祖。"衒之闻偈,悲善交并。曰:"愿师久住世间,化导群有。"师曰:"吾即逝矣,不可久留。根性万差,多逢患难。"

五度中毒　　只履西归

圣贤的应世,都为济物利生而立志。但圣贤的事业,都从艰危困苦中而树立,甚至赔上自己的性命,也是意料中事。达摩大师看到当时印度佛教文化,已经不可救药,看到中国有大乘气象,可以传佛心法,所以他便航海东来,在中国住了九年。而且在短短的九年之中,大半时间还是终日默然在少林寺面壁而坐。如此与世无争,为什么还有些人想尽办法要谋害他? 这是所为何来呢?

有一次,某大学一位哲学研究所的学生问我:"学禅学佛的人,起码应该是看空一切。为什么禅宗六祖慧能大师为了衣钵,还要犹如避仇一样地逃避争夺的敌对派? 这样看来,又何必学佛修禅呢?"这与达摩大师来传禅宗心法,为什么还有人要五、六次谋害他,都是同一性质的问题。

如果从这个角度来看,我们号称为万物之灵的人类,本来就有这样丑陋而可怕的一面。古语说"文章是自己的好",所以"文人千古相轻",争端永远不息。这所谓的文人,同时还包括了艺术等近于文学的人和事。其实,岂但"文人千古相轻",各界各业,乃至人与人之间,谁又真能和平地谦虚礼让呢? 所以"宗教中千古互相敌视","社会间千古互相嫉恨",都是司空见惯,中外一例的事。人就是这样可怜的动物,它天生具有妒嫉、仇视别人的恶根。倘使不经道德学问的深切锻炼与修养,它是永远存在的,只是有时候并未遇缘爆发而已。况且还有些专讲仁义道德和宗教的人,学识愈深,心胸愈窄,往往为了意见同异之争,动辄意气用事,乃至非置人于死地不可。佛说"贪、嗔、痴、慢、疑"五毒,是为众生业障的根本。妒嫉、残害等心理,都是随五毒而来的无明烦恼。道行德业愈高,愈容易成为众矢之的。所谓"高明之家,鬼瞰其室",也包括了这个道理。印度的禅宗二十四代祖师师子尊者,预知宿报而应劫被杀。后世密宗的木讷尊者,具足六通,也自甘为嫉者饮毒而亡。此外,如耶稣的被钉十字架;希腊的大哲学家苏格拉底饮毒受刑;孔子困于陈、蔡,厄于鲁、卫之间,其所遭遇的艰危困顿,唯仅免于死而已。达摩大师最后的自愿饮毒,对证他所昭示的"四行"的道理,可以说他是"心安理得",言行如一。后来二祖神光的临终受害,也是依样画葫芦。

其次,关于达摩大师的下落,在中国禅宗的史料上,就有好几种不同的传说,最有名的便是"只履西归"的故事。据宋本《传灯录》祖师及西来年表的记载,当梁大通二年,即北魏孝明武泰元年,达摩大师以"化缘已毕,传法得人",遂自甘中毒而逝,葬熊耳山,起塔(即世俗人之坟墓)于定林寺。记云:

"北魏宋云,奉使西域回。遇师于葱岭,见手携只履,翩翩独逝。云问师何往？师曰：西天去。又谓云曰：汝主已厌世。云闻之茫然，别师东迈。暨复命，即明帝已登遐矣。迨孝庄即位，云具奏其事。帝令启圹，唯空棺，一只草履存焉。"

其次，僧念常著《佛祖历代通载》，关于达摩大师的死生问题，曾有论曰："契嵩明教著《传法正宗记》，称达摩住世凡数百年，谅其已登圣果，得意生身，非分段生死所拘。及来此土，示终葬毕，乃复全身以归，则其寿固不可以世情测也……"但念常的结论，对于明教法师的论述，并不谓然。如云："故二祖礼三拜后依位而立，当尔之际，印尘劫于瞬息，洞刹海于毫端，直下承当，全身负荷，正所谓'通玄峰顶，不是人间。'入此门来，不存知解者也。乌有动静去来彼此时分而可辩哉！"

又：盛唐以后，西藏密教兴盛。传到宋、元之间，密宗"大手印"的法门，普遍弘开。而且传说达摩大师在中国"只履西归"以后，又转入西藏传授了"大手印"的法门。所以认为"大手印"也就是达摩禅。禅宗也就是大密教。

至于《高僧传》，则只写出了达摩大师自称当时活了一百五十岁。

总之，这些有关神通的事情，是属于禅与宗教之间的神秘问题，姑且存而不论。因为禅宗的重心"只贵子见正，不贵子行履"。神通的神秘性，与修持禅定工夫的行履有关，所以暂且略而不谈。

南北朝时代的中国禅与达摩禅

北魏齐梁之间佛学与佛教发展的大势

中国的历史,继魏晋以后,就是史书上所称的南北朝时代。这个时代从东晋开始,到李唐帝业的兴起,先后约经三百年左右,在这三百年间,从历史的角度,和以统一为主的史学观念来说,我们也可称之为中国中古的"黑暗时期",或"变乱时期"。而从人类世界历史文化的发展来说,每个变乱的时代,往往就是文化、学术思想最发达的时代。或是时代刺激思想而发展学术;或由思想学术而反激出时代的变乱,实在很难遽下定论。因为错综复杂的因素太多,不能单从某一角度而以偏概全。现在仅从禅宗的发展史而立论,除了已经提出在北魏与梁武帝时代的达摩禅传入中国以外,还必须先了解当时在中国佛教中的中国禅等情形,然后综合清理其间的种种脉络,才能了解隋、唐以后中国禅宗兴起的史实。

人尽皆知达摩大师初来中国的动机,是他认为"东土震旦,有大乘气象"。因此渡海东来,传授了禅宗。我们从历史上回顾一下那个时期中国佛教的情形,究竟是如何的有大乘气象呢? 现在先从东晋前后的情势来讲。

关于翻译佛经:著名的有鸠摩罗什、佛陀耶舍、佛驮跋陀罗、法显、昙无谶等声势浩大的译经事业。由东晋到齐、梁之间,后先相继,其中约有三十多位大师为其中心,尽心致力其事。

关于佛学义理的高深造诣:著名的有朱士行、康僧渊、支遁、道安、昙翼、僧睿、僧肇、竺道生、玄畅等,而先后相互辉映的辅佐人士,约三百人左右。

　　至于其中首先开创宗派,成为中国佛教的特征的,就是慧远法师在庐山结立白莲社,为后世中国净土宗的初祖。

　　此外,以神异(神通)作为教化的,先后约三十人左右。其中东晋时期的佛图澄、刘宋的神僧杯度等,对于当代匡时救世之功,实有多者。至于其他以习禅、守戒,以及以从事宣扬佛教的各种活动而著名于当世的,先后约有一百二、三十人。但以上所说,只是对当时佛教中的西域客僧,与中国的出家僧人而言。有关比丘尼(出家的女众)、帝王、将相、长者、居士,以及一般林林总总的信奉者,当然无法统计。唯据史称梁天监八年,即北魏永平二年间(公元五〇九年)的记载,可以窥其大略:

　　"时佛教盛于洛阳(魏都)。沙门自西域来者,三千余人。魏主别为之立永明寺千余间以居之。处士冯亮有巧思,魏主使择嵩山形胜之地,立闲居寺,极岩壑土木之美。由是远近承风,无不事佛。比及延昌(北魏宣武帝年号),州郡共有一万三千余寺,僧众二百万。"

　　但是南朝由宋、齐、梁所建立的佛寺,以及度僧出家的人数,还不在此限,也无法详细统计,如据《高僧传》等所载,梁武帝对达摩大师所说:"朕即位以来,造寺、写经、度僧,不可胜记。"虽然言之过甚,但以梁武帝的作风来说,当然是很多很多。后来中唐时代诗人杜牧诗云:"南朝四百八十寺,多少楼台烟雨中。"也只是指出邻近于金陵、扬州一带,江南的一角而已,并不涉及黄河南北与大江南北等地。从以上所列举的情形,对于当时的佛教和佛学文化的发展趋势,足以看出它声势的浩大,影响朝野上下,无所不至。

　　总之,魏晋南北朝时代三百年间,由于变乱相仍,战伐不已,凡有才识之士,大都倾向于当时名士陶渊明的高蹈避世路线。同时又适逢佛学开始昌明,因此就将悲天悯人的情绪,统统趋向于形而上道的思想领域。所以佛教中的人才,大多都是当时英华秀出的俊彦之士。次如立身从政,而又"危行言逊"的文人学士,名重当时而足以影响学术思想者,如齐、梁之间的范云、沈约、任昉、陶弘景、谢朓、何点、何胤、刘勰等人,都与佛学结有不解之缘。

齐梁之间中国的大乘禅

佛学的主旨,重在修证。而修证的方法,都以禅定为其中心。自东晋以来,因佛图澄等人屡示神异为教化,并又传译小乘禅观等的修持方法。修习禅定,对于一般从事佛学研究和信仰佛教者,已经成为时髦的风气。后来又因译经事业的发达,许多英华才智之士,吸收佛学的精义,融会中国固有文化的精华,渐渐形成中国大乘佛学的新面目,因此达摩大师从印度东来之前曾说:"东土震旦,有大乘气象。"这并非完全是凭空臆测之语。即使达摩大师不来中国传授禅宗,如果假以时日,中国的禅道亦将独自形成为另一新兴的宗派,犹如东晋时期的慧远法师,独立开创净土宗一样。这也是事有必至、理有固然的道理。例如在齐、梁之际,当达摩大师东来之前,中国本土大乘禅的代表人物,最著名的便有宝志和尚、傅大士、慧文法师等三人,而且他们的言行,对于隋、唐以后新兴的禅宗与其他宗派——如天台、华严宗等,都有莫大的影响。

中国大乘禅的初期大师

宝志禅师,世称志公和尚,据梁释慧皎所撰《高僧传》的记载:"保志,本姓朱,金城人。少出家,师事沙门僧俭为和尚,修习禅业。至宋太始初,忽如僻异,居止无定,饮食无时,发长数寸,常行街巷,执一锡杖,杖头挂剪刀及镜,或挂一两匹帛。齐建元中,稍见异迹,数日不食,亦无饥容。与人言,始若难晓,后皆效验。时或赋诗,言如谶记。京土士庶,皆敬事之。……"

又据《五灯会元》等所载：

"初，东阳民朱氏之妇，上巳日，闻儿啼鹰巢中，梯树得之，举以为子。七岁，依钟山沙门僧俭出家，专修禅观。宋太始二年，发而徒跣，着锦袍，往来皖山剑水之下，以剪尺拂子挂杖头，负之而行。天监二年，梁武帝诏问：弟子烦惑未除，何以治之？答曰：十二。帝问其旨如何？答曰：在书字时节刻漏中。帝益不晓。……"

总之，志公在齐、梁之际，以神异的行径，行使教化，这是他处乱世行正道，和光同尘的逆行方式，正如老子所说"正言若反"的意义一样。而他对于大乘佛法的正面真义，却有《大乘赞》十首、《十二时颂》与《十四科颂》等名篇流传后世。尤其《十四科颂》中，对于当时以及后世的佛学思想，与佛法修证的精义，充分发挥了中国佛学的大乘精神。我们在千载以后读之，已经习惯成自然，并不觉得怎样特别，但对当时的学术思想界和佛学的观念来说，却是非常大胆而富有创见的著作，的确不同凡响。其中他所提出的十四项"不二法门"的观点，影响隋、唐以后的佛学和学术思想，实在非常有力。也可以说，唐代以后的禅宗，与其说是达摩禅，毋宁说是混合达摩、志公、傅大士的禅宗思想，更为恰当。因文繁不录，但就志公《十四科颂》的提示，便可由此一斑而得窥全豹：

（一）菩提烦恼不二。（二）持犯不二。（三）佛与众生不二。（四）事理不二。（五）静乱不二。（六）善恶不二。（七）色空不二。（八）生死不二。（九）断除不二。（十）真俗不二。（十一）解缚不二。（十二）境照不二。（十三）运用无碍不二。（十四）迷悟不二。

以上所举志公《十四科颂》的提纲，虽然没有完全抄录内容，但他所提出的问题，都是当时佛学界的重要问题。因为汉末到齐梁之间，大乘佛学的内容，没有完全翻译过来，大多都是根据小乘佛学的观点，还未融会大小乘佛学的真谛。总之，当齐、梁之际，在志公之前，中国本土的学者，极少有人能融会佛学的大乘义理与禅定的修证工夫,而知行合一的。但从志公、傅大士、慧文法师以后,那就大有不同了。

因此,如果要讲中国禅的开始和禅宗的发展史,就应当从志公等人说起。但志公遭逢乱世,同时中国禅的风气尚未建立,因故意装疯卖傻,而以神秘的姿态出现。就如他的出生与身世,也都是充满了神秘的疑案。到了南宋以后,杭州灵隐寺的道济禅师,他的作风行径,也走此路线,世称"济公"。后人景慕他的为人,把他的传闻事迹,在明、清以后,还编成了小说,称为《济公传》,普遍流行,深受一般社会的欢迎。《济公传》中许多故事,就是套用志公的事迹,混合构想而编成的。至于以神异行化的作用何在,我认为梁释慧皎《高僧传》的评论,最为恰当:

"论曰:神道之为化也,盖以抑夸强、摧侮慢、挫凶锐、解尘纷。至若飞轮御宝,则善信归降;竦石参烟,则力士潜伏。当知至治无心,刚柔在化,自晋惠失政,怀愍播迁,中州寇荡,窦羯乱交,渊曜篡虐于前,勒虎潜凶于后,郡国分崩,民遭涂炭。澄公悯锋镝之方始,痛刑害之未央,遂彰神化于葛陂,骋悬记于襄邺,借秘咒而济将尽,拟香气而拔临危,瞻铃映掌,坐定凶吉,终令二石稽首,荒裔子来,泽润苍生,固无以校也。其后佛调、耆域、涉公、杯度等,或韬光晦影,俯同迷俗;或显现神奇,遥记方兆;或死而更生;或窆后空椁,灵迹怪诡,莫测其然!但典章不同,去取亦异,至如刘安、李脱,书史则以为谋僭妖荡,仙录则以为羽化云翔。夫理之所贵者,合道也,事之所贵者,济物也,故权者反常而合道,利用以成务。然前传所记,其详莫究,或由法身应感,或是遁仙高逸,但使一分兼人,便足高矣。至如慧则之感香瓮,能致痼疾消瘳;史宗之过渔梁,乃令潜鳞得命;白足临刀不伤,遗法为之更始;保志分身圆户,帝王以之加信;光虽和而弗污其体,尘虽同而弗渝其真,故先代文纪,并见宗录。若其夸炫方伎,左道乱时,因神药而高飞,借芳芝而寿考,与夫鸡鸣云中,狗吠天上,蛇鹄不死,龟灵千年,曾是为异乎!"

南朝的奇人奇事——
中国维摩禅大师傅大士

平 实 身 世

　　傅大士，又称善慧大士。这都是后世禅宗和佛教中人对他的
尊称(大士或开士，都是佛教对菩萨一辞意译的简称)。他是浙江
东阳郡义乌县双林乡人，父名傅宣慈，母王氏。大士生于齐建武四
年(公元四九七年)，禅宗初祖达摩到中国时，他已二十三岁。本名
翕，又说名弘，十六岁，娶刘妙光为妻。生二子，一名普建，一名普
成。他在二十四岁时，和乡里中人同在稽亭浦捕鱼，捕到鱼后，他
又把鱼笼沉入水中，一边祷祝着说：“去者适，止者留。”大家都笑他
是“愚人”。

照 影 顿 悟

　　当时，有一位印度来的高僧，他的名字也叫达摩(与禅宗初祖
的达摩同音，不知是同是别)，也住在嵩山，所以一般人都叫他为嵩
头陀。有一天，嵩头陀来和傅大士说：“我与你过去在毗婆尸佛(在
释迦牟尼佛前六佛之首，即是过去劫中的第一尊佛)前面同有誓
愿。现在兜率天宫中，还存有你我的衣钵，你到哪一天才回头啊？”
大士听后，瞪目茫然，不知所对。因此嵩头陀便教他临水观影，他
看见自己的头上有圆光宝盖等的祥瑞现象，因此而顿悟前缘。他
笑着对嵩头陀说：“炉韝之所多钝铁，良医之门多病人。救度众生，

才是急事,何必只想天堂佛国之乐呢!"

新语云:傅大士因受嵩头陀之教,临水照影而顿悟前缘,这与
"释迦拈花,迦叶微笑",同是"不立文字,教外别传"的宗门作略。
但傅大士悟到前缘之后,便发大乘愿行,不走避世出家的高蹈路
线,所以他说出"炉鞴之所多钝铁,良医之门多病人。度生为急,何
思彼乐乎"的话。这话真如狮子吼,是参禅学佛的精要所在,不可
等闲视之。以后傅大士的作为,都依此愿而行,大家须于此处特别
着眼。

被 诬 入 狱

他悟到前缘之后,便问嵩头陀哪个地方可以修道? 嵩头陀指
示松山山顶说:"此可栖矣。"这便是后来的双林寺。山顶有黄云盘
旋不散,因此便叫它为黄云山。从此,大士就偕同他的妻子"躬耕
而居之"。有一天,有人来偷他种的菽麦瓜果,他便给他装满了篮
子和笼子,叫他拿回去。他和妻子,白天耕作,夜里修行佛事。有
时,也和妻子替人帮佣,昼出夜归。这样修炼苦行过了七年。有一
天,他在定中,看见释迦、金粟、定光三位先佛放光照到他的身上,
他便明白自己已得首楞严的定境了。于是,他自号为"双林树下当
来解脱善慧大士",经常讲演佛法。从此"四众(僧尼男女)常集",
听他讲论佛法。因此,郡守王杰认为他有妖言惑众的嫌疑,就把他
拘囚起来。他在狱中经过了几十天,不饮也不食,使人愈加钦仰,
王杰只好放了他。还山以后,愈加精进,远近的人,都来师事大士。
从此,他经常开建供养布施的法会。

新语云:历来从事教化的圣贤事业,都会遭逢无妄之灾的苦
难,这几乎成为天经地义的事。俗语说:"道高一尺,魔高一丈。"并
非完全虚语。就以南北朝时代禅宗初期的祖师们来说,志公与傅

大士，都遭遇到入狱的灾难。至于达摩大师，却遭人毒药的谋害。二祖神光，结果是受刑被戮。如果是不明因果、因缘的至理，不识偿业了债的至诚，谁能堪此。所以《宝王三昧论》说："修行不求无魔，行无魔则誓愿不坚。"世出世间，同此一例。以此视苏格拉底、耶稣等的遭遇，也是"事有必至，理有固然"。又何悲哉！

舍 己 为 人

　　傅大士为了化导大众，便先来劝化他的妻子，发起道心，施舍了田地产业，设大法会来供养诸佛与大众。他作偈说："舍抱现天心，倾资为善会。愿度群生尽，俱翔三界外。归投无上士，仰恩普令盖。"刚好，那一年又碰到了大荒年，大家都普遍在饥饿中。他从设立大会之后，家中已无隔宿之粮，当他的同里人傅昉、傅子良等入山来作供养时，他便劝导妻子，发愿卖身救助会费。他的妻子刘妙光听了以后，并不反对，就说："但愿一切众生，因此同得解脱。"大通二年(公元五二八年)三月，同里傅重昌、傅僧举的母亲，就出钱五万，买了他的妻子。大士拿到了钱，就开大会，办供养(赈济)，他发愿说："弟子善慧，稽首释迦世尊，十方三世诸佛，尽虚空、遍法界，常住三宝。今舍妻子，普为三界苦趣众生，消灾集福，灭除罪垢，同证菩提。"过了一个月后，那位同里的傅母，又把他的妻子妙光送回山中来了。

　　从此以后，傅大士的同里中人，受到他的感化，也有人学他的行径，质卖妻子来作布施，也有人捐供全部财产来作布施，大士都为他们转赠与别人或修道的人。他的灵异事迹，由此而日渐增加，然"谤随名高"，毁蔑他的谣言也愈来愈多。但大士不以为忤，反而倍增怜悯众生的悲心。当时，有一位出家的和尚，法名慧集，前来山中求法，大士便为他讲解无上菩提的大道，慧集自愿列为弟子，经常出外宣扬教化，证明大士便是弥勒菩萨的化身。大士每次讲说佛法，或做布施功德的时候，往往凝定神光在两眼之间，诸佛加庇，互相感通，所以他的眼中常现金色光明之相。他对大众说："学道若不值无生师，终不得道。我是现前得无生人，昔隐此事，今不复藏，以示汝等。"云云。

新语云：梁武帝身为帝王之尊，为了学佛求福，曾经舍身佛寺为奴，留为千古笑谈。傅大士身为平民，为了赈灾，为了供养众生，舍卖了妻子，他是为众生消灾集福，灭除罪垢，同证菩提，而并不是为了自己。这与梁武帝的作为相同，而动机大有不同。佛经上说：大乘菩提的行道，为了众生，可以施舍资财、眷属、妻子，乃至自己的头目脑髓。呜呼！禅之与佛，岂可随便易学哉！孔子曰："博施济众，尧舜犹病诸！"戞戞难矣哉！

其次，我们由于傅大士的卖妻子，集资财，作布施的故事，便可了解世间法和出世间法事难两全的道理。世间法以富贵功名为极致，所以《洪范》五福，富居其一。出世法以成道的智慧为成就，所以佛学以般若(智慧)解脱为依归。但作法施(慧学的施舍)者，又非资财而不办，自古至今，从事宗教与学术思想者，莫不因此困厄而寂寞终身，否则，必依赖于权势和财力，方能施行其道。傅大士为了要弘法利生，先自化及平民，终至影响朝野，须知大士当时的经过，在彼时期，其发心行愿，尤有甚于舍卖妻子的艰苦，岂独只以先前的躬耕修道方为苦行？ 其实，修菩萨行者，终其一生的作为，无一而不在苦行中。佛说以苦为师，苦行也就是功德之本。其然乎？ 其不然乎？

名动朝野

此后，大士认为行化一方，法不广被，必须感动人主，才能普及，他就命其弟子傅旺奉书梁武帝，条陈上中下善，希望梁武帝能够接受:"其上善,以虚怀为本,不着为宗,无相为因,涅槃为果。其中善,以治身为本,治国为宗,天上人间,果报安乐。其下善,以护养众生,胜残去杀,普令百姓,俱禀六斋。"傅翕抵达金陵,通过大乐令何昌和同泰寺的浩法师,才得送达此书。梁武帝虽欣然接见,但为了好奇,也要试他的灵异,便叫人预先锁住所有的宫门。大士早已预备了大木槌,扣门直入善言殿。梁武帝不要他叩拜,他便直接坐上西域进贡的宝榻。梁武帝问他:"师事从谁?"大士答:"从无所从,师无所师,事无所事。"后来,大士经常往来于帝都及山间。有一次梁武帝自讲《般若经》,"公卿连席,貂绂满座。特为大士别设一榻,四人侍接。"刘中丞问大士:"何以不臣天子,不友诸侯?"大士答:"敬中无敬性,不敬无不敬心。"梁武帝讲毕,所有王公都请大众诵经,唯有大士默然不语。人问其故,大士便说:"语默皆佛事。"昭明太子问:"何不论议?"大士答:"当知所说非长、非短、非广、非狭、非有边、非无边,如如正理,夫复何言。"

有一次,梁武帝请大士讲《金刚经》,才升座,以尺挥案一下,便下座。武帝愕然。志公曰:陛下会么? 帝曰:不会。志公曰:大士讲经竟。有一日,大士朝见,披衲衣(僧衣)、顶冠(道冠)、靸屦(儒屦)。帝问:是僧耶? 大士以手指冠。帝曰:是道耶? 大士以手指靸屦。帝曰:是俗耶? 大士以手指衲衣。

新语云:傅大士和志公,都是同时代的人物,但志公比傅大士年长,而且声望之隆,也在傅大士之先。达摩大师到中国的时期,也正在志公与傅大士之间。达摩大师虽然传授了禅宗的衣钵给二祖神光,但当时他们之间的授受作略(教授方法与作风),仍然非常平实,的确是走定慧等持,"直指人心,见性成佛"的如来禅的路线。唯有志公、傅大士等的中国禅,可称为中国大乘禅的作略,才有透脱佛教的形式,滤过佛学的名相,潇洒诙谐,信手拈来,都成妙谛,开启唐、宋以后中国禅的禅趣——"机锋"、"转语"。尤其以傅大士的作略,影响更大。因为自东汉末期,佛教传入中国以后,儒道两家的固有思想，始终与佛学思想，保持有相当距离的抗拒。在东汉末期，牟融著作《理惑论》，融会儒佛道三家为一贯。可是历魏、晋、南北朝以后，虽然佛学已经普遍地深入人心，但这种情形，依然存在。傅大士不现出家相，特立独行维摩大士的路线，弘扬释迦如来的教化。而且"现身说法"，以道冠僧服儒履的表相，表示中国禅的法相，是以"儒行为基，道学为首，佛法为中心"的真正精神。他的这一举动，配上他一生的行径，等于是以身设教，亲自写出一篇"三教合一"的绝妙好文。大家于此应须特别着眼。今时一般学人，研究中国禅宗思想和中国禅宗史者，学问见解，智不及此；对于禅宗的修证，又未下过切实工夫，但随口阿附，认为中国的禅学，是受老庄思想的影响，岂但是隔靴搔痒，简直是"两个黄鹂鸣翠柳，一行白鹭上青天"，不知所云地愈飞愈远了。

帝廷论义

大同五年（公元五三九年）春，傅大士再度到金陵帝都，与梁武帝论佛学的真谛。大士曰："帝岂有心而欲辩？大士岂有义而欲论耶？"帝答曰："有心与无心，俱入于实相，实相离言说，无辩亦无论。"有一天，梁武帝问："何为真谛？"大士答："息而不灭。"实在是寓讽谏于佛法的主意，以诱导梁武帝的悟道，可惜梁武帝仍然不明究竟。梁武帝问："若息而不灭，此则有色故钝。如此则未免流俗。"答曰："临财毋苟得，临难毋苟免。"帝曰："居士大识礼。"大士曰："一切诸法，不有不无。"帝曰："谨受旨矣。"大士曰："一切色相，莫不归空，百川不过于大海，万法不出于真如。如来于三界九十六道中，独超其最，普视众生，有若自身，有若赤子。天下非道不安，非理不乐。"帝默然。大士退而作偈，反复说明"息而不灭"的道理。原偈如下：

"若息而灭。见若断集。如趣涅槃。则有我所。亦无平等。

不会大悲。既无大悲。犹有放逸。修学无住。不趣涅槃。若趣涅槃。障于悉达。为有相人。令趣涅槃。息而不灭。但息攀缘。不息本无。本无不生。今则不灭。不趣涅槃。不著世间。名大慈悲。乃无我所。亦无彼我。遍一切色。而无色性。名不放逸。何不放逸。一切众生。有若赤子。有若自身。常欲利安。云何能安。无过去有。无现在有。无未来有。三世清净。饶益一切。共同解脱。又观一乘。入一切乘。观一切乘。还入一乘。又观修行。无量道品。普济群生。而不取我。不缚不脱。尽于未来。乃名精进。"

新语云：这与僧肇作《涅槃无名论》进秦王(姚兴)，是同一主旨与精义，但各有不同的表达。

撒手还源

大士屡次施舍财物，建立法会。及门弟子也愈来愈多，而流行于南北朝时代佛法中的舍身火化以奉施佛恩的事情，在傅大士的门下，也屡见不鲜。到了大同十年(公元五四四年)，大士以佛像及手书经文，悉数委托大众，又以屋宇田地资生什物等，完全捐舍，营建精舍，设大法会，自己至于无立锥之地，又与他的夫人刘妙光各自创建草庵以居。他的夫人也"草衣木食，昼夜勤苦，仅得少足"。"俄有劫贼群至，以刀驱胁，大士初无惧色，徐谓之曰：若要财物，任意取去，何为怒耶？贼去，家空，宴如也。"

先时，弟子问曰："若复有人深障，大士还先知否？"大士答曰："补处菩萨，有所不知耶？我当坐道场时，此人是魔使，为我作障碍，我当用此为法门。汝等但看我遭恼乱，不生嗔恚。汝等云何小小被障而便欲分天隔地殊。我亦平等度之，无有差也。"弟子又问："师既如是，何故无六通？"大士答曰："声闻、辟支，尚有六通，汝视我行业缘起若此,岂无六通,今我但示同凡耳。"

太清三年(公元五四九年),"梁运将终,灾祸竞兴。大士乡邑逢灾。所有资财,散与饥贫。课励徒侣,共拾野菜煮粥,人人割食,以济闾里。"

天嘉二年(公元五六一年),他在定中感应到过去的七佛和他同在,释迦在前,维摩在后。唯有释迦屡次回头对他说:"你要递补我的位置。"

陈太建元年(公元五六九年),大士示疾,入于寂灭。世寿七十三岁。当时,嵩头陀已先大士入灭,大士心自知之,乃集诸弟子曰:"嵩公已还兜率天宫待我。我同度众生之人,去已尽矣!我决不久住于世。"乃作《还源诗》十二章。

傅大士《还源诗》:

"还源去,生死涅槃齐。由心不平等,法性有高低。

还源去,说易运心难。般若无形相,教作若为观。

还源去,欲求般若易。但息是非心,自然成大智。

还源去,触处可幽栖。涅槃生死是,烦恼即菩提。

还源去,依见莫随情。法性无增减,妄说有亏盈。

还源去,何须更远寻。欲求真解脱,端正自观心。

还源去,心性不思议。志小无为大,芥子纳须弥。

还源去,解脱无边际。和光与物同,如空不染世。

还源去,何须次第求。法性无前后,一念一时修。

还源去,心性不沉浮。安住王三昧,万行悉圆修。

还源去,生死本纷纶。横计虚为实,六情常自昏。

还源去,般若酒澄清。能治烦恼病,自饮劝众生。"

新语云:傅大士生于齐、梁之际,悟道以后,精进修持,及其壮盛之年,方显知于梁武帝,备受敬重。而终梁、陈之间,数十年中,始终在世变频仍、生灵涂炭、民生不安中度过他的一生。但他不但在东南半壁江山中,弘扬正法而建立教化,而且极尽所能,施行大乘菩萨道的愿力,救灾济贫,不遗余力。当时江左的偏安局面,有他一人的德行,作为平民大众安度乱离的屏障,其功实有多者。至于见地超人,修行真实,虽游心于佛学经论之内,而又超然于教外别传之旨,如非再来人,岂能如此。中国禅自齐、梁之间,有了志公和傅大士的影响,因此而开启唐、宋以后中国禅宗的知见。如傅大士者,实亦旷代一人。齐、梁之间禅宗的兴起,受其影响最大,而形成唐、宋禅宗的作略,除了以达摩禅为主体之外,便是志公的大乘禅,傅大士的维摩禅。也可以说,中国禅宗原始的宗风,实由于达摩、志公、傅大士"三大士"的总括而成。僧肇与竺道生的佛学义理思想,但为中国佛学思想超颖的造诣,与习禅的关系不大,学者不可不察也。后世修习禅宗者,如欲以居士身而作世出世间的千秋事业,应对于傅大士的维摩禅神而明之,留心效法,或可有望。如以有所得心,求无为之道,我实不知其可也。

附：有关傅大士的传记资料

太建元年,岁次己丑,夏四月丙申,朔,大士寝疾,告其子普建、普成二法师曰:"我从第四天来,为度众生。故汝等慎护三业,精勤六度,行忏悔法免堕三涂。二师因问曰:脱不住世,众或离散,佛殿不成,若何?大士曰:我去世后,可现相至二十四日。乙卯,大士入涅槃,时年七十三,肉色不变,至三日,举身还暖,形相端洁,转手柔软。更七日,乌伤县令陈钟耆来求香火结缘,因取香火及四众次第传之,次及大士,大士犹反手受香。沙门法璿等曰:我等有幸,预蒙菩萨示还源相,手自传香,表存非异,使后世知圣化余芳。初,大士之未亡也,语弟子曰:我灭度后,莫移我卧床,后七日,当有法猛上人将织成弥勒佛像来,长镇我床上,用标形相也。及至七日,果有法猛上人,将织成弥勒佛像,并一小铜钟子,安大士床上。猛时作礼流泪,须臾,忽然不见……太建四年(公元五七三年)九月十九日,弟子沙门法璿、菩提智瓒等,为双林寺启陈宣帝,请立大士,并慧集法师、慧和阇梨等碑。于是,诏侍中尚书左仆射领大著作建昌县开国侯东海徐陵为大士碑。尚书左仆射领国子祭酒豫州大中正汝南周弘正为慧和阇梨碑(以上资料,皆取自唐进士楼颖撰述。徐陵碑文,取材略同,并无多大出入,均为可信)。

还珠留书记

浙江东道都团练观察处置等使、正议大夫、使持节都督越州诸军事、守越州刺史、兼御史大夫上柱国赐紫金鱼袋元稹述:梁陈以上,号婺州义乌县为东阳乌伤县。县民傅翕,字玄风,娶刘妙光为妻,生二子。年二十四,犹为渔。因异僧嵩谓曰:尔弥勒化身,何为渔?遂令自鉴于水,乃见圆光异状;夫西人所谓为佛者,始自异。一旦,入松山,坐两大树下,自号为双林树下当来解脱善慧大士。久之,卖妻子以充僧施,远近多归之。梁大通中,移书武帝,召至都下;闻其多诡异,因敕诸城吏,翕至辄扃闭其门户。翕先是持大椎以往,人不之测,至是挝一门,而诸门尽启。帝异之。他日坐法榻上,帝至不起。翕不知书,而言语辩论,皆可奇。帝尝赐大珠,能出水火于日月。陈太建初,卒于双林寺,寺在翕所坐两大树之山下,故名焉。凡翕有神异变现,若佛书之所云,不可思议者,前进士楼颖为之实录凡七卷。而侍中徐陵亦为文于碑。翕卒后,弟子菩提等,多请王公大臣为护法檀越。陈后主为王时,亦尝益其请。而司空侯安都,以至有唐卢熙,凡一百七十五人,皆手字名姓,殷勤愿言。宝历中,余莅越。婺,余所刺郡,因出教义乌,索其事实。双林僧挈梁陈以来书诏,洎碑录十三轴,与水火珠,扣门椎,织成佛,大水突,偕至焉。余因返其珠椎佛突,取其萧陈二主书,洎侯安都等名氏,治背装剪,异日将广之于好古者,亦所以大翕遗事于天下也,与夫委弃残烂于空山,益不侔矣,固无让于义取焉。而又偿以束帛,且为书其事于寺石以相当之,取其复还之最重者为名,故曰还珠留书记。三年十月二十日(开成二年十二月,内供奉大德慧元、清渗,令弘深禅师及永庆送归)。

禅宗三祖其人其事

有关中国禅宗史料的专书,和历代禅师的语录,乃至禅宗公案的史书等,记述达摩大师"教外别传"一系的传承中,谈到二祖神光传授道统衣钵给三祖僧璨大师的事,又是一段扑朔迷离的疑案。据唐代高僧道宣律师所撰的《续高僧传》,和禅宗史书的《景德传灯录》、《五灯会元》等相互对照,关于禅宗三祖僧璨的传述,疑窦甚多。在宣师所著的《续高僧传》中,就根本没有提到僧璨其人其事。虽然《景德传灯录》、《五灯会元》等书,一再记载他和二祖神光之间的悟道因缘和付法授受的经过,但毕竟语焉不详,犹如司马迁作《伯夷列传》所谓:"其文辞不少概见,何哉?"后来到了唐代天宝年间,因河南尹李常问荷泽(神会)大师关于三祖归宿的事,才由荷泽说出:"璨大师自罗浮(广东)归山谷,得月余方示灭,今舒州见有三祖墓。"云云。这种述说,又如司马迁在《伯夷列传》中所称:"太史公云:'余登箕山,其上盖有许由冢云。'"同样都是"于史无据,于事有之"的旁证。至于历来传述三祖的《信心铭》一篇,则又如司马迁在《伯夷列传》中所引用《采薇》之歌一样,都是对某一人某一事唯一值得徵信的史料,可资存疑者的参考而已。

从禅宗四祖的传记中追寻三祖的踪迹

现在根据《传灯录》与《续高僧传》的记载,提出有关三祖僧璨与四祖道信之间的授受事迹,再作研究的参考。如云:"僧璨大师者,不知何许人也。初以白衣(未出家)谒二祖。既受度传法,隐于舒州之皖公山。属后周武帝破灭佛法,师往来太湖县司空山,居无常处,积十余载,时人无能知者。至隋开皇十二年壬子岁(公元五九二年),有沙弥道信,年始十四,来礼师曰:愿和尚慈悲,乞与解脱法门。师曰:谁缚汝?曰:无人缚。师曰:何更求解脱?信于言下大悟。服勤九载,后于吉州受戒,侍奉尤谨。师屡试以玄微,知其缘熟,乃付衣法偈曰:华种虽因地,从地种华生。若无人下种,华地尽无生。师又曰:昔可大师付吾法后,往邺都行化三十年方终,今吾得汝,何滞此乎?即适罗浮山,优游三载,却旋旧址,逾月,士民奔趋,大设檀供,师为四众广宣心要讫,于法会大树下合掌立终。即隋炀帝大业二年(公元六〇六年)丙寅十月十五日也。"

《续高僧传》云:

"释道信,姓司马,未详何(此处应有一许字,但原文脱略)人。初七岁时,经事一师,戒行不纯。信每陈谏,以不见从,密怀斋检,经五载而师不知。又有二僧,莫知何来,入舒州皖公山静修禅业,闻而往赴,便蒙受业。随逐依学,遂经十年。师往罗浮,不许相逐。但于后住,必大宏益。国访贤良,许度出家,因此附名住吉州寺。"

根据以上所录《五灯会元》,以及《续高僧传》记载,禅宗四祖道信大师与三祖僧璨大师之间的史料,可见僧璨大师确有其人其事。问题只在当时的僧璨大师,常以避世高蹈,隐姓埋名的姿态出现,犹如神龙见首而不见其尾,留给后人以无法捉摸的一段史料,而留下太多的疑窦。如果另从禅宗记载文辞的资料研究,并探索北齐和梁、陈、隋间南北朝历史时代的环境,便可了解当时禅宗大师和佛教徒们的处境,以及他们所处时代背景的紊乱。而三祖僧璨大师的其人其事,也便可隐隐约约地呼之欲出了。

向居士与僧璨的形影

首先从禅宗资料中,记载二祖神光得法有关的人物来研究,除了禅宗传统观念所称的三祖僧璨以外,其他从二祖神光得的法,共计有十七人。在此十七人中,又有旁出支派相传五、六世者。至于直接从神光大师得法的,尤以僧那、向居士、慧满三人为其上首。而僧那、慧满两位都是早已出家的人,资料确实,不必讨论。唯向居士一人的悟道机缘与所保留的文辞记载,与僧璨大师的事迹、文辞,极其相似,因此我常认为向居士便是悟道出家以前的僧璨,僧璨大师便是悟道出家以后的向居士。

很可能是向居士初慕二祖之名,仅仅写了一封信向二祖问道,而此信的内容重点是从他对形与影、声与响、迷与悟、名与理、得与失等见解,进而讨论涅槃与烦恼的真谛。它与禅宗史料所记载僧璨大师初见三祖时,请问如何忏罪以去缠身风病的话,脉络相关。同时,他的辞章文气,正与后来三祖僧璨所著的《信心铭》完全一样。并且在向居士的记载中,称他本来就习惯于"幽栖林野,木食涧饮",和僧璨大师悟道得法以后,又隐居于舒州皖公山,隐姓埋名的作风完全相同。而且向居士与二祖神光通书问道的时间,在北齐天保之初,三祖僧璨见二祖神光的时间,也正在北齐天保二年,时间又如此巧合! 向居士因为和二祖通了一次信,得到了二祖的回信,便来亲见二祖,这都是合情合理的事。《续高僧传》所述二祖神光传记的内容,也与《传灯录》等所记的资料相同,足可参考以资研究。从这些迹象上看来,认为僧璨大师与向居士本来就是一人,极为可能,只因禅宗的史料经过历史时代的变乱,和佛教的隆替而散失,便误作两人,也未可知。

关于向居士与神光大师的短简名书

《传灯录》所载向居士的史料云:

"向居士,幽栖林野,木食涧饮。北齐天保初,闻二祖盛化,乃致书通好。书曰:影由形起,响逐声来。弄影劳形,不识形为影本。

扬声止响,不知声是响根。除烦恼而趣涅槃,喻去形而觅影。离众生而求佛果,喻默声而寻响。故知迷悟一途,愚智非别。无名作名,因其名则是非生矣。无理作理,因其理则争论起矣。幻化非真,谁是谁非。虚妄无实,何空何有。将知得无所得,失无所失。未及造谒,聊申此意。伏望答之。"

二祖神光回示云:

"备观来意皆如实,真幽之理竟不殊。本迷摩尼谓瓦砾,豁然自觉是真珠。无明智慧等无异,当知万法即皆如。悯此二见之徒辈,申辞措笔作斯书。观身与佛不差别,何须更觅彼无余。"

附记云:居士捧披祖偈,乃伸礼观,密承印记。

僧璨大师的时代和历史

根据禅宗史书和《续高僧传》记载,僧璨大师初见二祖的事略,都以北齐天保年间为准,其时正当"梁简文帝(武帝第三子)在位二年,为侯景所弑。值大宝二年,魏大统十七年,北齐天保二年之间"。后四年,即梁孝元帝(武帝第七子,文帝被弑,即位于江陵,在位三年,西魏兵入被弑)承圣三年,魏恭帝廓元年,北齐天保五年,梁元帝被西魏兵入所弑之后,梁亡。继起而称王称帝者,又计有梁敬帝方智(绍泰元年)、魏(恭帝二年)、北齐(天保六年),后梁中宗宣帝萧詧(天定元年),凡分为四国,天下纷纷,极尽紊乱。

当西魏兵入樊城时,梁主萧绎还在津津有味地讲《老子》于龙光殿,"百官戎服以听"。魏军进据汉口,梁主巡城,犹口占为诗,群臣亦有和者。同时他又好整以暇地裂帛为书,趣(促)王僧辩曰:"吾忍死待公,可以至矣。"到了天明,闻城陷,梁主乃焚古今图书十四万卷,以宝剑击柱折之,叹曰:"文武之道,今夜尽矣。"命御史中丞王孝祠作降文。梁主遂白马素衣出门而降,或问梁主何意焚书?梁主曰:"读书万卷,犹有今日,故焚之。"终被杀。

齐发民兵一百八十万筑长城，东自幽州夏口（河北），西至恒州（山西）九百余里（齐天保六年间事）。

又："齐主以佛道二教不同，欲去其一，集二家学者，论难于前。遂敕道士皆剃发为沙门（僧）。有不从者，杀四人，乃奉命（齐天保六年间事）。明年（天保七年）发丁匠三十余万，修广三台宫殿。"

从此以后，到了陈太建六年，齐武平五年，周建德三年（亦即公元五七四年），北周武宗遂废禁佛道二教，经像悉毁，沙门（僧）道士并还俗，诸淫祠，非祀典所载者，尽除之，"立通道观，以一圣贤（儒）之教"。

根据以上所录南北朝有关本案的简略史料，便可了解三祖僧璨所处时代背景的紊乱，干戈扰攘，民不聊生。到了北周武宗废灭佛道二教，禁止出家为僧阶段，他已过了中年，但以负荷禅宗衣钵传统之身，任重而道远，必须明哲保身而隐姓埋名，以待来者。等到他传付道统衣钵给四祖道信以后，也正当隋朝的初期，天下渐见平定，他才放下重担，过着优游卒岁的暮年晚景了。

《信心铭》的价值

关于禅宗三祖僧璨大师其人其事的史传疑案，已概如上述。达摩禅自梁武帝时期开始，在中国初期秘密传授，到了陈、隋之际，正当僧璨大师时期，已有一百二十多年的历史。但自僧璨著作了一篇《信心铭》以后，它与中国禅祖师志公大士所作的《大乘赞》等词章，以及中国维摩禅祖师傅翕大士所作的《心王铭》等汇流，才开始奠定隋、唐以后中国禅宗"直指人心，见性成佛"的正信资料。特别是《信心铭》的开场，便首先肯定地提出"至道无难，唯嫌拣择"的警语，明指世人不能自肯自信其"心"的疑病。至于其中引用辨别佛学理念之处，不一而足。最后他又归结为"信心不二，不二信心。言语道断，非去来今"为结论。禅宗自此开始，才完全呈显出中国文化的光芒与精神,学者不可不察也。

附录《信心铭》与《心王铭》以资参考。

信心铭(僧璨作)

至道无难,唯嫌拣择。但莫憎爱,洞然明白。

毫厘有差,天地悬隔。欲得现前,莫存顺逆,

违顺相争,是为心病。不识玄旨,徒劳念静。

圆同太虚,无欠无余。良由取舍,所以不如。

莫逐有缘,勿住空忍。一种平怀,泯然自尽。

止动归止,止更弥动。唯滞两边,宁知一种。

一种不通,两处失功。遣有没有,从空背空。

多言多虑,转不相应。绝言绝虑,无处不通。

归根得旨,随照失宗。须臾返照,胜却前空。

前空转变,皆由妄见。不用求真,唯须息见。

二见不住,慎莫追寻。才有是非,纷然失心。

二由一有,一亦莫守。一心不生,万法无咎。

无咎无法,不生不心。能随境灭,境逐能沉。

境由能境,能由境能。欲知两段,元是一空。

一空同两,齐含万象。不见精粗,宁有偏党。

大道体宽,无易无难。小见狐疑,转急转迟。

执之失度,必入邪路。放之自然,体无去住。

任性合道,逍遥绝恼。系念乖真,昏沉不好。

不好劳神,何用疏亲。欲取一乘,勿恶六尘。

六尘不恶,还同正觉。智者无为,愚人自缚。

法无异法,妄自爱著。将心用心,岂非大错。

迷生寂乱,悟无好恶。一切二边,良由斟酌。

梦幻虚华,何劳把捉。得失是非,一时放却。

眼若不寐,诸梦自除。心若不异,万法一如。

一如体玄，兀尔忘缘。万法齐观，复归自然。
泯其所以，不可方比。止动无动，动止无止。
两既不成，一何有尔。究竟穷极，不存轨则。
契心平等，所作俱息。狐疑尽净，正信调直。
一切不留，无可记忆。虚明自照，不劳心力。
非思量处，识情难测。真如法界，无他无自。
要急相应，唯言不二。不二皆同，无不包容。
十方智者，皆入此宗。宗非促延，一念万年。
无在不在，十方目前。极小同大，忘绝境界。
极大同小，不见边表。有即是无，无即是有。
若不如此，必不须守。一即一切，一切即一。
但能如是，何虑不毕。信心不二，不二信心。
言语道断，非去来今。

心王铭(傅翕作)

观心空王，玄妙难测。无形无相，有大神力。
能灭千灾，成就万德。体性虚空，能施法则。
观之无形，呼之有声。为大法将，心戒传经。
水中盐味，色里胶清。决定是有，不见其形。
心王亦尔，身内居停。面门出入，应物随情。
自在无碍，所作皆成。了本识心，识心见佛。
是心是佛，是佛是心。念念佛心，佛心念佛。
欲得早成，戒心自律。净律净心，心即是佛。
除此心王，更无别佛。欲求成佛，莫染一物。
心性虽空，贪嗔体实。入此法门，端坐成佛。
到彼岸已，得波罗蜜。慕道真士，自观自心。
知佛在内，不向外寻。即心即佛，即佛即心。
心明识佛，晓了识心。离心非佛，离佛非心。

非佛莫测,无所堪任。执空滞寂,于此漂沉。

诸佛菩萨,非此安心。明心大士,悟此玄音。

身心性妙,用无更改。是故智者,放心自在。

莫言心王,空言体性。能使色身,作邪作正。

非有非无,隐显不定。心性离空,能凡能圣。

是故相劝,好自防慎。刹那造作,还复漂沉。

清净心智,如世万金。般若法藏,并在身心。

无为法宝,非浅非深。诸佛菩萨,了此本心。

有缘遇者,非去来今。

达摩禅与二、三祖的疑案

禅宗起源于印度,发扬在中国。因此,常称中国是禅宗的宗祖国。但要讲到禅宗初期的发展史,疑案重重,真使人有迷离惝恍的感觉。属于禅宗创建史的疑案,便是释迦在灵山会上拈花示众,大家不得要领,只有他的大弟子摩诃迦叶尊者破颜微笑,因此而有"教外别传"的心法开始之第一疑案,向来便为宗门以外的学者所怀疑。其次,关于达摩大师东来的生卒年代,以及他的存殁去留等问题,也是一般学者所争辩的疑案。再其次,便是二祖传法于三祖之间的公案,其中缺乏史料的证据。到了初唐之际,便有六祖慧能与神秀禅师南北两宗的争执问题,以及现代一般学者对于《六祖坛经》与神会(荷泽)之间的节外生枝的疑案等等,足够一般学者去游心妄想,搜罗考证。

其实,禅宗的本身,它与密宗有同源异脉的关系。如果禅宗的教授法,不走公开传法的路线,几乎也会成为另一密宗的派系。倘使我们对密宗的传承史料,也想一一加以一般学术性的考据,那就保证你穷尽毕生精力,也难找出它的确实结果。这个根本问题,倒不是他们不肯注重史料的关系,实在是他们的修养和见解,只重传道精神的信仰,早已薄视世俗的留芳与扬名的观念,因此而忽略这些史料的记载。禅宗在隋、唐以后,已经融入中国文化深厚的气息,对于历史和传统的观念,也和其他佛学的各宗派一样,注重"史迹"的记载,所以才形成唐、宋以后中国禅宗的风格。初唐以后中国的密宗(包括西藏的密宗),也才开始注重师授传承的历史资料。不过,密宗传承的资料,始终还是保持秘密的作风不公开。

二祖慧可与三祖僧璨

　　禅宗自达摩大师到三祖僧璨之间,正值南北朝的齐、梁变乱,以及北周武宗的灭佛灭僧的风暴中。他们不但先有避世高蹈的志向蕴存心中,同时又加上南北朝时代世风的紊乱,士风的颓丧,于是更加强他们"邦无道,危行言逊"的情操,因此"入山唯恐不深","逃名唯恐不彻"。虽然如此,如果从学术发展史的立场而言,在禅宗有关的史料中,对于二祖三祖之间传承事迹的记载,实在有很多矛盾与疏忽之处,确也耐人寻味。

　　自达摩大师将心法与衣钵传授二祖神光(慧可)以后,神光的事迹以及二祖传授三祖僧璨之间的史实,根据禅宗初期的史书《景德传灯录》与《五灯会元》等的记载,与唐代高僧道宣所著《续高僧传》的资料,其中出入之处,就大有问题。

　　《传灯录》记载二祖神光(慧可)的事迹云:

　　"大师继阐玄风,博求法嗣。至北齐天保二年(梁简文帝大宝二年,公元五五一年),有一居士,年逾四十,不言名氏,聿来设礼而问师曰:弟子身缠风恙,请和尚忏罪。师曰:将罪来与汝忏。居士良久云:觅罪不可得。师曰:我与汝忏罪竟。宜依佛法僧住。曰:今见和尚,已知是僧,未审何名佛法? 师曰:是心是佛,是心是法。法佛无二,僧宝亦然。曰:今日始知罪性不在内,不在外,不在中间,如其心然,佛法无二也。大师深器之,即为剃发,云:是吾宝也,宜名僧璨。其年三月十八日于光福寺受具。自兹疾渐愈,执侍经二载,大师乃告曰:菩提达摩,远自竺乾以正法眼藏密付于吾,吾今授汝并达摩信衣,汝当守护,无令断绝。听吾偈曰:'本来缘有地,因地种华生。本来无有种,华亦不曾生。'大师付衣法已,又曰:汝受吾教,宜处深山,未可行化,当有国难。璨曰:师既预知,愿垂示诲。师曰:非吾知也,斯乃达摩传般若多罗悬记云'心中虽吉外头凶'是也。吾校年代，正在于兹，当谛思前言，勿罹世难。然吾亦有宿累，今要酬之，善去善行，俟时传付。"

新语云：我们读了上述的公案以后，便知三祖僧璨初向二祖神光求法的时候，也正同二祖向达摩大师求乞"安心"法门的故事一样，好像是同一模子的翻版。只是神光所求的目的，在于如何的"安心"，僧璨所求的目的，却是如何的忏罪，才能去掉缠身的风恙。一个是求"安心"，一个是求"安身"。但是当神光向达摩大师求乞"安心"的法门时，达摩却对他说："将心来为汝安。"神光答说："觅心了不可得。"达摩便说："我与汝安心竟。"现在到了僧璨向神光求乞安身的法门时，神光也说："将罪来与汝忏。"僧璨答说："觅罪不可得。"神光便说："我与汝忏罪竟，宜依佛法僧住。"岂非是依样画葫芦，简直像是纯出臆造似的。其实，此中大有文章，不可轻易放过。第一，心身是二是一？这是第一个问题。第二，"身缠风恙"，是身之病，根据佛学道理，病由业生，业由心造。再进一步来说，此身也由业识而来，而业识则由一心所造，如果真能转心去业，则亦当可回心转身了。这是第二个问题。关于以上所提出的两个问题，不想为大家画蛇添足地下注解，暂时留待诸位自己去寻答案，较为切实。

二祖晚年的混俗问题

现在我们再回转来研究禅宗的二祖神光(慧可)，在悟道传法以后，他又如何地自去忏罪消业呢？

《传灯录》记载云：

"大师付嘱已，即于邺都随宜说法，一音演畅，四众归依，如是积三十四载。遂韬光混迹，变易仪相，或入诸酒肆，或过于屠门，或习街谈，或随厮役。人问之曰：师是道人，何故如是？师曰：我自调心,何关汝事。又于筦城县匡救寺三门下谈无上道,听者林会。时有辩和法师者,于寺中讲《涅槃经》,学徒闻师阐法,稍稍引去。辩和不胜其愤,兴谤于邑宰翟仲侃,仲侃惑其邪说,加师以非法。师怡然委顺。识真者谓之偿债。时年一百七岁。即隋文帝开皇十三年癸丑岁三月十六日也。后葬于磁州阳县东北七十里,唐德宗谥大祖禅师。”

新语云:根据以上的记载,我们从世俗的观念来说,二祖神光,由四十岁左右得法开悟以后,又在邺都(河南临漳县西)弘扬禅道达三十四年,应该已经到了七十多岁的高龄。而且“四众归依”,也可以说正是年高德劭了。何以在这样的年龄,这样的环境中,他又忽然“变易仪相”而还俗,有时候进酒店,有时候在屠门,还常到闹市街上,与一般下层社会的人去瞎混呢? 难道他是动了凡心,真个要还俗了吗? 可是有人问他:“师是道人,何故如此?”他又说:“我自调心,何关汝事?”那么,他在三十多年前,在达摩大师处所得的“安心”法门,仍然是靠不住了! 经过了三十多年,此心仍不能安吗? 不能安心,必须要到闹市、酒店、屠门,才能“安心”吗? 由此,使人怀疑:禅宗真的是“言下顿悟”,“一悟便休”吗? 悟后就不要起修吗? 而修又修个什么呢? 凡此种种,都是一个个很大的问题,实在值得探寻,不可随便忽略过去。

其次,二祖由三十多岁舍俗出家开始,到了七十多岁又去混俗和光,一混便混到了筦城(筦即管,管城今之河南郑县)。混混便混混,为什么到了一百多岁的人,还童心未泯,又在匡救寺的三门外讲什么“无上道”,硬要挡了当时在寺中讲经的辩和法师的财路呢? 这又所为何来? 难道说真的活得不耐烦,非要自寻死路不可吗? 结果由此得罪了讲经的法师,因而被害。而记载上却轻轻松松地说:“怡然委顺,识真者谓之偿债。”那么,不识真而识假的,又叫他是什么呢? 我想,一定都会叫他是“活该”,对吗? 我们研究二祖的一生,由少年阶段的“志气不群,博涉诗书,尤精玄理”开始,一直看到他在青年阶段的出家,中年阶段的得法悟道,晚年阶段的还俗混混,老年阶段的受罪被害,真是一个充满个性的悲喜闹剧。他的一生,还的是什么债? 玩的是什么把戏? 处处充满了问题,处处值得参究。有人说:"剑树刀山为宝座,龙潭虎穴作禅床。道人活计原如此,劫火烧来也不忙。"恐怕这种情形,还不是他的境界。对吗?

有关二祖传记的疑案

道宣法师所著的《续高僧传》,关于二祖事迹的记载,便与《传灯录》大有出入。道宣法师的《续高僧传》,太过重视文藻,完全如南北朝末期的文体,几乎有言不及义之嫌,有失史传的核实和精要之处,实是一大遗憾。不过宣师距离梁、隋之际不远,所传所闻的不同,也正有补二祖神光的资料之不足。

如其传中有云:"时有道恒禅师,先有定学,匡宗邺下,徒侣千计。承可说法,情事无寄,谓是魔话。乃遣众中通明者,来珍可门。既至,闻法泰然心服,悲感盈怀,无心返告。恒又重唤,亦不闻命。相从多使,皆无返者。他日遇恒,恒曰:我用尔许功夫,开汝眼目,何因致此诸使。答曰:眼本自正,因师故邪耳! 恒遂深恨,谤恼于可。货赇俗府,非理屠害。初无一恨,几其至死。恒众庆快,遂使了本者绝学浮华,谤黩者操刀自拟。始悟一音所演,欣布交怀。海迹蹄滢,浅深斯在。可乃俗容顺俗,时惠清猷,乍托吟谣,或因情事,澄伏恒抱,写剖烦芜。故正道远而难希,封滞近而易结,斯有由矣。遂流离邺卫,亟展寒温。道竟幽而且玄,故末绪率无荣嗣。"

又云:"时有林法师,在邺盛讲《胜鬘》,并制文义。每讲人聚,乃选通三部经者,得七百人,预在其席。又周灭法,与可同学,共护经像。初,达摩禅师以四卷《楞伽》授可曰:我观汉地,唯有此经,仁者依行,自得度世。可专附玄理,如前所陈。遭贼斫臂,以法御心,不觉痛苦,火烧斫处,血断帛裹,乞食如故,曾不告人。后林又被贼斫其臂,叫号通夕,可为治裹,乞食供林。林怪可手不便,怒之。可曰:饼食在前,何不可裹。林曰:我无臂也,可不知耶? 可曰:我亦无臂,复何可怒。因相委问,方知有功。世云无臂林矣。每可说法竟曰:此经四世之后,变成名相,一何可悲。"

　　新语云:根据道宣法师所著《续高僧传》的记载,二祖的遭怨获罪,除了辩和法师的诬告,致其死命以外,还有一位道恒法师,也同样地为了妒嫉而害过他。究竟道恒、辩和,是否同为一人,或另有一事,都很难考证了。总之,二祖在当时遭嫉而致死的际遇,尤有过于达摩大师的惨痛。千古学术意见之争,尤甚于干戈战伐之毒。人究竟是为了什么呢?

　　此外宣师所记二祖与林法师的一段,好像说:二祖后来在乱世的变局中,又遭贼斫过膀子。那么,他除了在求法时,斫了一条膀子以外,后来再斫一次,岂不成为"两膀都无"的大师了吗? 如果真正如此,而犹仍为弘扬禅道,尽其一生而孜孜不倦,这与"杀身成仁"的精神相较,又别有千秋,令人顶礼膜拜不已了。但很可惜,宣师的记载,语焉不详,又是一大憾事。也许二祖在当时的变乱中,又被贼斫伤了他的另一条臂,并未再被斫断。因此道宣法师的传述中,便写成"火烧斫处,血断帛裹,乞食如故"。这些地方,实在是舞文弄墨的短处,华辞害意,徒唤奈何!

中国佛教原始的禅与
禅宗四祖的风格

南北朝至隋唐间禅道的发展与影响

　　由达摩一系传承的禅宗,虽然密相付授而到三祖僧璨及四祖道信,经历梁、隋而到李唐开国之初,先后相承,大约已有一百五十余年之久。但是在此时期,除了达摩禅一系的单传衣钵之外,其初由汉末安世高、三国康僧会、西晋竺法护,与东晋佛图澄、姚秦时期鸠摩罗什等所传的禅定止观修法,普及当时三百年来的整个佛教界与朝野之间,极为流行。因修习禅定止观的实验方法而得证佛法果位的人,也远较达摩一系的为多。至于有关禅佛的最高见地和成就,其间的优劣得失,应当另属专题,今且略而不论。但无论宗教、学术思想,以及人类历史的演变,推其前因后果,必有互相更迭的演变作用。以此而例,初唐时代兴起的禅宗,从四祖以后的隆盛情况,穷源溯本,仍由于种因于前代风尚的趋势而来。现在为要讲述四祖以后禅宗的发展与演变,必须要追溯隋、唐以前禅道发展的情形,以资了解。

汉末有关习禅的初期发展史料

　　安息国沙门安清,字世高。本世子,当嗣位。让之叔父,舍国出家。既至洛阳,译经二十九部,一百七十六卷。绝笔于灵帝建宁三年(公元一七〇年)。月支国沙门支谶,亦于同时至洛阳,开始译经。由是百姓向化,事佛弥盛。至于与禅定有密切关系的"般舟三昧"的苦行修法,早在东汉灵帝熹平二年(一七三年)就译出了。

"癸丑,是年天竺沙门竺佛朔至洛阳,译《道行般若经》。弃文存质,深得经意。至光和中,同支谶译《般舟三昧经》共三卷。"

到东晋安帝义熙二年丙午(公元四〇六年),天竺尊者佛驮跋陀至长安传译有关禅定的修证方法。从此禅修的法门,更加通盛。佛驮跋陀初来中国的时候,鸠摩罗什备极欢迎。当时跋陀与罗什,曾经有过一段极风趣的交谈。如云:

"佛驮跋陀至长安,什公倒屣迎之,以相得迟暮为恨,议论多发药。跋陀曰:公所译未出人意,乃有高名何耶? 什曰:吾以年运已往,为学者妄相粉饰,公雷同以为高乎? 从容决未了之义,弥增诚敬。"(以上均见于《佛祖历代通载》)又如梁释慧皎著《高僧传》有关习禅者的论评说:

"禅也者,妙万物而为言。故能无法不缘,无境不察。然后缘法察境,唯寂乃明。其犹渊池息浪,则彻见鱼石。心水既澄,则凝照无隐。《老子》云:'重为轻根,静为躁君。'故轻必以重为本,躁必以静为基。《大智度论》云:'譬如服药将身,权息家务。气力平健,则还修家业。如是以禅定力,服智慧药。得其力已,还化众生。'是以四等六通,由禅而起。八除十入,借定方成。故知禅之为用大矣哉!"

这是从专精佛教学理的立场,评论禅定在佛法修证上的价值与重要性。但不是专指唐代以后的禅宗而言。又云:

"自遗教东移,禅道亦授。先是世高、法护,译出禅经。僧光、昙猷等并依教修心,终成胜业。故能内逾喜乐,外折妖祥,摈鬼魅于重岩,赌神僧于绝石。及沙门智严,躬履西域,请罽宾禅师佛驮跋陀,更传业东土。玄高、玄绍等,亦并亲受仪则。出入尽于数随,往返穷乎还净。……

然禅用为显,属在神通。故使三千宅乎毛孔,四海结为凝酥,过石壁而无壅，擎大众而弗遗。"

　　这是说明由东汉安世高、西晋法护翻译禅经，以及晋代佛驮跋陀的再传禅定的修法以来，因修禅定而证得神异等的奇迹，遂使佛教在中国的传播事业，影响大增。

东晋以后有关习禅的史料与论评

　　在东晋的时期，除了佛驮跋陀的传译禅定修法与译出六十卷《华严经》以外，鸠摩罗什也同时传授禅法。唐代高僧道宣律师著《续高僧传》，他对于有关习禅者的论评说：

　　"自释教道东，心学唯鲜。逮于晋世，方闻睿公（僧睿）……时译《大论》（《大智度论》）有涉禅门。因以情求，广其行务。童寿（鸠摩罗什）宏其博施，乃为出《禅法要解》等经。

　　自斯厥后，祖习逾繁。昙影、道融，厉精于淮北；智严、慧观，勤心于江东。山栖结众，则慧远标宗（净土宗）；独往孤征，则僧群显异。"

　　这是概论东晋以后的风气所扇，习禅者愈来愈多的情形。从此以后，历经宋、齐、梁、陈，佛教的弘开和修习禅定的风尚，更加普及，上至帝王大臣，均偃然从风。至于北魏情形，《魏书·释老志》及司马温公所论其详，不及备录。

　　其次有关北齐、北周修禅风气的情形，如论评说：

　　"高齐河北，独盛僧稠。周氏关中，专登僧宝。僧宝之冠，方驾澄安。神道所通，制伏强御。至令宣帝担负，倾府藏于云门。冢宰降阶，展归心于福寺。诚有图矣。"

　　有关梁朝禅修的发展，以及达摩大师东来传授禅宗心法以后的情形，论评说："逮于梁祖，广辟定门，搜扬寓内。有心学者，总集扬都。校量浅深，自为部类。又于钟阳上下，双建定林（寺名），夫息心之侣，栖闲综业。"

"属有菩提达摩者,神化居宗,阐导河洛。大乘壁观,功业最高。在世学流,归仰如市。"

有关陈朝和修习天台宗禅法的情形,论评说:

"有陈智璀,师仰慧思。思实深解玄微,行德难测。璀亦颇怀亲定,声闻于天。致使陈氏帝宗,咸承归戒。图像营供,逸听南都。然而得在开宏,失在对治。宗仰之最,世莫有加。会谒衡岳,方陈过隙。未及断除,遂终身世。"

有关隋朝的习禅及其流弊的论评说:

"隋祖创业,偏宗定门。下诏述之,具广如传。京邑西南,置禅定寺。四海征引,百司供给。来仪名德,咸悉暮年。有终世者,无非坐化。具以奏闻,帝倍归依。二世缵历,又同置寺。初虽诏募,终杂讲徒,故无取矣。"

有关天台宗禅定(止观)情形的论评说:

"当朝智颛,亦时禅望。锋辩所指,靡不倒戈。师匠天廷,荣冠朝列,不可轻矣。"

禅宗四祖道信的笃实禅风

由以上简录记载传述的史料,便可了解自汉末、魏、晋、南北朝以来习禅风气的普及情形。同时亦由此可知齐、梁之间志公(宝志禅师)与傅大士(傅翕)的发明禅悟,与达摩禅的一系,并无密切的关系。

总之,自汉末、魏、晋到梁、隋之间的佛法修证,完全侧重于修习禅定的行门,并非即如达摩禅"直指人心,见性成佛"的"教外别传"法门。所以由二祖神光、三祖僧璨,直到四祖道信时期,由达摩大师传承佛法心宗的一脉,才逐渐演变为中国禅宗的风格。到了五祖弘忍与六祖慧能、神秀手里,才又别开生面成为中国禅宗的特殊面目与精神。

但四祖道信大师的禅风，非常笃实。除了见地方面，纯以达摩禅的一脉为宗旨。至于修证方面，躬亲实践，仍然注重修习禅定。一如魏、晋、南北朝以来的精神，极其庄严正确。如《传灯录》与其他有关资料的记载，四祖六十年来习于长坐不卧而修禅定，这便是他"现身说法"的示相，也才是真正承接达摩大师"壁观"的榜样。如《传灯录》所载云：

"道信大师者，姓司马氏。世居河内，后徙于荆州之广济县。师生而超异，幼慕空宗诸解脱门，宛如宿习。既嗣祖风，摄心无寐，胁不至席者，仅六十年。"

新语云：读了这段史传的记载，我们应当反省近代与现代人的谈禅学道。一天禅定的工夫也不学习，仅从口头禅上拾人牙慧，会之于妄心意识，便恣逞快口利嘴以欺人，也自称为禅宗悟道之徒，殊可悲悯。虽然，事起弊生，无论世出世间诸事，莫不如此。故唐代道宣律师论述当时习禅者的情形，也便早已发现有如现在的现象。人事代谢，风月依然。借古鉴今，抑乎可叹。

"顷世定士，多削义门。随闻道听，即而依学，未曾思择，扈背了经。每缘极旨，多亏声望。吐言来诮，往往繁焉。(辟驳不通佛经教义而妄修禅定者)

或复耽著世定，谓习真空。诵念西方，志图灭惑。肩颈挂珠，乱捻而称禅数。衲衣乞食，综计以为心道。(辟驳妄心念佛与从事攀缘自以为即是禅修者)

又有倚托堂殿，浇旋竭诚。邪仰安形，苟在曲计，执以为是，余学并非。(辟驳盲目信仰求佛修福以为禅修者)

冰想铿然，我倒谁识。斯并戒见二取，正使现行。封附不除，用增愚鲁。(总辟妄见)

向若才割世网，始预法门。博听论经，明闲慧戒。然后归神摄虑，凭准圣言。动则随戒策修，静则不忘前智。固当人法两镜，真

俗四依。达智未知，宁存亡识。如斯习定，非智不禅。则衡岭台崖，扇其风也。（赞扬南岳天台的禅定修法）

复有相述同好，聚结山门，持犯蒙然，动挂形网。运斤挥刃，无避种生。炊爨饮啖，静惭宿触。（辟驳经营生计不守戒律而如俗人者）

或有立性刚猛，志尚下流。善友莫寻，正经罕读。瞥闻一句，即谓司南。昌言五住久倾，十地将满。法性早见，佛智已明。此并约境住心，妄言澄净。还缘心住，附相转心。不觉心移，故怀虚托。生心念净，岂得会真。故经陈心相，飘鼓不停。蛇舌灯焰，住山流水，念念生灭，变变常新。不识乱念，翻怀见网，相命禅宗，未闲禅字，如斯般辈，其量甚多，致使讲徒倒轻此类。故世谚曰：无知之叟，义指禅师。乱识之夫，共归明德。返迷皆已大照，随妄普羁真科。不思此言，互谈名实。（双边辟驳狂禅之流与枉事佛学义理的研究者）

考夫定慧之学，谅在观门。诸论所陈，良为明证。通斯致也，则离乱定学之功，见惑慧明之业，苦双轮之迷涉，等真俗之同游。所以想远振于清风，稠实标于华望。贻厥后寄，其源可寻。斯并古人之所录，岂虚也哉！”（总论禅修的重要）

轻生死重去就的道信大师的风格

禅宗四祖道信大师，即以“摄心无寐，胁不至席者六十年”的笃实禅修，为行持的宗风。到了隋大业十二年（公元六一六年），为了躲避世乱，便率领他的徒众来到吉州（江西），恰好又碰到群盗围城的事，他就稍微显露一点神奇的事迹。到了唐武德七年甲申岁（公元六三四年）他又回到蕲春，住在破头山，跟他习禅的人也就愈来愈多了。综览《传灯录》、《五灯会元》、《指月录》、《续高僧传》等资料，都有同样的记载如次云：

"隋大业十三载,领徒众抵吉州。值群盗围城,七旬不解,万众惶怖。祖悯之,教念摩诃般若。时贼众望雉堞间,若有神兵,乃相谓曰:城内必有异人。稍稍引去。唐武德甲申岁,师却返蕲春,住破头山,学侣云臻。"

新语云:由以上的记载,便可发现自四祖道信大师开始,已经逐渐变更达摩初传禅宗于二祖神光时,以《楞伽经》印心的传统了。四祖教人念摩诃般若(《大般若经》是佛法中阐言体性空的要典),从此,自五祖弘忍付授六祖慧能以来,便改用《金刚般若波罗蜜经》以印心,因此而开启初唐以后中国禅宗的特色。除此以外,四祖道信大师,又为后世学者留下不慕虚荣,轻生死,重去就的清风亮节,作为世出世间的典范。唐、宋以后许多儒家的"高士"、"处士"和道家的神仙们,亦多有相同的志趣。这是中国文化另一面的精神,也是中华民族的血统中特别强烈的一种特殊精神,应当尊重注意,然后才能谈——中国文化的气节。

"贞观癸卯岁(公元六四三年)太宗向师道味,欲瞻风采。诏赴京,祖上表逊谢,前后三返。第四度命使曰:如果不起,取首来。使至山谕旨,祖乃引颈就刃,神色俨然。使回,以状闻,帝弥钦重。

高宗永徽二年辛亥岁(公元六五一年)闰九月四日,忽垂诫门人曰:一切诸法,悉皆解脱。汝等各自护念,流化未来。言讫,安坐而逝。寿七十四岁,塔于本山。明年四月八日,塔户自开,仪相如生,尔后门人遂不敢复闭焉。"

五祖弘忍大师

　　达摩禅的一系,自梁、隋而至初唐之际,经一百五十余年,都以秘密授受的方式,递相传法。到了四祖道信与五祖弘忍手里,才逐渐公开阐扬,崭露头角。上文曾经讲到三祖僧璨大师其人其事的疑案,已足为反对禅宗或持怀疑论者所借口,故《宋高僧传》《景德传灯录》,及《佛祖历代通载》等的记述,有关五祖弘忍大师的来历与悟缘,都语焉不详,有意避开其他记载中关于五祖生前身后的传说,免滋后世学者的疑窦。

　　事实上,无论佛教的宗旨和佛学的原理,乃至禅宗求证之目的,它的整个体系最基本和最高的要求,都建立在解脱"三世因果"和"六道轮回"的基础上。唐、宋以后的禅宗宗徒们,大部分都直接以"了生死"为着眼点,便是针对解脱"三世因果"而发。庄子所谓"死生亦大矣"的问题,也正是古今中外所有宗教、哲学、科学等探讨生命问题的重点所在。何况佛法中的禅宗,尤其重视此事,大可不必"曲学阿世",讳莫如深略而不谈。《五灯会元》与《指月录》等禅宗史书却赫然具录此事的资料,以补《宋高僧传》和《景德传灯录》的失漏之处,颇堪提供重视真参实悟的参禅者玩索深思。

破头山上的栽松老道

　　当四祖道信在湖北荆州黄梅破头山建立禅宗门庭时,一位多年在山上种植松树的老道人,有一天来对四祖说:"禅示的道法,可以说给我听吗?"道信大师说:"你太老了,即使听了悟了道,也只能自了而已,哪里能够担当大事以弘扬教化呢? 如果你能够转身再来,我还可以等你。"老道人听四祖这样说,便扬长自去了。

他独自走到江边,看见一个正在洗衣服的少女,便向她作个揖说:"我能够在你这里暂时寄住吗?"那个女子说:"我有父兄在家,不能自己妄作主张。你可以到我家去求他们收留你。"老道人便说:"只要你答应了,我便敢到你家里去。"那个女子点点头,同意他去求宿。于是老道人就托着拐杖走了。

这位在江边洗衣服的女子,是当地周家的幼女。从此以后,就无缘无故地怀孕了。因此,她的父母非常厌恶她,便把她赶出门去,流落在外,她诉冤无门,有苦难言,每天为别人作纺织,佣工度日,夜里便随便睡在驿馆的廊檐下。到了时间,生了一个男孩。她认为无夫而孕,极其不祥,就把他抛在浊水港里。到了第二天,这个男婴又随流上行,面色体肤更加鲜明可爱。她非常惊奇地又抱他回来,把他抚养长大。到了幼童的时期,便跟着母亲到处去乞食为生。地方上的人,都叫他"无姓儿"。后来碰到一位有道的人说:"可惜这个孩子缺少了七种相,所以不及释迦牟尼。"

到了唐高祖武德七年(公元六二四年)以后,道信大师从江西吉州回到蕲春,定居在破头山。有一天,大师到黄梅县去,路上碰到了他。大师看他的"骨相奇秀,异乎常童"。便问他说:"你姓什么?"他回说:"姓即有,不是常姓。"大师说:"是何姓?"他说:"是佛性。"大师说:"你没有姓吗?"他说:"性空故无。"大师心中默然,已经知道便是前约的再来人,确是一个足以传法的根器。便和侍从的人们找到他的家里,乞化出家。他"父母以宿缘故,殊无难色,遂舍为弟子"。道信大师便为他取名叫弘忍。

这一段五祖出身来历的公案,综合《景德传灯录》、《五灯会元》、《指月录》等的资料,备如上述。原文可查上列各书中有关四祖道信与五祖弘忍的两段记载,不再重录。

但《宋高僧传》和其他的记载,便略去这些奇异事迹而不谈。

宋《高僧传》云：

释弘忍，姓周氏，家寓淮左浔阳，一云黄梅人也。王父暨考，皆不干名利，贲于丘园。其母始娠移月，而光照庭室，终夕若昼。其生也灼烁如初，异香袭人，举家欣骇。迨能言，辞气与邻儿弗类。既成童丱，绝其游弄，厌父偏爱，因令诵书。无记应阻其宿薰，真心早萌其成现，一旦，出门徙倚闲，如有所待。时东山信禅师邂逅至焉，问之曰："何姓名乎？"对问朗畅，区别有归，理逐言分，声随响答。信熟视之，叹曰："此非凡童也。"具体占之，止阙七大人之相，不及佛矣。苟预法流，二十年后必大作佛事，胜任荷寄。乃遣人随其归舍，具告所亲，喻之出家，父母欣然，乃曰：禅师佛法大龙，光被遐迩，缁门俊秀归者如云，岂伊小骏那堪击训。若垂虚受，固无留吝。时年七岁也。至双峰习乎僧业，不遑艰辛，夜则敛容而坐，恬澹自居，洎受形具，戒检精厉。信每以顿渐之旨，日省月试之，忍闻言察理，触事忘情，哑正受尘，渴方饮水，恬如也。信知其可教，悉以其道授之，复命建浮图功毕，密付法衣以为质。要将知皑雪山之肥腻，构作醍醐。餐海底之金刚，栖倾巨树。衲衲之侣，麇至蝉联。商人不入于化城，贫女大开于宝藏。入其趣者，号东山法欤！以高宗上元二年十月二十三日告灭。报龄七十有四。

平凡的神奇充满了初唐以前的禅门

人类文化，无论如何的昌明发达，但对于生命的神奇，一般人始终无法知其究竟。而且在下意识中多多少少总想保留最后的神秘，以自我陶醉或自我幻想。古今中外一例，岂独宗教中人方以神奇相尚而已。释迦牟尼、老子、孔子、耶稣、穆罕默德等教主的诞生，以及一般历史上英雄的出生，都附有许多奇异的传说，以陪衬其伟大和非凡。是真实？是幻觉？暂时不作论断。

禅宗的大师们，在初唐之前，大半都是富有传奇性的人物。我所谓隋唐以前中国禅宗的大师志公和尚,他便是一个从鹰巢中捡得的孤儿。中国维摩禅的大师傅翕,也是一位富有传奇性身世的人物。他如达摩禅的三祖僧璨,毕生来历是一大疑案。五祖弘忍则平凡中更充满了神奇。如果照某些学者的偏激观念来说,大圣人们多半都是"私生子",则又未免言之过诡。但弘忍大师的出生,记传事实大多都承认他是无父而生的孤儿,因此照一般常理来说,就很可能被人指为"私生子"了。当然喽!如果引用现代科学人工受孕的理论,倒可作一番漂亮的解释,但是距离事实太远,大可不必强作此说。同时,有关这一类的"生死问题"是佛法的重心所在,自有一套较为完整、精确的理论根据,一时难以说明。

关于生命的延续,牵涉到前生后世的问题,无论在中国文化、埃及文化、大西洋文化(包括希腊文化)中,都自古存在。但从中国文化来说,秦、汉以前,对于生死问题,虽然早已有了"精气为物,游魂为变"的解说,认为人死之后,便可化为鬼魅或神祇,但并无"转生再世"的确论。自东汉以后,佛教传入中国,"三世因果"和"六道轮回"之说,才与中国固有的游魂之变等鬼神思想合流。自魏、晋以后,"转身再世"的观念,就一直普植人心,而且广泛地为佛道两家所引用,永为生命延续的牢固观念。例如净土宗的"迁识往生极乐世界",禅宗的"了生脱死"等思想,都由此而建立其基础和究竟的目的。唐以后"三生再世"的观念,和忠臣、孝子、节妇、义夫等,以及"生而为英,死而为灵"、"神鬼神帝"的思想,也便由于佛法的生命延续的观念作基础,确立了中华民族但求正义的至善至真,而"不畏生死"的大无畏精神的牢固基础了。

如果根据《宋高僧传》的文字记载,堂堂一代宗师的四祖道信,路上碰到一个七岁小孩,简简单单地问答了几句双关妙语以后,便轻轻易易地交付了传统衣钵,未免太过草率,等同儿戏。禅宗的授受果真如此,何以"其重若彼,而其轻若此"!如果旁求记传,对于四祖道信大师的"默识其为非凡童"等语意,便有所了解了。总之,关于生命的轮回转世之说,在佛教和正统禅宗的立场而言,那是根本的要点所在。信者自信,非者自非,此须真正智慧的抉择。到目前为止,"灵魂"学说未得实证以前,实在难以强人所难去肯定相信。现在世界各国"神秘学"虽然发达,同时也普遍强调"灵魂"与"轮回"之说的可信性,但是毕竟还没有拿出现代科学的证据,不能使这一代倾心科学的崇拜者相信。

隋唐以后盛传的三生再世之说

与五祖弘忍大师"转身再世"之说相辉映,而经常见之于中国人生思想与文学之意境的,便是唐人传说中的"三生因缘",记叙李源和圆泽大师的一段故事。如云:

"唐僧圆泽(有作圆观),与李源善。约游峨嵋,舟次南浦,见妇人锦裆贞瓮而汲。泽曰:此妇孕三年,迟吾为子。今已见难逃,三日顾临,一笑为信。后十三年中秋月夜,杭州天竺寺当相见。及暮,泽亡。而妇乳三日,往果一笑。李后如期至杭州葛洪井畔,见一童牵牛踏歌而来。其词曰:'三生石上旧精魂,赏月吟风莫要论。惭愧情人远相访,此身虽异性长存。''身前身后事茫茫,欲话因缘恐断肠。吴越江山寻已遍,却回烟棹上瞿塘。'欲与之语,牵牛冉冉而逝,李嗟叹而返。"(事见于《甘泽谣》)

唐、宋以后,由于这段故事的普遍流传,不但平添中国文学与言情小说中许多旖旎风光,同时也为中国文化确立了因果报应的伦理道德观,以及特别注重人格修养的浓厚风气。

道信大师与弘忍大师的授受祖位与其他

根据《宋高僧传》与《景德传灯录》的资料,弘忍大师自七岁依止四祖道信大师开始,接受四祖多年的教育陶融,才得承受衣钵与禅宗的心法。从此以后遂替代道信大师领导学徒。但达摩禅的一脉,自五祖弘忍继承亲传衣钵以后,又同时旁出金陵(南京)牛头山法融禅师一系。递相传授到初唐和盛唐之际。流风所及,地区则遍于安徽、江、浙与长江下游一带,声望则影响到唐朝的宫廷,尤有过于五祖以后的北宗神秀之声势。因此研究唐代的文化思想史,及隋、唐以后的禅宗发展史,倘若只以六祖慧能一系,涵盖一切,便有以偏概全之失,实在不明隋、唐以后文化思想发展的趋势。《传灯录》记载四祖与五祖对话中的预言,早已提出这一问题。如云:

"四祖一日告众曰:吾武德中游庐山,登绝顶,望破头山,见紫云层盖,下有白气,横分六道。汝等会否?众皆默然。忍(弘忍)曰:莫是和尚他后横出一枝佛法否?师曰:善。"

达摩禅的四祖道信大师,除了荷担禅宗心法和衣钵的传授以外,从他一生的行径来看,尤其注重全部佛法与禅定的修证工夫。所谓"摄心无寐,胁不至席者,仅六十年",何尝如后世的禅僧们,仅以机锋转语的口头禅为能事。五祖绍承四祖的宗风,为《宋高僧传》所记述,亦极重禅定修证的行持;并非专以"无姓"或"性本空"等三两句奇言妙语,便可侥幸而得祖位。至于五祖弘忍的禅宗法要,则见于他的门弟子所记述的《最上乘论》。我们必须读了《最上乘论》,参考研究达摩大师的《血脉论》和《破相论》,以及三祖僧璨大师的《信心铭》等,然后再来研读六祖慧能的《坛经》。那么,对于达摩禅一系的禅宗理论,或可有一套完整体系的概念。以此学禅,配合禅定修证的工夫,也许可得入道之门。读了这些禅宗的要典,再来研究禅宗思想的发展史,才可能了解自梁、隋、唐以后禅宗文化思想中"随时偕行"的演变因缘,学者不可不察也。

懒融其人

观是何人心何物，本来这个不须寻。

百花落尽春无尽，山自高兮水自深。

隋唐间达摩禅的分布

　　上文曾经讲过中国禅宗在南北朝间兴起和发展的史料，约有三途：一为中国大乘禅的志公大师，一为中国维摩禅的傅大士，一为隋、唐以后禅宗所推尊的达摩大师。但这三家的禅旨，它所表达的方式虽各不同，其实质却完全吻合。换言之，都以禅定为根本，进而透脱大小乘全部佛法的心要。其中达摩禅的一支，自南朝梁武帝时期开始，秘密付授，代相递传，到了隋、唐之间，已经有了五代的传承。继之而起的六祖慧能与神秀的禅宗，已是初唐以后的事了。事不孤起，无论出世和入世的事，它的来龙去脉，也绝非无因突变而来。禅宗在隋、唐以后，形成中国文化的主流，除了上述的志公和傅大士之外，再要追溯它渐变而来的原因，便须研究南北朝到唐初两百年间，佛法的禅定之学在中国的演变情形。

　　"禅定"，本来就是佛法求证的实际工夫，并非徒凭经典的义理和文字就可知其究竟。南北朝两百年来禅定的发展与演变，不但有历史时代的因素，同时它在南北朝间所传布的地区，也是形成唐代以后禅宗的主要原因之一。至于隋、唐以后禅宗的学术思想和风格，它是综合大小乘佛学的要旨，并融通老、庄、儒家等思想的精华所形成的。这又是另一重大而繁复的论题，须从魏、晋时期开始说起,概括四五百年来中国思想史的精神,所以只好另作别论了。

破头山与牛头山

现在只就南北朝到隋、唐两百年来中国禅的发展和演变来说。南朝的宋、齐、梁、陈、隋归作一个系统。北魏又是另作一个系统。北魏在佛教和佛学的发展史上,固然非常重要,但地近西陲,受西域传入佛教的影响,偏向教义和译经方面。至于南朝的文化和佛学是继承魏、晋学术思想的流风遗韵,偏向于玄奥的探讨,着重在机辩的敏捷。

东晋渡江以后,俊彦、名士大多联袂而到江左。即如出世为僧的佛教徒们,亦多过江南渡,寻幽探胜,而自觅其栖心禅静的山林作为道场。这种情形虽说是时运使然,其实亦多有人事的因素。当时的北魏,虽然雄据中原,但氏系出胡人,绝非南渡君臣与士大夫所愿臣服。出家人固然不干朝政,而故国禾黍之思,总亦难免起伏于禅心的鉴觉。例如东晋之初,提倡净土念佛为专修禅观法门的慧远法师,此时便宁自南到庐山结社以修净业,其间的初衷心迹,亦未尝不受这种因素的影响。至于达摩禅的一系,自二、三祖以后,衣钵逐渐南来,同样也是顺时应变的必然现象。

此外,当从"地缘政治"来看文化的发展,时不分今古,地不论中外,凡有人文的区域,总有南北、东西人物与精神的优劣异同现象。总之,北方文化重实际、善笃行;南方文化重旷达、善玄思。例如春秋时代,孔孟精神便是北方文化的代表;老庄思想便是南方文化的特色。依此例以概南北朝以后,禅宗发展于南朝的情形,也确然如合符节而绝少不然。

根据禅宗史料的记载,达摩大师传授衣钵与二祖神光以外,同时承接他的禅道心要者还有道副、道育、比丘尼总持、居士杨衒之等数人,他们在当时虽未登堂入室而承受衣钵的嘱咐,但禅风的阐

扬,散之四方,可想而知已经启其端倪。此后,二祖传付衣钵与宗
旨于僧璨以外,旁出亦有多人。由此传到四祖道信时期,禅宗的风
气已开,又大非二、三祖时可比。他先时行脚江西,后来又在湖北
蕲春的破头山上,正式建立了道场,公开阐扬宗旨。此时正当隋、
唐之间,地区则偏在长江南北。

　　一直到他传付衣钵于五祖弘忍以后,他又飘然远行,到长江下
游的牛头山(金陵)上,找到了法融禅师,传授禅宗心法,再又开启
了牛头法融的一脉。历传到中唐以后,人才辈出,颇多名动朝野、
望重当时的哲匠。如杭州径山寺的道钦禅师,备受唐代宗的尊重,
就是其中之一。如果隋唐以后的禅宗,真有南北之分,则牛头山法
融禅师的一系,早已开启了北宗的风格,岂待神秀与荷泽(神会)之
时,方起纷争。

赚得百鸟衔花的懒融

　　法融禅师,润州(镇江)延陵(武进)人。姓韦。十九岁时,便学
通经史。后来读到《大般若经》,了解真空的玄奥。有一天,他感慨
地说:“儒家与道家的典籍,到底不是最究竟的道理,看来只有般若
正观,才能作为出世的舟航。”因此,他就隐遁到茅山(今在句容县
境)出家去了。后来他独自一个人,到牛头山幽栖寺的北岩石室中
专修禅定。相传有百鸟衔花来供养他的奇迹。

　　到了初唐贞观时期,四祖道信大师传付衣钵与五祖弘忍以后,
遥远地看到牛头山上的气象,便知此山中必有不平常的人物。因
此,便亲到牛头山来寻访究竟。他向幽栖寺的一位和尚打听说:
“这里有修道的人吗?”那个和尚便说:“出家人哪个不是修道的人
啊!”四祖说:“啊!哪个是修道的人?”这个和尚被问得哑口无言
了。旁边另一个和尚便说:“从这里再去山中,约十里左右,有一个
和尚住在那里。他叫法融。但非常的‘懒’,看见别人也不起来迎

接,更不合掌作礼,所以大家都叫他'懒融',也许他是一个道人吧!"四祖听了,便再进山去寻访。

善恶一心都可怕

四祖到了山中,看见法融禅师端坐习禅,旁若无人,绝不回头来看他一眼,便只好问他:"你在这里做什么?"他说:"观心。"四祖便说:"观是何人? 心是何物?"他无法对答,便起来向四祖作礼,一边就问:"大德高栖何所?"四祖说:"贫道不决所止,或东或西。"他说:"那么,你认识道信禅师吗?"四祖说:"你问他做什么?"他说:"响德滋久,冀一礼谒。"四祖便说:"我就是。"他说:"因何降此?"四祖说:"我特意来访你的。除了这里以外,还有哪里可以'宴息'的地方吗?"他就指指山后说:"另外还有一个小庵。"四祖便叫他带路。到了那里,看到茅庵四周,有许多虎狼之类的脚印,四祖便举起两手作恐怖的状态。法融禅师看到了,便说:"你还有这个在吗?"四祖便说:"你刚才看见了什么?"他又无法对答,便请四祖坐下。四祖就在他坐禅的大石头上写了一个"佛"字。他看了竦然震惊,认为这是大不敬的事。四祖便笑着说:"你还有这个在吗?"他听了依旧茫然未晓。

新语云:看了这段禅宗的公案,首先须要注意法融禅师,在未出家、未学禅之先,便已是"学通经史",深通儒、道的学者。出家以后,他的行径,以"懒"出了名。其实,他全副精神用在"观心"修禅上,所以便"懒"于一切外务。

其中最为有趣而且有高度"机锋"的幽默对话,便是四祖问幽栖寺和尚:"此间有道人否?"僧答:"出家人哪个不是道人。"四祖又说:"啊! 哪个是道人?"聆此,殊堪发人深省。

后来他问法融禅师:"观是何人? 心是何物?"便是参禅学佛最

重要的话头，也是一般要学道静修的人，最值得深深省察的要点，不可轻易放过。

其次，山中已够清静，而四祖还要追问法融禅师，在此清静境中，"莫更有宴息之处否？"岂非奇特之至？须知日夜落在清静中者，正自忙得不亦乐乎，闹得非凡，哪里是真宴息之处？真宴息处，不在于清静与热闹中啊！最后，法融禅师带着四祖进入后山小庵处，看见了虎狼之类，四祖便作恐怖的状态，因此引起法融禅师的疑问："既然你是悟道的大禅师，还有惧怕虎狼的恐怖心吗？"四祖因此便问他："你看到了什么？"到这里，学者大须注意，这一恐怖之心，与"观是何人？心是何物？"有何差别？必须要检点得出来。再说：见虎狼即恐怖，与"喜、怒、哀、乐，发而皆中节"之心，又有何差别？亦须一一检点来看。可惜法融禅师当时不悟，所以四祖便在他打坐的石头上，写了一个"佛"字，引起他的震惊与竦惧，因此反问他："你还有这个在吗？"这便是宗门的作略，处处运用"不愤不启，不悱不发"的启发式教授法，颇堪玩味。同时，也显示出禅宗佛法在佛教中，的确是入乎其内，出乎其外的真解脱，绝非小根小器的人所可了知。且听偈曰："观是何人心何物，本来这个不须寻。百花落尽春无尽，山自高兮水自深。"

在山的悟对和出山的行为

因此，法融禅师便请示心法的真要。四祖说："百千法门，同归方寸。河沙妙德，总在心源。一切戒门、定门、慧门，神通变化，悉自具足，不离汝心。一切烦恼业障，本来空寂。一切因果皆如梦幻。无三界可出，无菩提可求。人与非人，性相平等。大道虚旷，绝思绝虑。如是之法，汝今已得，更无阙少，与佛何殊！更无别法。但任心自在，莫作观行，亦莫澄心。莫起贪嗔，莫怀愁虑。荡荡无碍，任意纵横。不作诸善，不作诸恶。行住坐卧，触目遇缘，总是佛之妙用,快乐无忧,故名为佛。"

　　法融禅师听到这里,又问:"此心既然具足一切,什么是佛? 什么是心?"四祖便说:"不是心,哪里能问什么是佛。能问佛的是什么? 当然不会不是你的心啊!"法融禅师又问:"既然不许此心作观想修行的工夫,对境生心时,又如何去对治它呢?"四祖说:"外境本来就没有好丑美恶的差异,所有好丑美恶,都由自心而起,此心既不强生起名言和境相的作用,那妄情又从哪里生起呢? 妄情既然不起,真心就可任运自在而遍知无遗了。你要随心自在,不要再加任何对治的方法,就叫做常住法身,更没有别的变异了!"

　　法融禅师自受四祖的心法以后,入山从他学道的人更多了。到了唐高宗永徽年间,因徒众乏粮,他就亲自到丹阳去募化。早出晚归,往来山中八十里,亲自背米一石八斗,供养僧众三百人。又屡次应邑宰萧元善和博陵王之请,讲演《大般若经》。

　　新语云:四祖对法融禅师所说的禅宗心法,极为平实而扼要,他把大小乘佛学经典的要义,透过"般若"(智慧)的抉择而会归一心,绝不拖泥带水,更无神秘的气氛。他与达摩大师、志公、傅大士的禅语,完全类同。学者应当和五祖弘忍所作的《最上乘论》互相比照来读,然后就可了解六祖《坛经》的渊源所在了。

　　其次,达摩的一系,其初以《楞伽经》为印证的要典。自四祖开始,便改为以《般若经》为主。五祖和六祖均秉承师法,亦都弘扬"般若"。法融禅师的一支,也不例外。这是达摩禅到隋、唐之间的一变,虽然无关宗旨,但对于禅宗史的演变,却是一个关键所在。

　　禅宗以"无门为法门",但主悟明心地,彻见性源而已。虽然,由持戒、修定而最后得其慧悟的,便叫作"渐修"。因敏慧而透脱心地法门的究竟者,便叫作"顿悟"。"顿悟"以后,虽修一切善行而不执著于修。看来形迹似乎不重修行,实则随时都在自修心地,只是不拘小乘形式上的禅定,而特别着重于明心返照。以上所记法融禅师、四祖的问答,便是禅宗修法的要点,必须会归一心而体味玩索。

　　同时可由此了知，法融禅师在未见四祖之前，修习禅定的观心法门于牛头山上，真是"独坐大雄峰"，玩弄一段非常奇特的大事。但自见到四祖以后，反而没有如此悠闲自在，却要为大家讲经说法，又要为大众谋饭吃，亲自往来负米山中，这又为了什么？不是真达明心之境的，实不懂此禅要。不知持心而行修布施的，更不知此禅要。总之，真正禅的精神，不是只图意境上的独自清闲享受，它是注重从地行为的舍施，而不企望有什么图报的。法融禅师，便是"在山泉水清，出山泉水清"的一格，你说对吗？

法融一系的禅道

　　牛头山法融禅师一系的禅门,自隋、唐之际(约当公元六〇〇年间),传承六世到唐穆宗长庆(公元八二四年)之后,经过两三百年,风气所及,影响唐初的朝野与士风,颇为有力,其中人才辈出,清亮可风,如道钦禅师见重于唐代宗,慧忠禅师以伏虎而显现神迹等,自唐以后,素为僧俗所钦敬。这一系禅门的风格,以注重笃实的行持与禅定相契为根本。而其说法的方式与教授法,却与唐代的文学,结了不解之缘,此为其特色。但其行化的主要地区,却偏在江南一带,如江苏与浙江的通都大邑或名山胜水之间。约略有如后面的附表。

诗 境 与 禅 语

　　有关牛头山法融禅师的精辟法语,莫过于他对博陵王的答问(文繁不录)。尤其对于心性体用之间的警语,如"恰恰用心时,恰恰无心用,无心恰恰用,常用恰恰无"等至理名言,传颂千古。同时亦为南宗六祖以下的禅门所服膺。后来他传法于第二世的智严禅师时,便说:"吾受信大师真诀,所得都亡。设有一法胜过涅槃,吾说亦如梦幻。夫一尘飞而翳天,一芥堕而覆地。"诸语不但是"文以载道"的名言,而且也是禅与文学相结合的特别之处,因此,多为南宗六祖一系的禅者所乐道。

　　自融师之后,以文词妙句达禅道心要的,莫如舒州天柱山的崇慧禅师。例如僧问:"如何是天柱境?"答:"主簿山高难见日,玉镜

峰前易晓人。"问："如何是天柱家风?"答："时有白云来闭户,是无
风月四山流。"问："亡僧迁化向什么处去?"答："潜狱峰高长积翠,
舒光明月色光辉。"问："如何是道?"答："白云覆青嶂,峰鸟步庭
华。"问："宗门中请师举唱。"答："石牛长吼真空外,木马嘶时月隐
山。"问："如何是西来意?"答："白猿抱子来青嶂,蜂蝶衔花绿叶
间。"

新语云:诸如此类的语句,都是以文学的意境,平实地表达本
地风光,开启了唐末五代与宋初禅门的法语风格。

吹布毛的启发

以机辩渊默显示平实的法要者,则为杭州鸟窠的道林禅师。
他的启发式教授法尤为千古禅门所乐道。

例一如:

道林禅师自得法于道钦禅师以后,见"秦望山有长松,枝叶
繁茂,盘屈如盖",遂栖止其上,故时人谓之鸟窠禅师。复有鹊,
巢于其侧,自然驯狎,人亦目为"鹊巢和尚"。当时有一小侍者名
会通者,在俗本名为吴元卿,原任唐德宗"六宫使"(宫廷王室的
联络官)。"形相端严,王族咸美之。"唯志厌世俗,力求出家。德
宗常劝谕之曰:"朕视卿若昆仲,但富贵欲出于人表者,不违卿,
唯出家不可。"然德宗终难挽其初心,而奉准出家为僧,依鸟窠禅
师为侍者。"昼夜精进,诵大乘经而习安般三昧(即修禅定之另一
方法)。"

一日,欲辞鸟窠禅师他去,师问曰:"汝今何往?"答："会通为法
出家,不蒙和尚垂慈诲,今往诸方学佛法去。"

师曰:"若是佛法,吾此间亦有少许。"会通即问:"如何是和尚
佛法?"

鸟窠禅师即于身上拈起布毛,吹之。

会通因此而领悟玄旨,当时人称之为"布毛侍者"。

迨唐武宗废佛寺时,师与众僧礼辞灵塔(拜别鸟窠禅师的墓塔)而迈,不知所终。

例二如:

老 难 为 善

元和中,白居易出守杭州,因慕鸟窠禅师之名而入山礼谒。

白问:"禅师住处甚为危险。"

师曰:"太守危险尤甚!"

白问:"弟子位镇江山,何险之有?"

师曰:"薪火相交,识性不停,得非险乎?"

白问:"如何是佛法大意?"

师曰:"诸恶莫作,众善奉行。"

白说:"三岁孩儿也解恁么道。"

师曰:"三岁孩儿虽道得,八十老人行不得。"

白居易终生栖心禅观与净土,得力于鸟窠禅师的开示颇为有力。

至圣独照的隽语

又如得法于牛头山慧忠禅师的惟则禅师。隐于天台山瀑布之西岩,后自名其岩为佛窟。一日示众曰:"天地无物也,我无物也,然未尝无物。斯则圣人如影,百年如梦。孰为生死哉!至人以是独照,能为万物之主,吾知之矣。汝等知之乎?"

新语云:总之,牛头山法融一系的禅风,既平易,又奇特,有机锋,有实语,与南宗六祖以后的禅,同而不同。他与五祖弘忍大师旁出的北宗神秀之禅,互相辉映于唐代的文化思想之间,颇有影响之力,学者不可不加注意。

法融一系的禅师索引表

(初稿一)

法号	出生年		卒　年		出 生 地	归 终 地	享年	备注
法融禅师	594	隋文帝开皇十四年甲寅	657	唐高宗显庆二年丁巳	润州延陵(江苏武进)	南京	64	第一世
智严禅师	599	隋文帝开皇十九年己未	676	唐高宗仪凤元年丙子	曲阿(江苏丹阳)	南京石头城	78	第二世
慧方禅师	629	唐太宗贞观三年己丑	695	唐武则天天册元年乙未	润州延陵	茅山(江苏句容)	67	第三世
法持禅师	635	唐太宗贞观九年乙未	702	唐武则天长安二年壬寅	润州江宁(南京)	金陵(南京)	68	第四世
智威禅师	653	唐高宗永徽四年癸丑	729	唐玄宗开元十七年己巳	江宁(南京)	金陵延祚寺	77	第五世
慧忠禅师	683	唐中宗弘道元年癸未	769	唐代宗大历四年己酉	润州上元(江苏江宁)	金陵延祚寺	87	第六世

续　表

法号	出生年		卒　年		出 生 地	归 终 地	享年	备注
昙璀禅师	631	唐太宗贞观五年辛卯	692	唐武则天天授三年壬辰	吴郡(江苏吴县)	钟山(南京)	62	法融禅师旁出
玄素禅师	668	唐高宗总章元年戊辰	752	唐玄宗天宝十一载壬辰	润州延陵	京口鹤林寺(江苏镇江)	85	智威禅师下旁出
崇慧禅师			779	唐代宗大历十四年己未	彭州(江苏铜山)	舒州天柱山(安徽)		同上
道钦禅师	714	唐玄宗开元二年甲寅	792	唐德宗贞元八年壬申	苏州昆山	杭州径山	79	智威禅师下旁出
道林禅师	741	唐	824		本郡富阳(浙江)	杭州秦望山	84	同上
玄挺禅师								同上
会通禅师					本郡			同上
唯则禅师					京兆(陕西长安)		80	慧忠禅师下旁出
云居至禅师								同上

（初稿二）

智严禅师下旁出八人	
法　号	弘法之地
镜潭禅师	东都(洛阳)
志长禅师	襄州(湖北襄阳)
义真禅师	湖州(浙江)
端伏禅师	益州(四川)
龟仁禅师	龙光(未详)
辩才禅师	襄州(湖北襄阳)
法俊禅师	汉南(湖北南部)
敏右禅师	西川(四川成都)
法持禅师下旁出二人	
玄素禅师	牛头山(金陵)
弘仁禅师	天柱(未详)
玄素禅师下旁出二人	
昙益禅师	金华(浙江金华)
圆镜禅师	吴门(江苏吴县)
道钦禅师复出三人	
山悟禅师	木渚(未详)
广敷禅师	青阳(安徽贵池)
中子禅师	杭州
道性禅师	金陵牛头山
智灯禅师	江宁

道林禅师复出一人	
宝观禅师	灵岩
法融禅师下三世一十二人,只有昙璀禅师见录,其他十一人则不录	
昙璀禅师	金陵钟山
大素禅师	荆州
月空禅师	幽栖(未详)
通演禅师	白马(河南滑县)
定庄禅师	新安(未详)
智颛禅师	彭城(江苏铜山)
通树禅师	广州
智爽禅师	湖州(浙江)
杜默禅师	新州(未详)
智诚禅师	上元(江苏江宁)
定真禅师	
如度禅师	
慧忠禅师下旁出三十六人,二人见录,三十四人无机缘语句不录	
惟则禅师	浙江天台山
云居禅师	浙江天台山
法灯禅师	牛头山
定空禅师	牛头山

怀信禅师	解县(山西安邑西南)		涉禅师	牛头山
鹤林全禅师			道遇禅师	幽栖(未详)
怀古禅师	北山(未详)		凝空禅师	牛头山
观宗禅师	浙江明州		道初禅师	蒋山
大智禅师	牛头山		幽栖藏禅师	
善道禅师	白马		灵晖禅师	牛头山
智真禅师	牛头山		道颖禅师	幽栖(未详)
谭颙禅师	牛头山		巨英禅师	牛头山
云韬禅师	牛头山		法常禅师	释山(未详)
牛头山凝禅师	牛头山		凝寂禅师	龙门(未详)
法梁禅师	牛头山		庄严禅师	
行应禅师	江宁		道坚禅师	襄州(湖北襄阳)
惠良禅师	牛头山		尼明悟禅师	
道融禅师	兴善		清源禅师	润州栖霞寺
照明禅师	南京蒋山		居士殷净	

马祖不是妈祖

　　马祖,这是中唐以后弟子们对他私谥的尊称。因为由达摩所传的禅宗,到了六祖慧能之后,谁也不敢擅自称"祖",所以便有这种私底下的称呼。也可以说是平民式、自由式的尊称,既不尽同于佛教的教仪,也不合于当时的官式法定。但是,的确表示了他的弟子们由衷的敬意。

　　他俗姓马,四川什邡县人,出家的法名叫"道一"。可是后来提到"道一"禅师,反而很少有人知道,提到马祖,谁都清楚就是他。不过他是唐代的和尚,是男人。并非民间相传宋代以后福建的"妈祖",那是一位由行孝而成神的孝女。在民俗的信仰中,颇为威灵显赫,声震朝野。有的地方,还建庙祀奉她,称为天后宫的天后娘娘呢!

　　据禅宗资料的记载,马祖生具异相,大有王者之概。"牛行虎视,引舌过鼻,足下有二轮文。"这样一位堂堂的大丈夫,后来成就为南宗禅门的大宗师,声名教化隆盛一时,这与他生具的威仪禀赋,也有极密切的关系。

　　他从小出家,依四川资州唐(俗姓)和尚落发。后来在重庆圆律师处受戒,正式为僧。

　　前文(《人文世界》第三卷第二期)说过他在湖南南岳衡山习定碰到怀让大师的事,那正是唐玄宗开元间事。据《传灯录》的记载,当时一起跟怀让大师学禅的,共有九人。够得上称为入室弟子的,只有六人,其中唯有马祖的成就最大,得密授心印。

　　他后来自建阳(福建)佛迹岭迁到临川(江西),再迁南康(江西)的龚公山。一直到了唐代宗的大历中(766—775)隶名于开元精舍。

南宗禅由马祖手里开始大盛,在中国文化史上,应该算是中唐到晚唐间事。那时唐代的宗室内部,已渐趋衰退,藩镇的权力日益增强。南宗禅马祖宗风的振兴,应该说是得力于他的藩镇弟子,岭南的连帅路嗣恭之力。但路嗣恭在唐代的政治舞台上却不是什么"清风亮节"的人物,只是当时的权势,足可影响南方的政局,因此之故,对马祖的声望而言,实有锦上添花的作用。

凡是宗教,由教主们白手建立起来以后,后代的兴隆,往往都要凭借权力来陪衬,由此互为因果,政教两者便不可或分了。至少在过去的中外史上,都是如此。以后在人类史上究竟如何,暂且不作讨论。

马祖一生的教化,盘根落在江西。与他同时齐名的石头希迁和尚,也在江西。当此时也,佛教与禅宗的中心,统统在湖南、江西之间。而且当时的时局,北方颇为不稳,南方较为安定。禅定,更需要世局的安定。因此,对当时赣、湘之间禅风的盛行,可以思过半矣。

一段民间传说的插曲

马祖的故乡,虽说在唐代的什邡县,但三十年前,我在成都的时候,成都北门有一条街,叫簸箕街。据当地的朋友告诉我说,马祖的家乡,便在此处。当时,他的家里是以编卖簸箕为生的。

马祖自南岳得道以后,曾想回到四川弘扬佛法——禅宗。四川人听说有一位得道的高僧到了成都,大家争相膜拜。结果一看是马簸箕的儿子,便一哄而散,没有人相信。因此马祖很感慨地说:"学道不还乡,还乡道不香。"

他决心再度离开故乡,要到下江去了(四川朋友通称长江下游各地的惯语)。只有他的一位嫂嫂很相信他,求他传授佛法。

他笑着说:"你真的信我啊!那你拿一个鸡蛋,把它悬空挂起来,每天早晚把耳朵贴到鸡蛋去听,等到它出声音和你讲话时,你就会得道了。"

他的嫂嫂深信不疑,一切遵办。马祖走了,她听了多年,也听不到那个鸡蛋出声音。可是并不灰心,照听不误。有一天正当她在听的时候,细绳子断了,鸡蛋打破了,他的嫂嫂因此大彻大悟而得道了。

这个故事,虽说只是一个民俗寓言,哈哈大笑以外,在我觉得,好像亲见马祖一样,启发我太多的道理。可惜聪明而可怜的世上人啊!谁真能领会其意呢?"智者过之,愚者不及焉!"其奈禅道何!

其次,当时又使我生起一个很可笑的感想。

人,毕竟就是那么平凡。多少宗教上的大师,都受到得道还乡的苦果。只有项羽、刘邦这种人物,才有条件说:"富贵不归故乡,如衣锦夜行。"可是当亭长还乡高唱"大风起兮"的歌声之后,何以他又慷慨悲凉,怆然泪下呢?这真使人低徊惆怅,欲语无言了。这也正是世人平凡的可爱!你说对吗?

马大师活用了教学法

南宗禅自慧能六祖以下,经青原行思和南岳怀让两位杰出弟子的作育,已经一反历来死困在经论义理中的传统,渐启中国佛法的光芒。自怀让大师再传到马祖的手里,以他禀赋博大闳深的气度,充分发挥了活用的教学法,更使极其高明深奥的佛法妙理,显现在平实无奇的日常应用之间,开放了中国文化特殊光芒的异彩。

《中庸》所说的"极高明而道中庸"。

《庄子》所谓的"道在矢溺"。

《维摩经》所说的"譬如高原陆地,不生莲花,卑湿淤泥,乃生此花"。

所谓中国文化儒、佛、道三家的密意,统统都在马祖的言行和举止中表达无遗了。

以下所说的,便是马祖教学法的机趣,由此可见中唐以后南宗禅在风格上的演变。

一颗大明珠

越州(广东省合浦县)大珠慧海禅师,俗姓朱,建州(福建省建瓯县)人,依越州大云寺道智和尚受业。

他初到江西,见了马祖,马祖便问他:"从哪里来?""越州大云寺来。"大珠答。"到这里准备做什么?"马祖问。"来求佛法。"大珠直截了当地说出来意。"你不肯回顾自己家里的宝藏,偏要抛家乱走到外面做什么?""我这里一样东西都没有,你要求什么佛法哪?"马祖一脸严肃的神气,嘴里说着话,目不转睛地看着他。年轻的大珠和尚愣住了,不知不觉地跪拜在马祖的面前说:"啊!什么是我慧海自己家里的宝藏呢?"

马祖的眼光更锐利地瞪着他说:

"就是你现在能够问我的。这本来就具足一切的,从不缺少什么,你要怎样使用它,不是都很自在吗?又何必向外面寻求个什么东西呢?"

大珠听了反躬自省,当下便体认了自己本来的心地,并不由于知觉和感觉,以及外界的反应而生。他心花怒放,高兴得跳起来,又很感激地跪下来多谢马祖指点迷津。

从此他心安理得,跟着马祖大师,侍奉了六年之久。因为他原来的受业师道智老和尚老迈年高,他不忍心不管他,就禀明了马祖,回到越州去奉养他的业师。

在这一段时间,大珠和尚深深韬晦他的成就,并不显露锋芒,从外表上看来,好像一个痴痴呆呆的大呆瓜似的。他默默地写出一篇心得报告的文章,命名为《顿悟入道要门论》。他的这一篇著作,被他的师侄玄晏偷走,拿到江西来给马祖看过了后,很高兴地告诉大家说:"哈哈! 越州有一颗大珠,圆光明透,自在无遮障处也!"

同学们听了有人知道大珠慧海和尚,俗家姓朱。马大师说大珠便是他。渐渐地就有许多人向他那里来找佛法了。大珠说:"禅客们,我不会禅,没有一法可以告诉你们。不必要长久地站着等我传授些什么,大家还是自己去安歇吧!"

新语云:大珠和尚见马祖,只被他点出一语,便找到了自己本有的用之不尽、取之不竭的宝库。如此而已,他就写了一篇文章来消遣。无奈后世的学禅者,却捧着大珠的《顿悟入道要门论》死啃,咬文嚼字,一字一句地叫好连天,死死不放。真是使人笑掉了大牙。即使你能把《顿悟要门》倒背如流,其奈你的大珠早已漏到海底去了,有何用处?

虽然如此,大珠和尚真是一悟便休吗? 不对! 不对! 你要知道,他还依止马大师六年,细细琢磨透了,才包裹起来,回到广东,装聋卖呆,老老实实地告诉人并没有什么东西。如果不能如此,你还是去读《顿悟入道要门论》吧!

不过,千万要记得,那只是一篇要走向禅门顿悟的"入道要门",指出"心即是道"、"心即是佛"的前导。一落言诠,即非究竟。后世有些人,硬将此书抱本参禅,反把一颗明珠,碎成泥浆。可惜! 可惜!

猎到一个弓箭手

马祖活用了机会教育法,就像唐代文化中诗的文学一样,充满了淳朴、弘大、性灵的美,一反历来宗教上呆板拘执的陈腐气息。他弘扬禅道的教育法真像一个大猎户,随处可以猎到人才,造就人才。例如:

抚州(江西)石巩慧藏禅师,未出家以前,是以打猎为生,素来最讨厌看到出家的人。有一天,追赶一队鹿群,经过马祖的住庵门口,马祖特地来堵着他。他问:

"和尚,你看到一群鹿过去吗?"

"你是什么人?"

"打猎的。"

马祖不答他的话,却反问说:

"那你会射箭吗?"

"当然会。"

"你一箭射几个。"

"一箭一个"。

马祖一副满不在乎的样子说:

"那你并不会射箭啊!"

"和尚,你也懂得射箭吗?"慧藏问。

"当然会。"

"那你一箭可以射几个呢?"

"一箭可以射一群。"马祖说得轻松自然。

慧藏便说:

"彼此都是生命,又何必一箭射它一群?"

马祖笑了:

"你既然知道彼此都是生命,那么,你为什么自己不射自己呢?"

慧藏说:

"如果要我自己射自己,实在无法下手!"

马祖看着他,哈哈大笑,笑得慧藏莫名其妙,只有呆呵呵地望着他笑。

他笑过了一阵,自言自语地对着慧藏说:

"这家伙! 旷劫的无明、烦恼,今天总算顿时休息去了吧!"

慧藏被他一语惊醒了梦中人,当时就毁弃了弓箭,自己用刀来割断了头发,跟着马祖进庵,自求出家为僧了。

出家以后,他在厨房打杂。有一天,被马祖看到了,便问:

"你在做什么?"

慧藏说:

"牧牛么!"

"你怎样牧牛啊?"

"只要觉得它落草去了,便把它的鼻子扭转来。"慧藏答。

马祖说:"好! 你会牧牛。"

慧藏听了,一句话也不说,自顾自地休息去了。

不离本行的猎手

有一次石巩慧藏问他的师兄西堂和尚:

"你还知道怎样捉住虚空吗?"

"知道。"西堂答。

"你怎样捉?"石巩问。

西堂便伸手作出捉虚空的姿势。

石巩说:"这样,哪里能捉得住虚空呢?"

"师兄! 你怎样捉呢?"西堂问。

石巩便把西堂的鼻子用力地扭住,拖他过一边去。痛得西堂忍不住了,大声地说:

"太煞用力了,会把鼻子扭脱了的!"

"必须要这样捉虚空才得!"石巩笑着对西堂说。

新语云：现在一般学禅的人，只以为闭目默然，空心静坐便是禅，对此应痛自体会才对。

他追随马祖多年以后，才辞师独立，住在石巩，因此后世禅门，便称他为石巩禅师。他平常教人，什么佛啊！道啊！禅啊！都不用。只是张弓架箭接待来学的人。后来，年轻的三平和尚来看他。他架起了弓箭，大声地叫着，"看箭！"三平若无其事地敞开了胸膛说：

"这只是杀人之箭，还有活人的箭，怎样射呢？"

石巩不答他的问题，只扣了弓弦三下。三平当下便礼拜了下去。石巩却慨叹地说：

"三十年了！一张弓，两支箭，到如今，只射得了半个圣人。"他说完了，便把弓箭都拗断不用了。

后来三平再从大颠处参学，才有成就。所以石巩当时说他还只懂了一半。三平以后对人说："当时以为得便宜，现在才知道却输了便宜。"

新语云：试问，活人之箭，与扣弓弦三响，有何关系呢？

有一次，他问一个新到来学的和尚：

"你还带得那个来吗？"

"带来了。"

"在哪里？"石巩又问。

新来的和尚便弹指三声，石巩不再说什么。新来的和尚忍不住了，想一下再问：

"怎样可以免了生死呢？"

"要免做什么？"石巩答。

"那么怎样才能免得过呢？"新来的和尚再问。

"这个本来就是不生不死的嘛！"石巩答。

又是一颗明珠

　　由马祖造就出来的石巩慧藏禅师,真的只是个拉弓射箭的粗人吗? 他还是一个文学的高手呢! 他作了一首有名的诗《弄珠吟》:

　　"落落明珠耀百千,森罗万象镜中悬。光透三千越大千,四生六类一灵源。凡圣闻珠谁不羡,瞥起心求浑不见。对面看珠不动珠,寻珠逐物当时变。千般万般况珠喻,珠离百非超四句。只这珠生是不生,非为无生珠始住。如意珠,大圆镜,亦有人中唤作性。分身百亿我珠今,无始本净如今净。日用真珠是佛陀,何劳逐动浪波波。隐现到今无二相,对面看珠识得么?"

　　新语云:这便是禅宗祖师们,早已预言由"马驹"足下踏出来英才的一斑。作诗、弄文,固然无关禅道,但如果从性上自然地流露,也正与弹指之事相同,何妨起用。能文的便文,能武的便武,各守本分可也。如果说自己不会的,看了别人会的,硬说修禅的人,为什么还要作诗,这种观念如果不是器小量狭,那便是屙屎见解。换言之,学禅的人就不可以说话吗?

唐宋间与湖南有关的禅宗大德

　　近年以来,各地旅台人士,因思乡情切,发起刊行地方文献的运动。老友萧天石兄夫妇,寄给我四川文献与湖南文献各一份,并且还要催索文稿。

　　天石兄是湖南人,他的夫人是四川人。抗日期间,各地人士旅居四川的,大都有好几年的时间,比较居留长久一点的,对四川地方就有第二故乡之感。蜀中山水,经常会使人梦魂颠倒,我也便是其中的一个。对于湖南,在我而言,比较生疏得多。但是湖南的少数地方,总有些萍踪偶迹,留有少许的雪鸿爪印。至于湖南籍的朋友,几十年来,萍水他乡,虽然认识的也不少,但说到与地方文献有关的事,实在不多。因此天石兄要我写些有关湖南文献的资料,就无法应命。

　　但天石兄逼稿的本事真大,而且会派题目。今年春天,他来和我闲谈禅宗的史地关系。我说:隋、唐以后的南宗,除了广东曹溪以外,湖南与江西,应该算是禅宗的发祥地。而且它与唐宋间南方文化思想的因缘,正如春秋、战国时期南方文化的老、庄思想一样,影响之大,流传之广,实在惊人。他听了以后,硬要我写一篇有关"禅宗大德与湖南"的文章。并且约定一定要交卷。当时我就想到老子说的"多言数穷,不如守中"的名训,深悔自己的一时多言,被他抓到话柄。

　　我的俗事多,惰性又大,一拖再拖。始终未能下笔而且有关搜集资料,牵涉考据的事,更是平生最怕的事,所以始终没有提笔。天石兄下笔快,催稿的本事又大,而且优游林下,闲情逸致又多,加以左耳重听有年,装聋卖呆,常常上门催稿犹同逼债。因此,只好叫学生们相助,先行整辑有关湘中禅德的索引,予以发表。暂时定名为《唐宋间与湖南有关的禅宗大德索引表》。

　　本表系初步统计,暂从隋、唐间开始,到南宋绍兴间为止。包括五百余年间禅宗史事的要略。至于内容与说明,只好留待整理禅宗发展史或中国文化时再来补充了。

唐宋间与湖南有关的禅宗大德索引表

禅德名号	时　　代		与　湖　南　有　关　者	法　　系
	年号	公元		
南岳慧思禅师	梁天监十二年至陈太建九年	513—577	陈光大元年丁亥,公元 567 年自光州大苏山(今河南潢川县)将 40 余僧,径趋南岳慧思。寄止十载,以迄入灭。	三祖天台宗
天台智颛禅师	梁大同三年至隋开皇十七年	537—597	荆州华容(今湖南华容县)陈氏子,得法于南岳慧思。	四祖
懒残禅师	唐天宝初	740前后	湖南衡岳寺执役僧	未详
南岳怀让禅师	唐仪凤二年至天宝三载	677—744	开元元年,公元 717 年始往衡岳,居般若寺,金州(今陕西安康)杜氏子。	六祖下第一世
马祖道一禅师	唐景龙元年至贞元四年	708—788	开元中习定于衡山传法院,遇让和尚发明大事。	南岳第一世
南岳石头希迁禅师	唐(周)圣历二年至贞元六年	699—790	天宝初荐之衡山南寺,寺之东有石状如台,乃结庵其上,时号石头和尚,端州高要(今江西高要)陈氏子。	六祖下第二世,青原第一世

续 表

禅德名号	时 代		与湖南有关者	法 系
	年号	公元		
湖南东寺如会禅师	唐天宝二年至长庆三年	743—823	居湖南东寺	以上皆为南岳第二世
沣州茗溪道行禅师			沣州(今湖南沣县)	
潭州三角山总印禅师			潭州(今湖南长沙)	
五台山隐峰禅师			冬居衡岳,夏止清凉。	
南岳西园昙藏禅师			唐贞元二年遁居衡岳之绝顶,寻以足疾移止西园。	
潭州华林善觉禅师			潭州(今湖南长沙)	
潭州秀溪和尚			潭州(今湖南长沙)	
潭州龙山和尚			同上	
襄州居士庞蕴			衡阳县人	
沣州药山唯俨禅师	唐天宝九载至太和八年	750—843	绛州(今山西省新绛县)韩氏子,年十七出家,唐大历八年纳戒于衡岳希操律师,后谒石头密领玄旨,居沣州药山。	以上皆为青原第二世

禅德名号	时　　代		与湖南有关者	法　　系
	年号	公元		
潭州大川和尚			潭州(今湖南长沙)	以上皆为青原第二世
潭州长髭旷禅师			同上	
潭州抬提慧朗禅师			同上	
长沙兴国寺振朗禅师			同上	
潭州大同济禅师			潭州(今湖南长沙)	
潭州石霜性空禅师			同上	以上皆南岳第三世
湖南长沙景岑抬贤禅师			同上	
湖南上林戒灵禅师			同上	
湖南祇林和尚			湖南	
潭州沩山灵佑禅师	唐大历五年至大中七年	770—853	沩山在湖南宁乡县西	南岳三世南岳四世(合称沩仰宗)
袁州仰山慧寂通智禅师	唐大历五年至大中七年	770—853	得法于沩山灵佑禅师	

禅德名号	时　　代		与湖南有关者	法　系
	年号	公元		
潭州道吾山宗(圆)智禅师	唐大历三年至太和九年	768—835	潭州(今湖南长沙)	青原第三世
潭州灵岩昙晟禅师	唐建中二年至会昌元年	781—841	潭州(今湖南长沙)	以上皆青原三世长髡旷嗣
沣州高沙弥			沣州(今湖南沣县)	
潭州石室善道禅师			潭州(今湖南长沙)	
潭州石霜庆诸禅师	唐元和元年至文德元年	806—888	潭州石霜山(今湖南长沙境)师庐陵新淦陈氏子	道吾山圆智嗣
潭州渐源仲兴禅师			潭州(今湖南长沙)	
鼎州德山宣鉴禅师	唐大历十四年至咸通六年	779—865	鼎州(今湖南常德县)	青原四世龙潭崇信嗣
沣州龙潭崇信禅师			沣州(今湖南沣县)	青南三世天皇嗣
沣州夹山善会禅师	唐贞元二十年至中和元年	804—881	出家受戒于潭州龙山	青原四世船子诚嗣
沣州洛浦山元安禅师	唐太和七年至光化元年	833—893	沣州(今湖南沣县)	青原五世夹山善会嗣
沣州钦山文邃禅师			同上	洞山嗣

禅德名号	时　　代		与湖南有关者	法　系
	年号	公元		
潭州云盖山志元圆净禅师			潭州(今湖南长沙)	石霜嗣
潭州龙牙山居遁证空禅师	唐太和八年至五代梁龙德三年	834—923	受湖南马氏之请住龙牙山妙济禅苑	洞山嗣
鼎州德山缘密禅师			鼎州(今湖南常德县)	黄龙
岳州巴陵新开院颢鉴禅师			岳州巴陵(今湖南岳阳县)	以上皆为黄龙法系
潭州神鼎洪諲禅师			潭州(今湖南长沙)	
潭州北禅智贤禅师			同上	
潭州石霜楚圆慈明禅师			潭州(今湖南长沙)	
南岳芭蕉庵大道谷泉禅师			南岳	
潭州兴化绍铣禅师			潭州兴化(今湖南兴化县)	
潭州道吾悟真禅师			湖南境内	

禅德名号	时　代		与湖南有关者	法　系
	年号	公元		
南岳云峰 文悦禅师			湖南境内南昌徐氏子	以上皆为 黄龙法系
潭州云盖 守智禅师	生年未详 至政和五 年		湖南境内	
潭州隆兴府 泐潭洪英禅 师			同上	
舒州白云 守端禅师			衡阳葛氏子幼事翰墨,依陵郁 禅师披剃。	
潭州大沩慕 吉真如禅师			潭州(今湖南境内)	
南岳石头 怀志庵主			南岳(湖南境内)	
衡州华药 智朋禅师			衡州(今湖南境内辖衡阳、清 泉等七县)	
潭州上封 佛心才禅师			潭州(今湖南境内)	
潭州法轮 应端禅师			同上	
潭州大沩佛 性法泰禅师			同上	
潭州龙牙 智才禅师	生年未详 至宋绍兴 八年	?— 1138	同上	
鼎州梁山 缘观禅师			鼎州(今湖南常德县)	

南宗禅在唐初的茁壮

人地固分南北,佛性岂有东西? 这是南宗六祖慧能大师对答五祖的语意。形而上的体性,固然没有东西之别,但当它形成现象,与时间、空间发生了关系,自然便有东西南北的差异了。由此看世界文化的分野,也自然有南北之别了,每个大小区域的文化,乃至宗教的文化,均难以超越此例。

佛教原在印度的本土,也不例外。早期的佛法,生根发扬于印度的中部和北部。自释迦寂灭以后,宗派异说分歧,各自建立门庭,区域畛分,也是当然的现象。到了后期佛学时期,吾道南行,便有流传于南印一带的南传佛法了。

自汉末传入中国的佛教,初由印度北部经天山南北进入中国境内,经历魏、晋、南北朝四五百年之间,犹如当时中国的割据局面一样,盘据要津,也都在黄河上游的南北区域。

自东晋南渡以后,经宋、齐、梁、陈而到隋代,才逐渐推广到长江以南。

至于南印佛法的传入广东,则是初唐以后的事。

可是,当时中国的文化重心和佛教的中心区域,仍然汇聚在中原地带,尤以唐代的首都长安为最盛。

从地缘关系看文化气运的发展,无论任何地区,任何时代,都有南北东西的异同。

大致说来,北方的文化气质,多半偏向于质朴、雄浑,南方则偏向于虚灵、飘逸。

隋、唐以后,中国文化由北向南开展,所以佛教文化的机运,也随例而南。这恰如庄子所谓:北溟有鱼,化而为鹏,"海运则将徙于南溟也",非常巧合而有趣。

南行禅道落在江湖

初唐时代的佛教与佛学,经过唐太宗、高宗两代之后,正是禅宗五祖与六祖的衔接时期。

同时又正当玄奘法师从印度留学回国,大量翻译佛经,大事弘扬唯识法相之学,因此佛教的义理之学,在此时期,已达巅峰。风气所及的重要区域,如唐代政治中心的长安及中原地带,上至名公巨卿,下及贩夫走卒,都融会于东晋以来鸠摩罗什般若佛学的体系,与玄奘法师所传法相学说的义海。

中国佛学十宗派的崛起,也正在此际鼎盛一时。

但其中注重真修实证的宗门,别如天台、华严两大家,都受到禅宗的影响,大多避开名利的竞争与尘嚣的烦扰,而向长江以南较为隐僻的地方延伸发展。禅宗的五祖弘忍大师当时说:"吾道南矣。"把他的语意推广来讲,岂止禅道南行,其他的佛法,又何尝不如此呢!

一个真正学禅的人,对于名利嗜欲,毕竟是味同嚼蜡,假使他还有钟鼎朝市的贪恋,恐怕除了神会和尚的别有用意以外,谁都没有这种多余的心情。

禅的境界中别有天地,绝非俗情所能推想得到。

游心禅境,既然需要有清闲寂然的环境,因此六祖便有"叶落归根"的安排,始终安老于岭南的清静境中。但他门下的再传弟子,便多散处于江(西)湖(南)的崇山峻岭之间,自取世外之乐。尤以当时的南岳衡山,为最理想的环境。

奠基南宗的两大柱石

如果说自唐代以后,中国的禅宗,真有南北顿渐两宗的分别,问题并不在慧能六祖与神秀大师两人。

硬要加在六祖的最小弟子神会(荷泽)身上,那也是后世乱加推测的事。所谓"欲加之罪,何患无辞"。

严格地讨论这个问题,唐代的禅,有南北顿渐两宗之分,应该从六祖的得意弟子,南岳怀让和青原行思两人开始。

可是南岳怀让和青原行思两人,起初又都是嵩山(河南)慧安国师的及门弟子。慧安禅师又是黄梅(湖北)五祖弘忍大师的得法弟子,算起来还正是六祖的师兄呢!

由慧安国师与六祖两位大匠作育出来的不世之才,不但深得禅的精髓,同时又更发挥作育人才的高明教授法,因此造就了后来马祖道一禅师——怀让大师的得意弟子。

南岳怀让禅师本姓杜,金州(陕西安康县)人。唐高宗仪凤二年(公元六七七年)生。

他在幼童的时期,从十岁开始,便只喜欢读佛学的经典。当时有位玄静三藏和尚,对他的父母说:此子若出家,必定能获得最上乘的佛法。

到了唐武后垂拱四年(公元六八八年)以后,十五岁时,他便依荆州玉泉寺的恒景律师出家了。过了十年,正当通天元年(公元六九六年)正式受了戒,专心学习佛教的戒律。

到了武后久视元年(公元七〇〇年),有一天他很感慨地说:"我受戒,今经五夏,广学威仪而严有表,欲思真理而难契当。""夫出家者,当为无为法,天上人间,无有胜者。"因此便与同学僧坦然和尚,作伴到嵩山去见慧安国师。

让师与坦然见到了安国师,国师那时已经很老了。有一次,他们问安国师说："如何是祖师(达摩)西来意?"安国师说:"何不问自己意?"因此又问:"如何是自己意?"安国师说:"当观密作用。"又问:"如何是密作用?"

安国师把眼睛对他们一开一合。

坦然和尚当下就有所明白,得到了究竟的归宿之处。(当心,明白什么?)

怀让禅师则到广东曹溪去见六祖。六祖便问他:"哪里来?"他说:"从嵩山来。"六祖说:"什么物? 恁么(怎样)来?"他答不出来。从六祖处学了八年,才恍然有省。他对六祖说:"说似一物即不中(说它像一个东西便不对了)。"六祖:"还可修证否?"他说:"修证即不无(不能说不用修证),污染即不得(但不修证,就说被染污了,那也是不对的)。"六祖说:"只此不污染,诸佛之所护念。汝既如是。吾亦如是。西方般若多罗祖师的预言说:从你的足下,出一马驹,踏杀天下人。应在汝心,不须速说。"

在曹溪侍奉六祖又过了十五年,到了唐玄宗的开元二年(公元七一四年),他才又到南岳衡山,寄住在般若寺。那时,距离安国师寂灭后七年——安国师活到一百二十八岁才寂灭。——以上年代,各种资料,均有出入,现在姑以《祖堂集》作根据,参合来讲。

行 思 禅 师

从小就出家为僧的行思禅师,俗姓刘,庐陵(江西)人。自从曹溪得意以后,便住在江西吉州青原山的静居寺,因此又叫他为青原禅师。他初见六祖的时候,有一天问六祖说:"应当怎样做,才不落在级次中(佛学显教中进修圣贤程序的阶次)?"六祖说:"你曾作什么来?"他说:"圣谛亦不为(圣人的境界也不为)。"六祖便说:"那么,你落在什么阶级?"他说:"圣谛尚不为,何阶级之有?"六祖因此便深深地器重他,叫他带领大众,作弟子们的首座。他在开元二十八年(公元七四〇年)圆寂。

新语云:看了这两则公案的故事,要注意两点。

(一) 慧安国师的教育态度:怀让与坦然二师同时向他参究,坦然能够当下领会到,便知归休。当时怀让还没有懂,他便叫他去曹溪见六祖慧能大师。因材施教,各有因缘,绝不加以丝毫的勉强。

(二) 怀让禅师,自十五岁出家学道,在年轻的时候,即努力苦修戒定,绝非一日也未治心修学,便得到言下顿悟的狂禅可比。后来见到六祖,从他参学了八年。在这八年中,更非只是悠悠荡荡,空闲地过日子,便可叫做学禅。到了他有所领悟以后,还依止六祖侍从了十五年,才离开住在南岳的般若寺。在这样漫长的三十年来的修学时光,他并非毫无修证就说已能禅道了。

现在一般研究禅宗的人,看看公案、语录,欣赏一下那些机锋上的奇言妙语,认为禅便是如此而已,真有不知所云之感。

再说,行思禅师从小出家学道,经过六祖的作育以后,在曹溪作首座弟子多年,才有后来的成就。总之,禅重在真参实证,真参实悟。如果在意识心境上,约略有些浮光掠影,便自认为是悟道了,那只好让你去自误了!

初唐时期的文化大势

自唐太宗贞观初期(公元六四〇年),直到玄宗天宝(公元七五〇年)前后的一百多年间,正是唐代文化的奠基和建立时期。大体说来,政治走上轨道,社会安定,农业社会的良好经济制度,也已有了稳定的基础。对外虽有部分的战争,但都在边陲一带,因为交通不便,音闻困难,所以并未影响国内。一个资源丰富、幅员辽阔的大陆国家,如有半个世纪以上的安定,每户人家经三代的勤劳努力,个个安居乐业,自然可想而知它的繁荣状况。王摩诘所谓的"九天阊阖开宫殿,万国衣冠拜冕旒。"那应该是初唐盛世的写实,并非虚构。

在这样的一个时代中,同时经唐太宗采用隋朝以来的考试取士规模,确立了"进士"出身的考试制度,他自诩谓"天下英雄,尽入彀中",洋洋得意。事实上,也值得他得意,因为天下安定,第一流智力的人才,只有趋向于文学的造诣而求取功名富贵了。

唐代文运的发达,与两汉的成就,又有不同的精神。甚至,还可以说远胜两汉。但无论在任何时代中,智力才勇之士满足或不满足与生活攸关的功名富贵以外,只要一安静下来,或受到某种因素的刺激,就进而有在现实思想学术之中,追求形而上的要求,这是必然的趋势。尤其在安定的社会中,更会产生追求现实世界以外的遐思。因此初唐时期,除了文运的发展,佛学风气的勃兴,取代两晋南北朝以来"玄学"的研究,也是事有必至,势有固然。

其中自高宗以后,虽有武后掌握政权的一段变故,只是属于宫闱内政的变乱,并未动摇国本。到了玄宗时代,又有安禄山一段变乱,好在为时不久,又告平定。而且武后与玄宗的性格,不但爱好文学,又都是倾向于形上学和神秘学的好奇者。直接或间接对于佛学的培养,都是莫大的助缘。

唐初中国佛学的苗壮

律　宗:有南山道宣律师为其翘楚。

天台宗:盛行于初唐到中唐时期。

华严宗:贤首(法藏)和尚与清凉(澄观)国师,先后相继执持牛耳。约自贞观时期(公元六六〇年)到先天(公元八四〇年)年间。至于圭峰(宗密)大师,已属晚唐间事。

密　宗:号称开元三大士的善无畏、金刚智、不空三藏,都在此时跃登宝座,深受玄宗的信仰。这时善无畏和金刚智的东来,都从南海的广东方面登陆。

净土宗:由东晋以来,一直普入民间。

禅　宗:南能北秀的顿渐之说,也普遍流传,已非梁、隋时代的隐隐约约,欲说还休的情况。

此外,在佛学方面,为禅净各宗所信奉的《楞严经》,也自初唐时期,从广东方面传译到中国。

中国佛学的著作和分科判教(分析和归纳)的研究方法,也从此建立而兴盛。

这时,韩愈的辟佛,李翱著的《复性书》都还没有开始。

讲学的讲学,修证的修证,佛教和佛学的光芒,真是普遍盖覆了东方的天下。

后世中国佛教源远流长的功德,也可以说都是靠唐代佛教大师们的力量。前人种树,后人乘凉。今天凡是讲中国文化的,大致仍是托庇于祖宗的余荫,真是无限感慨系之。

一砖头打出来的宗师

在这样的文化潮流中,有人摆脱了文字学术的缰锁,融会了中印文化的大系,陶铸了浩如烟海的经谕和疏钞,脱开文人学士的习气,只以民间平凡的语句动作,沟通了形上形下的妙谛,综合了儒、道、佛三家的要旨,这实在是南宗禅的创作。

这个创作,固然由慧能六祖开其先河,但继之而来的,应该便是怀让禅师的杰作了。他用一块砖头塑造出一个旷代的宗师——马祖。

事情的经过是这样的:

怀让禅师退居到南岳以后,看到山中一个年轻的和尚,天天在坐禅——那个时候,并没有什么参话头的事。所谓坐禅,是小乘禅观的传统方法和止观法门的流绪。

怀让禅师大概是把六祖转告他印度般若多罗祖师的预言,牢记在心。所以也一心一意在找要经他手造就出来的得意弟子。

他看了这个年轻和尚一表人才,专心向道的志气可嘉,认为他就是可造之才了。因此拿了一块砖头,当着他打坐的地方,天天去磨砖。

年轻的马祖和尚好奇了,他看了几天,觉得这个老和尚很奇怪,为什么要天天来磨砖头呢? 便开口问他说:"老和尚,你磨砖做什么啊?"

"磨砖为了做个镜子用。"老和尚答。

"真好玩! 砖头哪里可能磨成镜子用呢?"马祖有点怜悯老和尚的愚痴了。

老和尚说:"噢! 你在这里做什么啊?""打坐。"年轻的马祖,很干脆地回答。

"打坐做什么啊?"老和尚问。

马祖说:"打坐为了要成佛。"

老和尚笑了,笑得很开心。马祖被他笑得莫名其妙,瞪着眼睛看老和尚。

老和尚说:"你既然说磨砖不能做镜,那么打坐怎么可以成佛呢?"

马祖迷惘了! 便很恭敬地问老和尚:"那么,怎样才对呢?"

老和尚说:"譬如一辆牛车,要走要停的时候,你说:应该打牛? 应该打车?"

这一棒,打醒了年轻马祖的迷梦。

身子等于是一部车,心里的思想等于是拖车的牛。打坐不动,好像车子是刹住了,可是牛还是不就范地在心中乱跳。那坐死了有什么用?

在这里,附带说一个同样性质,不同作用的故事,也便是怀让禅师磨砖作镜的翻版文章,在中国的花边文学上,也是一个著名的公案。《潜确类书》记载:李白少年的时候,路上碰到一个老太婆,很专心地磨一支铁杵。他好奇地问她作什么用? 老太婆告诉他是为了作针用。李白因此心有所感,便发愤求学,才有后来的成就。俗话所谓:"只要工夫深,铁杵磨成针。"便由此而来。

南岳怀让轻轻易易地运用了"磨砖作镜",表达了南宗禅的教授法和佛学精要的革新作风,开启了后来马祖一生的"直指人心,见性成佛"的特殊风格。真是妙绝。你说他是启发式的教育也好,刺激也好,教训也好,那都由人自闹,自去加盐加醋吧!

马祖的悟道,真的只凭这样一个譬喻就行吗? 不然! 怀让大师这一作为,只是点醒他当头棒喝的开始。接着,他更进一步,要唤醒他的执迷不悟,便又向马祖说:"你为学坐禅? 为学坐佛? 若学坐禅,禅非坐卧。若学坐佛,佛非定相。于法无住,不可取舍,何为之乎(你要怎么办)? 汝若坐佛,却是杀佛。佛若执坐相,非解脱理也。"

让大师说到这里,青年的马祖和尚实在坐不住了,便从座位上站起来,正式礼拜请问:"怎样用心,才契合于无相三昧?"

让大师说:"你学心地法门,犹如下种。我说法譬如下雨。你缘合,故当见道。"

马祖问:"老和尚,你说的见道,见个什么道啊? 道并非色相,怎样才见得到呢?"

让大师说:"心地法眼,能见于道,道本来便是无相三昧,也是从心地法门自见其道的。"

"那有成有坏吗?"

让大师说:"若契于道,无始无终,不成不坏,不聚不散,不长不短,不静不乱,不急不缓。如果由此理会得透彻,应当名之为道。"

同时,他又说了一个偈语:"心地含诸种,遇泽悉皆萌。三昧花无相,何坏复何成!"

新语云:自汉末、魏、晋、南北朝到盛唐之间四五百年来的佛教,无论哪个宗派,只要注重实证的佛法,唯一的法门,都是以"制心一处"、"心缘一念"的禅观为主。

但一念专一,是不是治心的究竟? 清净是否就是心的本然? 还是一个极大的问题。虽然有了后来"般若"、"唯识"等大乘的经论教理加以解说,但要融汇大小乘的实证法门,在当时,除了达摩禅以外,实在还无其他更好的捷径。

马祖的出家学佛,也是从学习禅静而求佛道,那是正常的风规,一点没错。但一涉及融会大小乘佛法的心印,就需要有让大师"点铁成金"的一着而后可。让大师力辟以静坐为禅道的错误,完全和六祖的作风一样,这是对当时求道修证之徒的针砭,可是后世的学者,一点静坐工夫都没有,便拿坐禅非道的口头禅以自解嘲,绝对是自误而非自悟。俗语说"莫把鸡毛当令箭"固然不错。但把令箭当鸡毛的结果,尤其糟糕。

至于究竟如何,才如马祖所问"契合于无相三昧的真谛"呢? 且看下面一段问答。

另有一位大德问怀让大师说:"如果把铜镜熔铸成人像以后,镜的原来光明到哪里去了?"

让大师答:"譬如你作童子时候的相貌,现在到哪里去了?"

又问:"那么,何以铸成了人像以后,不如以前那样,可照明了呢?"让大师答:"虽然不会照明,但一点也谩他不得!"

附　录：

禅 的 幽 默

　　禅的幽默系译自《笑禅录》。潘游龙原著的《笑禅录》，是用禅家的手法，列举古代的公案，重新参证。他用"笑"字的标题，是以轻松诙谐的姿态出现，要使人在一笑之间，悟到理趣，与金圣叹的谈禅方式，又别成一格。可惜胡适之不懂禅学，结果误会《笑禅录》是一部鄙视禅宗的书，所以引用它"打即不打，不打即打"来诬蔑禅宗，反倒值得一笑了。

一

　　有一天，遵布衲师在清洗佛像，有人问："这个被你这么清洗，能洗出那个（指佛性）来么？"遵布衲从容答说："你把那个拿来我瞧瞧。"

　　《笑禅录》云：

　　有一个人走在路上，肚子饿了，想骗碗饭吃，就到一家门口说："我能把破了的针鼻孔补起来，只要你们给我些饭吃就好。"那家人听了，就端出饭菜，又找了好些针孔破缺了的针出来。这位过路人安安稳稳地吃饱后，就一本正经地说："你们把缺了的那边针鼻子拿来，我要动手补了。"

　　颂曰：

　　那个那个，快去寻取，有垢则浴，有破则补。

若还寻不出来,我亦茫茫无主。

二

有一回舍多那尊者正要进鸠摩罗多的房间,罗多把门关了起来。舍多那在门外站了半天,房门还没打开,于是在门上敲几下,罗多说:"屋里没人。"舍多那问:"说没人的是谁?"

《笑禅录》云:黄昏时分,有个秀才,看看附近没有旅店可以过夜,就到路边一户人家,想借宿一夜。那家正好只有一个妇人,站在门内说:"对不起,我们家没有人。"秀才说:"有你!"妇人急着说:"我家没男人。"秀才说:"有我!"

颂曰:
舍内分明有个人,无端答应自相亲。
扣门借宿非他也,尔我原来是一身。

三

临济对大众说:"在我们这个肉团身上,有个居止无定位的真人,常常从头面上出入,你们没见过的,好好瞧瞧。"

有个出家人问:"居止无定位的真人是什么?"临济从禅床上下来,一把抓住这个人说:"说!说!"出家人正想开口,临济把手一放说:"没有一定方位的真人是什么干矢橛。"

《笑禅录》云:有个人晚上想在庙里借宿,就对里面的出家人说:"我有个世世用不尽的宝物,想送给贵寺,但愿你们不会嫌弃。"出家人便很热诚地留此人过夜,而且非常恭敬地招待他。第二天早上庙里的出家人找个话题,试探地问:"您那个世世用不尽的是什么东西?"这位仁兄慢条斯理地指着佛前一挂破竹帘:"用这个做剔油灯的棒子，可以世世用不尽。"

颂曰：

人人有个用不尽，说出那值半文钱。

无位真人何处是，一灯不灭最玄玄。

四

《楞严经》云："纵灭一切见闻觉知，内守幽闲，犹为法尘分别影事。"

《笑禅录》云：

有个禅师教一斋公，摒除所有外缘，闭目静心打坐。结果，有一次坐到五更天快亮时，忽然想起某人某天借了一斗大麦没还。于是就叫醒斋婆说："果然不错，禅师教我打坐太好了，否则这斗大麦就被人骗走了。"

颂曰：

兀坐静思陈麦帐，何曾讨得自如如。

若知诸相原非相，应物如同井辘轳。

五

《圆觉经》云："此无明者非实有体，如梦中人梦时非无，及至于醒，了无所得。"

《笑禅录》云：

有个呆子，梦见拾到一匹白布，紧紧地抱着。天一亮，头没梳，脸没洗，就赶到染匠家，急急地嚷："我有匹布，请你们染颜色。"染匠说："你把布拿来。"这个呆子低头一看，才恍然大悟地说："唉呀！不对，原来是我昨晚做的梦。"

颂曰：

这个人痴不当痴，有人梦布便缝衣。

更嗔布恶思罗绮，问是梦么答曰非。

六

《金刚经》云："如来说有我者，则非有我。而凡夫之人以为有我。"

《笑禅录》云：

有个夏天，一个秀才到庙中参拜某禅师，禅师坐着不起，秀才不以为然地问他是何道理，这位禅师答："我不起身便是起身。"秀才听后，拿扇子往禅师头上打了下去。禅师挨这一打，极为懊恼，责问秀才。秀才面有得色地说："我打你就是不打你。"

颂曰：

有我即无我，不起即是起。起来相见有何妨，而我见性尚无止。

秀才们，禅和子，那个真是自如如，莫弄嘴头禅而已。

七

有人问药山禅师："怎么样才能不被外境迷惑？"药山说："任由外境来去，有什么关系？"回说："不会。"药山就说："什么外境使你迷惑？"

《笑禅录》云：

许多少年聚在一块儿喝酒，同时还有歌妓陪坐，其中只有首座上的一位长者，闭眉闭眼，规规矩矩地正襟危坐，不理会周围的嬉闹。酒会散后，歌妓向他索取酬赏，长者拂衣而起，生气地说："我根本连正眼都没有看你呀!"歌妓一听,用手抓着他说:"眼睛看的算什么? 闭着眼睛想的,才更厉害!"

颂曰:

水浇鸭背风过树,佛子宜作如是观。

何妨对境心数起,闭目不窥一公案。

八

《起信论》云:"迷人依方故迷,若离于方,则无有迷,众生亦尔。"

《笑禅录》云:

某县里有个罗文学,想坐船顺流到荆州,于是叫一个傻佣人摇桨,但是这个佣人却说:"我不摇第一把桨。"文学听了觉得非常不解,傻佣人解释道:"我怕不认得路。"

颂曰:

岸夹轻舟行似驰,只因方所自生疑。

海天空阔无人境,星落风平去问谁。

又曰:

但得梢公把柁正,何愁荡桨不悠悠。

任他风雨和江涌,稳坐船头看浪头。

九

有位比丘问大隋:"什么是我自己?"隋说:"就是我自己呀!"比丘又追问:"什么是和尚您自己的呢?"答道:"就是你自己。"

《笑禅录》云:

有位少年喜欢说反话,一天,骑着马向隔壁的老先生讨酒喝,这位老先生说:"我有斗酒,可惜没有下酒的菜。"少年说:"把我的马杀掉不就行了。"老先生关心地问:"那您骑什么呢?"少年胸有成竹地指指地下的鸡说:"骑它。"老先生颇觉尴尬地说:"唉!有鸡可杀,可惜没柴可煮。"少年又洒脱地说:"把我这件布衫脱去当柴烧!"老先生又奇怪地问:"那您穿什么呢?"少年从容地指着篱笆道:"穿它!"

颂曰:

指鸡说马,指衫说篱。谁穿谁煮,谁杀谁骑。参!参!如何是自己? 当面不语时。

十

《坛经》云:"诸佛妙理,非关文字。"

《笑禅录》云:

有位道学先生教人家,只要深切体会得一两句孔子的话,便终生受用不尽。有位少年一听,就向前对这位先生作礼说道:"我对孔子的两句话有会于心,念念于怀,觉得非常贴切,而大有心广体胖之效。"先生问:"是哪两句?"答道:"食不厌精,脍不厌细。"

颂曰:

自有诸佛妙义,莫拘孔子定本。

若问言下参求,非徒无益反损。

十一

睦州禅师曾问一秀才:"您研究哪一种经论?"秀才答:"《易经》。"睦州于是说:"《易经》中说'百姓日用而不知',请问您到底不知什么?"秀才:"不知其道。"睦州:"那么道又是什么?"

《笑禅录》云:

有个和尚和许多朋友聚在一块儿谈心,和尚问:"音字底下加一个心字,是什么?"座中有人说:"我生平从来没见过这个字。"另有人说:"曾经在一本古书上看过。"还有人说:"常看到这个字,只是现在怎么也想不起来了。"也有人用手在桌上画着说:"一定没有这个字。"后来这位和尚将谜底揭穿,引起哄堂大笑。

颂曰:

最平常是最神奇,说出悬空人不知。

好笑纷纷求道者,意中疑是又疑非。

十二

云芝再度拜见翠岩,恳请准予入室求道。翠岩说:"佛法是不怕烂坏的。现在天气这么冷,你烧炭去吧!"

《笑禅录》云:

老山宁长者离城有两百多里。有一个冬天,大雪纷飞,他一大清早就起身,披着皮裘准备上马。有个叫供耕的老佣人,蓬散着头发,拉着马走上前来,舌头僵硬地问:"天气这么冷,您今天又打算到哪儿去呀?"长者:"我要去两程祠堂的大会上讲学。"老佣人说:"那我也要去听听。"长者斥责道:"你懂得听什么学?"老佣人就用手指指腰下面说:"我也去听听道理,到了冬天腊月时,该有裤子穿了吧?"

颂曰:

冷时烧炭并穿裩,这是修行吃紧人。

朴朴桔桔何为也,空向丛林走一生。

十三

桂琛禅师看见一个和尚走来,便举起拂尘。和尚一见,作礼赞叹:"谢谢和尚指示。"桂琛说:"我成天用它扫床扫地。为什么你就不说谢谢和尚指示?"

《笑禅录》云:

有个老学究训诫学生,不可出门乱跑,有一天又对学生们说:"你们别乱跑着玩,我去讲学给后生们听。"有个学生就出来问:"先生每天在学堂里到底讲的是什么? 现在怎么又要出门去讲学呢?"

颂曰:

那时不在指禅机,何必赞礼竖拂子。

好笑峨冠赴讲堂,良知良知而已矣。

十四

崔相国走入大殿,看见一只小鸟在佛的头上拉屎,于是问如会禅师:"一切众生都有佛性,为什么这只鸟在佛头上拉屎?"如会答:"你放心,它再怎么也不会到鹞子头上拉屎。"

《笑禅录》云:

有批大盗晚上去抢劫一家人,那家人害怕得跪在地上连连磕头,请"大王"饶命。大盗说:"什么大王! 叫我们好汉才是。"话没说完,远远传来几声鸡鸣,众好汉忙不迭地骑马而逃。一个家人站起身来,拍拍衣服,朝外喊着:"好汉,好汉,吃了早饭再走罢!"

颂曰:

盗怕天明崔怕鹞,可知佛性通诸窍。

若分恶类与禽兽,大地众生皆不肖。

十五

《楞伽经》云："观察世妄想，如幻梦芭蕉，虽有贪嗔痴，而实无有。人从爱生，诸阴有皆如幻梦。"

《笑禅录》云：

有个人忧心忡忡地对朋友说："我昨晚在梦里大哭，这一定是个不吉祥的兆头。"他朋友打哈哈地说："没关系，晚上在梦里大哭，白天就会大笑。"那人一听，反问："果真如此，那么，晚上梦见有我在哭，白天岂不就无我在笑了吗？"

颂曰：

梦时有我哭，醒时无我笑。

贪嗔痴何在，正好自观照。

十六

有个和尚对雪峰禅师说："请师父将佛法指示给我。"雪峰说："你说什么东西？"

《笑禅录》云：

甲、乙两个朋友，交情很好。有一天，甲忽然病了，痛苦万分。乙焦急万状，关切地问："你得了什么病？ 需要点什么？ 我一定尽力而为。"甲说："我得了缺钱病，只要一些钱，就行了。"乙听后，满脸没听清楚的样子，停了一会儿说："你说什么？"

颂曰：

黄金贵似佛法，佛法贵似黄金。

觅时了不可得，吾已与汝安心。

十七

盘山宝积禅师走在市场上,看到一个人买猪肉时对屠夫说:"精的割一斤来。"屠夫一听,放下屠刀,叉着手说:"长史,哪个不是精的?"

《笑禅录》云:

有位朋友劝一个监生读书,这位监生因此就关着门用功。几天后,出来向这位朋友道谢说:"果然书是该读的,从前我一直以为书是写的,现在才知道原来是印的。"

颂曰:

个个是精,心心有印。放下屠刀证菩提,揭开书本悟性命。咄!不烦阅藏参禅,即此授记已竟。

十八

有人问龙牙禅师:"古人得到个什么,就休去了呢?"龙牙回道:"好比一个小偷进了一间空屋。"

《笑禅录》云:

有个小偷晚上钻进一户穷人家,结果没东西可拿,正开门准备出去。这时睡在床上的穷人叫起来了:"喂!那个家伙,给我关上门再走。"小偷说:"你这家伙怎么这么懒,难怪你家里一点东西都没有。"穷人说:"难道要我辛辛苦苦,赚来让你偷吗?"

颂曰:

本来无一物,何事惹贼入。

纵使多珍宝,劫去还空室。

·中国佛教发展史略·

出版说明

　　佛教起源于印度。自汉末传入我国以来,它植根、繁衍、发展、演化,并且绵延至今,成了中国历史文化不可或缺的重要组成部分。本书原名《中国佛教发展史略述》,是著名学者南怀瑾先生撰写的一部佛教史著作。全书分为五章,对古代印度的社会与宗教;佛教创始人释迦牟尼的生平事迹;汉代至清代佛教的兴衰变迁;二十世纪中国佛教的现状与思考;以及亚洲和欧美各国的佛教概况等,作了简明扼要的叙述。书末所附的《禅宗丛林制度与中国社会》,乃是研究佛教丛林制度的由来、内容及其社会影响的重要文章,颇具价值。兹经作者和原出版单位台湾老古文化事业公司授权,将老古 1991 年第 3 版改为今名,校订出版,以供研究。

复旦大学出版社
1996 年 4 月 1 日

引　言

　　《中国佛教发展史略述》,顾名思义,当然偏重
于一般报道性质,现在把它分列为五章来叙述,具
体的篇章节目,另如目录所具。我的意思,要了解
佛教的起源,必须要对释迦牟尼以前印度传统的
文化,有一简单的认识。犹如佛教所说:"法不孤
起",任何一个圣人教主,他的学术思想的产生,必
然有它的前因后果,决不会凭空而来的,所以首先
要述说印度的宗教哲学思想。第二,对于教主释
迦牟尼的生平,尽量从比较客观的观点,作学术性
的介绍。因为宗教气味太浓,有时会使人熏得头
昏脑胀,大有吃不消之感。第三,凡关于佛教的传
播,和现代世界佛教活动的情形,大概有两个要
点:(一)就地区而言,偏重在亚洲方面。其余因为
临时缺乏可靠资料,恕未详细道及。(二)就人事
和时间而言,只写到一九四九年的前后,目前的情
况,都已如所周知,而且也未到定论的阶段。总
之,人世间难以逆料者是事,善于变化者是人,所
以对于目前的人事,只有留待他日历史的定评了。

第一章　佛教与印度固有文化的关系

第一节　印度文化的发展

一、印度文化的背景

任何一个宗教的成长,必然有它的文化背景。今日世界,说到具有悠久的历史和传统的文化,如所公认,只有东方的中国、印度,和西方的埃及、希腊,所谓世界的四大文明古国。希腊的光荣史已成过去,但其文化遗存影响所及,却交融流布而形成了现在的欧美文化。埃及文化,已如冥鸿雾豹,只存吉光片羽。印度文化,尤其是震烁天地,照耀古今的佛教文化,后历汉季而宋世,已经全盘融会于中国文化的领域中了。希腊文化代表西方,初由宗教而展开为哲学(philosophy),再由哲学而衍化为科学(science),它带给西方文化的现代文明,可谓枝繁叶茂。今日世界人类,如要研究各大宗教文化的起源,很显然地,归根结底,都肇迹于东方。尤其佛教文化,早已与中国文化结缘而为一体,其影响的普遍,自不待言。但印度文化中,忽然产生佛教,而传入中国后,又形成了光芒四射的巨流,追溯其来源和寻求其背景,必然有它的前因后果。所以要了解佛教文化诞生,和其前期文化的孕育,对于印度传统文化,先须有一简单认识。

人生于天地之间,无可避免的天然气候,和地理环境两者,是形成一个民族文化的重要因素。印度位居南亚半岛,地理气候,有南北东西及中央地区的明显差别。南印接近热带,北印靠近喜马拉雅山,气候稍冷,中印度为温带气候。古代印度人的年节,为适应气候,一年只分三季,每季四个月。因地近温、热带,人们的身心动态,大率思想多于行动,尤其接近南印度地带的,更富于神奇的幻想。自古至今,他们的文化和语言,一直没有统一,古代印度所有的文字,约有五十以外至六十四种之多,我们以前笼统叫它梵文,其实梵文只是所有印度文中的一种。现在印度通行的语文,也还有几十种。中国因为有了秦、汉以来的大统一,所以能够做到"车同轨,书同文"。而印度却不然,虽其自古至今都号称为一国,其实,还是部族分领,各据一方,它的文化,并未真正统一。当我国周秦之际,它也像我们的春秋列国,据地称王者,约有二三百个小邦。当时学派林立,思想学说,各自言之成理、统率一方的,约有百家之多。人文生活,有一特点,就是阶级区分,非常严格,因此贵贱异等,苦乐悬殊,虽在二十世纪自由平等的新思潮冲击下,其观念的深固,可谓自古已然,如今不改。

印度人的四种种姓制度,形成传统的四种阶级:

(1)婆罗门:为世袭而职司祭祀的专业僧侣,是宗教文化教育的中心,位居上品,受人尊敬,为精神及思想领导的高阶层。举凡军国政治,也都为其所左右。

(2)刹帝利:即王侯武士,集军政权于一族,为世袭的统治者。

(3)吠舍:为从事农工商的平民阶级。

(4)首陀罗:为地位卑下、生活艰苦的世奴贱民。

上述古印度的四种姓及阶级制度,一直牢不可破,经过三千多年以来,其观念的残存,还未完全泯灭。

复次,因为婆罗门阶级掌握文化教育,依据"四吠陀"经典而崇尚"神人"、"神我"的思想,形成印度历史文化中心的"婆罗门教",渐次普及影响到印度人三种姓,即婆罗门、刹帝利、吠舍等三阶层的思想意识,始终倾向于出世的沙门(修道人)生活。他们理想的人生历程,概分四个时期:

　　(1) 净行时期：即青少年时代的教育生活时期。他们到达一定年龄(婆罗门弟子，从八岁到十六岁之间。刹帝利的弟子，从十一岁到二十岁之间。吠舍的弟子，从十二岁到二十四岁之间)，便出家就学，学习吠陀等学问。经过规定年限，例有十二年、二十四年等，期满学业成就，便可回家还俗。

　　(2) 家居时期：也就是壮年的生活时期，可以结婚生子，负担家庭生活，善尽一家之主的责任。

　　(3) 林栖时期：即是中年的栖隐山林，潜心修道的生活时期。因在壮年时代，已经完成人生家居的义务，从此深隐高蹈，勤修苦行，学习各种禅定思维的方法，以求"神我"的升华。

　　(4) 遁世时期：由中年的修行，进入衰老岁月，修行生活，经告一段落，身心绝对净化，道果业已圆成，从此便遁迹山林，脱屣尘境，再不参预世事了。

　　这种理想的人生，除了婆罗门本身的倡导和享受以外，其余刹帝利和吠舍两阶级，也可效法。但贱民阶级的首陀罗，却永远无法分享，这种宗教生活，根本就被禁止。因此，有了刹帝利的反感，逐渐不满婆罗门所领导的思想旧规，他们脱颖而出，对于宗教、哲学、文化、教育等等，都有新思潮的鼓荡。从而寻究真理世界的真谛，研求"神我"灵魂的究竟，乃至探究宇宙万象的根源，以与婆罗门的传统精神互相抗衡。但婆罗门的地位依然屹立不动，婆罗门的思想，仍是深入难变。

　　以上简介，可以了解古代印度人的思想渊源和文化背景：由于(1)地理环境和天然气候的殊异，喜欢醉心思惟，骋志高远。(2)早已有了根深蒂固的婆罗门教和普及的宗教思想。(3)有史以来，便倾向于出世思想，以求净化身心，并以林栖遁世为人生最大的享受。(4)思想高远偏向虚幻，由"神我"而回到平实的人生，中间缺乏人本主义的思想体系，致使阶级划分綦严，贵贱等位悬殊，连宗教的信仰，都不能得到平等自由。因此有了释迦牟尼的应运而兴，他以慈悲宏愿,创立佛教,截长补短,存优去劣,应化众生的美善精神,综理百代的文化传统,破除人间的阶级观念,指示人性的升华成就。

二、印度上古文化的宗教哲学

印度文化,从公元前大约二千年,到公元后大约一千年间,绵亘三千年之久,它以特殊的思想形态和丰富的思想内容,在世界文化史上,确实占有极端重要的崇高地位。

上古时期的文化思想:

1.《吠陀》经典:通称吠陀文化,也就是婆罗门教的文化中心时期。他们传播教育,确定民族文化意识,完全依据《吠陀》经典作为中心思想。所谓《吠陀》经典,也有韦陀、毗陀等等多种译名。汉文义解,则相当于"智论"或"明论"。换言之,即求了知宇宙人生的智慧。它包括了三部大典:《赞颂》(曼怛罗 Mantra or Sāmhita 本集)、《净行书》(婆罗哈摩拏 Brahmana 婆罗门书、梵书、神学书)、《奥义书》(优婆尼沙陀、优婆尼沙昙 Upantsad 秘密书、哲学书)。

《赞颂》有四种,也叫做四吠陀:

(1)《梨俱吠陀》(Rig-Veda),赞诵。

(2)《夜柔吠陀》(Yajur-Veda),祭祀。

(3)《娑摩吠陀》(Sama-Veda),歌咏。

(4)《阿闼婆吠陀》(Arharva-Veda),祈禳。

《吠陀》的《赞颂》,为印度宗教哲学的滥觞,它由宗奉多数神祇,崇拜天地日月风云雷雨,以及山川庶物等自然万象,作为歌咏来赞颂,可以说是原始文化的泛神主义。它的宗教哲学意义,不说地狱,不说过去,也没有因果报应的观念。认为人类的灵魂不灭,躯壳死后,灵魂依旧回到夜摩天(yamam vaiv asvatam)去。凡是祭祀神祇,禳灾祈福等事,都用《吠陀》赞颂来歌咏它,就可得到感应。

相似中国上古文化的巫祝之类,也与世界人类任何民族原始的宗教意义相同。

渐次为了满足形而上的要求,由此而生起原人的论说。原人就是造化一切的主神,他是至高无上的一尊,他是宇宙人类的原始者,宇宙万物的形形色色,也就是原人的分化。这些也与世界人类任何民族原始的宗教意识,并无二致。

2.《净行书》:时代渐次进步,吠陀的哲学理论,不能尽合人们的要求,于是才有《净行书》的兴起,促使婆罗门阶级而形成巩固的婆罗门教。《净行书》的要义,大部分仍然承受《赞颂》的祭祀歌咏、祈福禳灾的方式。在它的宗教哲学方面,对于吠陀哲学中造化一切主神的原人论,加以蜕变,崇奉一个造物主宰的神,它是梵我不二的。这个主神,便是"梵"。梵,就是绝对清净至真的意思。人性的我,与梵我不二,相似于后世儒家的天人合一,和其他宗教的神我合体的意义。后来这个大梵的宗教意识,与梵我不二的哲学,一直深植印度哲学思想之中,直到现在的印度教和瑜伽术等,他们的最高目的,还是企求达到梵我合一的境界。但由崇奉《净行书》形成的婆罗门教,同时仍依循吠陀传统,崇拜自然伟大,采取下层阶级普遍所敬奉的阿修罗、恶鬼、罗刹等神怪,一律加以尊敬。

《净行书》比较婆罗门教的唯一的特点,就是加上宗教哲学的因果报应。众生业力流转生死轮回,由于宿世不同善恶的种因,便有今生各别苦乐的果报。因此还有所谓"上天堂"与"下地狱"的说法,这就是业果报应的最初来源。

3.《奥义书》:继《净行书》之后所兴起的,就是《奥义书》。《吠陀》是印度上古传统宗教哲学的渊源。一变而有《净行书》,包罗丛博,为印度原始宗教婆罗门教的哲学宝典。再变而有《奥义书》,为印度宗教哲学,与知识分子和平民普遍的哲学总汇。当《净行书》的末期,印度人对于宗教和哲学的探索,已达到热情横溢,上下普及的阶段,无论男女老幼,大家都对于心灵的解脱,灵魂的追究,世界生成等问题,竭尽心力去研究。《奥义书》的音译"优婆尼沙陀",含有师弟对坐,秘密传授的意义。内容丰富,思想幽玄,全部概括有两百种以上。德国哲学家叔本华,醉心欣赏《奥义书》,他的哲学思想,受其影响很大,他再三赞叹《奥义书》:充满神圣与热情,每章读起来,都会使人引起高洁的幽思,全世界所有书籍的价值,都难比得上它的卓越与深邃。他认为这部书是他生前的安慰,死后的寄托。

《奥义书》思想的特质:

(1)它确定梵我不二:无论在形而上的造化主的本质,与形而下的自我的本质,本来就是一个整体,世界万象,本来就与我同根所生。《净行书》的哲学,由肉体的生命说到心灵的生命,但到此为止,说不出一个所以然。《奥义书》却把潜在身心内部的自我,分成五藏与四位。所谓四位,便是:醒位、梦位、熟眠位、死位。所谓五藏,便是:食味所成我、生气所成我、意识所成我、认识所成我、欢喜所成我。这个"欢喜所成我",就是灵魂自我的至高无上,绝对快乐的境界。

总之,《奥义书》的梵我哲学,它的最终目的,就是把个人的小我,超脱升华而归到大我的大梵里去,如百川汇海,点滴归宗,整个宇宙群生,森罗万象,无非就是一个大我的变化而已。

(2)大梵化生万象:这个世界的万象,包括天人动植飞走等生物,都是大梵的化生,它由地、水、火、风、空五大种子,化生卵、胎、热、湿、马、人、象,动植飞走等物类。好像大海扬波,变幻生出群象。它并无目的,只是游戏性地在变魔术,所以一切现象都是虚幻的,只是一个梵我是实存的。自大梵生起世界万象的程序,约可纳为四段过程:

第一,先由名色的我(可以说是抽象观念的主观作用),开展这个世界。

第二,再有太初的我,生起欲望,由于欲望的想象,才流出水、火、大地等三大原素,做成人我。

第三,由人我的化合,进入其他群象。

第四,由我再造世界,才有海和风,生命和死亡。梵我从生命类的顶门进入,做成人我。

人我也就是"有情"的中心。所谓"有情",概括很广,天人的群类,和世界上的各种生物。梵的自性有两面,一面可以始终保持本体的本位。一面发展做成一个生活的人我。换言之,一面有力量组织成人我的身体(似肉体的);另一面又变做一个生命的力量,进为有情物命(类灵魂的)。肉体的部分,有五种风与三德,五种风相似道家所谓的气机,有呼、吸、介风、死风、消化风等。三德就是喜、忧、暗。梵我被肉体和心识所包围,不得解脱,犹如禁闭在牢狱中一样,它永远在心脏内底的小空处。永久禁闭着我的有关机能,便是生气(呼吸)根、意等作用。眼、耳、鼻、舌、皮,名为知根,是认识的泉源。手、足、舌、排泄器官、生殖器官等,名为根,是意志的泉源。中间联络的主管,就是意。醒时,由五风与根等,全部都在活动。梦时,只是五风和意在活动。睡眠时,意也休止,只有五风在活动。觉位,便是解脱的境界,正是那个无喜、无忧、无痛苦、无快乐的梵我的欢喜地。

(3) 轮回与解脱:人我有情的命运,只有两条路。一是跟着现象在继续变化,便是轮回。一是返还到大梵的本位,便是解脱。有情界不得解脱,便都有天、地、空三界中轮回五道四生。五道,便是:天道、祖道、人道、兽道和地狱道。四生,便是:胎、卵、湿、化四类生命。《奥义书》最终的目的,便是求得解脱,脱离罪恶和烦恼,就是悟得人性中唯一不二的梵净。人之所以不能还到梵净,是因为无明的障碍,反之,明了就可觉得梵净。人们怎样才可以返还梵净呢? 只有修习禅定和瑜伽,抑制感觉和表象的活动,念诵梵的表征唵(嗡 Om)字的密语(密咒),念念相续,就可以渐渐把握身心,进入真净的梵我和大梵重新合一不二的境界。

第二节　各派哲学的兴起

一、六派哲学与宗教的后先辉映

　　印度的宗教哲学,由《吠陀》经典到《净行书》,再变而为《奥义书》,探讨宇宙人生的态度与方法,愈来愈加严密,内容也逐渐充实而包含广博,但《奥义书》的思想,矛盾百出,仍然不能摆脱婆罗门教的范围。求真的精神,也是人类潜在的根性,于是从宗教哲学脱颖而出、自求真谛的各派哲学,当释迦牟尼创建佛教的先后期间,纷纷独立,都自有它的哲学系统,和思想组织的体系。依照一般研究印度哲学的习惯,都叫它为正统六派,异宗三派。所谓"正统六派",指数论(Samkhya)、瑜伽(Yoga)、胜论(Vaisesika)、正理(Myaya or Naiyayaka)、弥曼差(Puarra Mimansa)、吠檀多派(Vedanta)。这六派仍然承认《吠陀》以来哲学的权威,可以说是婆罗门教的"正统派"。所谓"异宗三派":指佛教、耆那教、顺世派。这三宗是"反正统",不承认吠陀思想的权威。数论派的世界观是二元论,说宇宙的根元,有物质原理的自性,与精神原理的神我,由这两种的发展,而用大我慢、五知根、五作根、心根、五唯、五大、二十三谛等来说明群象。瑜伽派依数论派思想,成立瑜伽哲学。胜论派对于现实世界,立足于多元论,主张物理的世界观,用实、德、业、同异、和合、根本六句义的六种范畴,说明一切。正理派以胜论思想作背景,发展因明的正理,确定认识的价值。弥曼差派,继绍《净行书》的仪式。吠檀多派,祖述《奥义书》的哲学。实质上,都是祖述《吠陀》,稍加修整,另换一番新的面目。

　　1.数论派:印度所有宗教的特点,哲学睿智的研究,往往超过绝对信仰的主观。数论派的哲学,首先便是确定这个现实世界,纯苦无乐,要求解脱,必须先了解苦因,但认为生天、祭祀、祈祷等方法,并非究竟解脱。这个世间,为三苦所逼:(1)依内苦,包括病苦(风、热、痰等)和心苦(可爱别离、怨憎聚会、所求不得、有生就苦)。(2)依外苦,不能摆脱物质世界的迫害等。(3)依天苦,不能脱离自然界的束缚等。

他们建立因中有果论,立自性神我二元的根本原理。同时又建立二十五谛为宇宙人生的真谛。立三种量论:(1)证量(又名现量,不含推比的直觉经验)。(2)比量(由推理而得的知识)。(3)圣言量(以圣者的教说为依据量知事物)。正理派在这三种量以外,又加比喻量。因此认为神的存在,不能证明,就是不可知数,所以接近于无神论者。所谓二十五谛,如附表:

非能造 非所造者	神我
能 造 者	自性
能 造 所 造 者	大(觉)我慢 五唯——色、声、香、味、触。
所 造 者	五 大——空、风、火、水、地。 五知根——耳、皮、眼、舌、鼻。 五作根——舌、手、足、男女根、大遗根。 心 根

数论派的哲学思想,显然由婆罗门的宗教意识脱颖而出,倾向于理性的探讨和生命的研究,要求解脱轮回而证道果。中国《大藏经》中数论派的典籍,有真谛所译的《金七十论》,可资研究。但整

个思想系统,和理论的条理,仍然缺点很多,不能自圆其说。

2. 瑜伽派:瑜伽派的哲学思想,本来与数论派如出一辙。只是数论的宗旨,大有倾向无神论的成分;瑜伽派却建立超然一尊的神"大自在天"。瑜伽(Yoga)的意思,有冥想观行,天人相应的作用,所以有的译为"相应",有的意译为禅、禅思、禅观。《瑜伽经》立为四品:一、三昧品(禅定中的觉受 Samadhi Pada),阐述三昧的本质。二、方法品(Sadhana Pada),阐述入三昧的修炼方法。三、神通品(Vibhūti Pada),阐述神通的原理和它的种类。四、独存品(Kaivalya Pada),阐述最高的目的,达到无系缚,绝对自在的神我境界。

瑜伽派的哲学,大体与数论派相似,只把"自性"改作第二十四谛,把"神我"作第二十五谛,立大自在天(伊湿伐罗 Mahlsvara)为第二十六谛。自在天是无情、无想、无业,不受业果,超然于苦乐业报以外,扩展至超时空的大神我。它是一切天人师,它的表记密语是梵文的唵(嗡 Om)字,念诵它就可以得到相应。但瑜伽派所立的神,与人我的身心,又是不可分开的,所以他们的修炼方法和原理,又都从心理与生理入手,绝欲清心,自求解脱。

瑜伽的修炼方法,由八支行法而达到神通解脱的境界。所谓八支行法,便是禁制、劝制、坐法、调息、制感、执持、静虑、等持。(1)禁制,就是行为的戒律,要守不杀、不盗、不邪淫、不妄语、不贪的五戒。(2)劝制,就是清净的行为,要知足、苦行、学习念诵和记诵,虔敬大神的五事。以上两支,无论修道与在俗,都应共同遵守。自第三坐法以下,就只宜修炼瑜伽行者的特别修行。(3)坐法,共有八十四种至九十六种之多,有莲花坐、狮子坐、鸡坐、拜坐等等。还有双手十指结成的手印(有许多种),这些都是达到神通成就的秘密表记。(4)调息,练习呼吸气功的各种方法。(5)制感,控制身体的感觉,有收摄六根的龟缩法等,可以达到如动物冬眠的状态。(6)执持,使令此心不动,断绝一切妄想,制心一处。(7)静虑,由持心不动,可使境与心冥,得浑然合一的禅定。(8)等持(即三昧,或称为三摩地),终使心如虚空,境照万象。由执持到静虑和等持三支,是瑜伽的中心行法。由此而获得不可思议的神通和智慧。换言之,最后达到启发自我不可思议的潜在力量,从自性而获得解脱,进入智慧的境界。但三摩地也有深浅的不同,大体分有想(有心)、无想(无心)两种。无想就是无想定的最高境界,由有心到达无心的妙境,可以使神我超然独照。修习瑜伽,能够成就神通。据《方便心论》所记载,瑜伽外道有"八微"和"八自在"说法。"八微"就是四大(生理变异)和空、意、明、无明。"八自在"就是能小、能大、轻举、到远、随心所欲、分身、尊胜、隐没(隐身)。

瑜伽派的哲学,与其说它是学术思想,毋宁说它是实证主义,它的理论,也由于上古以来《奥义书》的层层蜕变,尤其注重禅思与观行,用身心求证宗教哲学的真谛,所用的方法,是近于科学的。印度任何宗教与学派,求证的方法,都离不开瑜伽的禅观,佛教也不例外,只是求证所得的,有程度深浅,与见地正确与否的差别。

3. 胜论派:梵语"吠世史迦"(Vaiśesika),又译作"卫世师",有差异、特性等意义。初以六句义立宗,后又演为十句义。中国《大藏经》中收藏有玄奘法师译、慧月论师著的《胜宗十句义》,约如:

(1)实,梵语"陀罗标"的意译,说宇宙万有实体的本质包括时间和空间(体)。

(2)德,梵语"求那"的意译,说宇宙万有的现象(相)。

(3)业,梵语"羯磨"的意译,说万有的作用(用)。

(4)同,说万有群象不同中有共同的原则。

(5)异,说万有同中有各各差异的特性。

(6)和合,说实德、能所等,全体与部分等类之间的关系。

(7)有能,说万有实德业本身的功能。

(8)无能,说自果自生,不涉他果。

(9)俱分,说同体中互通,例如人和人。非同体中互异,例如人非禽兽。

（10）无说，说万有群象毕竟的不存在。

十句义的胜论派的总纲，由十句演绎分析，内容包含心理、生理、物理、精神、时、空等理论。对于物质世界，他们认为是客观的存在。同时建立极微的学说，分析物质大种，相似于现在通行的微细物理学、原子核物理学，以及素粒子物理学等等的学说。认为极微无数而常住，由不可见力，集合离散。分析到无可分处，就是极微，并无别有所造的主宰。极微不可见，不可再分析，它永恒不变不灭，无始无终，它的形状是圆体的。它如光尘（日光中的飞尘）的六分之一大小。但是地水火风四大的极微，又各自不同，它们有色、味、触，犹如液体。极微互相拥抱，成二重极微，名为"子微"。三个二重极微相合，成三重极微，名为"孙微"，它的大小就和光尘相同了。四个三重极微相合，成四重极微等等，这样辗转相依，形成三千大千世界。这与希腊初期哲学的原子论、唯物论、与中国《易经》的阴阳之说，有些地方有异曲同工之妙，近于自然科学。但这种学说因发生在印度，而印度文化的传统精神，最后的宗旨，都是要求超脱人间世界，所以胜论派最终的目的，仍然为求精神的解脱，并不向物的方面去研究发展。胜论派的特点，便是因中无果论，而且趋向解脱之道是求真知灼见，等于是纯粹的知识论。理论太多，裁定到此为止，姑且略作论介。《大藏经》中，有《百论疏》、《唯识述记》等可资参考。

4. 正理派：梵语"尼夜耶"（Nyāya），有推理和标准的意思，通常译成"正理"，就是印度因明学的宗祖学派。正理派开创的目的，仍然在求真知，达到智慧的解脱，后来演变成为因明，有五支因明的宗、因、喻、合、结。及三支因明的宗、因、喻。严谨的推理体系，都只是正理派求知的一种方法论，并非正理派的大目的。有人认为西方逻辑（Logic）的发展，与印度因明大有耐人寻味之处，此是题外之事，暂不置论。

5. 弥曼差派：梵语"弥曼差"（Mimāmsā）有思维考察和研究的意思。弥曼差的哲学，可以说是研究婆罗门教仪的教义，阐扬吠陀思想的宗教哲学。他们发挥阐扬《吠陀》的祭祀和教法的正统解释，思维考察《净行书》的内义。因此创立"声常住论"，认为《吠陀》经典的文字语言，除了"语意"以外，它的文字"语性"，还是永恒、共同、常存而不变的。《吠陀》的文字，就是天启的经典，不容否认就是真理，而字声都有极神秘的力量，《吠陀》为最高无上的原理，所以梵文字声，也具有至高无上的权威。这种哲学的基础，启后期佛教——密教咒语的理论根据，非常有力。至于建立理论的方法，并不是法定的盲目迷信，它也以因明论理方法为依据，建立量论。有经验实证的现量，推测而知的比量，还有比喻量和义准量。它完全维持古典的婆罗门教思想，反对佛教的非仪式主义。但却不能建立唯神存在的理论，所以才有吠檀多派的兴起，来补救这个缺憾。

6. 吠檀多派：继弥曼差派之后兴起，也反对佛教哲学，极力维护《吠陀》和《奥义书》的真理，以建立一个一元论的梵为究竟。顾名思义，就是《吠陀》的演绎。这两派虽然时代较后，但因为它是印度宗教哲学的大系，学说影响人心很大，所以通常都与前述四大派相提并论。

二、佛教的产生与外道的异同

由以上的简介，对于印度上古以来的历史文化和宗教思想，以及各个哲学学派，先后林立的形态，已略有认识。从我们历史文化的角度来看，恰如东周末期，百家争鸣，流派繁兴，思想的紊乱和信仰的意念，因冲突而生动摇，加上政治因素，社会经济贫乏，和种族诸侯间的战争和矛盾，所谓"加之以师旅，因之以饥馑"，由于时代的要求，就有澄清天下或解救世人的非常人物应运而生了。但历史昭示我们，这种非常人物，必然只有两条路可走：一条路是寻求武力解决,实行统一天下,安定民生,这是英雄的行径;一条路是传播文化思想,实行其言教与身教而作圣人,使其教化行之于天下,传之于万代。英雄是征服一切人,使天下人臣服于自己,但不能征服自己的烦恼和痛苦,以及生前死后的悲哀。圣人是征服自己,有替天下人负担起长期烦恼,解除别人痛苦的勇气。释迦牟尼的佛教在印度当时的环境中应运而生,自然是有它的时代背景和历史因素。至于佛教的哲学,和行持的成果,留待后面专章论断,这里只在举出释迦牟尼出现前后,以及与其同时存在,而且对立以行教化的,并非绝无其人,用以认知释迦牟尼佛教的真义和精神之所在。

1. 顺世派:这一派的学说,相似于近代的唯物论,又近于现代新兴的存在主义。因为他们的主张,都是依循现实世间,执著情想而建立理论,所以叫做顺世派。

顺世派否定一切宗教的权威,认为除了直接感觉以外,没有可以相信的东西,用推理所得的结论,也是靠不住的。这个世界,除了可以看得见,触得着的地、水、火、风四大物质以外,没有一物是真实的存在。四大互相集合,构成一切生物和人们的身体生命,产生感觉和知识,像发酵的物体,自相变化一样,精神的现状,也是物理的作用。总之,离开物质,就没有什么叫做精神的存在。所以人们只须凭自己的感觉所欲,猎取快乐。在有此身体存在的期间,满足自己的欲望,便是人类究竟的目的。快乐世界以外,不会另有什么理想世界。他们充满着浪漫情调,和物质主义、享乐主义、消极主义等思想很相同。他们主张自然无因论,唯其无因,所以无果。他们歌唱说:无天堂,无解脱,无精神存在,无他界此方,因此也没有业果报应。其实,这种思想,在人类的矛盾心理中,永恒而普遍的存在着,众生常在梦夜中,虽有晨钟暮鼓,又奈之何!可是在释迦牟尼传教的当时,这个学派,也是很有力量的。因此,可以想见印度当时社会不安,趋向没落的情势。凡在动荡的社会,悲凉的时代里,或文化历史趋向下坡路时,不产生积极奋发的作为,便走向消极而沉醉在现实的享受,这种思想和主张,纵使不成其为学派,也自然而然地存在于人们普遍的意识中,何况一经人提倡,言之成理,见之于行事之间,当然会变成一派的力量了。

2. 耆那派:耆那派的开创祖师,是伐弹摩那大雄(Vardhamana Mahaviry),他和释迦牟尼同一时代,出生在吠舍离近郊的刹帝利族,二十八岁出家求道,修行十二年,自认为已大彻大悟,得胜者就为"耆那"等称号。在他后半生的二三十年间,便组织沙门群众,游化摩揭陀、吠舍离两国之间,最后死在摩揭陀的波婆村。死后不久,他的弟子们分为两大派,一白衣派;二裸形派(天体派),或名为空衣派。佛经中称他为尼乾子。当摩揭陀国有大饥馑,僧统婆陀罗(Bhadrabāhu)率领他的一派,移往南印度。其余留在摩揭陀的一派,结集经典。但另一派,不承认这个结集,而且认为南方主张裸形(天体)派的才是正行。摩揭陀派穿白衣,因此就酝酿白衣派和裸形派分裂的运动,到了公元一世纪时,实际分裂。后来更又分出许多支派,直到现在,南印度若干修道的人,还是如此。

耆那教的哲学思想,大抵和数论"心物对立"说相同,认为精神性的生命,是有命有灵魂的。物质性的生命,是无命非灵魂的。他们是纯粹的二元论,但又认为精神性的生命,也不外乎物质。他们又立七谛的学说,就是生命、非生命、漏(非生命漏入)、系缚、制御、寂静、解脱,再加善、恶二谛,又成为九谛了。在哲学的基本立场上,是二元,或多元说,始终自相矛盾的。他们以生命和非生命二谛,作为生死业果与解脱的要素,其余都是由此二谛划分。他们认为生命是本来自性清净的实体,因被非生命(物质)所掩蔽,才丧失它本来的光明。一切生活行为就是业(羯磨),有业渗透到生命里去,便叫做漏入。所谓业,又是微细的物质,身体运动时,便流出微细的物质,所以这个身体,就是业身。业身又系缚生命,和非生命结合,轮回诸道,受苦受乐。要脱离轮回,便需修苦行,制止业流进入生命,就是制御。制御达到旧业灭了,新业不生,就是寂静。再进而灭了一切业,生命和物质分离,上升到超越世间,才是解脱。

另一方面,他们又有类似现在物理学的磁场说法,非常有趣。那就是把生命分做虚空、法、非法、物质四种。四种生命统一,叫做实在体,构成宇宙全体的便是它。虚空,是大空处,是万有群象成立和活动的场所。这个场所给予一切以原理,虚空本身是唯一、无限、常住、无作。但又说虚空,是概念上的空间。法,是运动的条件,也就是运动可能的空间。非法,是静止的条件,也就是静止可能的空间。法和非法,都是常住、唯一、无作的独立实体。物质,便是色、香、味、触、声等组合或分离的粗细形状,包括暗影和光热的物体。细物质就是微,微就是原子;粗物质便是复合物。原子不一定是不可分割的,然而它微细地占有空间当中的一点,运动极速,好像干和湿的互相结合,便成复合物,因此就构成事物了。生命、法、非法、物质,并存在虚空中的,就是世间现象。超过这个虚空(物质虚空),就是出世间。他们认为涅槃是流转的解脱。佛教有佛、法、僧三宝,他们也说有三宝,那就是正信、正智、正行。他们赞成修苦行,承认四姓的阶级,有的教法和婆罗门教一样。但排斥《吠陀》,禁止祭祀,戒除杀生,这些精神又和佛教相同。

3. 六师外道与其他:其次与释迦牟尼同时并存的六师外道,虽然各持异说,互相争鸣,但当时与后世,仍然各有他们的影响力量,都拥有部分的信众。在佛教经典中,随时都有提到他们,加以批判。但除了尼乾子一系还有文献可徵外,其余各系,都只有一鳞半爪,隐约可以窥见他们学说的内容,虽然存留无多,而立义又偏向荒谬,不过,能自成一家之说的,当然也具有部分足以自圆其荒谬的理由,约述如次:

一、富兰那迦叶说:一切没有善恶,也没有罪福的果报,也没有上下等业力的分别。这种思想,似乎因顺世派的观念而来。

二、末伽梨拘舍梨说:一切众生,身有七分,即地、水、火、风、苦、乐、寿命。这七分法，是不可能毁害，永恒安住不动的，所以投之利刃，也无伤害，因为没有受害者及能死者的原因。这种思想，近于唯物观念，似乎因胜论派的极微论的观念而演变。

三、珊阇耶毗胝罗弗说：有两个要点，第一推崇世间现实的权力。第二存有宿命的观念。他们认为王者所作自在，物死又可重生，人死也可重生，犹如草木的秋杀冬藏，春来还自重生，所以人死命终，还来生此世间。至于一切苦乐等级，并不由于现在世的造业而来，都因为过去的关系。现在是无因的，未来是无果的。但现在的行为，若持戒勤修，努力精进，遮盖现世的恶果，可以得到无漏。因得到无漏，可以尽了过去的业力，能够使苦都尽，众苦尽了，便是解脱。这种思想，似乎因数论的因中有果论而来。

四、阿耆多翅舍钦婆罗说：也是认为无善恶，无祸福，否认因果报应的理论，似乎是由顽空的观念而来。

五、迦罗鸠驮迦旃延说：认为人若杀生，心理如果无惭愧，结果就不会堕在恶道。犹如虚空，不受半点尘水一样。如果有惭愧，就入地狱，犹如大水，渗透滋润大地一样。一切众生的生命，都是自在天所造作。所以人没有罪福可言，人类的行动，都是机械的，造就这个机械的巧匠，便是自在天。这种思想，似乎因瑜伽派的理论而来，每况愈下，愈来愈偏差了。

六、尼犍陀若提子(尼乾子)说：认为无布施、无善、无父无母、无今世后世、无阿罗汉，无修无道。一切众生，经八万劫，于生死轮，自然得脱。有罪无罪，悉亦如是。如四大河(印度大河流)，所谓信渡、恒河、博叉、利陀，悉入大海，无有差别。一切众生，亦复如是，得解脱时，悉无差别。这种思想完全是偏空的理论，佛教善于说空，但空并非如唯物观念的断灭思想，研究佛学，如果没有彻底弄清楚，所说之空，往往近于外道的空见，这也是屡见不鲜的事，毫厘之差，千里之失，对此应该有所警惕。

又据《维摩经注》所传：一、富兰那迦叶，说一切法无所有，如虚空,不生灭。二、末迦梨拘舍梨,说众生罪垢,无因无缘。三、删阇耶毗胝罗,说道不须求,经生死劫数,苦尽自得。如缚缕丸于高山,缕尽自止。四、阿耆多翅舍钦婆罗,说今生受苦,后身常乐。五、迦罗鸠驮迦旃延,说亦有亦无,随问而答,其人应物起见。若人问言有耶?即答言有。问言无耶?答言无也。六、尼犍陀若提子,说罪福苦乐,尽由前世,要当必偿,今虽行道,不能中断。此六师尽起邪见,裸形苦行,自称一切智。

关于印度哲学思想的派别,普通都以述六大派及外道六师等为对象,如据翻译佛经的记载,派系纷繁,还不止此。通常称说有九十六种之多的外道见解,《瑜伽论》列举十六计(十六种主观成见的理论)、六十二见(六十二种观念的不同)等。他如外道,《小乘涅槃论》列为二十种、《大日经·住心品》列为三十种。有的说时间为生成宇宙万有的基本,有的以空间或四方,或自然宇宙为主要的成因,洋洋洒洒,各自成一家之言。如要研究世界上的哲学思想与宗教哲学,单以印度来说,已可涵盖古今中外的各种思潮,可以叹为观止了。但历来研究印度哲学,除了注意他们各个派系不同的思想和理论外,大多忽略了他们都有实验求证的一套方法,只言学而不言术,对于印度哲学,无疑是一种缺憾,所以也不能窥见他们的全貌。总之,印度哲学,除了顺世派一系是注重现实的享乐主义以外,其他各派的宗旨,大都趋向出世主义,而且都以瑜伽禅思为修证的轨则,至于瑜伽禅思方法的差别,各派有各派的理论和心得,因此又形成印度哲学修证方法上的大观,此事不属本文范围,姑且从略。但佛教求证的方法,也和禅观及瑜伽脱离不了关系,所以必须在事先有一说明。

结　　论

以上简介印度固有文化,到释迦牟尼创立佛教的先后时期为

止,对于印度宗教和哲学的情形,大体已有概略的认识,综合来说,可以得到两个结论:

一、印度文化:凡是具有悠久历史的民族,他们所积累的文化思想,都不简单。印度上古的学术思想,五花八门,无奇不有,可惜他们的历史,过去没有经过一个大统一的时期,文化思想的流派,也就庞杂不清了。印度宗教哲学,从《吠陀》《净行书》《奥义书》的发展,演变成各派的哲学,以及与释迦牟尼同时并存的六师外道的学说等。这不但是印度上古文化思想的形态,一直到现在再变成为印度教,或各个地方自由信仰的各种教派,或多或少,仍然保留着过去传统的观念和形式。因为几千年的传统,它已经和日常生活融合成一整体。换言之,这些也已经成为他们的民族意识了。所以我们若不深切了解印度文化,但如浮光掠影,从表面上观察一番,或只依某一角度去研究一遍,就认为已经了解佛教的渊源,那就有群盲摸象,各执一端的可能了。而且假如我们不从印度固有文化哲学着手去了解研究,即使以一个佛教徒来解释佛经,有时也很容易误入婆罗门教,或其他各派哲学思想的范畴里去,何况教外人士的隔膜之谈呢!因此在叙述佛教之先,先需对印度文化的宗教哲学,有穷源探本的必要,同时也使研究佛学者,提高一分警觉,免得缠夹不清。

二、佛教的兴起:从人生的立场来看,人类文化的发展,和思想的演变,以及出世或入世等伟大人物的产生,和他的学术思想的建立,必然有一前因后果的线索可寻,任何一个宗教教主和大哲学家,也都不能例外。我们先得了解印度固有文化的宗教和哲学,由此可以发现释迦牟尼慈悲救世的动机和目的,他所创立的佛教,和承先启后、继往开来的精神所在。倘使我们暂时离弃宗教的特性,放开排除异己的胸襟,仅从学术观点立论,那么,释迦牟尼在印度上古史上,与中国孔子的用心,并无多大的差异之处。仲尼惧王道不彰,人心陷溺,邪说横行,于是删诗书、定礼乐、著《春秋》,以明经世宗旨,存道统以续文化精神。他和释迦牟尼的斥外道、说正法、存平等、行教化、正思维、伸智慧,彼此用以救世救人的存心和精神,虽然稍有出入,但距离并不太远。至于释迦牟尼与孔子的哲学义理,高深浅近的区别,平心而论那是各有所长,殆不可强作比拟了。

　　释迦牟尼虽然有心闲邪存正,删繁就简,但是佛教本身,却未能在印度本土长久植根或滋长,结果还靠中国将他的全部教法与学说,一概承受下来,并加以融会贯通,建立起一个耀古铄今的中国佛教,实在是一件不可思议的事。世界上几个伟大宗教的教史,大体都不例外,凡是产生教主的所在地,当时都是不肯珍视他的施予,必须等到外人崇敬,才会视如拱璧,慢慢地倒流回来。古今中外人们的共同心理,大概都是贵远而贱近,崇古而薄今,好秘而恶显,拒亲而爱疏,俗话说:"远来的和尚好念经",也许就是这个道理。今后的中国佛教,是否还须等待有更远的和尚来念经,那就足以发人深省了。

第二章　教主释迦牟尼的事迹

第一节　释迦牟尼的家世

一、薄王业而不为的大丈夫

前述一个宗教的成长,必然有它的文化背景,但开创这个宗教的教主,以他个人的历史,与所建立的宗教,关系更为密切。所以研究一个宗教之先,必须要了解教主的生平,这是不可忽略的事。无论哪个宗教,说到教主的生平,大抵都要加上一层神秘而不可思议的传说,否则,便不足以衬托他的崇高伟大似的。时至二十世纪,因为科学知识的普及,所有传统的观念,都要加以新的仲裁,神圣不可侵犯的宗教,也势所难免。与其依据神奇传说,不能被普遍意识所接受,毋宁从人本的立场,以研究教主的生平,如何发现宇宙人生的真谛,如何由人格的升华而至于超凡入圣,反而容易被人信赖,而且对于宗教本身的地位,自亦不会有所贬损。但正当这新旧观念交变的时代,介述一个教主的生平,既不能一味的墨守陈说,也不能纯粹的弃旧从新,只有折衷两存,尽量做到比较客观的平实,留待识者去鉴定。

佛教的教主释迦牟尼(Sakyamuni),他的生平经历,正如举世皆知,出身于印度贵族阶级,家庭地位,历历可凭,不必另加衬托,就已极尽人世的光荣显赫了。他父亲是国王,他本人为太子,这也是佛教传入中国以后,二千年来人所共知的事。其实,当释迦牟尼诞生时的印度,恰似我们的春秋时代,那时候的中国,周天子高高在上,诸侯分封割据,邦国互相侵凌,正是封建制度快要崩溃的时期。当时五印度,并没有一个强力统治的中央政权或共主,地方仍然停留在酋长分领的邦国状态,整个印度约分为两三百个国家。根据中国传统历史的说法,释迦牟尼的父亲,并不是统一全印度的共主或皇帝,而是一位国王。释迦牟尼的种族地位,是属于掌握军政的"刹帝利"阶级,据有世统的贵族权威。在这世界各大宗教所有教主的行列里,他以帝王的家业,显赫的身世,并非因为出身微贱,从艰难困苦中体验到人生的悲哀,而超然自拔于尘俗之外。与众不同的是他在与生俱来安富尊荣的境遇中,却翻然觉悟,不仅为了自己,同时更发愿而为一切众生,寻求永恒解脱之道,并且毅然决然地弃王业而不为,以慈悲济度众生的宏愿,为觉行万有的应化,终于创建了代表究竟真理的伟大佛教。这种圣哲精神,真是难能可贵,所以值得我们的赞叹和崇敬!

二、生 卒 年 代

研究释迦牟尼的历史,有一难题首当其冲,但都无法解决,那就是印度人素来缺乏历史传承的观念,和准确的时间观念。印度人自己,过去谈到历史,全靠婆罗门教的神话赞颂,缺乏过去和现世的严格划分。印度人现在的历史,是靠十八世纪以后,东方人和西方人的研究,重新确定而采用的。况且在印度的历法中,上古的年月季节,和现代有长短的出入;五印度——即印度全国东西南北中的区分,又有地方气候寒温的不同,因此日月年节又都略有出入。所以要确定释迦牟尼的生卒年月,就成为中外学者的论争关键了。现代人自信科学的方法,有时推陈出新,难免惊世骇俗,把几千年以来的事物,重新加以确定,往往大胆假设,未能小心求证,常有流于臆说或武断的,所以不敢苟同,在此只好折衷两存,依据客观的信念,以求平实的论断。

首先提出我们的资料:有关释迦牟尼寂灭年代的参考文献,举如《法显传》、《历代三宝记》、《破邪论》、《西域记》、《释迦方志》、《鹫岭圣贤录》、《僧史略》、《翻译名义集》等。从这些流传于中国、缅甸、斯里兰卡等的记述,及欧西学者的著论中,以推知其最早的一说,谓释迦入灭是在公元前二四二二年。最近的一说,则在公元前三三〇——前三二〇年之间,两说年代,差距如此之大,这真是一宗值得研究发掘而有趣的古史事件。

可是,根据西洋历史,和世界的史料,由马其顿王亚历山大侵入印度的史实,可以确定当时印度最有光荣的史迹,因为亚历山大无敌的常胜军,遭到了印度战士们的顽抗,和哲学家的辩难。而亚历山大入侵印度的时候,正是一位佛教大护法阿育王的出世年代。现在用举世皆知的阿育王年代为中心,由此推寻考订其事迹,倒数到释迦牟尼入灭的年代,就会发现两个事实,一是北传的佛教经论,大多说相隔百年或百余年;南传的佛教经典,则说为二百十八年。其中相差百年,可能是因为南北印度的历法年月不同,才导致百余年的悬隔。其中南传佛教经典的年代,与隋代费长房的《历代三宝记》中所说的"众圣点记"的年代数字,比较符合。又据《大唐内典录》、《开元释教录》及《贞元释教录》的记载,也都近于此说。由此上溯九百七十五年,可以确定释迦牟尼寂灭的时代,正当周敬王三十四年间。再上溯八十年,则释迦牟尼出生之年,正当周灵王七年,也就是公元前五六五年,距今已有二千五百三十一年。至于他生时月日,据传正是中国纪年的四月初八。不过,这是中国夏历(阴历)的日期,并非当时印度的历日,究竟释迦牟尼的生日,合于现行历法或夏历的何年何月何日,就很难说了。不过传统习惯说是四月初八,已经有二千余年的历史,似乎不需再为此事去辩证它。

三、族系传统

　　释迦牟尼的生辰,如前引述,我们既已认定为相当于中国周灵王七年的四月初八。他出生在中印度的迦毗罗卫城,又称"迦毗罗幡崒都国"(Kapiavasth)。这个地方,在印度地理上,即波罗奈——或称"班拿勒斯"(Benares)的东北,普特罗——或称"巴特拿"(Patna)的西北,哥罗克堡(Gorakhpur)的近傍,尼波罗——或称"尼泊尔"(Nepal)的南境,恒河支流的柯哈河(Kohana)——古称"卢呬尼"(Rohini)流域。释迦牟尼的诞生处是在迦毗罗卫城东的蓝毗尼园(Lumbini)。

　　释迦是他的姓氏,汉文意译便是"能仁"。牟尼是他的名号,汉文意译就是"寂默"。他这个族姓另外还有瞿昙(Gautama)、甘蔗(īksvāku)、日种(Sūryavaṁsa)、舍夷(Sākya)等四种称呼,是属于军国武士阶级,"刹帝利"种的一族。据后世人类学者的研究,这个种族,最初系由中亚细亚移来,定居在印度中央平原西部的印度河滨。世系传承,极其高贵,而释迦这一宗,便是迦毗罗卫城的城主,依据印度上古的习惯,也可称之为国王。当时迦毗罗卫城位于卢呬尼河的西边,河东同时有拘利城(Koli),也同属于"刹帝利"种,因此两族互通婚嫁,以维持其血统的亲近。

　　当迦毗罗卫城贤主净饭王(Suddodana)五十多岁时,佛母摩耶夫人(Māya)年已四十五岁,怀孕十月,她因为爱好清静,喜欢在自然风光的郊园去散步。一天,正当春末夏初的四月初八,一个风和日丽,鸟语花香的好晨朝,她悠游于蓝毗尼园,看到一株清荫的无忧树,枝叶繁茂,便想举手攀折,不意释迦牟尼就从她的右胁自然诞生下来,并有种种殊胜瑞相,举国欢庆,这便是有名的佛诞故事。传说释迦牟尼生后七日,佛母摩耶夫人不幸辞世,由其姨母摩诃波阇波提(Mahāpraiapati 汉译为"大爱道")夫人抚养长大,他受到姨母的爱护,如母无异。

历史记载,关于命世人物,如宗教教主或开国帝王的降生事迹,大都剿袭附会,不是说赤电绕枢,就是说红光满室,如此类例,无非表明其生有自来,旨在予以神格的装点,或偶像的塑造,颇可耐人寻味。前引释迦佛诞生的故事,诚属不可思议,使人无法相信。可是在这段事迹里,也有几点,值得注意:(一)净饭王晚年得子,其心期于子嗣的绵延和王业的传承,殷切之情,自不待言。释迦牟尼出身贵胄,环境优裕,而长大成人后,却毅然舍弃王位,出家修道。这是何等的气魄?何等的胸襟?(二)母亲胁下生子,确是匪夷所思,但根据其生后七日,母命告终的传说,可以想见其为破腹而生,或系特别生产,殆无可疑。(三)姨母摩诃波阇波提夫人,抚育释迦牟尼长大,也是净饭王的另一贤妃,后来也从释迦牟尼出家学道为比丘尼。由此可见她也真是一位慈辉永耀的伟大女性,和上善知识的护法尊者,想来也非偶然,值得我们崇敬。

四、生有自来的神异传说

就佛教言,依据佛经典籍,我们知道关于佛的世界,并非仅在这个世界与这个时期,及现有的时空中,是由释迦牟尼佛所手创。据说,我们所依存的这个世界,由成住到坏灭,历劫无数。其小焉者,譬如地球上已有若干次冰河时期或洪水时期,真是沧桑多变,但佛法的存在,却绵延不绝。我们现在正在"贤劫"中,所谓"贤劫",是指此一宇宙万亿年的时间里,会有很多的圣贤,陆续诞生,由于修习大乘佛教的菩萨道,已证十地菩萨果位,此生命终,即上生于天众中的"兜率天"或"兜率内院",名为"一生补处菩萨"。待此世界中另一劫数到来,人类历史变更,世上佛法衰息,然后这一生补处菩萨,便又重经人道而降生、出家乃至成佛,于是佛教大兴,佛法因以住世。现在的一生补处菩萨——弥勒,也就是未来世界的候补佛。一说释迦牟尼,住在他方世界,由来成佛已久,这次降生递补为我们"娑婆世界"过去劫以来的第七佛(或说贤劫以来的第四佛)。至于释迦牟尼的宿世善行和万德因缘,在各种经典中的记载,多至五、六百件。总之,都是一些无上功德的妙胜事迹,不必一一细说。综合他在世的一生,通名释迦牟尼佛的"示现八相",也就是说他一代的事迹,可以分为八个阶段:

八相内义

一、降兜率:先住于兜率天,见时机已熟便下降人间。

二、托胎:乘六牙白象,降神母胎。

三、出生:四月八日,于蓝毗尼园,由摩耶夫人右胁出生。

四、出家:年二十九岁(诸经中亦有云十九岁),观世无常,出王宫,入山学道。

五、降魔:经六年苦行,在菩提树下降伏魔军。

六、成道:十二月八日,明星出时,豁然悟道。

七、转法轮:成道以后,四十五年间说法度生。

八、入涅槃:世寿八十,在娑罗双树下,入于涅槃。

此外,为了研究佛教教义,和研究释迦史传所最宜注意的,便是经典所载释迦牟尼诞生不久,即能步行,并有七步偈语说道:"无数劫来,这是我的最后受生。我于一切天人之中,最尊最胜。此生利益天人,普愿救度众生。"也就是佛教传入中国以来所传述的"天上天下,唯我独尊"两句话头。由此可以启发我们必须加以研讨的,计有如下两点:(1)假定仅从宗教的立场来看,释迦牟尼当时所说,只是使人觉得这是极端具有教主权威的独特表象,对它不是绝对信服,就是非常反感。(二)我们推勘到底,"天上天下,唯我独尊",这却是佛教的精义所在,因为它说明了人生的真价,表露了人性的尊严:我们要有自发的精神,做天地间第一等人;我们要以自奋的勇力,做天地间第一等事。正是中国传统文化所谓"天人合一"的最好引申。由人至于生天成佛,为神为主,或由人而堕落沉沦,一切都决定在自我的一念善恶之间。"天上天下,唯我独尊",此"我"并非释迦牟尼一人的"我",也正是"舜何人也,我何人也"人我一如,人性自觉的"真我"。释迦牟尼,生而能言,幼而徇齐,长而为圣。乃至一代佛教的精神,就在他生而能言的这两句话语中,已经透露消息了。如果纯从感情观点,视同放诞,未免厚诬佛语。

五、允文允武的天生神童

释迦牟尼既生,他的父王便邀请了很多有名的婆罗门学者,为他举行命名典礼。大家认为他降生时具有种种瑞相,所以就定名为"悉达多",汉文译义,那便是"一切义成,具足吉祥"的意思。他的妙相庄严,特别美好。当时印度婆罗门中有一位最具权威的智者阿私陀仙,住在香山修道,远离爱著,常入禅定,知道释迦牟尼降生,自动前来祝贺,他对净饭王说:"我看太子具足三十二相,八十种好,如此相好之身,若是在家,年二十九岁,便为转轮圣王;若是出家,可成一切种智,广济天人。但观大王太子,必当学道,得成正觉,转大法轮,利益人天,开世间眼。"净饭王晚年得子,极切盼望他能继承王位,开张国势,听说他会走上出家学道的路上去,所以极为忧闷,就留意保护,设计防范。凡是可以陶悦情志,流连光景的声色之娱和人间享受,他都打算加以运用,企使太子不致生起出家的念头,使阿私陀仙的预言不致于成为事实。

释迦牟尼七岁时,开始接受宫廷教育。净饭王为他遍请名师,令就学问。最初延聘一位文学修养特优的婆罗门,名毗奢密多罗(Visvamitra汉译"选友")授以文学。一日,释迦牟尼提出当时印度的文字,计有六十四种之多,例如梵文、佉留文、护文、疾坚文、龙虎文、犍沓和文、阿须轮文、鹿轮文、天腹文、转数文、转眼文、观空文、摄取文,等等。究竟以何种为标准文字? 因此使毗奢密多罗受窘异常。而且他能够找出书中的阙字,诘问于师,最后反使教者赞叹折服，自惭而辞去。同时又为他延请释迦种族中一位擅精武术的名师羼提提婆（Ksantidiva 汉译"忍天"），教其武功，包括兵戎法式与二十九种武艺工夫。所以他在十四五岁之间，便能驯服大象，只手举象掷出城外，立即还以手接置地，大象任其摆布，不会损伤。挽弓射箭，可以直穿百里之鼓，力透射击鹄的七重铁猪。

他由七岁从学，经过七年之间，凡属天文、地理、典籍、议论、祭祀、占察、声论、书数、乐舞、文章、图画，乃至一切技艺、方术，无不娴习通晓。

总之，他作为王位的继承者，既然有了良好的宫廷教育，加上他的天生智慧和资质，在十五岁时，已经完成文事、武功所有的学问了。因此净饭王，便择定当年的二月初八，为他举行灌顶授职大典，延请邻国诸王、大臣、婆罗门众等来观礼，用四海水为他灌顶授印，立为储君。

六、悲天悯人的至性至情

释迦牟尼以天纵睿智，出生在帝王宫廷，对世间一般的学问知识，无所不通，自然具有超人的智慧。也正因为他具有超人的智慧，他自有生以来，对宇宙生命的探究，和世事人生的怀疑，始终无法使他安于现实。加以当时印度诸侯邦国之间的互相侵凌，种姓阶级的苦乐悬殊，无一不使他触目惊心，因此他对这个世间的芸芸众生，时常抱有一种不可把捉的无常之痛，他以大悲的慈心寻求彻底解决人世间的痛苦和烦恼，更使人性得到升华，人生得到解脱。所以他便经常陷入沉思定默之中。一天，他外出郊游，息歇于大树之下，看到田野里耕种的农人，烈日炙背，挥汗苦作。耕牛力挽重犁，被驱使鞭打着，备受虐待，结果弄到人牛皆困，饥渴交迫。又见犁田翻土，地下虫豸，无法藏身，群蚁纷纷爬起，似已感知大祸将临，寻觅它们生命的安全所在，结果飞鸟翔集，资为口粮，看来无一幸免。这种弱肉强食,众苦熬煎,残酷无情的世间相,使他发生更大的惶惑和更深的痛苦。人生为了什么? 为什么有了这个悲惨世间的存在? 宇宙生命的意义究竟何在? 因此,他在树下坐定,心生厌离,想到世间、出世间等问题,又陷入沉思的禅默中,历时很久。

他的少年生活,并不因为安富尊荣而欢娱快乐,却经常为了寻求解脱人世间的烦恼和痛苦,在禅思寂默中过日子。这使净饭王记起阿私陀仙的预言,怕他要出家学道而黯然流泪。所以在他十七岁那年,便同时为他娶纳第一美人耶输陀罗(Yasodhara)和瞿毗耶(Gopka)两位做妃子。而且还为他建三时之殿(中印度无寒冬,年分三季,所以只建三时之殿)。使他在春夏秋的季节里,各有极其舒服的适宜住处。但是他对美丽的妃嫔,和豪华的享受,并不感觉兴趣,毫无贪着留恋。据佛典记载,他和二妃原来没有夫妇之道的行为,所以使宫人都怀疑他是一个虚有其表的大丈夫。他也了解她们的怀疑,在某天熟睡中,特别显示他的丈夫相,使她们相信他非不能也,实不为也的伟大特异之处。

释迦牟尼为了解决整个人生问题及寻求宇宙间的究竟真理,一心要想出家学道,这使他的父王和家族更加担忧,因此便下令限制他外出宫门,以免引起他更大的悲世思想。而且特别挑选了一名学问渊博,能言善辩的婆罗门,名优陀夷(Udayin),终日侍从陪伴,作为他的朋友,希望能够劝导影响,挽回他的心意,对现实世间和现实人生,增加情趣,但又终于失败了。他曾经请求过父王,放他一度外出郊游,又一次体会到人生的无常,谁也免不了生、老、病、死的侵夺! 谁也逃不出生、老、病、死的牢笼! 这种人生的无常,究竟有无主宰? 究竟有无真我。倘使绝无主宰,那生命的意义基本上是没有价值和目的的,这就等于后来佛学中称的"断见",是绝对错误的。倘使有主宰并有真我的存在,它又是个什么形态? 如果说它是超越于人和万物,而且能够加以控制把握的,这也是人们自己心理的臆测或观念的形成;何况,它既能有控制把握的主宰权力,何必又使这个世界和人生,造成如此悲惨的现象呢? 这在后来佛学上,就名为"常见"。实际上,离心以外,观察世间和超世间,一切都是诸法无常,没有永恒存在的。

于是他出家求道的意念,愈来愈加迫切了。他正式向他父王提出这个要求,他父王认为他和妃子耶输陀罗有了身孕,生出孩子,不使其国断嗣,再谈此事。据佛典记载,他就用左手指在耶输陀罗的腹上,立即使她感觉已经怀孕。这和释迦牟尼生而能行七步,又能开口说话,同样神奇异常,同样使人难以置信。不过释迦牟尼因为父王忧心缺乏子嗣,而为父王生子出家,这是善尽孝道,也不违背情理。况且正因为他尽了人子之责,然后一心以行超越人天之道,更足以见其崇高伟大和稀有妙胜的特点。那么神异之辩,只是多余的事,我们可以存而不论了。

第二节　出家与悟道

一、逃世入山求道的太子

释迦牟尼出家的年代,因无信史可征,我们只好说他二十九岁那年二月初八日,他自忖因缘成熟,便趁他的妃嫔、警卫等人在夜深熟睡时,起身唤起侍仆车匿,备乘骏马犍陟,告诉他就要一同出城,去饮甘露泉水。车匿已经知道他的本意所在,一时劝阻不住,只好拼命拉住马尾,释迦牟尼也只好不开宫门,奋勇跃马,连带车匿,飞越北城而去。这一幕的展现,也正是释迦牟尼一生发挥大雄大勇大慈悲的开始,拿它和带甲百万,战无不胜,投鞭断流,叱咤风云的英雄们来相比较,无疑地,这跃马出城出家修道的一举,以视前者的胸襟气概,自有天渊之别。英雄事业,可以征服天下,绝难征服自己。唯释迦则不然,他以大无畏的精神征服自己,摧心贼于无相,弃天下如敝屣,所以能够转凡成圣,足为人天师表了。

他们一出北城,便向东驰行,犍陟快足如飞,到了跋伽仙人(Bhārgaua)的苦行林中,这时黑夜已过,光明就在眼前,他决定要入山问道了,便命车匿还宫。并脱髻发中明珠,以奉父王;身上璎珞,以奉姨母;其余庄严服具,给予耶输陀罗。一切交待清楚,他又自行拔剑,薙除须发,改装袈裟,以示决心前行修道。同时自誓说:"我若不了生死,终不回宫。我若不成佛道,终不回见父王。我若不尽恩爱之情,终不回见姨母和二妃。"当时弄得车匿惶恐悲泣,以致闷绝昏倒,醒来时,只好回城报命。太子出家,它带来了满城的悲哀,也带给了举国的嗟叹!

二、遍学各派道法

从此,他以云游之身,到处参学。他曾经见过跋伽仙人的修行场所,看到许多离尘绝俗苦行修的人,有的穿草衣,有的著树皮。他们都吃些花果充饥,或日食一顿,或二日一食,或三日一餐,企苦行成道。他们崇奉庶物,或拜水或拜火,或敬祠日月,或卧尘污土中,或睡荆束丛上,或长年居于水火之侧,备受蒸炙之苦。类似这些印度文化传统中的宗教生活和修道方式,无论婆罗门、瑜伽术,乃至印度教等,在释迦牟尼出家的前后,显然普遍地盛行着,直到如今,还是流传不衰。释迦牟尼当时看到这些情形,他与跋伽仙人曾经交换意见,作过严谨的讨论,他问他们那些形形色色的苦行者,究竟目的何在? 跋伽仙人的答复是,刻苦自身,可以赢得升天的福报。释迦牟尼却认为苦乐对立,罪福相乘,仍然还在轮回往复的樊篱中,并不能解脱生死,苦行诚然可以洁清心志,离绝牵累,但是未必就能真正了生脱死,成无上道。因此他留此一宿,便立即辞去。

后来他又去学习当时印度著名的禅定工夫,修习"无想定"。

所谓"无想定"的禅定工夫,是以泯灭思想为最高方法。通过修习,他实际做到了无思无虑,但最后认为这也不是真道,便舍弃而去。因为这种境界,也是自心造成的,至于此心主宰的根本为何? 毕竟仍无所知。

因此他又到阿罗暹仙人(Aratakalama)处,学习"非想非非想定"。所谓"非想",乃非一般普通心理活动的思维妄想。所谓"非非想",就是做到虽无普通的妄想思维,但还能了然于一切。许多人认为禅定工夫,到此地步,已属高不可攀,其实,正是落在微细烦恼的见思惑中。他提出了问题:非想非非想定处,是有我耶? 是无我耶? 若说无我,不应说非想非非想;若言有我,便非解脱。因为众生正因为有我,方生诸苦。非想非非想定中,虽然可以使粗的妄想烦恼暂停,但微细的烦恼,依旧存在。若不能舍除我相与我想,何以能达到真正的解脱? 所以他又舍此而去。

三、雪山林下苦行

在释迦牟尼入山修行的时光中,他已遍访著名道者,但因没有真正明师,所以毫无收获。然于当时各种修道方法,无论如何难行苦行,他都已经一一修习做到,而且极为精通。在这期间,他的父王曾经打听到他的行踪,派遣王师大臣前来劝说,仍然不为所动,只好留下大臣等的公子憍陈如等五人,追侍太子修行,慎加保护,这就是后来释迦牟尼弟子中著名的先期五大弟子,其中以憍陈如为首座。同时他因历访诸师,始终不得究竟解脱之道,便暂行栖止在檠荼婆山中,常入王舍城(Raijagriha)乞食度日。但城主频婆娑罗王很快地就知道了他的行踪,亲来劝请还俗,甚至愿以王位相让,可是他也婉辞谢绝了。频婆娑罗王最后只好与他约定:"若成道时,愿先见度。"所以,后来释迦牟尼成道,就常常住在王舍城,弘宣他的佛教。

此后，他又到尼连禅河(Noiranjana)附近，迦耶山(Gayasirsa 即象头山)的南端，邻近雪山，即优娄频螺(Mruvela)聚落的苦行林中，静坐思维，修习苦行，或日食一麻，或日食一米，或复二日食一麻米，乃至七日食一麻米。由于他跌坐苦修，不经行散步，目不瞬睛，心无恐怖，变得形销骨立，须发卷乱犹如蓬蒿，被喜鹊错认作草丛，就此在他头上做起窠来。地上芦苇，盘绕过膝。此时的释迦牟尼，非常孱弱，俨然如衰朽垂死的人。他长时间地修此种难行的苦行，后来忽然想到这和一般认为苦行修身就是真道的作风，又有什么差别？所以他又舍此而去，独自南行。

四、豁然顿悟而成佛道

在过去的岁月里，释迦牟尼苦其心志地禅静思维，毫无疑问地，因为缺乏营养，而弄得衰弱不堪。但其金刚的信念和坚定的精神，就连净饭王所派出追寻他的王师大臣，也都深受感动，无不肃然起敬，所以随来的憍陈如等五人，都愿留在那里，伴随太子学道，就在附近觅地专修。自从他觉得这种修行，并非正道，便独自离开苦行林中，接受牧女难陀波罗的乳糜供养，恢复到少壮的体力。憍陈如等五人见到这种情形，便认为他受不了苦行的考验，以致道心退堕，非常失望，就离他而去，到达波罗奈国(Varanasi)的鹿野苑(Mrgadava)自修苦行去了。

释迦牟尼既已恢复体力，便自入尼连禅河沐浴，一洗过去劳形苦志的积垢，身心异常愉快，独自走到距离尼连禅河十里的毕波罗树(Pippala 佛成道后，更名为菩提树)下，自敷吉祥草座，双足结跏趺坐，并发誓说："我如不证菩提(菩提，汉译"自性正觉"之义)不起此座。"由于他过去曾遍学各种禅定，功力已深，这一坐经过了四十八日之久，便深入到禅思的妙境。当十二月七日的夜间，他在禅思坐中，受到种种魔境的显现和干扰，如声色货利、生死恐怖，他都不为所感,所谓"魔军"、"魔女"等等,都被他的定力所降伏。就在这一夜中,他逐步证得了神境智证通(神足通)、天眼智证通(天眼通)、天耳智证通(天耳通)、他心智证通(他心通)、宿住随念智证通(宿命通)、漏尽智证通(漏尽通)等六种神通境界,身心自放大光明境。到了初八日的晨朝,忽然看到明星出现(应是太阳初出,因印度对天文习俗的惯语,通常称太阳为明星),就此廓然大悟,证得"阿耨多罗三藐三菩提"(汉译"无上正等正觉"),因此爽然叹道:"异哉!一切众生,皆具如来智慧德相,只因妄想执著,不能证得。"

　　按:释迦初悟道时这一段说法,各种佛经译语都稍有出入,现在依照历代禅宗相传的意译,采用以上的话,比较明白易晓。

　　我们回溯此一大事因缘:释迦牟尼自二十九岁出家学道,经过六年来的普遍参学,备历艰辛。到了三十五岁,始证得各种神通境界,洞见人类身心潜能的无比妙用,和生命的根本。同时睹明星而悟道,了彻宇宙人生的真谛,爽然叹息:原来如此。当下他就想进入涅槃(寂灭圆明),懒得说法了。因此震动天人,纷纷请求他留形住世,广化众生,他曾经对天人们说过:"止止,我法妙难思。"也正因为他有此一说,使我们可以了解佛法的奥义所在,究竟是怎么一回事,所谓"不可思议"。通常一般人,便认为佛法是学不到,摸不着,看不见的。哪知"不可思议"正如"我法妙难思"这句话一样,只是一种方法论。因为任何宗教或哲学,一般的习惯,都是用思想去推测,或凭情感去信奉它,讨论它。思想推测就是"思",情感信奉或讨论就是"议"。如果只从思想或情感议论来求证宇宙人生的真谛,那无异是背道而驰,真有"妙难思"之感了。"妙难思"和"不可思议"这一句话,正是指出一般人们在方法上的错误,并非说是"不能思议"!只要我们拿身心去实证,不用思议去推测,就可到达我们自性本来具备的正觉佛境了。

第三节　教化创建的情形

一、开始教化及其主要弟子

悟道后的释迦牟尼,因为接受人天的殷情劝请,决心宣教济世。他首先到达自古相传的圣地鹿野苑,为昔年追随雪山林下,专修苦行的㤭陈如等五人,开始宣说苦、集、灭、道的四谛圣法。五人先后都得悟解,便在佛的教法中出家修道,名为比丘(汉译相当"乞士",上乞法于佛,下乞食于众生),这就是释迦牟尼行教的开始,佛语名为"初转法轮",也就是佛教有"佛宝"、"法宝"、"僧宝"等三宝的开始。同时波罗奈斯城的长者子耶舍,又名"宝称",因感觉人生的苦痛,生起正法的信念,闻风来到鹿野苑依佛出家,并且带来他的朋辈,五十位长者的子弟,也皈依了释迦牟尼。同时耶舍的父母妻子,跟着也都依信而为在家修行的优婆塞、优婆夷。释迦牟尼第一次住在鹿野苑的三个月中,已收得虔信弟子五十六人,从此分遣他们到四方游行教化。他自己却单独来到尼连禅河边摩揭陀国的王舍城中,施展神通,教化了专门拜火的婆罗门优楼频螺迦叶、那提迦叶和伽耶迦叶等兄弟三人。使他们率领门下的弟子一千人,都诚心地皈依了释迦牟尼。其次又摄服了属"六师"外道的珊阇耶毗胝罗的弟子、以聪明智慧著称的学者舍利弗和目犍连,两人又各率领门下弟子一百人,一齐皈依佛教。于是释迦牟尼,便以三十多岁的年龄,开始拥有基本的出家众弟子一千二百五十人,他们追随着游方教化,听闻佛的说法,是佛的常随众等。后世结集的佛经中,每每提到"比丘千二百五十人俱",就是指这般资历老到、根器深厚的贤弟子。后来又有一位聪明才智、威德出众的摩诃迦叶(即大迦叶),也来皈依,便是后世相传承受佛教禅宗的初祖。其实当

时的舍利弗与迦叶三弟兄,年龄比释迦牟尼还要大得多,当他开始
外出行教,许多不知道的人,起初都认为这位年轻的释迦牟尼,还
是他们群众中的弟子呢。在当时印度的教派中,释迦牟尼一出山,
便拥有基本弟子一千余众,这种声势的影响,可能相当惊人了。

　　后来四十多年的说法行教,所有皈依他的出家、在家的弟子,不
分种族贵贱,男女老幼都有,在名义和事实的区分上,便形成了佛的
四众弟子。出家的男子,名为比丘;出家的女子,名为比丘尼。在家
的男子,名为优婆塞;在家的女子,名为优婆夷(汉译通称男居士、女
居士)。再以后的出家众或在家众,无论男女老幼,凡有心存佛境、
身在尘世,具足离尘拔俗、特立独行的佛家思想和行持,乃至永远无
尽,不受时空限制,弘愿广度众生者,一律称为"大乘菩萨"。"菩萨"
就是梵语"菩提萨埵"的简称,具有自觉觉人、自利利他的殊胜妙义。

　　当时在佛弟子的比丘众中,又有十大弟子,各以独有的专长而
见称。举如:舍利弗,智慧第一;目犍连,神通第一;大迦叶,头陀
(苦行)第一;阿那律,天眼第一;须菩提,解空第一;富楼那,说法第
一;迦旃延,论议第一;优波离,持律第一;罗睺罗(佛的独子),密行
第一;阿难(佛的堂弟),多闻(博闻强记)第一。这就是佛嫡传成就
殊胜的十大杰出弟子。

二、说法的情况与说法的时地

　　释迦牟尼率领了一群新兴学派的弟子们,渐次游行教化到了
王舍城,因昔年初弃尊位,入山修道的时候,曾与频婆娑罗王有约,
成道以后,当先来度化,所以就如约前来,安住在频婆娑罗王为他
特建的"竹林精舍",上自国王,下至庶民,无不钦诚归仰。这就是
佛教在印度初有寺院的开始。不久,因舍卫国波斯匿王治下,有一
名门巨室的富翁须达长者,乐善好施,信奉释迦牟尼的佛教,用金
叶铺地来论价,为他购买了憍萨罗王太子所特有的"祇陀园林",于

是感动了王太子的同意合作，和举国上下一致的信仰，乃在舍卫城中特意为佛建立一座"祇园精舍"，又叫做"给孤独园"。这是因为须达长者乐善好施，以救济孤独贫苦的善行而得名。当时这座精舍的建筑，内有十二级浮图(佛塔)，七十二间讲堂，三千六百间房舍，五百间楼阁，供养容纳佛教的僧俗弟子们，这可说是佛教在印度最早的一座学院。从此以后，释迦牟尼便常往来居住在摩揭陀国王舍城的"竹林精舍"，或舍卫国给孤独长者的"祇园精舍"，它们成了经常宣扬教化的两处道场。

摩揭陀国，在当时的印度，是一政治安定、经济繁荣的安乐国土，所以人们的生活，也过得非常舒服，据称是一个饮食作乐，倡伎常欢，不废昼夜游戏的国家。自从释迦牟尼常川住此行教后，王舍城中昼夜寂静，诵声济济，舍世俗乐，斋戒读经，不舍三宝，唯佛是尊。同时舍卫国的风气，也因钦奉佛教，孜孜为善，从此邻国相望，教化大行。由此可见佛教净化人间国土的教育力量，其影响之巨和收效之广，可谓盛极一时。释迦牟尼现身说法，十余年中，竟有如此成就，足以令人向往！

释迦牟尼自成道以至开始传布佛教期间，因为他父王的想念，曾传命要他回国，他就先遣弟子一人，回国显现神通，然后亲自回来，为他父亲净饭王说法，使他心得解证。同时又感化了对他有养育之恩的姨母摩诃波阇波提和他的妻子耶输陀罗，使得他们后来也都从佛出家。同时又感化了从兄弟阿难陀、提婆达多、阿㝹楼陀；和他自己的儿子罗睺罗；以及首陀罗(印度阶级观念中的贱民氏族)种姓的优婆离等，都相继归佛出家。他在本国的时候，仍然依照佛制，自行外出，平等乞食。这件事使他的父王深感不安，结果他说服了他的父王，还是依照出家人平等的规矩，实行乞食。后来大约在他开始传教的五六年间，他的父王因老衰而病重垂危，很想见他一面，他又率领了阿难陀和罗睺罗等回国，亲行饰终大典，于父王临终时，随侍在侧，以手抚心，使其平安逝去。同时并依礼与堂弟难陀，从弟阿难及儿子罗睺罗等，分秩肃立在父王遗体的头足两旁，恭谨护灵。父王梓宫出殡，他也亲为舁举，以表哀念。最后，奉父王梓宫到王舍城的灵鹫山，在他自己安居清修教化之地，火化起塔，一切遵礼如仪，以教示为人子者，应该善尽养生送死之道。这是何等至情至理的表露。

此后，从成道到涅槃，这四十五年间，经常在摩揭陀、舍卫国，做南北两处的行教中心，并且随时游化于恒河沿岸的中印度各国，不拣僧俗贤愚，不分贵贱贫富，无论男女老幼，一律随机说教，凡是接触过他伟大圆满的人格、听闻过他高深微妙的教理者，无一不被感化。后来皈依他的弟子，究竟到达多少人数，确实无法统计。他以数十年来的教化，弟子众中人数增多，智贤愚不肖兼收并蓄，在这样一个精神领导团体教育的生活中，个人与团体，外界与内部，以及团众之间的种种关系，不免发生许多事故。因此随时间的推展，和经验的教训，除了基本道德的人格教条：戒杀、盗、淫、妄以外，渐渐订立许多规矩，以后便成为佛教的戒律了。

释迦牟尼行年八十左右，也正是他成道后第四十四、五年间的一个夏天，便在吠舍离城附近的波梨婆村（竹芳村 Beluvana）度过雨季。他曾宣示不久当入涅槃，因此就向北作最后的游行。在拘尸那揭罗城（Kuśinagaya）郊外的婆罗双树下，为老婆罗门须跋陀罗说法既竟，并收他作最后的弟子后，就示疾不起，以右胁卧而入涅槃。这时约当公元前四百八十五年之间二月十五日的夜半。弟子中的摩诃迦叶，最后由灵鹫山赶到，主持丧礼。临入涅槃时，因弟子们请问后事，他便谆谆告诫：以后以戒为师。所以后来佛教对于戒律，与他所说的经教，都同等重视，一直奉行不迭。

三、佛经的结集与部派的分化

释迦牟尼既入涅槃，佛弟子们觉得导师已去，茫然无所依怙，大家商量,当前最重要的事业,就是结集佛的说法,汇为经典。所谓"结集",便有记诵和编纂的意思。于是由十大弟子中的大迦叶领导,遴选出亲受佛说教义,确已证得佛法中道果的人,诵出多年来佛住世时所闻遗教,立为经典。当时由已证阿罗汉(意为杀贼,灭除烦恼心贼)果位者共五百人,集中在王舍城外的七叶岩窟,从佛示寂灭后第一个雨季的二月二日,就是六月十七日,开始结集。当时大迦叶被推举为众中上座(犹如现在会所主席团的首座),先行结集毗尼(调伏身心烦恼的戒律),由大迦叶提出戒律的各条目,质询佛弟子中持戒第一的优波离,由他答问,依次诵出戒律的制时(制作时间)、制处(制作地点)、因缘(为什么原因而制定这条戒律)、对机(由何人何事而开始定律)、制规(确定应守的规戒)、犯戒(怎样才叫做犯戒)等等。其次宣读记载的戒律,由五百比丘大会合诵通过,永远定为佛制,才算完成了结集毗尼的工作。跟着由佛弟阿难诵出达磨(汉译"法藏"、"经藏")之后,也由大迦叶提出质询,阿难答出说时(说法的时间)、说处(说法的地点)、因缘(是何原因)、对机(对何人何事而说)、说法(说的什么法)、领解(听众当时的领悟程度),再由大众合诵通过,确认是佛所说的法,并无错误,才算完成了经教的结集。这是佛涅槃后第一次的结集,所以也叫"第一结集",又叫做"王舍城结集"。可是这次参加结集的人选条件,是以已经证得圣果的五百罗汉为标准,又因不曾参加这次结集的弟子们,约有数百至千人左右,他们就自开局面,以五比丘之一的婆师波为上首,在距离五百结集并不太远的西面,另作佛经的结集,后来就叫它为"大众结集",又称"界外结集"。同时有说当时结集的佛法,就有经、律、论等三藏,乃至又有加上杂集、梵咒,共为五藏的说法。

总之,释迦牟尼一生说法,但以身教言教为止,虽然他也是擅长语文而最会演说的高手,但他从来没有动手写作,留下片楮只字。他不想以藏之名山的事业而留得后世的盛名,这是一个事实。这个事实给予后人的启示很大,而且富于哲学教育的真精神。另一方面,我们也可以看到,凡是世人所崇奉的教主和圣哲,大多不亲著述。在中国,古代的老子虽曾著作《道德经》五千言,但是究竟有多少出自他的手笔,那就很难定论,可是他何尝不会感到璞散为文,是引以为憾的呢!孔子至圣,删诗书、定礼乐,但他也曾自我表白,说是"述而不作,信而好古",这不是很好的例证吗?释迦牟尼的说法,后来成为经典,那当归功一般具有高深修养,长于道德文学的佛弟子,他们全心集结,凡所亲闻,胥归载笔,加以文字富丽,义理精湛,对佛教的弘扬,乃因此而开展。这可以说:"他本无心为教主,谁知教主迫人来!"而师门谊重,尤足钦羡,我们只有低首膜拜了。

以上佛藏,"王舍城结集"以后,约经百年,又因东方僧伽(佛教僧团)所行十条规则,有人认为非法非律,乃由西方僧伽长老耶舍比丘领导,在吠舍离,重新结集一次,会众有七百人,会期八月之久,会中将正统派的达磨(经藏)和毗尼(戒律)部重新诵读。因正统派的比丘众,多数为长老耆宿,后世就称之谓"上座部",内含有德者的意思。而东方僧伽以其人众,后世就叫他们"大众部",称他们的学说为"轨范师说"(含有师资学者的意思)。两派互不相让,这是当时印度佛法分派的先河。

此后又百余年,阿育王大护法当政,笃信佛教,即位十八年后,遴选学德兼备的圣僧一千人,以帝须为上座,在华氏城,又有一次佛经的集结。这是南传佛教记载,但其经本无存。

后来迦腻色迦王朝,又选拔圣众五百人,假座迦湿弥罗的环林寺,再行结集一次,以世友为上首,所集佛典,先造优婆提舍十万颂,注释经藏。次造毗奈耶毗婆沙十万颂,注释律藏。后造阿毗达磨毗婆沙十万颂,注释论藏。前后经过十二年的时间,这才功德圆满,结集完毕。中国《大藏经》中,尚保留有前述经典的译本《阿毗达磨大毗婆沙论》。

又据西藏佛教的传述,在迦腻色迦王时代,于阇烂达罗寺,召集五百罗汉、五百菩萨、五百学匠,重令结集三藏。因百年以来,佛学分派的十八部之间,各有所持的主见,其中六十三年来,争议尤烈,由于此次的结集把十八部异执都承认为真正佛教,并且辑录了从来没有记述的三藏经典,已经记录的,又重加校订。

　　自佛弟子结集佛教经典,经、律、论等三藏,成为佛教学说的法库总汇以来,在三藏经典中,其实也已大部分包罗收藏了印度教哲学,和一般学术上的思想体系。我们如果认定《大藏经》为纯佛法或佛学的,那就未免太过拘囿或小见了。不管佛经三藏的结集,在佛教史上有如何的争议,我们至少可以确信自佛灭度一百年后开始,直到四百年之间,佛的遗教弟子,因所执持的学说,及师承或见解的异同,渐已分化而有派别,初由大众、上座两部,经过三、四百年来的演变,就形成了当时印度佛教的部派,归纳起来约有十八至三十余部之多,其学派名称有如下列:

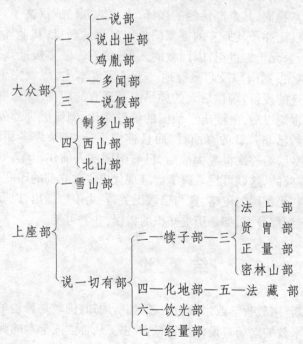

《大藏经》中有《异部宗轮论》,较有详说。但此二十部派的佛学,相传皆指为小乘佛教的范围。玄奘大师尝予归纳,判为六宗。以后或多或少,代有损益,我们无可否认中国佛教的分宗,无论直接间接,难免也要受到印度各部派学说的影响,那是必然的事。此外,佛教学说,又有大乘、小乘、显教、密教之别。主小乘者,认大乘为非佛说。主大乘者,认小乘亦同外道。南传佛法,力护小乘。北传佛教,大、小并重,但以大乘为主。尚显教者,认密教为魔说。重密教者,谓显教非究竟。余如性宗主般若,相宗主法相,学派不同,传承各异,以致纠缠不清,争端时起。譬如太阳黑子,虽有周期的活动,无损本来的光明,但是终归有美中不足的遗憾。

佛教兴于印度,但是到了公元八世纪的中叶,中印度的佛教,业已式微。唯南、北印度,尚有传承。此时东土佛教所盛行于中国者,则又根基稳固,其全部佛经的迻译,十之八九已成汉文了。印度佛教既衰,固亦予其原有的婆罗门教以复兴的新机;其他异说,又似复萌。公元十二世纪,因回教的入侵,佛教寺院多被摧残,教徒又多退避,去到南印及西藏等地。于是印度本土,佛教完全绝迹,仅有史迹的残留,聊供后人的凭吊。至现有的印度佛教,则又为十八、九世纪以后,由输出于他国的佛教文化,倒流极少部分还于本土,自然已非昔日的真面目,而且神佛不分,夹杂许多邪说。二十世纪中叶,第一次世界大战后,已有中国僧人前住印度,专为建立佛教寺院的,这就可见一斑了。唯现代史中独立前的印度,其国运的遭遇,为帝国的侵略,殊与佛教无关,特为附带提出,以资辨证。有人推到佛身上,那是历史知识的错误,非常可笑。

结　论

世人以言宗教哲学或宗教历史者,如所周知,佛教是释迦牟尼所创立,从宗教的立场来说,他当然是教主。从哲学或学术的观点来说，有许多人认为他是一位救世主义者、大哲学家、大教育家，并不只是狭义宗教的教主。而且一般观点，认为佛教是无神论者，或泛神论者，各种异说，矛盾得相当有趣，在此不须讨论。依据佛学本身的立场，梵文所称的"佛"，全称应该是"佛陀"，汉文意译"觉者"，它具有自觉（得大智慧解脱的自利之道）、觉他（觉世牖民的利他内涵）、觉行圆满（自度度人福德两皆圆成）的诸义蕴，所以不能单用意译简称"觉者"，为了涵摄全义，故用音译统称为"佛"。在佛教经典上，释迦牟尼有世尊、如来、天人师、一切智、佛等等，通常十个或更多的别号，但除"世尊"一名外，大部分的称谓，都充满了慈悲救世，和师道尊严的格调，的确少有唯我独为万物主的观念。以上简介，大致已将印度文化的背景，和释迦牟尼住世的史迹，有所交待。兹就其时代环境、人格思想及修道弘化等公案，试作客观的研判，并为如下的结论：

一、纵观人类历史，凡是具备大仁大勇、聪明智慧的人物，他们所抉择的人生道路不外两条，那就是不为英雄，必为圣贤。即生完成赫赫事功，名扬千古的便是英雄，英雄事业，充其量作到一个拨乱世反之正，登生民于衽席，可予人类社会一个短暂时期的安定或升平，因而为王称帝，俨然一世之雄。但历史的兴亡，朝代的更迭，所谓帝王事业往往遗患无穷，因为权势移转，看似热闹的序幕，实系反为悲哀的下场，到头误人误己，毕竟无一是处。反之，圣贤事业，也许寂寞一生，却能永远赋予人们以身心的安泰。而且整个人类问题，种种纷纭复杂，如果仅从政治权力以求安定治平，那只是世俗的观点和天真的想法，因为人心的臧否，关涉政治的兴衰，一治一乱，循环往复，似是历史的定则，永无究竟的答案。何况除了"民吾同胞"，还有"物吾与也"的宇宙众生，其问题的存在，也应一概解决。所以从哲学的立场看，我们必须荷担如来的家业，寻求真理的归趋，以求彻底解决整个人生社会的问题，并了解宇宙生命的真谛，这才是弘济万世，普被众生的基本事业。

　　释迦牟尼在世时的印度，由于文化思想的紊乱，政治社会的不安，以及战争的扰攘，人世的悲哀，在在处处，无不触目惊心。他以天纵的睿智，和英雄的雄姿，大可继承王业，开张国运，成为一代雄主。但他看清了人性的症结所在，要求对治解救，不在事功的凭恃，而在德业的化被，所以毅然薄王业而不为，离尘出众，任道求真，成为众生的教主，具足人生的光辉。他以舍弃小我，成全大我的救世精神，现身说法。大声疾呼"众生平等，佛我一如"，极力破除古印度顽固的阶级制度，和人类唯我自私的观念，这是何等的怀抱！何等的气度！可是他毕生的行教说法，但求众生自性自度，并非"好为人师"，企以教主自尊。与其不取，人皆予之，他寂灭后，佛弟子众，竟也尊之为导师，奉之为教主，这与他"无我"的初衷实在不相干，也是实至名归。虽然圣人无常心，以百姓之心为心，因为他只有施予，无所企求，所以千秋万代之后，决无时间空间的限制，凡日月光临的地方，永远有他慧命的子孙，为之顶礼膜拜以至无穷。从他个人出身的环境来说，在英雄与圣人的分界线上，他永远是先知先觉的前驱者！

　　二、以师道自任，启示众生皆具佛性。从宗教的立场来说，经典记载的教主释迦牟尼，如何累劫修持，如何万德庄严，以致受生成佛。种种神奇，历历如在，诚有不可思议者。若以现在世纪或未来世纪的眼光来看，除非把他永远范围在宗教门墙以内，供人崇拜，否则，反而堵塞人们进入佛门的通道，难免种种隔碍。我们研究佛的生平，便知他也是人，不是神。他由人至于超人而成佛，也从人位许多前因后果的教养完成，并非生知之圣，不待学而后能。而且他的断爱出家，弃王位以求道，也是经过娶妻生子的人生历程，他对父母，也力行人子应尽的孝道，甚至他也说过，孝顺父母，等于供养诸佛而无异。中国佛教，更着重"报四恩"，即报父母恩、国恩、众生恩（社会恩）、佛（师）恩。释迦牟尼以师道自任，揭示由人性的升华而至于超凡入圣的成佛作祖，要从人本位做起，如果人位的品格不备,希望一入佛门,便可得道证果,永为天人师表,那是非愚则妄,决非佛教本分。他揭示一切众生,皆具佛性,迷则为凡,悟则成圣,圣由自悟,不从他得,故必以彻悟的觉性,求证本际的真如,然后可与宇宙心物的生命根源,同具寂静,到此可了生死,可齐物我,这便是无上妙胜的如来佛境。

第三章　中国佛教的传播

第一节　佛教初传的情形

一、阿育王前后的佛教

　　释迦牟尼自创建佛学的教化以来,如推开经典上纯粹宗教性的记述之外,但从事理的衡裁以求史案的解答,对于当时佛教传播的实况与其势力范围,或者佛陀影响所及,可能拥有的地区与人数,那是很难确断的。我们可以认定,当他住世,和示寂后的一二百年间,佛教传播所及的区间范围大致是:北到喜马拉雅山的南麓,如尼泊尔等地;南至频阇山脉;西到摩头罗;东到鸯伽国。大致不出中印度与东印度之间,尚未超过恒河流域以外。但是亲受佛陀教化的,大约在数万人上下,这就古代印度人口数字的比例来讲,可谓声势浩大,足够轰动一时的了。

　　佛教真正的弘扬开展,除了佛弟子们的努力宣化外,仍须仰仗政治力量。在佛灭度以后的二百年间,印度出了一位历史上的名王,他的英雄事迹,可与亚历山大帝相抗衡的,便是世界史上有名的阿育王,同时他又是一位最虔诚的佛教徒,即佛教术语所谓的"大护法"。有了强力的政权作后盾,随着军事势力的推广,佛教的教化,自然就普及了。阿育王在位的时期,曾经在首府华氏城的鸡园寺,会集比丘一千众,以目犍连子帝须为上首,重新结集佛教经典,这就是佛教文化史上的著名的"华氏城结集"。而且相传他曾造作很多佛的舍利塔,甚至有神话的传说,讲阿育王所造的舍利塔,后来被散布到中国,举如浙江、四川等地几处寺院丛林的大塔,至今也仍附会传说是从印度飞来的,故称之"阿育王塔"。这当然是宗教心理的情感作用所使然,就不必深加追究了。

如征引史实,在阿育王所建立的第十三岩面的敕文上,便有这样的记载:"阿育王即位第九年,征羯羧加……既克羯羧加,乃笃护正法,归依正法,将弘播正法之教。……"又云:"王所领住于山林之蛮族,天怜愍之,原彼归依正法……盖天为一切有情安乐欢喜故,此最上之胜利,即正法之胜利也。正法之胜利,既行于王之领域,又及于邻邦六百由旬之远。如耶婆那(Yavana 即希腊)王恩提约科(Antiyoko)与条兰马亚(Turamaya 即 Ptoemy)、恩底开尼(Antikine 即 Antigonas)、马加、(Make 即 Magas)亚历斯大(Alikasadra 即 Alexander)四王所居……皆由阿育王宣说而随顺正法。"

根据这个敕文的记载,可见阿育王时代的佛法,业已盛行,传播到了印度以外的欧、非各国。例如:文中所说的恩提约科,便是叙利亚王安提奥卡库斯二世。条兰马亚,便是埃及王托勒密二世。恩底开尼,便是马其顿王安提戈诺斯二世。马加,便是西勒尼王麦伽斯。亚历斯大,便是伊庇鲁斯(Turfan)王亚历山大二世。敕文的后面又记载着曾派遣宣教师去到叙利亚、埃及、马其顿和伊庇鲁斯等国,其传播的盛况,如此可见。又据《善见律毗尼沙》卷二记述,当时派遣宣教师去的国家,有罽宾、犍陀罗(克什米尔、卑西亚瓦)、摩醯娑慢陀罗(南印度的孟索尔)、婆那婆私(拉齐布达腊)、阿波兰多迦(本齐亚布西部)、摩诃勒陀(贺壁及其南方)、臾那世界(阿富汗北部及东部)、雪山边(尼泊尔国)、金地国(缅甸沿岸)、师子国(斯里兰卡)。

阿育王以后三、四百年,佛教又渐渐盛行于中国、阿富汗、斯里兰卡等地,在印度本土反而逐渐衰落。公元前二世纪间,婆罗门武将富奢密多罗,篡代了孔雀王朝,大灭佛教于中印度,火烧寺院,杀戮僧尼,迫害摧残,不可胜计。但北印度的佛教,仍然屹立如故。

不久,中印度的佛教,又因劫余僧众的努力,稍稍加以恢复,可是内部分裂却发生了部派之争,大体形成于十八部之多。斯里兰卡的佛教,实由阿育王时代开始,以后明王相承,便成为他们的国教了。公元前二世纪,脱达加门尼王,开始建立佛塔,纪元一世纪,纪瓦达加门尼王,兴筑无畏山精舍,又书写口传的巴利文三藏。后来诸王,也都作了许多佛教的事业。

继阿育王之后,约当公元第二世纪间,印度迦腻色迦王兴起,佛教又复昌盛。迦腻色迦王本属月氏的后裔,后来渐次并吞西北印度及中印度的一部分。自信奉佛教后,发愿请世友、马鸣、胁尊者诸有学菩萨,聚会于迦湿弥罗城,结集经典,历十二年而成。唐代玄奘大师留学印度,归国所传的经、律、论三藏,前已言之,大多是此会的结集。此后第二三世纪间,龙树菩萨崛起于南印度,大弘佛教。第四世纪中,有无著、世亲兄弟俩弘扬弥勒学派,阐述唯识法相之学,名噪当时。中国留学僧东晋法显大师,就在公元四百十一年间,早于玄奘之前,到达印度。第六世纪中,有陈那、护法、清辨等论师弘扬唯识、空宗佛学。唐初玄奘大师在此诸师之后到达印度,求学于戒贤、智光两法师,及胜军居士处,但都渊源于唯识、空宗这两派的学说。同时印度有菩提流支、菩提达摩、真谛、阇那崛多、达磨笈多等名僧,都来中国传教,翻译经典也很多。第七世纪末,中国有义净法师,留学印度,滞留南海诸国,返国后颇有著述。第八世纪间,印度佛教渐衰,此时印度有善无畏、金刚智、不空三藏等,到中国弘传密宗教法。到了十二世纪,回教进入印度后,佛教徒多避地在南印度及中国西藏等地,从此印度本土佛教日益衰颓。

二、佛教传入中国的初期——汉末、三国时期

中印文化的交流,早在秦汉初期,已经有了迹象,佛教史乘所

称的秦始皇时代,因禁外国沙门室利防等十八贤者,入夜被丈六金
刚破狱救出的记述,一般学者的考据,认为并不可靠。事实上,古
代印度"沙门"的称呼,并不限于佛教徒的比丘,这些人或者就是婆
罗门教徒与瑜伽术士之流,这是非常可能的事情。因为秦汉之间,
道家方士的法术,多半与婆罗门教或瑜伽术有互通之处,所以可以
旁征中印文化交流的时期,可能远较佛教传入为更早,当然那是初
期接触、非常稀少的事。佛教的传入,旧史著录,都以汉明帝时代
开始,因明帝夜梦金人,遣使蔡愔等十八人,西去求经,到大月氏
国,便遇迦叶摩腾、竺法兰两位法师,迎归洛阳,安置在白马寺,并
译出《四十二章经》,藏于兰台石室,是为佛教传入中国的开始。以
现代学者的考证,人言各殊,认为这是一件不可靠的疑案。最足征
信的记述,而且有史料可考的,当在汉末和三国时期。汉桓帝时,
有安息国沙门安世高来华,月氏国沙门支谶到洛阳,各译佛经数十
部,共一二百卷。灵帝时,印度沙门竺佛朗也到洛阳。极力提倡佛
教,主张与中国文化调和的名著《牟子理惑论》,便是这一段时期的
著作。此后沙门康僧会,月氏籍的名士支谦(受业于支谶的弟子支
亮)等,都是学问渊博,为朝野所宗仰的人。他们弘扬佛学,先后居
留在东吴,为孙权政府的上宾。

　　他们当时都通晓中文,极力从事佛经的翻译工作。曹魏在嘉
平年间,因印度名僧昙柯迦罗与昙谛的倡导,开始建立中国的佛教
制度,以及出家受戒的规范,这是佛教戒律正式传入的开始。

　　在汉末与三国时间,佛教经典与初期佛教的规模,虽然源源传
入中国,但与国内固有文化的思想,和儒、道两家的学说,显然有过
激烈的竞争,这便是中国文化,遭遇外来思想的刺激,引起思想史
上轩然的大波。而民间自由信仰佛教,却日益增盛,知识分子也逐
渐在将近百年间,接受了佛学思想,因此便形成了两晋时期的玄
风——玄谈的风气,致使南北朝六代之间,将近两百年来,中国文
化和政治的命运一样,都在支离矛盾中,度过漫长的岁月。从历史

发展的角度来说,那个时期并不是佛教文化影响中国历史局面的转变,实在是因为政治的转变,和战争的影响,使佛教文化变成那个时期中国人的应时礼品。这在民间和知识分子(包括朝廷与士大夫)阶层间,各有一种潜在的因素。归纳起来,约如:

(一)民间的信仰。因长期战争的结果,民不聊生,人事的努力,解决不了饥馑苦难的生活。天道既不足凭,生命也无保障,恐怖、悲观、厌世的情绪充斥。正好在这个时候,佛教思想汹涌输入,生前身后,善恶业力,促成三世因果的报应,和天堂地狱间六道轮回的传说,使人们更相信命运的安排,是由于前生业力的造就。因此在乱离的世局中,很快传遍了佛教的观念,人人信仰它可得身心的自慰,佛与菩萨的原义,就一变为与传统神祇的信仰相同了。

(二)知识分子的皈依。自东汉党锢之祸以来,汉初儒家传统的学说,受政治和社会风气的影响,使人不能满足和信服。魏晋以来,知识分子的士大夫们,都纷纷寻觅思想的新方向,追求命运的象征之学,进入探索哲学的范围。并以旷达思想,崇尚个人自由,逃入玄谈的领域。其所宗奉《易经》、《老子》、《庄子》所谓"三玄"之学的思想,恰在此时,与佛教传入的"般若性空"学说相遭遇,因此一拍即合,更是变本加厉,便形成了遁世而逃入佛法的风气,尤以士大夫阶层,所谓知识分子的名士为然。

基于上述两点因素,使佛教在中国,普遍地传布开展,但真正使佛教在中国奠定基础的,还是靠北朝石勒时代的印度名僧佛图澄,和姚秦时代的鸠摩罗什,以及中国名僧道安、慧远、僧肇等数人的力量,才使佛教在中国文化中,树立了不拔的根基。

三、魏晋南北朝时期的佛教

从历史的发展来看,每逢时衰世乱,人心颓丧的结果,不是倾向现实,追求奢靡的生活,便是逃避现实,追慕高远的境界。我们试看魏晋南北朝时代的中国,由于政治局势的动荡不安,导致社会风气的颓丧,举如:外族的侵凌和思想的转变等等,无处不在刺激人心而使走向积极或消极的道路。正当北朝石勒称王,嗜杀好货,野蛮成性时,而印度名僧佛图澄,便在此时进入中国,在后赵石勒的区域,宣扬佛教的慈悲教化。佛图澄除了宣扬教理以外,唯一特点,就是曾显示了许多神通,不但使石勒信仰而减少杀机,同时也使很多人相率信服不已。并且他又传授佛学的修证方法,提倡安般守意(安静、调息、守意入定)的禅定法门,使人们在相信佛教学理之外,又有确实修持方法可循,与中国道家的养生方术,可谓相得益彰,而有异曲同工之妙。在佛学谈空说有的口头理论以外,确有神通、禅定的实证方法和事实可凭,这也是佛教由佛图澄而大肆开展的最大原因。后来他的中国弟子道安法师,又是学问博洽,兼通世务,德重当时的学者,而中国佛教净土宗的开山祖师慧远大师,也就是他的得意弟子之一。

四、净土宗的创建

慧远大师,雁门贾氏子,少为儒生,博览群书,尤其深通《周易》、《老》、《庄》三玄之学,并习道家方术,后因避乱南下,从道安法师出家。因爱庐山的风景,便邀约当时名士,如陶渊明、刘遗民等人,会结白莲社于山中,取《阿弥陀》、《观无量寿》等佛经为准则,专门提倡称念佛号的"南无阿弥陀佛",以祈求往生极乐世界的净土佛国,便成为后世净土宗的初祖。慧远大师净土宗的建立,可以说是形成中国佛教的真正开始,也是佛教富有宗教精神最显明的一面。归纳起来,促成庐山白莲社净土宗的原因,也约有两个因素:

(一)时代的趋势。因魏晋以来文化思想的转变,玄谈之学,已成弩末,致使求知者的欲望无法餍足。且因当时自由旷达之风,影响社会人心,由颓丧而变成放浪,以使政治更加紊乱,社会愈难安定。结果,逃世思想,日益增盛,知识分子的代表中,如陶渊明、谢灵运等人,到处皆是。慧远大师以悲天悯人的胸襟,邀约当世知交名士,遁迹山林,也是当时必然的趋势,例如刘遗民应邀入山的回信中就有:"晋室无磐石之固,物情有垒卵之危"的感伤词句,这就可见当时名士遁世逃佛的一般心情了。

(二)养生方术的选择。两汉、魏、晋以来,除了思想上的玄学以外,方士养生之说也大行于世,炼丹药以求神仙长生不老之术的风气,已经普遍存在。

慧远法师也学过老庄之术,终觉渺茫难凭,不是究竟的方法,于是仍须返求诸己,归到一心。他深通佛学性空的般若之理,而且学术传承为名匠佛图澄和道安法师的嫡派,深知后来求得实证的困难,便提倡精神超越升华的念佛法门,可以概括上中下三种器识的修持。即使此生不了,也可使灵魂得到超脱的境界。由于净土宗的创立,使佛教在中国,确定了宗教的精神和形式,而且一直到了现在千余年来,一句"阿弥陀佛",已经变成中国社会的流行口语,不管是精心修持或脱口的称引,到处都可听到国人所说的阿弥陀佛了。

五、鸠摩罗什与僧肇

姚秦时代印度名僧鸠摩罗什经西域来中国,大事翻译佛经,弘扬般若佛学,这是沟通中印文化思想,开展佛教文化的最大关键。他的出家弟子中,如僧睿、僧肇辈,都是当时中国的博学才子,他们师弟之间的学问和风度,影响于南北朝的学术界至深,最为当世所仰慕。尤其是僧肇著《肇论》,融合老庄的思想,倡"般若无知论","涅槃无名论"等,为中国哲学思想史和文学史上开创了千古的奇局和不朽的名作。道安、慧远师弟的佛学论著,受罗什的影响也很大。罗什的来华,是中国文化史上的一段奇迹,这个奇迹,说来却很辛酸。前秦苻坚时代,为了仰慕罗什的学问,不惜调派大军,并遣将军吕光率领西征龟兹,后来吕光闻苻坚兵败,据姑臧自称凉国,罗什为吕光所得。姚秦时代,吕隆来降,才使罗什进入中原。姚兴便迎居于逍遥园,事以国师之礼,翻译佛经三百余卷,参加译事的约有三千人,都由姚秦政府供养。从此名僧辈出,佛教声望日隆。由罗什东来译经的经过情形,可得如下四个结论:

(一)为了一位学者,不惜派大兵去征灭一个国家,辗转争得,这是有史以来的一件大事奇案。从好的方面看,这是尊重学术和师道的光荣。但从另一面看,也只有文化浅薄的人,才会做得出来,因为这也可以说是武力的劫持。不过千古以来,知识分子多半自相轻蔑,真正尊重知识分子而能爱才惜才的,还是一般所谓非知识分子的人,这差不多是历史上的定例。

(二)罗什的译经事业,是由一个政权所支持,才有这样伟大的成就。但他以外国人学通汉文来作主笔,由中国名士才子相助,使佛经的翻译,不但为佛教建立了特色,而且也为中国文学的体裁,开创了佛经文学的另一面目,这些经文,便是当时创作的语体文学,只是现代人读来,又变成了古文了。

(三)在罗什以前的佛教传播,大多靠神通来显化,到罗什东来的时期,才使佛教哲学,与儒、道两家分庭抗礼,变成中国文化学术的一派巨流,以后才有儒、释、道三家之学,构成中国文化全貌的总体称谓。

(四)因罗什东来的影响,出家为僧尼的人数增加,品类不齐,颇多竽滥,才使姚秦政府,设立僧正职位的僧官,专门管理僧众。以后便因袭成隋唐以下的历代僧官制度,犹如现代的宗教司。

六、道生与涅槃佛性

在这段时期,佛教文化的传人,都从西北一路而来,中国文化的中心,也都在黄河南北一带,南方的学术思想,仍逗留在老、庄、孔、孟的范围里。而且佛经翻译还不俱全,例如《涅槃经》在此时,只译了一半,意谓极恶重罪的众生("一阐提"),不能成佛。当时道生法师,参悟哲理,便认为这是义有未赅而并非完全的佛学,自倡极恶重罪的众生,也具有佛性,到了悔罪自新时,便可成佛。并且首倡"顿悟成佛"的意旨,因此被佛教徒们群相攻击,不能在北方立足,便南来隐居虎丘山,自为石头说法。所谓"生公说法,顽石点头",这便是道生法师的讲经故事。后来《涅槃经》全部翻译完成,才证明他所说不错。道生这种思想的根源,实在也由《周易》、《老》、《庄》的三玄之学所开启,这也可见当时佛学思想与中国文化,概可相互引证发明,已至融通之境了。

第二节　佛教的鼎盛时期

一、隋唐时期的佛教

由汉末魏晋南北朝以来,学术思想的风气,一反两汉的朴质,普遍趋向于形而上的追求,佛教和道教的宗教学术,也便在这个时期,日益发达。儒家学说,依违佛道之间。复因南北朝以来帝王政权的提倡,佛教受到朝野的尊崇,无以复加。但由两晋到隋唐之间的佛教,大半仍随印度佛教方式,受中国文化的洗炼,在渐渐蜕变当中。到了南朝梁武帝时代,因他对宗教信仰,特别有兴趣,所以对佛、道两教,也都并存信奉,不过对佛教更有偏好,南朝佛教寺院林立,凡名山胜迹,多半有寺庙的建立,所以唐人杜牧《江南春》的题咏里,便有"南朝四百八十寺,多少楼台烟雨中"的名句。可是这还只是指大江南北附近的佛寺而言,至如黄河南北的佛教建筑,尚不包括在内。与其说南北朝的文化思想,是玄学的时期,毋宁说是宗教文化思想的时期来得恰当。在梁武帝和北魏武帝时代,印度佛教的教外别传,禅宗第二十八代祖师菩提达摩由海道到达广东,东来中国,与梁武帝一度对话不合,便渡江而北,隐居在嵩山的少林寺,面壁九年,这便是禅宗传入中国的开始。自初唐以后,禅宗大兴,使佛教一跃而变为纯粹中国化的佛教,慧远大师创立净土宗,和菩提达摩传入禅宗,可以说是两件大事因缘。因为学术思想,和政治因素的交错为用,使南北朝六代以来,中国的历史文化,陷在一个非常紊乱的局面。因此隋唐之间,有文中子——王通的讲学河汾,综罗洗刷儒、佛、道三家的学术思想,开创初唐以来的唐代文化。这个时期,隋有智颢大师正式创建了佛教的天台宗,以禅那的"止观"为佛教实证的方法,用三种止观的体系,统摄全部佛学教理,开始分科判教,对佛学传承,作系统的批判整理。智者大师著有《摩诃止观》一书,应是中国佛教第一部佛学导论或概论的巨著。后来宋代永明寿禅师等所著的《宗镜录》,算是第二部佛学导论的巨著。

1.唐代建国的初期

以唐太宗的英明雄略,辅以初唐开国时期的文武将相,大多都是博识之才,加以接受了六朝以来的政治经验和惨痛教训,对于宗教的态度,无论为佛教、道教,甚至景教、袄教,都是一律优容,任由全国上下,自由信仰。在政府的体制里,僧有僧正,道有道箓,等于已经设立了各个宗教的专门管理部门。这时在中国文化史和佛教史上最大的一件大事,便是玄奘大师自印度留学回国,唐太宗为他设立译场,集中国内学僧与文人名士数千人,参加佛经的翻译工作。太宗一面尽力提倡宗亲教主的道教(道教奉道家的老子为教主,老子姓李,与唐同姓),一面也笃信佛教的宗旨,而且对玄奘大师,敬爱有加,几次劝他还俗出任宰辅,都被玄奘大师所婉拒。因玄奘大师唯识法相的弘扬,使印度后期佛教哲学,和大、小乘的经典,在中国得到广泛传播。同时因法藏(贤首)大师建立华严宗,使佛教更为兴盛。随天台宗以后,复因华严宗的观点,对全部佛教教理,有更进一层的分判。接着道宣法师极力兴起律宗,佛教戒律的确立,和中国佛教的规范,便从此奠定,基础稳固。随之而来,三论、俱舍、成实等佛教宗派,也欣欣向荣,争放奇葩,各自发扬它的门庭学系,形成中国佛教的十宗教派,有如附表:

宗派	印度宗师	中国宗师	创立时期	所宗经论	宗旨
净土宗	马鸣、龙树、世亲菩萨等。	慧远法师	东晋时期	以《无量寿经》、《观无量寿经》、《阿弥陀经》及《往生论》、《大乘起信论》为主。	以一心念佛,往生西方极乐世界为修证法门。
律宗	以佛说律藏为主,故以持律第一优波离尊者为始祖。	从昙柯迦罗(此云法时)之羯磨受法,为中土受戒之始。	曹魏嘉平二年	以《四分律》、《五分律》、《十诵律》等为主。	兼摄大小乘律学,以持戒证圣为宗旨。
天台宗		慧文禅师及其再传弟子智顗大师所创。	北齐、隋时期	以《妙法莲华经》为正依,《大智度论》为指南,以《涅槃经》为扶疏,《大品经》为观法。	以一乘成佛为宗旨,三种止观为修证法门。
成实宗	师子铠	鸠摩罗什法师弘扬	姚秦弘始十三年	采小乘诸部最胜教义及诃梨跋摩所作《成实论》为主。	以《成实论》为宗旨,以二十七位法摄贤圣修证之阶梯。

宗派	印度宗师	中国宗师	创立时期	所宗经论	宗 旨
三论宗	龙树菩萨	鸠摩罗什	姚秦时期	以《中论》、《百论》、及提婆菩萨所作《十二门论》为主。	破真俗二谛之执,显空、有不住之事理。
俱舍宗	世亲菩萨安慧论师	真谛三藏玄奘法师	陈文帝天嘉四年真谛三藏译旧本《俱舍》、唐太宗贞观七年玄奘译新本《俱舍》。	宗《四阿含经》等,并以《俱舍论》为正依,另以《婆沙论》、《阿毗昙心论》、《杂阿毗昙心论》等为主。	本宗以玄奘所译世亲菩萨所作《俱舍论》为宗旨,立七十五位法以摄心色等等事理。
禅宗	迦叶尊者	菩提达摩	梁隋时期	《楞伽经》、《金刚经》。	以教外别传、不立文字、直指人心、见性成佛为宗旨。
华严宗		杜顺和尚所创,贤首(法藏)大师弘扬之,故又名贤首宗。	陈隋时期	以《华严经》为主。	以《华严经》四法界、十玄门之学为宗旨。

宗派	印度宗师	中国宗师	创立时期	所宗经论	宗　旨
法相宗	弥勒菩萨、无著菩萨	玄奘三藏法师盛弘于中土	唐太宗贞观年间	以六经十一论为主。六经为:《华严经》、《解深密经》、《如来出现功德庄严经》、《阿毗达磨经》、《楞伽经》、《密严经》。十一论为:《瑜伽师地论》、《显扬圣教论》、《大乘庄严论》、《集量论》、《摄大乘论》、《十地经论》、《分别瑜伽论》、《辨中边论》、《二十唯识论》、《观所缘缘论》、《阿毗达磨杂集论》。又有以五经十三论为主之说。	明万法唯识之妙理
密宗	龙猛菩萨	又有东密(由中国传入日本)、藏密(西藏密教)之分,唐时善无畏、金刚智、不空东来弘传,莲花生大师入西藏弘传。	初唐时期	以《大日经》及《金刚顶经》为根本所依。	亦称真言宗,立十住心统率诸教,建立曼荼罗,身口意三密相应,即可由凡入圣。

2. 禅宗的改制

由于初唐时期文化思想的博厚雄浑,佛教学者的名僧辈出,他们都以才堪大用的资质,从事于弘扬宗教的事业。使中国佛教真正开展的,应该归功于唐代。到了唐高宗与武则天时期,正好当佛教学僧们钻进佛经学术的注疏、述论的牛角尖,多数佛教名匠的博雅学者,大阐其佛学义理,和相率走近了迷宫似的唯识、法相之学的时候;禅宗忽然崛起,以教外别传、不立文字、直指人心、见性成佛相标榜,极其适合中国人的简朴,和唐代思想学风朴实浑厚的要求。而且在遍地都是佛学学者的情景里,禅宗又出了一位目不识丁的大匠——六祖慧能。他在广东曹溪,对平民社会大肆弘扬不立文字、见性成佛的宗旨。同时还有他的同学师兄神秀,在武则天的王朝里,被尊为国师的地位,也大弘其禅宗的佛法。神秀大师的学识很好,他的禅学,是以渐修为主,因为唐朝宫廷及士大夫的崇奉,禅学在从政的知识分子中极为普遍。慧能大师的一支,是以顿悟为主,因为他出身平民,不依文字,说法都用通常的口头语,使高深难懂的佛学,完全脱离酸腐的头巾气味,一变而为纯粹通俗的平民哲学,所以禅宗的宗风,便如风行草偃,大为畅兴。他们师兄弟在初唐时期,对于朝野的影响,形成南北上下两股交汇的巨流,自然要冲击到今后学术思想的转变,形成别开生面的光华了。

慧能大师一支的禅宗,以后便风行全国,我们尽可强调地说:"请看唐室之域中,尽是禅宗之天下"了。自他再传以后,便有马祖道一禅师,和他的弟子百丈禅师二人,毅然改制,把佛教传入中国以后的规模,一变而为中国式的丛林制度。当时百丈师徒,被佛教徒们骂为破戒比丘,极尽诋毁讥评。殊不知以后佛教之所以能够长久传布,却全靠这个制度而存在,其规制的流传,时至今日,并为国内外的佛教寺院所仿行。而且这种制度,影响后来中国社会,政治体制,都有很大的作用。禅宗丛林制度的特色,约有四点:

(一)改革佛教徒僧众们以乞化为生的依赖性,以集体从事农业生产,达到自给自足的经济制度。

(二)集中修持,以导师制来领导学者,从事知行合一的实证佛学。

(三)消除刻板的宗教迷信仪式,以身心实践求证,完成人性佛性的心佛平等,集体教学的目的。

(四)以适合中国文化和国情的清规,取代一部分印度化的戒律,建立群众和个人行为道德的标准。所以宋代大儒程伊川,叹为"三代礼乐,尽在是矣"。

一般说慧能大师一派禅宗的兴起,是佛教的革命。其实真正佛教的革命性史实,应该推尊于百丈禅师的改制才对。关于丛林制度的研究,拙著有《丛林制度与中国社会》一书,在此暂不多作介绍。

3. 密宗的兴起

唐代的佛教,自禅宗的崛起,使佛教成为一个纯粹理性的宗教,变成中国文化的巨流。此外,还有初唐时期,由北印度传入西藏地方的密宗;和中唐时期,由中南印度传入中国的密宗,也是中国佛教史上一大转变。印度佛教有密宗的兴起,依据比较可靠的史实,实在是在后期佛教学说,综合般若中观与唯识的佛教学理,融合印度固有的婆罗门、瑜伽术的修持方法,所形成的一个兼容古今修证方法的宗派,而且和释迦牟尼住世时代所说的修证方法,大有出入,这是一个非常驳杂与繁复的问题,一言难尽。总之,在唐太宗开国的时期,西藏王松赞干布要求内地文化的传播,只因唐太宗的宰相房玄龄一念之差,没有准许他的请求。后来除了答应下嫁文成公主,带去部分的佛经、佛像,和跟去几位道士等以外,始终没有重视文化的传播。一个政治措施的影响,岂但只为"百年大计",同时也要顾及"远垂千古",此于后世史家或读史者所见得失成败之效,概可客观判定的。西藏地方从此便转向印度,以乞求文化的传播,最初请了几位名僧入藏,开始传播佛教文化,模仿梵文而制立藏文。跟着便有密教大师莲花生的入藏,弘扬密宗的教法。于是西藏便在唐代以后,完全成为佛教密宗的佛土,而且演变为政治宗教合一的特别行政区域。历宋元明清以来,密教在西藏的传承,始终不衰,中间虽然难免也有内部派别之分,但其密教形式,并无多大变更,一个高居雪山北麓的高原,历一千四百余年,成为佛教文化的世外桃源,这也算是东方历史的奇迹。西藏的密教,由原始的宁玛派(红教),后来又分出迦举派(白教)和萨迦派(花派)。到了明代永乐年间,有青海人宗喀巴者,自幼在西藏出家,学成以后,又创建黄教。以后他的四大弟子,历代都以转生的传统,分据西藏、蒙古地区,宣扬教化。在前藏的达赖,和后藏的班禅,都成为政教合一、以教统政的法王。而章嘉与哲布尊丹巴在内、外蒙古,也都各自世世转生以传续他们的法统。但他们历代都承受中国帝室的封号而尊为呼图克图(具有大师、活佛等意义)。中国内地,在唐玄宗时代,有印度密宗大师善无畏、金刚智、不空,世称"开元三大士",传进密宗的教法,他们都有一部分的神通,对传教更为便利。那时除了禅宗以外,最富于神秘色彩,而且有新奇刺激性的,就莫过于密宗的佛法了。所以朝野竞习,不久便流行于中国各地。到了元朝忽必烈时代,他尊崇西藏萨迦派的密教大师发思巴为国师。那时发思巴只是十五岁的少年,不但学问渊博,而且具有许多神异的奇迹,他仿照藏文为蒙古制立文字,随着忽必烈进入中原,便奉密教为国教,甚至元朝历代帝王就位,都要先经喇嘛的灌顶仪式,宫廷和民间秽迹,普遍流行,从此禅宗和其他各宗派,也大受影响,因此南宋末代的有名禅宗大师高峰原妙,便宣布闭死关,足迹永不下山了。到了明代永乐时期,认为密宗是不经之道,便有放逐的措施。因此由开元三大士传入的密教,便流传在日本,世称"东密"。西藏的密教,也因宗喀巴大师的整理,而于全藏建立了黄教的规模,只有在西康与西藏的边境,还流传着原始密宗的教法。这便是世称的"藏密"了。

二、宋元明清的佛教

1. 宋代佛教儒化的理学

由中唐到五代的一段时期,中国文化的哲学思想,文学风格、艺术和生活,都陶冶在禅宗的韵味中。禅宗本身,也在中唐、晚唐、五代之间,另建立了五家宗派,各有教授的方法,如临济、曹洞、云门、沩仰、法眼等。这时禅宗的学风,也如南北朝的玄谈,可以先后媲美,第一流的人才,多半逃禅入佛,当然这有许多政治与社会因素的背景,才形成那个时代的风气。欧阳修撰《五代史》,认为五代无人物。王安石却认为他的观点不对,说是五代的人才,都入禅宗的网罗之中,这倒是有相当的理由。因此到了宋初开国的时期,上有宋太祖赵匡胤,下有宰相赵普和后来范仲淹等的提倡,有宋一代的儒学,一变而有理学五大儒等的兴起,这便是说明一个文化思想传统,积久成弊的反正。宋代的理学家,接着唐代韩愈、李翱等的启发,经欧阳修等的领导,突然崛起于千余年之后,号称直承孔孟心法,在汉唐的儒学以外,别树一帜,不须讳言,那是受到禅宗的影响,并也渗入老庄思想的成分,这才构成一番宋儒的面目。换言之,宋代的佛教,已由佛而入儒,因禅宗而产生理学,这是中国文化史上必然的演变,也是佛教文化与中国文化融会的成果。当汉末、魏、晋、南北朝、隋、唐、五代以来,佛教虽然已成为中国的佛教,但儒、释、道三家的互争学术地位,与三家同源的思想,在历史上,一直没有停止它的运动。到了南宋末期,禅宗大师们大谈其儒家学理,而且佛学儒化、儒学佛化的迹象,已经非常明显,所以宋代理学的产生,可谓由来已久,只是到了五大儒等手里,才算正式开始而已。

2. 元代的密教

因西藏密宗势力随元朝军事统治力量的推展,普遍渗入全国各地,据有宗教的特权,喇嘛们幻想政教合一的局面,全国各宗派的佛法,都受到极大的斫丧,从此各宗佛教,元气大丧,几至一蹶不振,只有禅宗在丛林制度的卵翼下,尚能存其微弱的传统命脉。净土宗因其平易近人,始终还能存在,而为民间普遍的信仰。

3. 明代的佛教

明代承元朝的余绪,到永乐年间,虽然放逐密宗,但因两宋以后,理学家的思想,已深入知识分子的阶层,又因朱明政权提倡儒学与朱注经疏,将它们定为士大夫进身的范本,在明代三百年间,作为佛教唯一权威的禅宗,也难与理学相抗衡,只好故步自封,它的传统也是不绝如缕。晚明垂末,理学家的王学大行,佛教人才衰落,僧众良莠不齐,难以重振唐、宋时代的声威。到万历时期,先后产生佛教四位名僧,如憨山(德清)、紫柏(真可)、莲池(袾宏)、蕅益(智旭),佛教界称之谓"明末四大老"。他们都是深习儒家学说,后来宣扬佛教的思想,也都是儒佛同参,互为依傍。憨山大师因名位过高,牵涉宫廷争立太子的案中,被贬到过潮州,他一生著作等身,门弟子编辑其全部著作,自题为《梦游集》,其中有佛化言儒的《大学》、《中庸》直指,佛化言道的《老子》、《庄子》注等。莲池、蕅益两位大师专弘净土。而蕅益的著述,也有佛化言儒的《论语点睛》和《周易禅解》等书。紫柏因争立太子案牵连,在狱中坐化。明末佛教的命运,也随帝室的兴衰而日趋没落。在明清交接之间,还有一位有名的诗僧苍雪大师,为明末志士遗老们的方外密友,以阴助他们匡复明室的活动。

4. 清代佛教的衰落

清代入关之初,西藏密宗黄教的祖师,第五代达赖,已经在明末时期,潜与满人有了默契,同时满人为了牵掣蒙古,联合满蒙的力量,也极力崇敬章嘉呼图克图。所以满人入关之初,便册封达赖、班禅,又尊奉章嘉十四世为国师。自顺治至康熙,都与蒙藏两地的密教,有息息相关之妙。顺治虽然也从玉琳国师学过禅宗,但并不因此而改变其羁縻喇嘛,推崇密教的政策。无论为政治的需要,或宗教的信仰,初期的满清,是偏向佛教的密教的。到了雍正年间,因他本人在藩邸的时间,曾经与迦陵性音禅师等相往还,有过一段不算短的时间,专志参究禅宗,自己以为已经大彻大悟,认为迦陵性音的禅是不够的,倒是推崇章嘉十四世国师,说他是一位真知灼见的见道者。等到他就职登位的时候,以一代帝王之尊,在深宫内院领导和尚道士参禅,自称为"圆明居士",也是一代禅宗的大宗师。并且屡下诏书,大弘禅宗的临济宗派,废除明末以来密云圆悟禅师旁门的汉月法藏禅师法统。命令天下禅师,可以随便找他谈禅论道,决不以帝王的尊贵自恃。同时又下诏书,训诫和尚们不可学作文章诗词,要以专心修道为务。据传,中国佛教徒的出家僧众,受戒时在头顶上灼烧戒疤,便是他的杰作。因为他信仰佛教,大发慈悲,准许天下士庶,自由出家。但又恐明末的志士遗老,混迹其间,难免掀起匡复的工作,便在出家人的头上烧疤,以资辨认,同时也是防止乱源的办法。是有意或无意的作为,一时还难考证,但是佛教徒出家的滥觞,确从清初开启厉禁,为始阶,可谓"爱之适以害之"了。乾隆一代,承皇室传统习惯,也笃信佛教,他是专修密宗法术的专家,到了他退位为太上皇时,更加虔诚,临死前还口念咒语不绝。嘉庆以后,因欧风的东渐,西洋文化思想,随教会以俱来,佛教的命运,也随时势的推移,而大有转变了。

结　　论

佛教传入中国,自汉末历魏晋南北朝三百余年间,可以说为中国学术思想,注入了新的血液。也可以说引起中国学术思想,经过一段相当长久的纷争。但佛教在中国史上,自始至终,没有直接影响到政治的作用,在隋唐之间,只有为争取学术地位的师道尊严,经过几次辩论,结果被历代帝王政权所承认,对于出家僧众,在宗教地位上，始终以师道相待，彼等对帝王，可以长揖问讯而不跪拜，这个传统后来一直延续到清末。初期佛教，人才辈出，尤其在隋唐五代宋之间，历代高僧，都是学识淹贯，渊深通达之士，盛唐之间，有几次以考试佛学经论，选拔出家僧众，史称"某某和尚，以试经得度"，便是这个制度，所以出家僧众，素质也比较优良。但在唐玄宗时代，政府也曾用鬻卖"度牒"（出家僧众的凭证）来充实财政经费，等于清末科举功名的捐官或捐监。总之，佛教在中国政治史上，因高僧大德们的注重教化，从不干预政治，所以向来都被优容尊敬，任从民间自由信仰。虽然在佛教史上，曾经在南北朝与唐代，发生过"三武一宗之难"，仔细研究历史，平心而论，也不全属帝王的政治见解，或为纯粹的宗教斗争，而当时佛教徒本身，实在也有许多问题。例如，唐代名儒韩愈的辟佛，详细研究史实，和他流传文章的思想，与其说他有严格排除佛教的观念，毋宁说是因佛教徒的作风，引起他的反感。当然政治主张的措施，也是很大的因素之一。不过他曾与佛教名僧如大颠禅师等，作方外好友，这也是事实。可见论事论人，极难轻下断语，不可遽从成见。倒是宋徽宗一度排佛，的确完全是受了道教的影响。此外，佛教在中国史上，一直与儒道两家，互相消长，此起彼落，形成中国文化思想儒释道三家的巨流。

至于佛学思想，尤其是禅宗风格，在中国文化方面的贡献，影响极大，而且功多于过，美不胜收。例如政治、社会、哲学、文学、建筑、艺术、图绘及雕塑，乃至如中国人的生活艺术，食衣住行，已经到处都充满着禅佛的余韵，甚至影响日本更大。略举学术和文学方面的贡献来说，自曹魏时代，曹子建因听梵音，自制"渔山梵唱"，便为中国音韵学与音乐，别开生面。鸠摩罗什师弟创建佛教文学的风格，南北朝间因翻译佛经，高僧们发明韵声的反切，为中国音韵学的滥觞，千余年来一直沿用不衰，再变而有现在注音符号的出现。梁朝沈约所整理的声韵学，刘勰对批评文学的伟大贡献而有

《文心雕龙》的著述,都是渊源于佛教的熏陶。陆羽的《茶经》,唐代一行大师的阴阳术数,宋代程明道太极图的发现,都与佛教有莫大因缘。少林寺的武术辅助唐太宗平定天下,元朝耶律楚材对医学的贡献,刘秉忠的默化元朝君臣,施仁戒杀,明代姚广孝劝阻永乐的暴戾,这些都是历史俱在的一般贡献。有关艺术的贡献,举其荦荦大者而言,如云冈石窟、敦煌壁画等,都是举世皆知的事迹。总之,佛教因历代高僧大德学养的优越,使佛学思想影响中国学术与文学颇多,试看历代文人学者的专集,不与佛教高僧有关系,不掺杂少数佛学的思想的,可以说是极其少数的事。且如清代女诗人蔡季玉所作:"赤手屠鲸千载事,白头归佛一生心"的名句,它正透露了过去中国一般知识分子之所蕲致,最高思想的归趋,和最后人生的境界,也自充满着禅佛的余韵。这是具有权威性的代表意义的!

第四章 二十世纪的中国佛教

第一节 清代以来佛教的衰败

一、宗派的没落

自十七世纪的中叶,清朝入关以后,佛教虽然仍被敬信,但是清廷为了笼络蒙藏地区边疆民族的关系,对密教的佛法,尤极尊崇,这自元朝以来,已经相沿成习,且为国家政策的一贯传统。内地的佛教,自雍正以后,禅宗一派,在丛林制度的庇荫下,其法统的传承,有形式的保留,但实际上,已是一蹶不振,只有净土宗还能保持昔日的阵容,普遍流传于民间社会。此外,如天台一宗,也是若隐若现,不绝如缕。华严、唯识等宗,大多已名实不符,附和于禅宗、天台、净土三宗之间。这是当时佛教的一般概况。

我们如就佛教学术的盛衰,及其学术的立场,严格说来,到了明末清初阶段,佛学在中国学术思想史上,已经盛极而衰,而且因理学的阳明之说大行,明末少数禅师和法师们,虽然身为僧众,有些还是从阳明之学才理解到佛法的心要。所以,从清初到以后三百年间,(一)士大夫们,竭诚致力于匡复大业,大多专志于经世实用之学。出家的师僧们,在佛学见地上,又无特别的创获,所以佛学在知识分子间,不能再有唐宋以来的声望。(二)佛教本身,人才衰落,极少有如唐宋高僧的嘉言懿行,以为风世的楷范。到了清朝中叶以后,许多号称禅宗的大和尚们,为了虚誉,为了流传,剿袭历代禅师的语录,闭门虚构一些所谓"语录"的"传家之宝",吩咐后代法子徒孙，争取编入《大藏经》，以为光荣。比较稍具学识的名僧，则又竞相入京，奔走权门，纳交官府，一意攀高结贵，希望求得皇帝的封号。如果能够得到一纸诏书的敕封或称号，便可以国师自命，而夸耀于善男信女之间。所以民间俗谣，便有"在京和尚出京官"的感叹了。这种风气，由明末开始，到雍正时代，已经相当严重，因此雍正一再下诏，切责师僧们不必学习诗文，一心只想以文字因缘，与士大夫们来往。他说："你们作诗再作得好，总也比不上我们翰林学士们，既然出家为僧，便应努力修行证果，何苦与文人们争取文名呢"！这些倒是很诚恳的老实话，决不能因人而废言了。有清一代，专重真参实证，以打坐参禅相标榜的，以南方的金山寺和高旻寺两大名刹最为有名。他如天童、育王诸寺院，比较已在其次。

二、师僧和寺院的变质

因为唐宋以来丛林制度的遗荫，全国各地，无论庵、堂、寺、院，都有相当的私产，如山林，如寺田，产业数目，相当可观。民国初年，有人作过初步的调查，认为如果集中佛教的全国寺院财产，大可富埒天主教，可与罗马教廷的财富相媲美。虽然调查未必准确，然其资财的富有，为不争的事实，由此殆可以想见一斑。但自明末以至清代，这个本来完美的制度，已经产生很大的流弊，全国各地，除了少数有名的几个大丛林寺院，还保留着它的"共有"、"共享"制度，而为公天下的"十方丛林"以外；有些地方寺院，已经一变而为"子孙丛林"的私天下了。所谓"子孙丛林"，便是师徒历代传授法统，同时也授受了本寺资产的管理权。如果一师数徒，他们也同世俗人家一样，分为数房，如大房、二房等房份，以次递分，争权夺利的事情，也处处可见，因此师僧结交官府，称霸一方的也不少。除了"子孙丛林"以外，在教内的术语，还有"小庙"，"小庙"的南方僧众,又有"禅门"与"应门"的分别。所谓"禅门",讲究清修;所谓"应门",专作佛事。他们念经拜忏,乃至荐亡送死,藉此赚些报酬,聊资糊口。至于招收皈依弟子,造成信众的派系等,已经不在话下。我们回溯往史,释迦牟尼昔以充满慈悲的宏愿,创为救世的佛教,如今已是自救不暇,衰颓到了极点。所有宗教,大约都不许违背良心说谎话,所以我写到这里,也只好实话实说,俾明大概,以为有远见的佛徒们,对佛教的兴衰成败,作一策励的检讨和反省的惕勉。

第二节　清末民初佛教的复兴运动

中国的佛教,自隋唐以来,便已成为中国文化中鼎足而三的儒、释、道三大主流之一。因随历史演变,由于朝代的递嬗,而有盛衰的起伏,直到上世纪末和本世纪的现在,这个递延原前,还是一仍旧贯,好像并未更变。在近代史上,自中英鸦片战争开始至中日甲午战争以后,中国因为受到一连串丧师辱国、失地赔款的惨痛教训,使安贫乐道、袭故蹈常的国人,深受外来刺激,这才一梦惊醒,从此便注视西洋文化,渐渐对于西洋文化思想,也转变观念而加以探究。跟着,西洋文化,就相继进入中国。而初期来华的各国教士,他们一面宣扬天国的福音,一面传播西洋的学术,究其行动背景,不无侵略色彩,所谓文化侵略,原系挟其帝国势力而来,这在当时情况,也是势所难免。清廷国势衰落,既已暴露无遗;同时西洋人根本也不明白中国几千年来的文化遗产究竟有些什么,所以把中国人也一律看作落后地区的野蛮民族一样,这种歧视扞格之处,到目前为止,中外两方,还没有充分了解和完全消释。这是东西方人类文化交流史上一大障碍,因此障碍而造成西洋人在中国人的历史地位上,有了许多难以估计的损失。现在虽然于发掘研究之余,渐有较佳的体认和好转的迹象,但其前途的成就,还待历史的考验。

　　我们对于文化历史，有了整个认识，然后简单述说二十世纪的佛教，才能顺理成章，可以鉴往知来。兹就"二十世纪的佛教"，试论撰为：（一）中国佛学的复兴。（二）中国佛教的演变。（三）世界佛教的动向。分述如下：

一、中国佛学的复兴

　　关于中国佛学的复兴，就事论事，首先应该归功于佛学大德的学者居士们。因为在上世纪末和本世纪初，肩负佛教传统家业的僧众们，也如清朝政府一样，都是不明世界大势，闭关自守，故步自封的一般人物。只有知识分子的学者居士们，随着时代潮流转变，因温故知新，才能开启这个复兴的机运，而开启此一复兴机运的耆德元勋，如所周知，毫无异议的，首先应推石埭杨仁山先生。仁山先生，名文会，安徽石埭人，近代学者尊之为杨仁山大师。他的祖父与清廷中兴名臣曾国藩为同年，他在十几岁时，便随祖父见过曾国藩前辈。曾文正公当时一见便加赏识，劝他努力功名，他对文正公说：我不要求异族的功名。文正公只好一笑罢了，从此便很留意他，后来还吩咐他的公子曾纪泽，好好培植这个人才。到了曾纪泽出使欧洲，便请他帮忙，担任参赞的名义，实际上由他大权独揽。他在游历欧洲的阶段，极力留心科学。后来又到了日本，他得到日本佛学家南条文雄的帮助，使他发现了许多唐宋遗留在日本的佛学宝典。回国以后，便绝意仕进，立志毕生弘扬佛学。后来舍宅刻经，与他的弟子欧阳竟无先生，在南京成立著名的金陵刻经处，弘扬佛学的事业。所刻佛经与佛学要籍的版本，必力求精审，广事搜罗，详加厘订。一时风声所播，举如：戊戌政变中名列六君之一的谭嗣同，现代文化启蒙导师梁启超等前辈，乃至国学大师章太炎先生等，也都深受影响致力佛学。总之，仁山先生在清末民初之间，名重公卿，震声朝野，但始终为弘扬佛学而努力，毕生以居士身应化众生,可谓稀有难得。

后来继承杨仁山先生弘扬佛学的事业,有欧阳竟无先生。先生名渐,宜黄人,与李证刚先生等,皆游于仁山先生之门,可以说是佛学的巨子,佛教的龙象,学者亦尊称之为大师。他继仁山先生遗志,创办支那内学院,专门阐扬佛学的般若、唯识之学。从他门下的,有出家的法师们,有在家的学者们,如吕秋逸、熊十力、王恩洋、梁漱溟、黄忏华等,都是他的弟子。目前许多学者,大半也是他的再传弟子,或是间接受他影响的。内学院在抗战时期,迁移到了四川江津,竟无先生也在四川逝世。内学院所刊印的佛经及序文,都是辞章典丽,考据精详的杰作,这又大都出自吕秋逸先生所手订,他曾遍考梵文、日文等版本,其态度之矜慎,可以想见。这时在北方并以佛学大师出名的,还有韩清净先生,所以一般学者,便有"南欧、北韩"之称。

由杨仁山、欧阳竟无先生阶段,时代已经转入民国,也正是二十世纪的初期。受仁山先生一系的影响,在京沪一带专门从事佛学的弘扬事业者,便有了丁福保先生编纂的《佛学大辞典》,和梅光羲先生讲述的唯识,还有聂云台先生的护法,马一浮先生创办的复性书院,融会三教理论,专主禅理与儒家经学合参的门风,自成一家学系。但是可以认定,那些都是因为杨仁山先生直接或间接启发的关系。总之,到了民国初年,二十世纪的初期,中国学术界,对于研究佛学的风气,显见一反常态,特别勇猛精进,方诸雨后春笋,向阳花木,大有竞艳争发,茁壮滋长之势。这种风气,一直延续发展有四、五十年之久。

大凡一种学术风气的形成,必然有它时代意义的背景,即其前因后果,所谓"法不孤起",决不会无故幻出空中楼阁的。准此以论,关于二十世纪之(一)中国佛学的复兴,以及(二)佛学思想的趋向两课题。同样也会附属于一般法则,而有它势所必然的因果律的。

　　第一，有关中国佛学复兴的答案，质直地说，实在是受西洋文化思想刺激的反应。因为十九世纪的末期，中国人为了注视西洋文化思想，先由学习自然科学而发现西洋的人文科学和政治思想，因此便源源输入西洋各种政治主义的理论，新思潮便勃然而兴。为了探求政治思想，自然而然便要追寻领导政治思想的哲学，所以自希腊以来，西洋的各种哲学学说，也就源源而来。尤其此时新兴的唯物主义思想，有如滔天巨浪，淹没一切。这种新思想的进入，促使中国历史起了革命性的转变，一般知识分子，在学术思想上，因袭宋明理学，或者向来关门闭户，自寻烦恼地搞他三教异同的学说，忽然面对新近输入的西洋各种哲学理论，仓猝之间，便有瞠乎其后的错觉。因此一般富于民族意识，而且比较保守，又有较深国学修养的青年知识分子，在潜在的意识里，无形中便产生一种抗拒的力量。但反躬自问，传统的儒家学说，三千年来，一直被锢闭在道德伦理的圈子里，要想以纯粹思想，超越于西洋唯心唯物的哲学理论，便有理屈辞穷，难以发扬阐明之感。所以胸怀大志的杨仁山先生之流，到了日本，一经接触唯识法相宗的思想，发现其中涵有至高无上的形上哲学理论，可以统率唯心、唯物的思想，而其井然不紊的因明逻辑，以及道德伦理，乃至身心修证等学理的致密，抑且概所包容，于是便有"道在是矣"的感觉，不期而然地便投身于佛学的法海，发出觉世救人的大悲宏愿。自此风行草偃，凡是学问渊深，是非今古之间的学者，也就向慕不已，一时趋之若鹜，而风靡了中国学术界。在另一方面，比较倾向西洋文化的学者，当然也为数不少，至于主张调和论者，自亦大有人在。此系题外，可不具论。

　　第二，有关佛学思想趋向的答案，老实地说，他们的动机，开始原是要以佛陀的学理来统领东西方的哲学思想，后来愈钻愈深，不知不觉间，自己便变成一个虔诚的佛教徒，无形中走入宗教的不二法门，自然对于明清以来衰败的佛教本身，发愿要求整顿。因此弄得既不能救世，又无暇自救，结果还与佛教的出家僧众，无意中形成冰炭,势不相容,一直闹到居士弘法为"非法"的争论,所以更不能救起没落了的佛教,诚为可叹。例如杨仁山先生与欧阳竟无师徒二人,当时受佛教教内的歧视,几乎到了委屈不能求全,忍辱不能负重的为难境地,所以竟无先生后来在他的辟邪、昭正学说中,第六条目内,便有辨僧与居士可否弘法的谠论,由此可见当时杨仁山与欧阳竟无二位师徒间,所引起僧俗弘法的争议,非常严重。这个问题,直到如今尚弥漫在佛教徒的僧俗之间,就佛教言,实在是一重大的内伤。

从此以后,支那内学院的学风,又启一新的方向,例如竟无先生的弟子熊十力等,因学佛而不成,复慨于觉世牖民之道,全仗佛学未必尽然,便自重理旧学,开创糅合儒佛思想融通的学风。熊十力便将《易经》学理与唯识法相同参,自著《新唯识论》等书,与其师竟无先生决裂分庭,自成一家之言。至于他对易学与唯识学造诣的程度,其实有待商量。但自竟无先生的内学院一系以来,所有文字写作路线,都是以玄奘法师翻译唯识宗的笔调为格式,因此晦涩难通,形成风气,使"五四"运动以后,介于新旧文字的知识青年读之,大有高深莫测之感。于是自杨仁山先生至欧阳竟无再传而至熊十力以后,所谓"新儒家"、"新理学"的思想又形复活。

二、中国佛教的演变

由上节所述中国佛教的复兴,就可以了解二十世纪初期,清末民初佛教的机运。这时出家僧众的佛教徒们,虽然也已受到时代的压力,但他们始终还过着山边林下,"日出而作,日入而息,帝力于我何有哉"的寺院生活。其中既乏唐宋时代足以领导学术思想的禅师与法师们,对于时代的趋势,与世界情况的转变,不但茫然,而且根本不闻不问。到了民国元年(公元一九一二年),清帝逊位,民国肇造,袁世凯包藏祸心,阴图帝制,佛教本身,又鉴于外来宗教等有组织、有计划的传教行动，同时受政治思想的影响，才由当时享有盛名的诗僧八指头陀发起，召集全国僧界代表，在上海留云寺，创立中华佛教总会，议定章程。正当这个佛教会的组织呈请政府，尚未蒙批准立案的时期，袁世凯政府的内政部礼俗司方面，为了妥筹帝制经费，一眼便看中了全国佛教的寺产，所以在民国二年，便有提拨公私寺产的案件发生，八指头陀为此进京力争，始终不得要领，便愤激而死。因为盛名诗僧的以死力争，才由他生前的诗友们，如熊希龄、杨度等八人，对袁世凯加以辟说，因此中华佛教总会的章程，才经过国务院审定公布，佛教寺产，赖以少安。八指头陀，湖南湘潭黄氏子，法名敬安，字寄禅。少时孤贫，为了牧牛，未读书，不识字。常与王湘绮先生等当代名士为方外友，因苦行修持，忽然有悟，最初作出了"洞庭波送一僧来"的名句，如同宿构，湘绮先生等极为欣赏，从此便以诗名，以后历任国内名刹方丈，望重诸方。此后，国民革命尚未完全成功，自推翻袁世凯以来，又进入军阀割据的局面，兵燹余生，国内名山古刹，日渐侵陵，以为军阀兵马驻屯之地，大有"天下名山兵占多"的情况。这段时期，八指头陀的弟子中，能够续承遗志，而且比较具有现代知识的和尚，便是太虚法师了。他在后来的几十年中，不惜被人骂为"政治和尚"，决心为护教而努力，屡次整顿中国佛教会，创办僧众教育的学校，出版《海潮音》等刊物，实在为近代中国的佛教，作了许多值得敬重的事情。

太虚法师，浙江海宁张氏子，幼孤，十五岁即出家。潜心修持，善为诗文，故得结交当时诸名士，三十岁时，受革命和尚华山、栖云两人的影响，即参加广州方面国民革命工作。武昌起义，全国光复，法师觐见国父孙中山先生，并在金山寺组织佛教协进会，志欲整顿近代中国的新佛教。因此在当时佛教界中，便有革命新僧太虚大闹金山寺事件，名震一时。民国初年，又潜心修持，闭关于普陀锡麟禅院。此后三十年来，悉心致力于佛教的革新运动，到处讲学弘法，并主办僧众教育等事业。世界佛教联合的运动，也由他所首倡,民国十二三年间,他在庐山即独标世界佛教联合的宗旨,有日本名僧及日本佛学名家木村泰贤等与会,同时也有英、德、法、芬兰等国佛教徒参加。后来他又到日本各地讲演过佛学。此后,拟办中华佛教大学、世界佛学院等壮举,都因限于经费,未遂所志,而不果所行。在第二次世界大战的先后期间,他办过厦门闽南佛学院、武昌佛学院、汉藏教理院,培育新佛教的僧才,确也培植了许多出类拔萃的学僧,例如弘法与留学斯里兰卡的名僧法舫,就是他的得意弟子之一。战后,曾组团率众访问过东南亚各佛教国家。他的一生,对于整顿和振兴佛教的愿望,虽然尚未普遍见诸事实,但其愿力志事,的确值得钦佩。平生著作等身,纯疵互见,而其思想却极为新颖。他主张"人间净土",常有"仰止唯佛陀,完成在人格。人成即佛成,是名真现实"的口号,这是很具气魄也很有见解的中国新佛教的维新精神,应该算是他一生的名言,可供今后佛教徒的启发。此外,他主张发起世界宗教联谊会的运动,而且亲自参加其事,的确颇具远见,现代佛教界和许多教外人士,对他颇有微辞,甚至认为他是热心政治,或过于好名,其实都非定评。他实在可以说是一个苦行僧。我所谓的"苦",是指他的心志很苦,他想振兴佛教,热爱国家,那都是出于一片真诚。而他正生当新旧思想的交替和民主政治的新阶段,他过于热情,尚不能完全了解于世界大势,又缺乏真正的政治见解,对于积习深重的中国佛教,不循渐变的途径,想用革命的方式,促使骤变,所以弄得有愿未偿。例如,他所创办的新僧教育,影响也很远大,北伐成功以后,各省县市不但都有佛教会的成立,而且大多数县市也都有佛学院等的成立,间接直接都曾受他新佛教运动中僧众教育的影响。但新僧教育的结果,佛教师僧们,对于新时代的普通常识,比较增加认识,而对教义和修证佛法的工夫,反而愈来愈差,不如当初了,这实在也是新僧教育制度上一种最大的遗憾。

自八指头陀到太虚法师,都是适应时代需要,延续佛教慧命的先哲,这在现代佛教史上,应该可算为可敬的佛弟子,毕竟功多于过,是值得大书而特书的人物。此外墨守成规,依照佛法而以修持行为作一代规模的,在净土宗,有印光法师;天台宗,有谛闲法师;律宗,有弘一大师;禅宗,有望重山斗的虚云老和尚、号称当代禅门龙象峨嵋金顶的传钵和尚、万县钟鼓楼的能缘和尚、苏州穹窿山的道坚和尚、扬州高旻寺的来果和尚,这几位还都能保持宗风,卓然独立,而为佛法中的中流砥柱。这许多佛教耆宿,也都是当代的佛教大师中,品德庄严,或学问渊博的代表人物。由清末到民国三十七八年间,他们后先辉映,将近半个世纪,对于佛教风气,与知识分子及学佛人士等的影响很大。乃至男女老幼,名公巨卿,贩夫走卒,或多或少,直接的或间接的,都受过他们的感召,他们维系世道人心,默然辅助国家政治教育的不足,可谓功不唐捐,实在未可泯灭。除了上述的高僧名宿以外,各省各地也都有若干德行可风的和尚们,一时难以尽述。在以上所说的这许多高僧当中,尤其以印光、虚云、弘一三位大师声望之隆,名高一时。印光大师原是清末宿儒,在他未出家以前,本来也是崇尚理学,排斥佛教,出家以后,以平实教人,常以儒家孔孟做人的道理,作为学佛的津梁,以老实念佛为究竟的法门。他的文章言行,充满仁慈的气韵,有《印光法师文钞》等著述行世。虚云老和尚,更为万方景仰的大德,他的言行,自有专集流通于海内外,不必另作介绍。弘一法师,在未出家以前,以名士、才子,而兼艺术家,举如书法、绘画、音乐、诗词歌赋等,无一不精,而且飘逸出群。他出家以前的风流韵事,流传沪杭和东瀛日本的也不少。出家后,言行勤修,一衣一钵,严持戒律,使人望而起敬,曾在福州、泉州、厦门、温州等地,住过相当长久的时间。他的俗家弟子,有名画家丰子恺等,都受了他的感召,毕生作画,为弘扬佛法的慈悲戒杀而努力。此外,在南方江浙一带讲经说法的法师们,著名的有圆瑛、慈舟、应慈等法师;在北方,有倓虚老法师;在川滇,有昌圆、戒尘老和尚,同时都是倡导净土宗念佛的高僧。较为后起,弘扬东密的,有持松、超一等法师。弘扬藏密的,有能海、法尊等法师。此外,在民国初年以迄现在,由章太炎先生与"南社"诗人们烘托,擅长鸳鸯蝴蝶派的文字,以写作言情小说如《断鸿零雁记》等而出名,行迹放浪于形骸之外,意志沉湎于情欲之间的苏曼殊,实际并非真正的出家人。他以不拘形迹的个性,在广州一个僧寺里,偶然拿到一张死去的和尚的度牒,便变名为僧。从此出入于文人名士之林,名噪一时,诚为异数。好事者又冠以大师之名,使人淄素不辨,世人就误以为僧,群举与太虚、弘一等法师相提并论,实为民国以来僧史上的畸人。虽然,曼殊亦性情中人也。民国以来,佛教的活动,大概便是如此。但从显密两个角度来说,这些都是现代佛教显教的事迹,在密教方面,也另有一番风貌。

当民国缔造的初期,全国人士,遵从国父孙中山先生民族主义的号召,大家都了解汉、满、蒙、回、藏五族一家,都是炎黄子孙,因此沟通汉藏文化的风气,便应运而起。在政府方面,对于元明清三代以来就被崇敬的蒙藏地方的佛教或盛典,如达赖、班禅、章嘉大师等的名号,也循例尊封他们为呼图克图。举如班禅第十世、现在印度的达赖第十四世,两位活佛的转身坐床大典,在国民革命北伐成功,到第二次世界大战,中国抗日战争以后,政府都曾特派大员参加主持盛典,锡封如故,荣宠有加。而章嘉十九世,先后于抗战期间及以后入川与来台,历任国府资政的高位。民国初年在北平,抗战时期在四川,都有西陲文化院的组织。因此从民国初年以来的三四十年期间,西藏密教各派的高僧们,亲来内地弘传密宗教法,和内地的法师居士们,趋赴西藏求法的,互相往返于康藏之间,彼此行旅之众络绎于途了。其初西藏的喇嘛来内地弘法的,有白普仁尊者、红教的诺那活佛等;后来有白教的贡噶活佛、花教的根桑活佛、黄教的东本格西、阿旺堪布等,他们过去都是寸步不离康藏,自民国以来,便都亲来内地传法了。中国佛教,对于西藏密宗的佛法,自宋元以后,一直保持神秘的观念,即使学习密宗教法的,也大都限于历代帝王的宫廷大内,民间却极少流传。到了民国以后,神秘的封锁界线一旦开放,一般学佛的人们,忽然接触到这些向来被视为神奇的修持方法,便有晕头转向的趋势,许多崇拜神秘的人们,认为除了藏密才有真正的即身成佛之路以外,其他的佛法,虽然不敢一律鄙视,至少也有不堪一尝的意思。其实真正研究佛学的人士,稍一留心印度后期的佛教思想,以及对印度宗教哲学,如婆罗门、瑜伽术等一有接触,就可了解所谓密宗神秘的根源,和它哲学理论的基础了。可是学密的风气,在民国初年到第二次世界大战结束之际,在中国佛教界,大有日趋兴盛之势。今后佛教的复兴与生机,便有待于时贤及后继者的无畏精神和不断努力了。

结　　论

历经二千余年,传承一贯的佛教,在过去,对于中国和印度的学术思想、政治、教育,都有过辉煌的功绩。到了中国以后的佛教,自魏、晋、南北朝,历隋、唐以后,一直成为中国学术思想的一大主流,而且领导学术,贡献哲学思想,维系世道人心,辅助政教之不足,其功不可泯灭,推开后世佛教徒偏误的流弊而不言,仅从大处着眼,可以赞许它是哲学的哲学,宗教的宗教,一点也不为过。至于它的流弊所及,有许多地方可以被社会所指责,都是积非成是的佛教末流,对于真正佛教的教义,和它的伟大精神,并不相涉。但依照中国目前佛教,和东南亚各地佛教的作风,前途未可乐观,而且值得忧虑,佛教界的人士们,虽然人人有感于将来适应的可畏,依然犹是积重难返,无法改弦更张。爰就其目前情况,试举六点结论,以供现代佛教的参考。可是这些言论,只是随笔写来,还谈不到有所建议,更不是有所为的批评,只是一舒感想而已。

一、佛教的命运:自教主释迦牟尼佛创立四众弟子的制度以来,出家的男众比丘——俗名和尚,女众比丘尼——俗名尼姑,还有在家的男众和女众——俗名统称居士，或加上男女两字以示性别。释迦牟尼以住持(负责)佛教仪范，弘扬佛法的任务，咐嘱于比丘众。以护持佛教的责任，交托给国王、大臣、长者、居士，作为扶持佛教的护法。因此在中国、印度、日本等国家，历代世世相仍，佛教的命运，都仰仗政权与社会名流的维护。到了十九世纪末期以后，民主政治的制度，推翻数千年来帝王政权专制政体的陋习，佛教徒对民主自由的认识不够彻底，对法治的法律知识不够了解，仍然依草附木地去攀缘于社会人士，或仰赖残余的旧式政权之间。从今以后，由二十世纪到二十一世纪的新阶段，还要一仍不变地仰人鼻息，以维衰命，不自寻求所以立于新世纪的路线，恐怕命如悬丝，危同垒卵了。

二、佛教的经济：二千余年来的佛教，无论在中国、印度或日本，向来便在农业社会中求乞剩余，用以维持自己的生命，对于宗教集团本身的经济观念，从来没有做过考虑，况且动辄以戒律为当头棒喝，使教内有识之士，也不敢提出主张。只有中国的佛教，在唐代经过禅宗丛林制度的建立，才有略具规模的宗教集团，类似集体农场制度的产生，这种制度，以后也随佛教形式和教义，传到日本。但在目前，受资本发达，工商业剧烈竞争，社会经济结构整个变迁的影响，全仗旧有农业社会的生产方式，已经不能自全生计，何况还不能自力更生，依靠托钵募化为务。今后还要想以这种附属生存的方式，用以维持佛教，恐怕不待别人的消灭，就根本无法立足。

三、教徒的团结：世界任何宗教的宗旨，本来都是主张个人自由的真正自由主义者，除了西洋的宗教，早已另有宗教行政的了解，自有一套具体的组织法规以外。佛教的个人自由主义，可以说已经自由到了极度，一变为绝对自私的程度，至少在形式上是如此的。如果说中国人都缺乏团结性，我想中国佛教徒的不团结，足以为中国人不团结的标本取样。到目前为止，向来内在的僧俗弘法之争,以个人师僧为标榜的徒众权利之争,门户派别之争,居士众中自我崇高之争,传法的优劣之争,甚至琐碎如衣着之争等等,不一而足。释迦牟尼在世,素来以僧伽为和合互敬的教训,到此自毁自败,一破无遗。倘使还不自省自救,只想避世高蹈,恐怕在二十世纪以后,便无可立于天地之间了。

四、教育学识的条件:过去佛教在中国的兴盛,全赖师僧们学问知识的渊博,品德修持的规范,成为上下社会普遍崇拜的偶像,因此才形成了佛教的崇高与伟大。可是这些大师们的学问与知识,大多都在未出家,或已出家的初期,对于普通学识,已有高深的修养,然后配合佛学的精义,才能成为一代宗师,而且他们本身也就是真正的教育家。现在呢,受过普遍的教育程度,已嫌不够,只要披上袈裟,能讲几句佛理和解释一些佛学名辞,便自视为天人师表,实在急需反省求学,力求充实自己,才不愧对高深渊博的教主。过去在印度的后期佛教,便提倡大乘菩萨,自身须具备有五明的学问:(1)内明(由修道而悟道)。(2)因明(精通逻辑,到现代还应该包括各种宗教哲学和其他人文科学等)。(3)声明(各种文字学与文学)。(4)医方明(擅长医药)。(5)工巧明(具备工艺技术,到现在应该包括技术科学等技能)。时到二十世纪的后期,教育、知识的普及,日益普遍,如不立即反省,急图充实自己,向来以天人师表标榜的佛教,恐怕难以自圆其说吧!目前虽然也有许多地方,举办僧众教育,但必须谦虚了解,教育是百年大计,以一个外行,甚至自己根本不懂教育,或者只知宗教教育的人来办教育,恐怕一误再误,不可收拾。他山之石,可以攻错,谦虚接受教内教外的忠告,绝对是利多弊少的。

五、修证的缺乏:佛学教义,除了哲学思想的超人一等以外,最为重要的,它不是空谈学理,它是要以人人身心为实验的条件,去身体力行,这样躬行实践,才可以求证到一个圆满的答案。因此,佛学的本身,以现代眼光看来,是最有科学精神,而经得起时代考验的,何况其中除了哲学思想以外,有关理论科学的原理原则,也非常充沛,只是这一丰富的宝藏,尚未被世人所大量地开发而已。目前的佛教,说理者多,修证者少,处在二十世纪的科学时代,有何见证可以使人肃然起敬呢?况且因为佛教徒缺乏修证,即使说理,已经发现有许多歪曲的理论,这是一种极其可怕,自毁教门的危机,应当切实修整观念,向自证自省去努力。

六、参政的趋势:在二十世纪民主思潮的风气中,世界上凡是开明的国家,对于宗教信仰自由,宗教团体的依法参政,应是毫无疑问的事实。但目前的佛教,对于大慈大悲的佛教宗旨,如何配合世界上各种政治思想与制度,确定一种政治主张的学说,毫无具体办法,只凭愤愤思进与跃跃欲试之气,以素来缺乏政治修养的习惯,企图跃上政治舞台,一展教主式大无畏的雄风,恐怕百无一是之处。这点尤其值得深思静虑,必须先求具有卓见的学识,再求立于不败之地而后可。

总之,未来佛学的前景,试以质能分析:如就宗教信仰来看,它的旧径路,似乎越走越窄;如就学术思想而论,它的新境界,必将愈拓愈宽。因为,它有宏博的宗旨,湛深的教义,智周万汇的思致,广大圆融的说理。何况,它的历史悠久,善信众多,在木鱼青磬,山中林下,不乏沉潜卓越先见明知之士,为了佛教,为了护法,似乎应该各抒所见,各尽所能,一本能仁堪忍的毅力,见义勇为的精神,来荷担如来的家业,重振佛教的雄风,以适应未来时代的潮流,争取未来时代的光荣。其实振衰起疲,端在念力一转,此诚笔者所为翘首盼待,馨香祷祝的了。

第五章　世界各国的佛教

第一节　亚洲的佛教

　　世界各国佛教的传播,除了西方欧美是间接受中国的影响,南亚的缅甸与泰国,远在印度阿育王时代,已经有初期小乘佛教的传入,其余东方各国,如韩国、日本、菲律宾、新加坡、越南等地,都由中国的关系而传入佛教。从历史的观念来说,韩国最早由中国传入佛教,其次是日本,兹就其先后传播的次序,作一简述。

一、韩　　国

　　现在的韩国,旧称朝鲜,它包括旧史所称的高句丽、新罗、百济三国。当时佛教传入三国的年代并不一致,而以高句丽为最早,在中国晋代之时,前秦苻坚遣沙门顺道,送去佛像经文一批,时高句丽王小兽林,便接受信奉,并创建了肖门寺,居奉顺道法师,这是高丽最初传入佛教,和创建佛寺的开始。过了十二年,印度沙门摩罗难陀,从东晋传佛教到百济,百济的枕流王备加尊礼,创建佛寺,并剃度出家僧众,正式信奉佛教。再后五十年,才由高丽沙门墨胡子,传佛教入新罗,但未经流行。百余年后,到了法兴王时代,才开始大弘佛教,创立佛寺,佛教乃得盛行于新罗。

　　此后百年间,正当中国武则天时代,新罗国文武王灭高丽、百济两国,统一朝鲜。那时高僧元晓等,弘传佛经华严宗旨,称为华严教,名僧大德辈出,佛法大兴。到唐玄宗时代,王建兴又灭新罗,复称高丽。那时中国内部，因经历五代的变化，佛教也受政治影响而衰退，但高丽却承前朝余绪，佛学大盛，中国佛教的著作，如天台章疏、华严经论，都靠高丽传归国内，使中土佛法，赖以再兴。

宋初，有高丽沙门三十余人，来从永明寺智觉（延寿）禅师习受《宗镜录》，回归以后，各化一方，这便是朝鲜传入禅宗的开始。后来高丽王又派遣使臣，向宋朝求取官本的藏经，和他本国原有的前后两藏经，与契丹藏本，合校刊刻版本，便是后世所称有名的《高丽大藏经》，被公认为研究佛教经典的善本藏经。朝鲜佛教，也以这个时期为最盛。

明初，李成桂又灭王氏的新罗，称国号为朝鲜，这时道家的思想和儒家的理学学说都大行于朝鲜，佛教反而退落，不如当初。总之，朝鲜的佛教，都由中国传入，并无特别的自创宗派可言，只有专讲华严佛学的贤首宗，与禅宗五家宗派之一的法眼宗而已。此外，仅有主张持戒、诵经等以种善因的渐派（也称之谓"教宗"），与主张一心念佛，往生净土的顿派（也称之谓"心宗"）的两大派别。到了清朝末叶，朝鲜既被割让，日本的佛教，便随军事政治的力量而侵入，朝鲜本土的真正佛教精神，从此便衰颓不振。二十世纪以来，韩国的佛教，仍为日本占领以后的变质佛教，现在韩国独立，尽多高明之士，其原来的佛教当待重新规复，并力予振兴了。

二、日　本

日本佛教的正式传入，约当中国南朝梁末时期，在钦明天皇即位的第十三年。当时百济国王遣使至日本，并奉赠佛像经论等，从此日本王朝，才渐有崇佛的倾向。数十年后，圣德太子兴起，佛教才得以发展。太子是日本当时的政教主，建寺弘法，极力宣扬佛教；他并制定了十七条宪法，成为日本历代帝室的法典。自著《胜鬘》、《维摩》、《法华》三部佛经的疏述，也是日本后世佛教的范本，所以素为日本人所尊崇以为千载明王。再过百余年间,到了飞鸟、奈良两朝,政教渐趋一致,陆续创建维摩、仁王、金光明等佛会,中国佛教的三论、法相、华严、戒律、成实、俱舍各宗,也相继在日本兴起,这便是日本佛教有名的古京六宗。那时高僧辈出,佛教大行,慧灌僧正由高丽传入三论宗,后来又分为元兴、大安两派。成实一宗,附庸于三论。玄昉僧正由唐传入法相宗,后又分为南、北两寺,互争优劣。俱舍一宗,附庸于法相。道璿律师传华严宗,鉴真和尚传戒律宗,都渊源传承自中国的佛教。

从此再过百余年间,到了平安朝代,天台宗的传教大师最澄,真言宗(密宗)的弘法大师空海,相继而兴。最澄大师开始弘扬佛教于比睿山,备受王室的信仰,后来又入唐求法,得受天台、真言、禅、戒律等四宗的传承而归,因此便大张比睿山的规模,包罗台、密、戒、禅四宗而立说,尽量发挥天台宗的教义,声望隆极一时。那时空海大师也与最澄先后入唐求学,从惠果阿阇黎受学真言宗,回国后,创立东寺,极力弘扬密宗的"金刚"、"胎藏"两界法仪,声势弥盛,因此而开高野山永久的基业。这时日本的佛教,可谓是天台、真言两宗的天下了。

最澄大师所传天台宗的内容,包括兼摄佛学的"显教"和"密宗"两部,所以又称为"台密"。后来他的弟子圆仁、圆珍,又相继入唐求学,台密宗派更加畅扬,与空海大师所创的东寺密教,所谓"东密"的法门对峙。后来因徒众的不和,又分为山门、寺门两派,从此支流繁多,各自传授。总之,当时的密教势力,极为普遍,不论日本何种宗派的佛法,都带有这种神秘的色彩,信众大都注重祈祷,比较灵验,佛教便一变而为神异的、奇迹的秘密神教,形成大众社会各阶层间的一大势力,所以流弊百出,有违佛教原旨本色。当时又因日本政治社会变乱不安,影响一般人心,易于趋向厌世,空也上人便在这段时期,努力提倡净土宗的念佛法门;良忍上人也从而提倡融通念佛的教义,创立融通念佛派。日本史上,这时正有源、平两氏的内战，他们大事杀戮，弄得民不聊生，所以法然、亲鸾和尚所倡依仗他力念佛的教门，也就乘时而兴了。

到了镰仓时代，正当中国的南宋时期，日本佛教的新兴教派，举如：净土宗、真宗、时宗、禅宗、日莲宗等，都应运而起，而且名僧迭出，振兴佛教，大畅宗风。净土法门，由法然上人开始，独创一宗，他本受学于比睿山，后来因仰慕中国善导大师的法系，大倡净土念佛一门。他的门弟子，英才众多，所以后来传下的流派也不少。亲鸾上人，便是他的得意高足，他秉承法然大师的意旨，特别主张出家人可以娶妻食肉，认为唯仗发挥信仰的愿力，便可绝对得到佛力的加庇，往生西方极乐世界。因为他的教义通俗易行，所以能够深揽人心，独成一格，因此便名为净土真宗。它的势力广被，直到现在还盛行不衰。此外，如一遍上人的游行念佛，创立时宗，也是法然大师门下的流派。

禅宗的法门，本来早已流传日本，但至荣西、道元两家，才开始建立专宗。他们两人都曾入宋求法，分传临济、曹洞两派的禅宗，以直指人心，见性成佛的宗旨相号召，极适合于当时人们的需要，便普遍流传。因禅宗以了生脱死为话头，后来便影响到日本人不畏死的武士道精神，并且对于他们生活艺术的栽花种竹，诗情画意，都大有裨益，处处以禅意相号召了。

此外，有名的日莲宗，原由日本本土的天台宗蜕变而兴，为日莲上人所开创，乃是主张以唱念《妙法莲华经》的经题，便可见性成佛的法门。上人生性豪迈，为人刚正，以英雄的气质，行佛慈的教化，且具精力充沛，毕生以"自度度他"为职事，所以教法大行，确为日本僧史中的特殊人物。弟子人才辈出，益使法门大张。此时新兴宗派，相继兴起，古宗、平宗两地原有的名宗，也受到激发而振兴起来，便形成日本佛教最为兴盛的时代。

再后至吉野、室町时代，正当中国明朝时期，日本佛教，以禅宗的临济宗最为盛行，京师、关东之间，有五山十刹，二十四流之繁衍。曹洞宗则在东北边隅仅自苟延而已。日莲宗因有日莲上人的倡导,起初传教于京都,后来又盛行于东西各地,流派更多。其他如净土宗,有白旗、名越两派的兴盛。真宗有莲如上人的中兴运动。但从此便逢"战国"之乱,佛教各宗命运,也随政治的没落,以致濒于衰败。

过此以往,到了德川时代,正当中国明清时期,德川家康统一日本之后,他想凭藉宗教的力量,以收揽劫余的人心,所以极力提倡佛教,因此佛教势力,声威重振,便有各家"学舍"和"谈林"等的创设,但此一时期,佛教学术思想的转变,可比之如中国两晋的玄谈,汉唐的疏释。举例说来,如华严,有凤潭上人的新说;如临济,有白隐禅师的宗风;天台宗,大兴其安乐律;真言宗,行施其正法律。另外,如真宗有东西本愿寺的分立;日莲宗,有教系的争议。同时中国隐元禅师东渡,开立黄蘖一宗;而曹洞宗,也于此时再度兴起。因此佛教学术思想大盛,并且都以俱舍、唯识为其共通的修学基础,这便是日本人所称"佛教的注解时代"。

到了十九世纪中叶,日本"明治维新"励精图治,首先接受西洋的新观念,国家政治思想,以及学术教育等一切施为,大有由东而西,改途换辙之势。因此佛教方面,虽然仍旧保有其俨然国教的地位,但天皇皇权神授的思想,和旧有神通设教的精神,也同时崛起。于是日本佛教便又别开生面,而转向于两个道路,那就是:

(一)佛教神道不分的民间社会,宗派普遍繁兴,以与军阀们的军国主义,密切联系。

(二)知识分子,学习西洋治学方法,重新研究佛学思想,由宗教的信仰转变为哲学的探讨。同时又以怀疑的态度,考据佛经学说。

但无论如何,在学术思想上,佛法反因此而昌明,且大行于日本,数十年后,直到二十世纪之间,其影响于中国佛学界,也最为有力。在佛教徒的僧众方面,也受时代潮流的刺激,兴立各级佛学学校,印订藏经,努力从事社会弘法事业,也益形发达。

及至二次世界大战之后,军国主义的思想没落,军阀干政的权力也悉被摒除,在战后悔过自新的日本,国人为了生存的需要,大量向美国等西方国家移民,因此佛教文化也连带输出,而进了新大陆的美国。现在美国已有佛教寺院的创建,和出家僧众的雏形,说实在话,这些都是得力于战后日本人的灌输。此外,专门在美国和西方国家弘扬禅学的日本学者,如铃木大拙,使日本禅学的风气,在二三十年间,便传遍全世界,日本政府,现在封他为"国宝"。这样一来,从此西方国家,只知禅在日本,不知禅宗的传承,实系渊源于中国。国人虽然稍受感染,群起谈禅,大都学无师承,师心自用,不能真正了解禅宗。我们对此,实有无限惭愧,不胜怅惘的感叹!

总之,要研究世界性的佛教,日本佛教虽然传自中国,但千余年来,它已的确成为一个代表世界性的"佛国重镇",确是有其重要地位的。我们回溯往史,日本佛教的学术思想,虽起先从中国传入,但其教义,却自始至终,已渐渐地隐约变质,到了"明治维新"以后,直至现代,日本佛学,已变成为另一系列的哲学思想,或与其国家政治相关联,并非原来面目。这在研究日本佛学史者,但须稍为留心,便不待言而可知。例如,第二次世界大战爆发以前,日本佛教解释"大日如来",便有隐含军国主义的色彩。一九三五年前,日本驻杭州的领事馆门前,大书特刻其"大日如来"的标语,这是著者所亲见的事实,这也就是当时日本佛学思想的作用。可是至今举世言佛学者,都举日本佛学为准绳,甚至包括中国大部分佛教信众的观念也如此,我只能引用一句佛语,说它"不可思议"。至于日本的禅学(是否可说是禅宗),更难下一判语了。现代的日本佛教,在其国内,从第二次世界大战以后,神佛不分的教派,和佛教、道教混合的宗支,乃至与秘密社会的关系,如雨后春笋,大约有三四百家之多,一变再变,这岂仅是"橘逾淮而成枳"的不同而已!目前如日莲宗创价学会的兴起,标榜佛教而图参政,甚至未来的发展,是否别有意图,均难遽下断语。展望二十世纪末造的日本佛教,唯有合掌遥祝其前途远大,正法与国运,并世昌隆!

三、缅　　甸

　　缅甸的佛教,早在公元三世纪时期,因阿育王四出派遣传教士,已经从印度直接传入。但其最初教义,尽属佛教的小乘教法,且已深植根基。后来大乘的思想,也渐次传入,大小乘的思想竞争,非常猛烈。终使大乘的佛教思想,一蹶不起。至今支配缅甸全土的教法,完全属于小乘佛教思想,而且为一纯粹的佛教国家。

　　缅甸的佛教寺院林立,僧众们在他们的寺院中,专门从事教育事业。一般民间子弟,都入寺院接受佛化教育,能够读书写字的,约占五分之三以上。大凡八岁以上的儿童,开始送入寺院接受普通教育,学习巴利文的佛学教科书,比较优秀的,即转入高级僧院,接受高等教育,而为出家僧众。缅甸在近世佛学史上,且为印度佛教的策源地,欧洲人初受佛教思想影响,实以缅甸为其传播中心,欧洲人出家为佛教比丘的,也大都在缅甸剃度受戒。他们办有多种英文的佛学杂志,具有卓见可观的论文也不少。只是在二十世纪的末造,若全凭小乘佛教思想,主持政治,甚至要与共产主义思想相抗衡,不但值得忧虑,恐怕也是"匪夷所思",而应特加检讨。

四、泰　　国

　　泰国旧称"暹罗",它的佛教,早先由印度的康保假传入。就是当时以弘扬佛教著名的勃陀考沙,统一缅甸与假巴的佛教,经常住于康保假,因此便传播佛教于泰国,大受皇室与民间的尊仰,遂使佛教一变为泰国的国教。后来便明定以释迦牟尼圆寂的那一年,为其佛历纪元的元年。但是它的教义，也以小乘佛教思想为准。泰国人民，自少年时代，便要一度入寺院为僧，接受佛化的教育。所有的人们，都以佛教教义为修身的规范，举凡学校教育、军队、警察等训练，在开始和毕业的时候，都要礼诵佛教的经文。男人们，依法定的年龄，必须经过三个月或一年出家为僧的生活。而且在这一段时期内，绝对禁欲，专门学习佛教行仪，研究佛学思想，为以后立身处世的道德标准。即如国王就职，也须举行和发布佛教宗教仪式的宣言。所以举国上下，一律都是佛教徒。僧众们，都穿黄色的袈裟，全国为一全黄色僧服的纯粹佛教国家。僧众多是直接参加政治的分子，其资深的大和尚，并有僧王的封号。佛像寺院，遍布全国。首都曼谷的寺院建筑，便占全境十分之四，有名的越帕寺，成为曼谷市内最壮丽的建筑。他如越吗限寺，等于十方往来挂褡的大丛林，容纳僧众最多。乌富里古寺，是最古老的佛寺，佛像的塑造，有坐卧等姿势，而且大至寻丈，小至寸许，也颇富有艺术的价值。这是一个古老的佛教国家，也保存有许多原始印度佛教的习俗，它和缅甸，都是东南亚佛国重镇传播佛教的总站，或策源地，时代的巨轮，正进向静谧的佛国，他们仍然静静地停留在蓝天茂林的佛学静境里，二十世纪世界局势的转变，究竟成佛成魔？就全赖贤明王室的领导，和高僧们智慧的支持与选择了。

五、越　　南

越南的佛教，原由中国传入，后来又受缅甸、泰国等小乘佛教的影响，大乘思想，不能深植根基，也同东南亚其他各地一样，对于大乘佛教观念，始终模糊不清，寺院僧众的规模，也不是中国丛林制度。自十九世纪末叶，越南被法国所侵占，从此宗教信仰，并不单纯。在越南尚未独立以前，古老佛教的信仰，依仗王室的庇护，在新旧世纪的罅隙里，还可自生自灭，目前很难遽加论断，应该付诸今后历史的定评。

六、东南亚其他各地

东南亚其他各地,先期的佛教,原以斯里兰卡、爪哇与苏门答腊为最盛。当公元四百五十年间,高僧功德铠至爪哇传播佛教,国王与王母以下,都加信奉,佛学大乘思想,颇为流行。七世纪末叶,中国名僧义净由海道赴印度留学时,也曾到过南洋各地,宣扬佛法。苏门答腊的佛教,在唐朝时期,由爪哇传入,现在已经衰落。其他如老挝、印尼、马来西亚各地,以至菲律宾等国家,凡华侨所到的区域,或多或少,总存有佛教方面具体而微的规模,或受缅甸、泰国小乘佛学的影响,或受中国大乘佛教净土宗的熏染,"南无阿弥陀佛"的呼声,和佛教寺院的建筑,所在皆有。

第二节　欧美的佛教

一、英　　国

英国在公元一七九六年统治全印度时,便开始对印度文化及佛教经典加以注意和研究。英国人关于佛学的研究者,曾经出过很多人才,其中最杰出的有两位:一是马格斯·缪勒(Max Muller),一是里斯·戴维斯(Rhys Davids)。马氏为梵文专家,在一八七九年,发行《东方圣书大集》(Sacrad Books of the East)四十九卷,从此备受学术界的推崇,在他的专集中,有若干的佛教经典,为小乘律、《长阿含经》、《佛所行赞经》、《观无量寿经》、《大无量寿经》、《法华经》,和所发现的梵文英译等书,开始引起了英国人对于佛教研究的兴趣。一八八一年,里氏在英国创立巴利圣典协会(Pali Text

Society)，译出了流行于斯里兰卡的南方圣典，经律论三藏、注释史传等书。又得到泰国国王的资助，刊行了巴利文三藏圣典，更影响到欧洲人士对佛学研究的兴趣。以上所述为两氏对佛学西传的两件大事，但都有英、法、德等国学者的参加，在十八九世纪间，这对欧洲学术界注入了新的血液，马氏和里氏曾分别在牛津和伦敦两大学开讲佛学，影响很大，伦敦佛教协会便公推里氏为会长，里氏的夫人亦译有《法聚论》等佛书多种。

英国大菩提会，原是斯里兰卡人达磨波罗，在一九二七年创立，参加的英国佛教徒，和印度、斯里兰卡佛教徒，人数相当可观。而且附设有研究会、讲演会等，每月发行有《英国佛教徒》(The British Buddhist)的月刊杂志，销路颇广。此外，还有阿太卡莱博士所创设的伦敦学生佛教协会，亨波莱创立的佛教居士林等，都是弘扬佛教学术的机构。

二、德　　国

随英国而起，德国人对印度佛教学术的研究，是学术界的新兴运动，赫尔曼·奥登堡在一八八一年出版了《佛陀的生涯、教义及其教团》，此乃根据巴利文原始资料，推述释迦牟尼历史的不朽之作，销行颇广。

与英国马格斯·缪勒同时著称于世的，便是德国的印度学术专家乌爱巴，为研究小乘《杂阿含经》的泰斗。他的弟子罗伊曼，在柏林讲学，以擅梵语与西藏语见长，声誉甚隆。日本佛教的学者常盘大定、渡边海旭、荻原云来等，都是他从学多年的弟子。

此外，有马格斯·瓦勒泽尔，精通梵、藏、美各种语文，为德国佛学界的权威学者，他曾作有《自我的问题》一书，一九〇四年出版《最古佛教的哲学基础》，一九二七年出版《古代佛教的分派》等书，马氏又创立佛教协会，促进欧洲学者对佛教的研究，并且联合世界各国,尤其与东方学者共同探讨。他的实际活动,有从事翻译佛教经典,发表论文和会报,设立佛教图书馆,颁发大学佛教讲义,及在大学学府以外组设佛教的讲座等等。

保罗·达尔克创立在柏林郊外的佛教精舍,是德国佛教运动的中心,现在已成为柏林郊外的名胜之一,藏有各种原文和东西方文字的佛教书籍杂志,佛教艺术品等,其收藏之富,和搜集之广,全欧洲罕有其匹。而且又出版有佛教著述多种,如《世界意识的佛教》,和《伦理体系的佛教》等。同时以精舍,作为实验佛法修持的禅定道场,并非纯谈学理,而且颇重行证,诚为欧洲佛教注重修行的先导。

此外,有名的佛教学者,尚有奥斯特、解格、哥利思、尔可科、早尔夫等人。

三、法　　国

法国人对于佛教与东方文化的研究,实自大哲学家鲍诺夫所倡导,而开西方文化的新纪元。鲍氏于一八○一年生于巴黎,擅长东方文字语言,如巴利文、梵文、波斯文、古楔形文字、富罗那文字等,无不精通。他代表性的著作,有《印度佛教史序论》一书,根据在尼泊尔所发现的一百七十余部佛经梵本,作释迦佛传及佛教教理的研究。内容包括大乘经典的精华,如《般若》、《楞伽》、《华严》、《金光明》、《法华》诸大乘经典。他又翻译了《法华经》的全部,开欧文翻译梵语佛教经典的先声。鲍氏的门弟子中,最负盛名的佛教学者,有密有罗、塞纳尔特等人。塞纳尔特校订了大部的《佛本行集经》的异本原经,又依大乘原经,著有《佛传论》等书。巴黎大学教授夫西尼,著有几种关于大乘佛教艺术的著作。另外又有夫爱耶,将巴利文经藏中的《杂尼柯耶》校订出版。

此外,研究东方学术,尤其对佛教学术及印度文化最具权威的,有莱维博士。著作中有关佛教方面的有如:一九一一年出版的,无著所造的《大乘庄严经论》的梵文本,和法文译本。称友所造《阿毗达磨俱舍释》第一品,世亲所造《唯识二十论》、《唯识三十颂》,及安慧所造《唯识三十颂释论》等梵本,和法文译本,都在一九二六年出版。他又编纂了法语佛教辞典,并且还计划编辑东方佛教国的佛教音乐大成等。另外,有日本佛教学者,与法国佛教学者共同策划的,一所规模宏大的日法佛教会,正在欣欣向荣,朝前迈进。

四、美 国

美国人的研究佛教,对欧洲人研究佛教,实在有很大贡献。其初卓有成绩的,首推亨利·沃伦(Henry Warren),他在一八九六年著有《翻案的佛教》(Buddhism in Translation)一书。其后爱特曼滋(A. S. Edmunds)在一九〇二年著有《佛教书史》(A. Buddhist Bibliography),并且翻译了《法句经》(Hymns of the Taith)。哈佛大学教授南曼(Lamman)主编的《东洋丛书》(Harard Oriental Series)其中收有《阿含经》,以及其他的佛教典籍多种。另外,还有晏载尔斯著的《佛陀的福音》(Gospel of Buddha)等等。

一八九六年,印度、斯里兰卡的佛教复兴运动者达磨波罗到美国创立美国大菩提会,在纽约市建立大菩提会所,每年五月四日,集合世界各国旅美人士,举行盛大的释学纪念大典。美国东部,有日本侨民一二十万人,以日本各系的佛教,如真言宗、真宗、禅宗、日莲宗等,也都在各地从事教化和社会的活动,并且逐渐引起美国人对于佛教的信仰。近年以来,美国人已有出家为佛教徒的僧尼了。夏威夷州所居住的日本侨民为数也很多,日本佛教布教所及寺院的建立,已经有一二十所,其中以真宗本愿寺派弘扬最有成果,所有皈依的美国人已日渐增加,并且设有佛国研究会。近年以来,佛教团体与寺院的设立,更加发达。美国人到日本留学,研究佛教学术思想的,也愈来愈盛,尤其对于禅学的研究,更有兴趣。

此外,如巴西等国,因日本侨民的移植,佛教也日渐发达。日本人对于掀起第二次世界大战的祸端,应负无限歉然的内疚,但战后开始的推广东方文化西渡的工作,给予西方人在物质文明的苦闷生活中,增加额外的精神食粮,有意无意间,似乎有几近补过的作风,殊为可嘉。自我反省之下,国人对此,实多缺憾。

五、俄　　国

一八八七年,俄国佛教学者密那爱夫出版了他的名著《佛教论》。一八八九年,又刊行《菩提行经》的原典。其时,可与英国里斯·戴维斯的巴利圣典协会媲美的,便是以奥尔典夫哥为主的俄国学士院,及其附属的大乘佛教出版会。一八九五年将未刊行的梵语佛经多种校订出版,称为《佛教文库》。刊印主要的佛经有:一八九七年至一九〇二年西边特尔校订的《大乘集菩萨学论》;一九〇一年至一九〇九年夫伊劳出版的《护国尊者所问经》;一九〇二年斯巴爱尔出版的《撰集百缘经》,他是精通佛学的因明学者;一九〇三年巴莱布散的龙树《中论本颂》,并且附有同样的释论《中论释义》;一九〇八年至一九一六年凯尔恩和南条文雄共同研究的《妙法莲华经》等。到了一九一七年俄国大革命爆发以后,佛学的研究,就另当别论了。

结　　论

佛教在亚洲各国,它仍然存在有传统的威望,时代的潮流在变,佛教也正在变中,将来佛教变成如何的宗教,现在还难以预料。

不过,从宗教的立场来说,亚洲大部分国家,还是佛教的天下。尤其东南各地的佛教,虽然对佛教学术本身,仍只限在小乘思想的范围,甚至还是神佛不分的混同现象,但以佛教号召的旗帜,还是很鲜明,我之能来,敌亦可往,默察东南亚佛教的大势,令人有不胜隐忧之慨!近代以来,欧洲人的信仰或研究佛教,都以东南亚的佛学思想作蓝本,美国在现代,由欧洲传入,又渗合日本后世的佛教思想,身为佛教第二宗邦的中国佛学,依然被人所忽视,或在有意地被轻蔑之中,想是中国佛教徒的高明之士,一般与有同感并应深加警惕的!

欧美佛教传播的情形,既已略如前述,在这二十世纪的前半个世纪以来,许多人听说英美人士也在研究佛教,就眉飞色舞,认为中国的佛教已传播到了西方,引以为荣。或者认为欧美人研究佛教,有科学的精神,比中国自己的佛教更好,准备欣然就道,前去留学研究。这些盲目的心理,实在非常可笑,老实说一句,欧美人士研究佛教,可能使佛学思想更有精细的考订,但并非就是正法重兴的机运。而且现在正值开始播种,几时能够开花结果,总要等到二十一世纪以后再来看它的成绩。今且举出五个原因,就可了解世界佛教的趋势。

(1)佛经的翻译:佛教由印度传入中国,自汉末到隋、唐,约四五百年间,才在唐代有了真正的果实。而且须知中国文化,早在秦汉以前,本身自有相当高明的成就,根基浅薄的暴发户,要想通过翻译而变成普通观念,这是谈何容易的事。况且翻译佛经,不比翻译普通书籍,首先要兼具两种不同文字的高度文学修养,其次还要已经亲自证到佛法修持的境界。单就兼通两种文学的高度修养而言,已经很不容易,何况还要有真修实证的证验工夫。中国过去翻译佛经的名宿,如印度人鸠摩罗什等,中国人玄奘法师等,以天才的语文学家,而兼有修证佛法的高深素养。然而他们还须仰仗国家的全力支持,设置数千人聚居的译场,专心从事翻译。一句一字地斟酌，往往反复辩论数月之久，才能定稿。而且隔一个时期，若还有人认为译义未妥，便重新再来翻译，所以一部佛经，往往有好几种译本的不同，经数百年后，某一译本，才被公认为可靠的信典。欧美人士，以各种不同的语言，经过几年或十余年的研究，用本土习惯性的思想，说是客观，实在是作主观的研究，以一人之力，即遽加译述，究竟可靠到何种程度，实在很难说。即使由中国人去翻成外文，仍然需要具备上述的条件才能做到。所以现在欧美所翻译的流行佛经与佛学思想，我们势须小心求证，此其一。

（2）佛学经典的根据：欧洲人士所传承的小乘佛学思想，他们所发现的梵文本，多是印度后期佛教的梵本，与千余年前释迦牟尼或阿育王先后时期的梵文，已有很大出入，必须要与汉文各种译本相参校或考订，那才比较可信，而现在欧美译经并未经过这项工作，甚至还有不重视汉文佛经的趋势。况且西洋文化，自希腊前史而形成今天的欧美文化，它本身也有数千年独立的文化传统，不能不加领会，此其二。

（3）佛法的修证：佛教学术，不仅只属思想，它的学说，固然有类同于西方哲学思想的形态，但它的修证方法，是反求诸己，而不是像对自然界加以研究的物理方法。佛教初入中国，如佛图澄等，都以亲自修证有素的神通作证，才使我们相信接受。现在不自求证于己，单从文字思想去弘扬推广，自然流为一种东方思想体系，于佛教度世精神，减色不少。且对西方人实事求是，拿证据来的要求，将以何为对，此其三。

（4）禅宗的传播：禅宗的宗旨，本为教外别传，不立文字的法门，其实质重在修证。唐、宋以来流行的禅宗法语、公案、机锋等等，已与中国文学及中国通俗方言，不可或分。到了日本，约当中国元明之间，已经变质。目前无论中国与日本，谈禅者多，修证者少。以中国人研究禅宗，对古代文学词章等造诣不深，或不了解唐、宋时代的韵声与各地的方言，已经有许多隔膜，和扞格难通之处。现在欧美以一变再变的禅学,在一花一叶之间,心领神会其轻松幽默的意境,便认为禅就是如此,我们自己不能反证,也随声附和,不加纠正,误处恐无有底,此其四。

(5)佛学定慧的传授:印度教的瑜伽术,和中国西藏密宗的修身方法,正交互流行于欧美,一般人相率传习,作为一种东方神秘的健身运动,甚至和催眠术混淆不清。真正佛法的禅定,不要说根本没有传过去,而且自己人也大多数不会,徒以求取虚誉而西渡教化他人,误人乎?误己乎?为佛教吗?为个人吗?真须深加反省和检讨,此其五。

因此,我说欧美各国的佛教,在二十世纪后期,正在开始传播阶段,想必不会为过吧?《易·序卦》说明夷与家人有言:"进必有所伤,故受之以明夷,夷者,伤也,伤于外者必反其家,故受之以家人。"为了佛教文化,为了中国文化,凡我国人,应当瞿然自省!

附录：禅宗丛林制度与中国社会

引　言

社会学里的社会

"社会"这个名称，是指各个团体之间，具有一定的关系，共通的利益，因此合作以达一定的目的，组织成为一个整体的集团。普通便把它用来指某一种同业，某一同类身份人的名辞，例如上流社会，劳动社会等。也有用以代表某一区域性的，如上海社会，汉口社会等。

当公元一八三八年间，法国学者孔德(Comte)便创了"社会学"这个名辞，他用以研究以社会为体的一种科学，从前我们也有称它作"群学"的。自经英国学者斯宾塞(Spencer)沿用"社会学"这个名辞以后，它就成为一个专门学科的名辞，凡专门研究社会的组织的，就叫作"社会静学"(Social statics)，专门研究它的成长和发展的，就叫作"社会动学"(Social dynamics)。它的研究对象，大体有三种：(1)社会的本质。(2)社会进化的过程。(3)社会进化的原理。有的以生物学作旁证，有的以心理学来证明。

东西文化不同的社会

推溯一百年前，我们的历史文化里，根本便没有这个名称，也毋需有这一门学科的成立，这不能说我们过去不科学，只能说过去的历史文化，无此需要，这就是东西文化的基本不同的精神所在。基于经济学的观点来说，我国向来便以农立国，地大物博，土广人稀，有的是天然的天材地宝，可以利用厚生，并不需要向外争取利源以养活自己。加以传统的文化，素来以安居乐业，乐天知命为祖训，因此人人只要重礼守法，完了国家的粮税以外，农村的社会里，鸡犬相闻，老死不相往来，是件很平常的事。宋人范成大的诗说："绿遍山原白满川，子规声里雨如烟。乡村四月闲人少，才了蚕桑又插田。"这样一幅美丽的天然生活图画，谁愿意熙熙攘攘，过那忙得忘了自己，专为工商业社会的生活呢？ 除了西北和北方一带的游牧民族，还过着"穹庐夜月映悲笳"的生活，所以还需要兼带掠夺性的侵略以外，大体我们的祖先，都是安于和平康乐的人生的。

在西方的欧洲则不然，他们没有像我们的历史一样，早先就经过一度像秦汉的统一局面，部落酋长式的蕞尔小地，便称为一个国家。既不能以农立国，更不能靠土地生产的经济，维持人民的生活。因此从盗匪式的抢夺之中，一变为国家间的侵略，由经营商业的远出贸迁，变为有组织的工商业集团，所以他们的每个社会，在在处处，都需要有组织。西方人的社会，由此成长和发展就很自然地成为人群生活的中心需要了，而且社会的主要开始目的，是由于经济的需求而来，所谓社会学上的社会制度，社会分化，都是渐渐地发生更多的问题所形成，例如社会运动，社会革命政策，社会心理学等等。他们一有了问题，就拿那一个问题作中心，把它分析研究，便变为一门学科。西方的社会经济，进步到了现在，有欧美的科学化的工商业社会，而且已经由公司、会社、社团的组织，发展到各种各类的俱乐部，由经济剥削和侵略，发展到社会的福利经济。国家的法律，规范了组织。社会的组织，影响了国家的立法。不是从商业的市场竞争，演变成政治哲学的自由和民主第一，就是由经济政治的重心，认为社会主义第一。我们的历史文化，到了现阶段，也便恰当其时，卷入这个矛盾对立的世界洪流之中，亟待我们自己的努力,统一融会而坚强地站立起来。

宗法社会的辨别

假定从社会学的观点,来说明我们历史文化上的社会史迹,也有把我们过去的氏族宗法关系,叫它作"宗法社会"。严格地说来,这还是有问题的。因为社会,是基于共同利益,或共同目的、集体合作的一种组织。我们祖先的宗法社会,只是一种民族精神所系的代表和象征。它以不忘民族的本来源流,传承继续先人的祖德,要求后世子孙的发扬光大;它既不是有一种群体法定的组织,犹如西方的社会一样;更不是为了一种共同的利益,达到一个政治或经济上的目的。宗法,只能说是传统文化中心的"礼"的表现,这个礼,具有相似于宗教性的,人情味的特点,是人类文化精神的升华,而且是性情和理法并重的。重性情,所以推崇天然,轻视人为的组织。重理法,便讲礼义,裁定性情,使它合于人伦群体的活动。它与西方社会的只注重组织,是大有出入的。我认为人世间最高的组织,是由于人与人之间真感情的结合,所谓至性至情的流露。其次,才是如宗教一样的信仰,所谓崇拜的服从。再其次,才是法律和规范。至于从利害相关的集合,用权位生杀来范围,那是等而下之,等于市场的交易而已。凡事之不近于天然法则,违反人之性情的,没有不失败的道理,以社会学理的历史来讲,利害相关的组织,可能在社会史上,暂时占去时代的一页,但决不能争取千秋。

至于我们历史上的宗法社会,它的基本单位,就是家庭的家族。由家族和家族之间的结合,就是宗族。由宗族和氏族之间的结合,就是国家的社稷和宗庙。社稷、宗庙和宗祠,就是介乎人和天神之间的象征代表,贵为天子,还须畏惧天命,所以便当敬重社稷宗庙和山川神祇。如是普通的平民,不敬重宗族和宗祠,从礼仪为法律的中心观点而论,已经犯了大不敬的罪行,以传统文化思想的观念而论，便是获罪于天，得罪了祖宗神祇，应该是罪无可逭，无可祈祷之处了。可是它在礼义传统的风俗习惯上，和国家的法律观点上，虽然有此成法，但是并不同于西方和现代社团似的社会组织。汉唐以后的祠庙，后来通称为各个宗族之间的祠堂，那也并非是一种社会的组织，只能说是民族精神的中心所系。它相近于宗教性质，平时并无社会活动的作用，每逢岁时，便由族长率领同族中的人们，共同致祭于自己的祖先。族长虽由一族中辈分最高的出任，但是也不是由法规的组织产生，那只是由传统文化礼的观念，人为地自然推崇。如遇族中的子孙们犯了违反传统礼义的行为，由族长召集全族的人们，开祠堂门，拜祖宗，禀请祖先以宗法来评理，评定一事或一人的是非罪恶，也必须合乎天理、国法、人情。这也只是秉承礼义的安排，但不同于法规纪律的性质，或是组织的制裁。乡里之间的里正和保正，或者社董，那是清代沿用唐宋以来地方自治保甲的名称，等于现在的乡里长。社仓，是宋代以后为地方储备饥馑赈济的福利事业，后来也有叫作"义仓"的。社学，是明代以后实施的乡村国民教育。这些都如众所周知，不能与"社会"这个名辞，混为一谈。再推溯到秦汉以上，讲到社会政治的关系，更为简单，那时的文化思想，政治和教育，本来不能太过于划分。所谓"作之君，作之师，作之亲"，在精神上，几乎还保有上古质朴的观念，还是三位一体的。能够影响地方社会之间，也只有从礼义的传统上，自然的敬老尊贤，秦汉时代的"老"和"公"，只是一种尊崇敬重的称呼，更不是社会领袖的职衔。例如《左传》所称的"三老"，据服虔疏引："三老者，工老，商老，农老。"古天子有三老五更，以父兄之礼养之。据《汉高祖纪》所载："举民五十以上，有修行，能帅众为善，置以三老。乡一人，择乡三老一人为长三老。"宋祁说："乡有三老，掌教化，秦制也。"两汉都沿用这种制度，所以在我们的历史文化上，真难找出真正如西方社会组织的一种社会。初有社会的规模的，只有先秦的墨道，才略具有特殊社会的风规。其次，就是开始于唐代佛教禅宗的丛林制度,它影响元、明、清以后的历史和社会,以民族革命为宗旨的帮会组织。但是丛林制度,它既不同于西方的宗教社会,又不同于西方宗教的教育中心的神学院。至于帮会的组织呢？以传统的侠义精神,和政治活动相融会,说它是为了当时革命性的反正集团,确实很正确。如果比之西方社会或流氓集团,推原它的初衷,当然也颇有出入了。

结　　论

倘若专讲社会学而研究社会史的问题,那便立场不同,观念有别,应该另作一种说法,也可以说,我们在近六十年来,受了西方文化思想的影响,才有社会等等问题的产生,所以理论的依据与文化思想的方向,截然各有不同。不过我只想从观今宜鉴古的遗训,述说唐宋以来的丛林制度,和它如何影响后世的帮会组织;以此作为今后我们吸收融化东西文化,跨进新的时代,提供留心社会问题者的参考而已。

佛教原始制度的简介

禅宗,是佛教的一个宗派,它以教外别传,不立文字,直指人心,见性成佛为宗旨。因为不一定需要文字,所以传到中国以后,就成为中国文化式的佛教了。如果说它是佛教的革新派,那也并不准确,因为它既没有革个什么,也没有新兴个什么,它的宗旨和修行途径,既没有变更本来佛法的面目,也不是中国自己所创造的,只是把印度传来原有的佛教制度,确实痛快地改变一番,既可适合中国文化的民情风俗,又从此建立一个新型的中国佛教气象,而且影响后世各阶层的社会规范。可是它正如佛陀所教的寂默一样，虽然在中国社会里，作了一番伟大的事业，却仍然默默不为人知。但就中国禅宗所创立的制度来说，它对佛法，果然作了一件不平凡的事，同时对于中国的各阶层社会，也奠定了后世组织的规模。

释迦牟尼出家以前的印度，本来也有很多其他宗教信仰，和离俗出世专修的人们，这些人都叫作"沙门"。等于中国古代避世的高士，我们普通称他作"隐士"，史书上又称为"隐逸"的。不过我们的隐士们，不一定绝无家室之累的，至于印度的沙门，都是出家避世的人。释迦牟尼创立佛教以后，凡是正式出家，皈依佛法的弟子们都须剃除须发，身披袈裟，离情绝俗，绝无家室之累，男的就名为比丘，女的名为比丘尼。"比丘"这个名称，是包含有乞士、怖魔、杀贼等意义，所谓"上乞法于佛、下乞食于人"，便名乞士，同时含有能杀烦恼之贼，使魔众怖畏的威德之意。所以严格遵守佛制的比丘们，大都是修习苦行，立志精勤的，其中专门注重苦修的，特别又称为"头陀行者"。原始佛教的比丘们遵佛的戒律和制度，同时也须修习头陀的苦行。除了应当遵守心性修养，和行为上等等的戒律外，他又定下个人生活上衣食住行的各种制度：

衣：不过三衣。多的就要布施了。甚之，拣拾人们抛弃了的旧布和破布，一条一条地凑成衣服来穿，这便叫做"粪扫衣"。传到中国以后，便改穿中国式的大袍，也有乞化百家衣布，补破衲杂而成的，就名为"破衲衣"，或"补衲衣"。

食：日中一食。至多是早上、中午两餐。过了午时，便不再吃了。因为他把饮食，只看作为维持生命，和医治饿病的药物罢了。

住：随遇而安。屋檐、庙廊、树下、旷野、荒冢，铺上随身携带的坐具一领，或草织蒲团一个，两足跏趺（俗称为盘足），便心安理得地度此旦暮了。

行：赤足或芒鞋，光头安详而走。昔在印度，至多上面打了一把伞，晴遮太阳雨遮水。传到中国，雨伞换了箬笠，所以文学家们，便有"芒鞋斗笠一头陀"的颂辞了。除此一身以外,大不了带一个净水瓶,供给饮料和盥洗之用,一个钵盂,作吃饭之用,其余可能带些经卷而已。

他们这样的刻苦精勤,尽量放弃物欲之累,过着仅延残命的人类的原始生活,就是为了专志求道,表示尽此形命,揖谢世间了。虽然,他们还存有利世济物之心,但在行为上,却是绝对的离群出世之行,所谓头陀"不三宿空桑之下",就为了避免对事物的留恋,这在佛学名辞上,也可以叫做"舍",又可以叫做"内布施"。他形似杨朱的为己,又同时具有墨子的摩顶放踵,以利天下之心。但是,也有些比丘们,同居在一起修持道业的,那便名为"僧伽",僧伽是僧众团体的意义。其中足为大众师范,统率僧伽的就称为"大和尚",或简称"和尚"。以后传到中国,就把比丘们统名为僧,以讹传讹,又笼统叫做和尚,其实一个"僧"与"和尚",便概括了这些意义。

当汉明帝时,最初佛法传入中国的和尚,是从印度来的两位高僧,摄摩腾与竺法兰。汉朝将他们安置在洛阳的白马寺,所以中国后来的佛庙和僧居,就叫作寺和院了。其实在汉代,"寺"本是朝廷(中央政府)所属政府机关的名称。《汉书·元帝纪注》:"凡府廷所在,皆谓之寺。"例如鸿胪寺、太常寺等。汉、魏、两晋、南北朝之间,西域传道的高僧,源源东来,虽然不一定都是修习头陀行的,但大都是严守戒律的比丘。严守戒律和遵守佛的制度,便得乞食于人,虽然也有靠皈依徒众们的供养,但是日久月长,到底还是一个问题。

(1)印度文化,向来敬信沙门,而且在中部、南部一带,气候温暖,野生果木很多,乞食不到,还可随地采而充饥,但在中国,便没有如此容易了。

(2)中国文化的民情风俗,与印度迥然有别,除了贫而无告,沦为乞丐的,即使如隐士之流,还是靠自己躬耕畎亩而得衣食的。

(3)中国素来以农立国,政府与社会,都很重视农耕,仅靠乞食生活，便会被视作懒汉或无用的人了。

（4）古代传统文化的观念，认为人们的身体发肤，受之父母，不可毁伤；比丘们既已剃除须发，已经犯了大不敬和不孝，一般的人，已经存有歧视之心，何况还要乞食于人，那就更不容易了。

由于上述的几种原因，隋唐以前的中国僧众，大半都靠帝王大臣们的信仰供养，才得维持其生活。同时其中有一部分，还需靠自己募化，或其他的方式维持，所以便包含有许多事故，引起历史政治上几次的大反感。不过，那时候中国的僧众，因地制宜，已经不能完全遵照原来的佛制，有的已经建筑寺庙，集体同居。只有少数专志修持，一心求道，单独栖息山林岩阿之间，过他的阿兰若（清净道场）生活，其余就需要变更方式，才能适应环境。

禅宗丛林制度的由来

到梁武帝的时代，达摩大师渡海东来，传佛心印的禅宗法门，便是中国初有禅宗的开始。那时信受禅宗的僧人，并不太多，据《景德传灯录》所载，正式依止达摩大师得法的，也不过三四人。其中接受大师的衣钵，传承心印，为东土第二代祖师的，只有神光一人而已。以后历世的学人，虽然渐渐增加，但接受祖位，都是一脉单传。传到六代祖师慧能，在广东曹溪大弘禅道。四方学者辐辏，禅宗一派，可谓如日之方东，光芒万丈，衣钵就止于六祖而不再传了。从六祖得法的弟子很多，能够发扬光大的，有湖南南岳怀让禅师、江西青原行思禅师二支。青原一支，不数传就渐呈衰落。南岳一支，便单挑道脉，此后就有马祖道一禅师，大弘禅宗宗旨。因他俗家姓马，故称马祖。马祖门下出了七十二位大善知识，可为禅宗大匠的，也不过数人，其中尤以江西洪州百丈怀海禅师，称为翘楚。改变佛教东来的制度，首先创立丛林制度的，就是马祖和百丈师徒，而且正式垂作丛林规范的，尤其得力于百丈，所以相传便称百丈创立丛林。据《释门正统》载:"元和九年,百丈怀海禅师,始立天下丛林规式,谓之清规。"其实,百丈师徒,正当唐代中叶(约当公元八九世纪之间)。佛教正式传入中国,当在汉、魏两晋时期,其中已经过四五百年蜕变,它被中国文化融和,受到中国民情社会风俗的影响,制度渐渐地改变,也是势所必致,理有固然的。在百丈以前,梁僧法云,住光孝寺,虽已奉诏创制清规,但没有像百丈一样,敢明目张胆,大刀阔斧地毅然改制,定作规范。在百丈以后,更无完美的僧众制度,能够超过丛林制度的范围,所以说者便裁定是百丈禅师,创建丛林制度了。

在百丈以前,禅宗的学风,大多只在长江以南一带流传。最盛的区域,当在广东、湖南、湖北、江西、福建、浙江、江苏、四川等省,能够北入中原的还不太多。至于黄河南北,还是停留在初期东来佛教的方式。禅宗以外的其余宗派,以及专精佛教学理,讲习经论的法师,被称为义学沙门的,为数还是很盛。大凡笃信研究经论学理的人们,不是过于圆通,便是过于迂执,尽管他自己本身,也翻滚不出时代的潮流,如果有人要公开改变旧制,自然就会岔然动色的。所以当百丈创建丛林之初,就被人骂作"破戒比丘",这也是势所必致的了。马祖百丈等辈,都是气度雄伟,智慧豁达之士,具有命世的才华,担当立地成佛的心印,他毅然改制,固然由于见地定力的超群,也是适应时势机运的当然趋势。

百丈以后,晚唐五代之间,禅宗本身,又有五家宗派的门庭设立,范围僧众的制度,大体还是遵守丛林的清规。可是在教授方法,和行为仪礼之间,却因人、因地、因时的不同,就各有少许出入,这种不能算是异同,只能算是出入的仪礼和教授法,又名为家风。所以后世各个丛林禅寺,各有家风的不同,一直流传到清末民初。严格地说,禅寺丛林所流传的规范,已经经过千余年的变易,当然不完全是百丈禅师时代的旧观了。而且江南江北,长江上游和下游,各寺都有各寺不同的家风和规矩。但推溯这个演变的源流,无

论它如何变更形式,穷元探本,可以得一结论:

丛林禅寺的宗风,是渊源于丛林制度的演变。禅宗的丛林制度,是脱胎于佛教戒律的演变。

佛教戒律,是由释迦牟尼所制定的,它为了范围僧众集体生活,修证身心性命,建立具有中国文化《礼记》中的礼仪,以及法律、与社会法规等的精神和作用。

丛 林 制 度

中国佛教里所谓的"丛林",本来是禅宗僧众集团的特称,等于佛经所说的修行大众们,叫做清净大海众一样的意思。丛林不能通称某一个寺院,某一个寺院里的规模,可能是禅宗的丛林。明清以后,有些地方的寺院,虽然不一定是禅宗,便也随例称呼,叫作"丛林",并无严格的分别了。

一、丛林的规范

(一) 住持和尚:

他职掌全寺的修持(教育)、寺务(行政)、戒律和清规(法律)、弘法(布道)、经济财务等事权,等于政府的元首,社会的领袖。他在寺内住的地方,叫做"方丈",也就是佛经上说,维摩居室,仅有方丈之意,所以普通便叫一寺的住持和尚作"方丈"。有时也叫作住持,就是佛经上"住持正法"之意。《禅苑清规》称尊宿住持谓:"代佛扬化,表异知事,故云传法。名处一方,续佛慧命,斯曰住持。初转法轮,名为出世。师承有据,乃号传灯。"

1. 住持和尚的产生:

住持是僧众们推选出来的,必须具有几个条件:第一,是禅宗的得法弟子,要确有修持见地,足为大众师范,而且形体端正,无有残缺。第二,要德孚众望,经诸山长老和其他丛林的住持们赞助。第三,得朝廷官府(中央政府或地方政府)的同意。

他具备这些众望所归的条件,经过一次极其隆重的仪式,才得升座作住持和尚。如果以上还有老师和尚的存在,在升座的仪式中,还有付法、嗣法、入院、视篆等手续,才算完成接座的一幕,相等于现代的交替教育宗旨,和职位上的移交。

2. 退院的和尚:

前任的住持和尚退位,便称为退院老和尚,他闲居养静,再不问事,或者闭关专修,大体都是功高望重,修持与德操,达到圆满的程度。他与新任接位接法的住持和尚之间,视如父子,必须极尽恭敬供养侍奉的能事,一直到了老死,务须尽到孝养,否则,会被诸山长老及僧众们所指责的,甚之,还算是犯了清规,受到责罚。但是唐宋时代的退院高僧,多半是飘然远引,从来不肯作形似恋栈的事。

3. 和尚与政府的关系:

以前在中国的政治上,关于僧道制度,虽然历代都有过不大不小的争议,但因中国文化的博大优容,最后决议,都以师礼待遇僧道等人。虽然朝见帝王时,也不跪拜,只须合掌问讯,等于只有一揖了事。东汉时,僧尼隶属于鸿胪寺管理。唐以后,改变自姚秦、齐、梁以来的大僧正和大僧统,设祠部曹,主管天下僧尼道士的度牒和道箓等事。祠部与僧录司,等于现代政府的宗教司。唐代是隶属于礼部的,《唐会要》称:"则天延载元年五月十五日,敕天下僧尼隶祠部。"全国僧尼的户籍,也隶祠部专管,并置有僧籍的专案。迨唐宪宗元和二年,在帝都长安的左右街还置有僧录的职衔,相当于姚秦的僧正,后魏的沙门统,南齐京邑僧官的僧主。那是选拔聘请有道德学术修养的高僧,入都作僧官,主管天下僧尼道士等的事务。元代有一时期,还专设有行宣政院,以管理僧俗喇嘛及边情等事务。明洪武时，置僧录司，各直省府属置僧纲司，州属置僧正司。清代因其职称。度牒，是政府给僧尼的证件，等于现代的文凭和身份证明书。唐代又称为"祠部牒"，它自尚书省祠部发出。道士们的度牒，又名为"箓"。

丛林住持的和尚，虽然由僧众推行产生，但是也须得朝廷或地方官的同意聘任。如果住持和尚有失德之处，政府也可以罢免他的职位，甚至还可以追回度牒，勒令还俗，便变成庶民，像平常人一样接受政府法律的制裁。这种制度，一直到清代以后，才渐渐变质，不太严格。因为清代在精神上，乃异族统治，变相松弛，是另有它的政治作用。中国历代政权，虽然没有像现代人一样，有宪法规定宗教信仰的自由，可是向来都听任自由信仰宗教的，过去政府对于僧道的措施，并不是严格的管理，只是严整的监督。

4．住持和尚执行的任务：

住持在职位上，是全寺首脑的住持，由他选拔僧众，分担各种执事的职务，但是却叫作"请职"，并非分派。请职，等于说以礼聘请，并不是命令行为。各种执事的职位，虽然由住持所请，但一经请定了，便各自执行他的职掌，秉公办理，即使对住持，也不能徇私，因为他们有一最高的信仰，尽心尽力，一切都为常住，才是功德。常住，就是指丛林寺院的全体，也就是佛经所说"佛法常住"之意。所以凡关于处理或决议全寺和大众的事，住持必须请集全体执事公议以决定之，不能一意孤行，至少，也有两序执事长老，或少数重要执事参加决定才行。因此，住持在职位上，并不像专制时代政府的主官一样，他却像中国旧式教育的全体弟子们的严师一样。因为他所负的重要责任，便是指导全寺僧众们的实地修行，和品行的督导，关于这一方面，他却有无上的权威，也有无限的责任感。所以古代的丛林，有些住持，根本就不问事务，他认为执事的职掌，已经各有所司，毋需他来多管，他只需自己努力修行，随时说法，行其身教就是，要能不使学者走入歧途，这才是他应负的责任。

5. 住持和尚请两序班首执事:

住持就位,就要选请全寺的执事。所谓执事,百丈旧规,称为"知事"。班首,旧规称为"头首"。他要选拔僧众中才能胜任,而且足孚众望的出任各种职司。虽然不经过选举,但是必是大众所谅解同意的。他要发表各位执事职司的手续时,先要征求本人的同意,再把各执事职司的名字职位,写在一个牌上(等于现代的公告牌),挂了出来,大家就得遵守之。须在每年正月十五或七月十五挂牌。在请职以前,先于三五天前方丈预备了茶果,就命侍者去请某某师等同来吃茶,经过住持向他们当面请托,得到了同意,才一一由书记写好名字职位,挂牌示众。然后在就职那一天,午斋的时候,先送到斋堂,依次就座用膳。饭后再绕佛经行,送到大殿上,依次排列位置,再礼佛就位。晚课以后,各新请的执事,便到方丈礼座就职。住持便当面加以训勉,告诫尽心职务,遵守清规。退而再至各老职事房中,一一拜候,便叫作"巡寮"(这个名辞,在戒律上又作别论),这样便是简单的请职程序。请职的时候,也有请二人同任一职,互为副助,或数人同任一职的,偶也有之。但各职执事职司,虽由住持请出,却不像上下级官吏的组织,它是平行的。可以说,只有圆的关系,既不是上下,也不是纵横的隶属。他们有弟子对老师的尊敬,却没有下级对上级的班行观念。

6. 古清规的住持职司和接受程序:

(1) 住持的日常事务(旧称"住持日用")

关于教育和说法者:上堂。晚参。小参。告香。普说。入室(以上统属日常说法部分)。念诵。巡寮。肃众。训童行。为行者普说(以上统属日常管理部分)。受法衣。迎侍尊宿。施主请升座(说法)斋僧。受嗣法人煎点。嗣法师遗书至(以上统属于平常管辖的教育和事务部分)。

(2) 请新住持的次序

发专使,当代住持受请。受请升座。专使特为新命煎点。山门管待新命并尊使新命辞众上堂茶汤。西堂头首受请。受请人升座。专使特为受请人煎点山门管待人并专使。受请人升座茶汤。

（3）入院视篆

山门请新命斋。开堂祝寿。山门特为新命茶汤。当晚小参。为建寺檀越升座。管待专使。留请两序。报谢出入。交割砧基什物。受两序勋旧煎点。

（4）退院

（5）迁化

入龛。请主丧。请丧司执事。孝服。佛事。移龛。挂真举哀茶汤。对灵小参奠茶汤念诵致祭。祭次。出丧挂真奠茶汤。茶毗（火化）。全身入塔。唱衣。灵骨入塔。下遗书。管待主丧及丧司执事人（其中火化与全身入塔及灵骨入塔，并非丧事的次序，但只视丧事情形，任选一项）。

（6）议举新住持

（二）两序执事：

住持和尚所请班首执事，等于古朝廷仪制，分文武两班，所以便称为两序。

1．各职的班首执事：

（1）古清规的两序：

西序班首：首座。西堂。后堂。堂主。书记。知藏。参头。祖侍。烧香。记录。圣僧侍者。

执事：殿主。寮元。钟头。鼓头。印房。夜巡。清众。香灯。司水。耆宿。闲住。护病。打扫。行者。净头。

东序班首：都监寺。监院。维那。副寺。库头。知众。知客。照客。悦众。典座。值岁。知浴。监收。衣钵。汤药。侍者。庄主。

执事：化主。寮元。寮主。副寮。延寿堂主（即近代的涅槃堂主）。净头。米头。饭头。茶头。园头。磨头。水头。炭头。菜

头。柴头。

（2）两序请职的程序：

请立僧首座。请名德首座。两序进退。挂钵时请知事。侍者进退。寮舍交割什物。方丈特为新旧两序汤茶。堂司特为新旧侍者汤茶。库司特为新旧两序汤药。堂司送旧首座都寺钵位。方丈管待新旧两序。方丈特为新首座茶。新首座特为后堂大众茶。住持垂访头首点茶。两序交代茶。入寮出寮茶。头首就僧堂点茶。两序出班上香（其余制度，如受戒、挂褡、坐禅、节腊、法器，各有一定的规矩，因为太繁，又不关本文主要宗旨故不详述。既如以上所列，也仅举列它的次序名目，详细内容，也毋需一一申述）。

2．近代的各职班首执事：

（1）寺务行政方面：

监院一位，或数位。他是职掌全寺内外寺务行政，旧制称为寺主，他与维那、首座，为丛林三纲职司之一。监院俗称叫作"当家师"，如为二位，便分内当家与外当家，三四五位，便分大当家二当家等等。分别管内管外，管钱管账各等职务。如果是小丛林，大多都只有一位。

副寺一位，或数位。他等于副当家，分理监院的事务，并执掌财务和山林田产。旧制副寺十日一算费用，记之纸端者，谓之旬单。

（2）经济财务方面：

库头一位，或数位。旧制此即副寺的职称，又称谓"都仓"，掌出纳之役。他执掌储藏应用物品，和食粮食物财务等事，又等于现代的仓库主管，俗称"库头师"。所有储藏衣食等物，都应负保管、保养、防护、晒洗等责任。据《清规》记载："其上下库子，须择有心力，能书算，守己廉谨者为之。"又云："副寺者，古规曰库头，今诸寺谓柜头，北方称财帛，其实皆一职也。"

（3）监察方面：

都监一位。旧制称为"都寺"，别名"都管"。他负责监察寺务行政、经济、人事等事。大多任此职者，都聘请前任监院任之。后世把这一职务，也有变成了闲曹，等于政府的升迁，同时又相似降职。旧制它的职位，在监院之上，因都总诸监寺故名"都监"，又叫作"都总"，又叫"都守"。

（4）应接及外务方面：

知客一位或二三位，旧制又统称谓"典宾"、"知浴"、"知库"、"知殿"等。他对外执掌待客应酬，负责交际等事务，并接受替人念经作佛事等事，如为两位，便分别叫作大知客、二知客。所以知客师一席，又等于是外当家，或副寺，每日来往的收入，到了晚上，便统计交与库房。库房存款有余，便交方丈处理，现代便有转存于银行的。而且必须选拔德威并济，才能干练的担任，每每注重修持节操的，便推辞避免这个位置。但遇无其他适当人选，又必须为了常住，而发心担任之，等于为了大众必要，愿来跳火坑一样。

照客二位或数位，旧制称为"请客侍者"，或"客头行者"。隶属于知客之下，辅助知客，听其指挥作事，亦有选青年沙弥，聪明伶俐者任之。

（5）教育方面：

首座一位，旧制也有称谓"座元"，乃僧堂的元首之意。与监寺、维那，统称为三纲之一。他辅助和尚弘宗说法，大多是诸方公认的善知识，或在和尚的得法弟子中选有高深造就者任之，同时也可作和尚的储贰。他可代住持秉拂子上法座，开示大众，旧制和前堂首座、后堂首座、东藏主、书记，又称"秉拂五头首"，为各有秉拂之资格者，故又统称作"秉指寮"。旧制有前堂首座、后堂首座、立僧首座、名德首座、却来首座等各项分别职司。

堂主、后堂、西堂，都可以请一位或数位任之。旧制的"堂主"是一通名，例如水陆堂主、罗汉堂主、延寿堂主，都自各守一堂，虽然叫作堂主，并非如后代的专指禅堂的堂主，这里所称的，都是属于专管禅堂清修的堂主,旧制称"方丈和尚",也有便称为"堂头和尚"。堂主乃主持僧众实地修行的禅堂指导者,同时亦可代理和尚说法,所以后世便把堂主说法,也叫作"小参"。堂主必须选有真实修持,有实际学问修养者任之。近代的制度,堂主进升为后堂,后堂进升为西堂,西堂进升为首座。首座可以代理和尚上殿、过堂、说法等事务。堂主们年老退职闲居,便可以不问寺务了。

禅堂内,又有监香、悦众、及单头等职司。旧制单头又称为"寮长",也叫作"席头"。

书记一位,或数位。他执掌文墨,等于行政机关的秘书长,凡有关于寺务的文牍,都由他职掌,旧制写作佛事文书例如疏启一类,多采用四六字句的骈文体,这个职位,后代又改变有"写法书记"的名称。他等于中国古代帝王左右的史官,所谓"左史记行,右史记言"一样,他集二者于一身,书写记载住持和尚的说法的法语和言行,故须选善于文翰者任之。又有把这个职位,用作犒赏劳职之用,选拔清众当中,有多年苦行的任之,使他得到一个独居静处的寮房。书记可进升为堂主,旧制也又有称为"记室"的。

(6)纪纲司法方面:

维那一位,乃全寺三纲之一。与监院、首席并列为上首。纲即纲维之意,就是纲领寺内维持佛寺者。禅宗与律宗,都称"维那",教宗便称谓"都维那"。旧制又别称为次第、知事、悦众、寺护等名。其实,"维那"一辞,实在出于律部的名称,《僧史略》谓:"东西域知事僧,总曰羯磨陀那(即梵语羯磨师之别译),译为知事,亦曰悦众,谓知其事,悦其众也。"大凡诵经诵律,举行佛事,都由他领头,或僧众犯戒,触犯丛林清规,也由他执行,如摈斥出院等(戒律叫"斥逐作摈",丛林术语便叫作"迁褡",讹作"迁单",就是赶出山门的代语)。维那的别称,又名叫做"堂司",或用堂司直接名其所居住的寮舍,或作为直接名其职位的,又有一名,便叫作"纪纲寮"。

(7)方丈侍者:

侍者数位，以其亲近于长老左右而任调遣者，故称"侍者"。旧制有五侍者，或六侍者的不同。有香侍者、侍状侍者、待客侍者、侍药侍者、侍衣侍者，这叫五侍者。巾瓶侍者、应客侍者、书录侍者、衣钵侍者、茶饭侍者、干办侍者，这叫作六侍者。后世以衣钵侍者，等于管理方丈中的总务侍者。书写侍者，后世又称为"写法侍者"，记录撷拾住持和尚的开示法语，是由他记写悬牌示众的。他们侍候和尚，等于方丈的侍从，多选和尚的入室弟子任之，也是清高的职司。佛经称侍者应具八法：所谓"一、信根坚固。二、其心觅进。三、身无病。四、精进。五、具念心。六、心不恼慢。七、能成定意。八、具足闻智。"总之，此辈必须为法忘躯，智行严密，不负法乳之托的方可任之。

（8）总务方面：

典座一位，他执掌日常事务，犹如现代的总务庶务等业务。《临济录》冠注谓："《百丈清规》有典座无饭头，此典座也。典座者，职掌大众斋粥一切供养。"僧堂清规谓："此职主大众斋食，故时时改变食物，大众受用安乐为妙。"后世也有改为执掌内务之职的。

僧值一位。这是一年的值事僧，每年轮流当值，由各执事更换任之。

饭头一位。专管做饭。僧堂清规称："此职与典座分劳，掌粥饭，常与药头、监粮等为合而护惜常住，其用心与典座同，慎饭粮之过不足，宜常熟读典座宝训。"

火头一位，专管司爨。

园头一位，专管种菜。

菜头一位，专管煮作蔬菜。

行头数位，专管斋堂执役。

其他柴头、炭头、桶头、水头、磨头、茶头、锅头，则因时因地各有不同，或有或无，并不一律。

净头一位，专管厕所的卫生清洁。往往也有首座班首及僧众，自动请求担任,认为乃忏罪立德的好事。也有叫做"圊头"的,旧制又称谓"东司"。

庄主一位,或数位。如另外有田产的大丛林,就设有此职,专管田户收租等事,俗称叫"外当家",辖有监收主等数位。

巡山寮主一位或数位,专管培养保护山林并防护盗贼等。如在深山大寺,都设有此职。普通寺院,不一定有的,大多选孔武有力者任之。如设有此职寮之处,则园头、柴头便归此寮。

如属有小庵,便有住庵的庵主。有塔,便有守塔的塔主。

打钟的称钟头,击鼓的称鼓头,也都各有专司。

(9) 清要的职务:

藏主一位,旧制称谓"知藏"。他是专管藏经及图书的职位,等于现代的图书馆长,及图书管理员,往往选学养兼优的人任之,也可以并在书记寮内。大寺中每每专有藏经楼的建筑,故此职极为重要。

殿主一位,香灯数位。专管大雄宝殿的佛前内外事务的,叫作"殿主",有香灯一人辅之。其他各殿,也有各殿的香灯,却不叫殿主,旧制却并在堂主寮内。如涅槃堂主(旧称"延寿堂主")、罗汉堂主等。涅槃堂,律宗曰"无常院",或"无常堂"。禅宗曰"涅槃堂",或"延寿堂",乃置临命终时的病僧,使观无常之所也。

化主一位或数位,他专管出外游方宣化,以募化所得,供养全寺大众生活,及作丛林常住的资产。化缘所得的款项账目,一切交付知客、库头,登记账册,转交住持处理。化主每每可以终年游方外出,比较清闲。

(10) 执掌劳役的僧众:

执役僧若干人,担任劳动杂役的事务,往往皆由自动发心,请求执行苦役藉以自励德行的。此中每多贤者,并且大多是不求人知的,《传灯录》载:"沩山在百丈会下作典座,又令遵有笰篱木杓分付与典座语。"《五灯会元》载:"雪峰在洞山作饭头。庆诸在沩山为米头。道匡在招庆为桶头。灌溪在末山为园头。绍远在石门为田头。智通在沩山为直岁。晓聪在云居为灯头。嵇山在投子为柴头。义怀在翠峰为水头。佛心在海印为净头"此类都是苦行劳役之职，如作典座者，更为普遍。昔年笔者参学诸方时，曾有诗云："灵鹫风高旧迹登，禅参北秀与南能。当时行脚江湖日，遍访名山苦行僧。"这便是向慕苦行僧中的德操，所以作此感怀。

3. 班首执事与江湖清众：

凡是住持和尚以次的各班首执事，大多都有单独的寮房。如果房间不够分配，也视职位的清要与否，间或一二人兼并一间的。其余的僧众，无论住禅堂或挂褡，就统名叫作"清众"。后世因为佛教的普及，为了响应普通民间社会信仰的需要，也有被请去外面念经作佛事的必要，这也同时是全寺和僧众们的公私收入，所以便有专为应酬念经拜忏的一班僧众，普通把他有别于专门清修的清众，便叫做"应门"。当清末民初，在闽浙一带，一般习惯叫他为"应门和尚"，这可能就是应化僧的讹传了。

十方挂褡的云水寮，旧制叫作"江湖寮"，又名谓"众寮"，这是专指往来四方，参学云游的挂褡僧寮。禅门相传，江湖乃江西湖南之意，因唐时参禅的僧众，不到江西马祖处，便到湖南石头处，往来憧憧，都凑集在二大师之门，故便称谓江湖僧众。据《文选注》：谓今言江湖者，江外湖边，本是隐沦士所处。如《莲社高贤传》周续之曰："心驰魏阙者，以江湖为桎梏。"骆宾王《序》曰："廊庙与江湖齐致。"范希文严先生《祠堂记》曰："既而动星象，归江湖。"等说是也。其实，江湖的原意，出于《庄子》，乃指隐沦的风尚，如云："泉涸，鱼相与处于陆，相呴以湿，相濡以沫，不如相忘于江湖。"

4. 丛林清规的古今异同：

自百丈清规以来，及今千有余年，何况原始规范，早已失传，后世传到近代的丛林规矩，多有非旧时面目者，也就不足以为怪了。当元顺帝至元四年，敕百丈山德辉禅师选修《百丈清规》八卷行世，就诏天下僧人,悉依此清规而行。到了明朝,屡次下敕不入此清规者,就以法律绳之,后世便遵此为准。清代道光三年,有源洪禅师著《百丈清规证义》十卷行世,便为定本。其余则因时因地的不同,就各自别有出入。近世以来,所行有不同于旧制者更多,实亦时势所驱使,有不得不变的苦衷,但也有由于不知所本,妄加师心自用的确亦不少,如源洪禅师称:"清规面目,有古今不同者,如古称头首,今名首座,或号座元。古称监寺,今名监院,以及书状,改名书记。僧堂改名为禅堂之类。俱改其名而不改其义。又规条中古有而今无者,如点茶抛香之类。古无而今有者,如祖忌、增百丈等,水陆增栖等及不许吃烟之类。"

总之,任何一种社会,最初总很简单。时代愈向后推,情形也愈复杂,所以规矩也就增加更多。百丈原始清规,虽然已经失传,但宋人杨亿的序文至今还在,他所述的原始情形,当然比较后世简朴的多,如称:"所哀学众,无多无少,无高下,尽入僧堂,依夏次安排,设长连床,施椸架,挂褡道具。卧必斜枕床唇,右胁吉祥睡者;以其坐禅既久,略偃息而已。"他又述说《百丈清规》的目的,如称:"一、不污清众,生恭信故。二、不毁僧形,循佛制故。三、不扰公门,省狱讼故。四、不泄于外,护宗纲故。"从杨亿的序文,和慈觉大师的《龟镜文》看来,当时他所注意的重心,确实只重在流传到今世的禅堂。但是后世的丛林规矩,除了少数几个大丛林以外,却都以此为范围僧众的仪轨,反视禅堂为附庸了,甚矣!禅宗的衰落,也是事有固然的了。

二、丛林的风规

1. 身份平等,集团生活。

唐、宋时代,正当禅宗鼎盛的时候,大凡出家为僧的,不外四种情形:

（1）部分研究佛学经论的称为"义学比丘"，有的是因政府实行佛经的考试，既经录取，便由朝廷赐给度牒出家的。

（2）自动发心，离群求道，请求大德高僧剃度的。

（3）朝廷恩赐，颁令天下士庶，自由出家的。唐时，政府有几次为了财政的收入，还有鬻卖度牒，听任自由出家的。

（4）老弱鳏寡，无所归养而出家的。在这四种情形当中，如有未届成年想求出家者，依佛的戒律，还须得父母家族的同意，才能允许出家。

既经出家受戒，取得度牒以后，就可往丛林讨褡长住。讨褡大约分作两种，各有不同的手续：

（1）普通少住数日或一短时期的，便叫做"挂褡"（俗作"挂单"或"挂褡"）。挂褡的僧众，为慕某一丛林住持和尚的道望，远来参学，或是游方行脚经过此处，但都须先到客堂，依一定的仪式，作礼招呼，依一定的仪式放置行李，然后由知客师或照客师依礼接待，并依一定的禅门术语，询问经过，既知道了他挂褡的来意，便送进客房，招呼沐浴饮食。普通僧众住的客房，术名叫"寮房"。接待游方行脚僧的，又叫做"云水寮"。唐宋时代，旧称通叫做"江湖寮"。最普通的过路挂褡也要招待一宿三餐，等于归家稳坐，绝无歧视之处。如遇参学游方的，有些比较大的丛林，在他临行时，还要送些路费，叫做"草鞋钱"。倘要久住些的，便要随大众上殿念经，参加做事，虽然居在客位，劳逸平均，仍然不能特别。

（2）要想长住的，便叫作"讨褡"。要住进禅堂内修学的，便叫作"讨海褡"。讨了海褡，就算本寺的正式清众了。这必须要先挂褡，住些时日，经过知客师及各执事们的考查，认为可以，才能讨得海褡长住，旧制称为"安褡"。常住的僧众，每年春秋两次，各发一次衣布，或衣单钱，以备缝制衣服之用。除了施主的布施以外，常住每季，还发一次零用钱，也叫做"衬钱"。

凡是已经受戒，持有度牒，而且是常住的大众，身份与生活，便一律平等,上至住持和尚,下至执劳役的僧众,都是一样。对于衣、食、住、行方面,都要严守佛家的戒律,和丛林的清规。如果犯了戒律和清规,轻则罚跪香或执苦役,重则依律处罚或摈弃,便是俗称"赶出山门"了。

衣:普通都穿唐、宋时代遗制的长袍,习禅打坐也是如此。作劳役时便穿短褂,这些就是流传到现在的僧衣。遇有礼貌上的必要时,便穿大袍,现在僧众们叫它为"海青"。上殿念经、礼佛,或听经、说法的时候,便披上袈裟。中国僧众们的袈裟,都已经过唐、宋时代的改制并非印度原来的样式。到了现在,只有在僧众的长袍大褂上,可以看到中国传统文化,雍容博大的气息,窥见上国衣冠的风度。僧众们的穿衣,折叠,都有一定的规矩,都是训练修养有素,就是千人行路,也难得听到衣角飘忽的风声。

食:依照佛教的戒律,每日只有早晨、中午两餐,为了种种正确的理由,过午便不食了。食时是用钵盂,以匙挑饭,并不像印度人用手抓饭来吃。但到了中国,已经改用碗筷,和普通人一样。不过,完全实行大乘佛教,一律终生素食,而且是过午不食的。除了少数担任劳役的苦役僧,因恐体力不济,晚上一餐,还只是作医治饿病之想,才敢取食。凡吃饭的时候,一律都在斋堂(食堂),又叫作"观堂",是取佛经上在饭食时,作治病观想,勿贪口腹而恣欲之意。这个规矩,大家必须一致遵守,虽上至住持和尚,也不能例外设食,这就名为"过堂"。如有外客,便由知客陪同在客堂吃饭,住持和尚于不得已时,也可以陪同客人饭食。大众食时都有一定的规矩,虽有千僧或更多的人,一听云板报响,便知已经到了食时。大家穿上大袍,顺序排列,鱼贯无声地走入膳堂,一一依次坐好。碗筷菜盘,都有一定次序放置。各人端容正坐,不可随便俯伏桌上。左手端碗,右手持箸,不得有饮啜嚼吃之声。添饭上菜,都有一定的规矩,另有执役僧众侍候,不得说话呼喊。斋堂中间上首,便是住持和尚的坐位,住持开始取碗举箸,大家便也同时开始吃食了。等到全体饭毕,又同时寂然鱼贯回寮。住持和尚如有事情向大众讲话,正当大众饭食之时,他先停止吃饭,向大众讲话,这便名为"表堂"。每逢月之初一、十五便加菜劳众。或遇信众施主斋僧布施,也要加菜的。

　　住:在禅堂专志修习禅定的僧众,便名为"清众",旦暮起居,都在禅堂。其余各人都有寮房,一人一间,或数人一间的,依照佛教戒律和丛林规矩,除早晚上殿念经作功课,以及听经听法以外,无事寮房静坐,不得趱寮闲谈,不得闲游各处,无故不得三人聚论及大声喊叫。如遇住持和尚或班首执事,以及年长有德者经过,就必肃然合掌起立,表示问讯起居。

　　行:各人行走,或随众排列,必须依照戒律规矩,两手当胸平放,安详徐步,垂脸缄默,不得左顾右盼,不得高视阔步。如要有事外出,必须到客堂向知客师告假,回寺时又须到客堂销假,不得随便出外。即使住持方丈,或班首执事出寺入寺,也须在客堂说明,告假几天,同时还须向佛像前告假和销假。其余生活各事,如沐浴、洗衣,各有规定。病时大丛林中,自有药局处方,告假居房养息,不必随众上殿过堂。倘若病重,进住如意堂,便有自甘执役护病的僧众来侍奉,如意堂,也就是旧制的安乐堂。死了,便移入涅槃堂,举行荼毗(俗名"迁化"),然后收拾骨灰,装进灵骨塔(即俗称"骨灰塔")。

　　总之,真正的丛林集团生活,绝对是作到处处平等,事事有规矩。由一日而到千百年,由管理自己的身心开始,并及大众,都是循规蹈矩。至于详细细则,还不止此。所以宋代大儒程伊川,看了丛林的僧众生活,便叹说:"三代礼乐,尽在是矣。"

　　2. 劳役平等,福利经济。

　　百丈创制丛林,最要紧的,便是改变比丘不自生产,专靠乞食为生的制度。原始的佛教戒律,比丘不可以耕田种植,恐怕伤生害命,那在印度某些地方,可以行得通,到了中国,素来重视农耕,这是万万行不通,而且更不能维持久远的。所以百丈不顾别人的责难,毅然建立丛林制度,开垦山林农田,以自耕自食为主,以募化所得为副。耕种收获,也如普通平民一样,依照政府法令规定,还要完粮纳税,既不是特殊阶级,也不是化外之民。平日于专心一声修行求证佛法以外,每有农作或劳动的事情,便由僧值师(发号司仪者)宣布,无论上下,就须一致参加劳动。遇到这种事情,丛林术语便名为"出坡",旧制叫作"普请"。出坡的时候,住持和尚,还须躬先领头,为人表率。百丈禅师到了晚年,还自己操作不休,他的弟子们,过意不去,就偷偷地把他的农作工具藏了起来。他找不到工具,一天没有出去工作,就一天不吃饭,所以禅门传诵百丈高风,便有:"一日不作,一日不食"之语,并且以此勉励后世,由此可见他人格伟大的感召了。现代的虚云和尚年届一百二十岁,还是身体力行,终生奉此不变的。

丛林的经济,一切收入与支出,要绝对公开,术名便称为"公众"。收入项目,悉数都为全寺大众的生活,尽量为大众谋求福利,还有盈余,便添购田地财产,希望供养更多的天下僧众。一班执事等人,多半公私分明,绝对不敢私自动用常住一草一木,因为僧众们在制度以外,更是绝对信仰因果报应的。平时经常传为宝训的,便有:"佛门一粒米,大如须弥山。今生不了道,披毛带角还。"因此,他们对于在禅堂里真实修持的僧众,都是极力爱护,不肯使他们受到丝毫惊扰,希望他们成道,以报天下、国家、社会上和施主们的恩德。从前有一位宝寿禅师,在五祖寺库房执事,那时的住持和尚戒公,偶然因病服药,需用生姜,侍者就到库房里取用。宝寿便叱之使去。戒公知之,令拿钱去回买,宝寿才付给他。后来洞山缺人住持,郡守来信,托戒公找人住持。戒公便说:那个买生姜的汉子去得。他便去作洞山的住持。所以后世有"宝寿生姜辣万年"的句子,相传为禅门的佳话。民国三十年间,笔者在成都的时候,见过一位新都宝光寺的退院老和尚,其人如苍松古柏,道貌岸然可敬。住持大寺数十年，来时只带一个衣裳包袱，退位的时候，仍然只带这个破包袱。对于常住物事从来不敢私用分毫，自称德行不足以风众，背不起因果。相对数言，便令人起思古之幽怀，这便是丛林大和尚的风格。

3．信仰平等，言行守律。

所谓"丛林"，顾名思义，是取志在山林之意，其实，它具有此中明道修行者，有如麻似粟、丛集如林的意思。他们都是坚定地信仰佛教的佛法，尤其更信仰禅宗心地成佛的法门。要住丛林，便是为了专心一志地修证心地成佛法门，所以他们除了恪守丛林的清规以外，在寺内更笃守佛教的戒律。相传过去天台国清寺有一得道高僧，已经有了神通。有一天晚上，在禅堂里坐禅，下座的时候，他偷偷问隔座的僧众说：你的肚子饿了吗？大家不敢答话。有一僧说：饿了怎么办？规定大家过午不食，谁又敢去犯戒？即使要吃，厨房里都没有东西，那里有吃的呢？他说：不要紧，你要吃，我替你弄来，厨房里还有锅粑呢！他说了，便伸右手入左手的袖子里，一会儿，就拿出一大把锅粑来请这僧吃。这时，那个住持和尚也有神通的，他严守戒律，决不肯轻现神通。到了次日清晨，住持和尚便向大众宣布，昨天夜里，禅堂里有两位僧人犯戒，依律摈斥出院。那个有神通的僧人便伸手拿起包袱，向住持拜倒，自己承认犯戒，由此就被赶出山门了。南宋时，大慧宗杲禅师，他未经得法时，依止湛堂禅师，有一天，湛堂看了他的指甲一眼，便说：近来东司头的筹子，不是你洗的吧！他便知道师父是责他好逸恶劳，立即剪去养长了的指甲，去替黄龙忠道者作净头（清除厕所）九个月。由于这些例举的一二操行，就可知他们的规矩和戒律，言行和身教，是多么的自然和严整啊！

4．众生平等，天下为家。

佛教的宗旨，不但视人人为平等，它确要做到民胞物与，视一切众生，都是性相平等的，为了适合时代和国情，百丈禅师创立了丛林制度,从表面上看,丛林的清规与佛的戒律,似乎不同。实际上,清规是以佛的戒律作骨子的,所以它的内部,仍以严守戒律为主。即如举足动步,也不敢足踏蟋虫蚂蚁,何况杀生害命。因为它的信仰和宗旨,是慈悲平等的,所以丛林便有天下一家的作风。僧众行脚遍宇内,不论州县乡村,只要有丛林,你能懂得规矩,都可挂褡安居。此风普及,及至乡镇小庙,或是子孙私产也都可以挂褡。从前的僧众们,行脚遍天下,身边就不需带一分钱。既使无寺庙可住,大不了,树下安禅也可过了一日。元、明以后,佛道两家好像各有宗教信仰的不同,在某些方面,又如一家。例如道士,到了没有道观的地方,可以跑到和尚寺里去挂褡。和尚也是如此,必要时可以跑到道观里去挂褡。每遇上殿念经的时候,也须随众照例上殿,不过各念各的经,只要守规矩,便不会对他歧视的。僧尼之间,事实上,也可以互相挂褡。不过,其中戒律和规矩更要严些。例如男众到女众处挂褡,清规严格的寺院,就只能在大殿上打坐一宵。稍稍通融的,也只能在客房一宿,绝对不可久居。女众到男众处,也是如此的。俗人求宿寺院,便不叫做挂褡,佛门以慈悲为本,有时斟酌情形,也可以收留的。唐、宋时代,许多出身贫寒的读书人,大都是寄居僧寺读书,例如邺侯李泌等辈,为数确也不少。至于唐代王播微时,寄读扬州僧寺,被主僧轻视,故意在饭后敲钟,使他不得一餐,便题壁写诗云:"上堂已了各西东,渐愧阇黎饭后钟。"后来他功名成就,复出镇是邦,再过此处,看到昔日的题句,已被寺僧用碧纱笼罩起来,他便继续写道:"二十年来尘扑面,如今始得碧纱笼。"这些事情总有例外的,也不能以偏概全,便视僧众都是势利的了。最低限度,也可以说,有了丛林制度以后,确实已经替中国的社会,做到收养鳏寡孤独的社会福利工作,使幼有所养,老有所归,这是不能否认的事实。宋仁宗看见丛林的生活,不胜羡慕它的清闲,便亲自作有《赞僧赋》。相传清代顺治皇帝,看了丛林的规模,便兴出家之想,他作了一篇《赞僧诗》,内有:"天下丛林饭如山,钵盂到处

任君餐。朕本西方一衲子，如何落在帝王家。只因当初一念差，黄
袍换却紫袈裟"等句，也有人说，这是康熙作的，真实如何，很难考
证，但由此可见禅门丛林，是何等气象了。

三、丛林以修持为中心的禅堂

1. 禅堂的规模：

百丈创立丛林，最重要的，他是为了真正建立禅宗的规范。由
于这种制度的影响所及，后世佛教的寺院，不论宗于何种宗派，大
多数都有加上禅寺名称的匾额，而且因为禅僧们的简朴，一肩行
脚，背上一个蒲团，芒鞋斗笠，就可走遍天下名山大川。大家景仰
他们的苦行，所以青山绿水之间，不断地建筑起禅寺了。但真正的
禅门丛林，它的主要目的，不止在于创建寺院，都在于有一座好的
禅堂，可以供养天下僧众，有个安身立命、专志修行的所在。唐、
宋、元、明、清以来，国内有的丛林里的禅堂，可以容纳数百人到千
余人的坐卧之处，每人一个铺位，可以安禅打坐，又可以放身倒卧。
各个铺位之间，又互相连接，所以古人又叫它作"长连床"。但每一
座位间，必须各记自己的姓名，张贴于坐席之间。全寺的僧人，常
住经常也备有登记簿，俗名叫作"草单"，术名叫作"戒腊簿"，也等
于现代的户口簿。整个禅堂光线明淡，调节适中，符合简单的生活
起居，适应方便。只是古代的建筑，不太注重通风设备，对于空气
的对流，比较差些。禅堂四面，都做成铺位，中间完全是个大空庭，
需要作大众集团踱步行走之用。这种踱步，便是佛经所说修禅定
者的适当活动，叫作"经行"。丛林里便改作"行香"与"跑香"了。
所以禅堂中心的空间，便要能够容纳内部数百或千余人的跑步之
用，行香与跑香，都照圆形活动。不过必要时，还有分成两个圈子
或三个圈来跑，老年体弱的，不可以走外圈。少壮健康的，就走外
面的大圈子。

2. 禅堂里的和尚：

禅堂既然为禅宗丛林的中心，等于现代语所说的，是个教育的中心了。那么，应该是最富于佛教色彩的所在，事实上，并不如此；它却正正真真表示出佛法的真精神，不但完全解脱神秘和迷信，而且赤裸裸地表达出达摩大师传佛心印的宗旨。原来禅堂里，不供佛像，因为禅宗的宗旨，"心即是佛"，又是"心、佛、众生，三无差别"的。又，"不是心，不是佛，也不是物"的。那它究竟是个什么呢？可以说，它是教人们明白觉悟自己的身心性命之体用，所谓本来面目，道在目前，就在寻常日用之间，并不是向外求得的。后世渐有在禅堂中间，供奉一尊迦叶尊者的像，或达摩祖师的像。禅堂的上位(与大门正对的)，安放一个大座位，便是住持和尚的位置，和尚应该随时领导大家修行禅坐，间或早晚说法指导修持。所以住持和尚一定要选任曾经悟道得法的过来人，确能指导大家修证的大善知识了。心即是佛，和尚便是今佛，住持也便是中心，所以有时称他作"堂头和尚"。如住持和尚因故不能到禅堂参加指导，辅助住持的督导修持，就是禅堂的堂主，与后堂西堂等，这几个位置是设置在左排进门之首的。此外，还有手执香板，负责督察修持的，叫做"监香"，他和禅堂里的悦众，都是负责监督修持用功之责的。悦众和监香，也有数人任之的。香板，古代乃是竹杖，一端包了棉花和布，作为警策之用，这是佛的旧制，称谓"禅杖"。后世改用为木板，作成剑形，叫做"香板"。其余，还有几位专门供给茶水的执役僧，有时或由新出家的沙弥们任之。

3. 禅堂的生活：

顾名思义，所谓"禅堂"，就是供给僧众们专门修持坐禅的地方。他们为了追求实现心地成佛的最高境界，一面离尘弃欲，决心绝累。一面又须苦志精勤，节操如冰雪。其之毕生埋首禅堂，一心参究，纵然到死无成，仍然以身殉道而不悔者，比比皆有。凡是住在禅堂里的人，饮食起居生活，一律都须严守清规的纪律。清晨三四点钟就要起床、盥漱方便以后，就上座坐禅。因为古代没有时钟，每次坐禅，就以长香一炷为标准，大约等于现在时钟的一点半钟左右。下座以后，就须行香，大家依次排列，绕着禅堂中间来回行走，身体虽然松散，心神却不放逸。

近代禅堂坐位简图

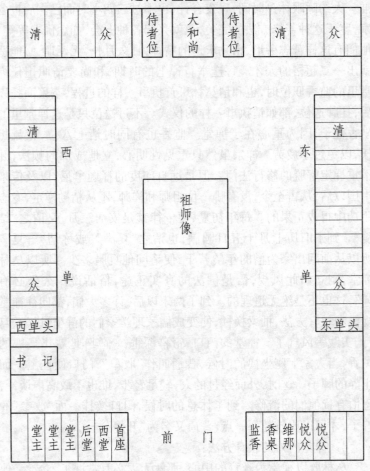

这样又要走完一炷香,就再上座。饮食、睡眠、大小便,都有划一的规定。如此行居坐卧,都在习禅,每日总以十支以上长香为度。如逢冬日农事已了,天寒地冻,更无其他杂务,便又举行克期取证的方法,以每七日为一周,叫做"打禅七"或"静七"。在禅七期中,比平常更要努力用功参究,往往每日以十三四支长香,作为用功的标准。大约睡眠休息时间,昼夜合计,也不过三四小时而已。后世各宗,鉴于这种苦修方法的完美,也就兴起各种七会,如念佛七等等。他们有这样苦志劳形,精勤求道的精神,日久月长,无疑地,必能造就出一二超格的人才。每逢举行禅七的时期,和尚要请职担任禅堂里的监香职位时,也和请丛林班首执事一样的过程,茶聚商托以后,挂牌送位,都如请执事一样的仪式。不过送位只是送禅堂里的坐香位子,因为重心在于禅堂。监香也有同时请七八位,轮流担任,以免过于疲劳。禅宗虽然只重见性明心,立地成佛的顿法,并不重禅定解脱的修行法门。但是远自印度的释迦牟尼,以及传来中国以后,从古至今,没有哪一位祖师和禅师,不从精勤禅定,专志用功中得成正果的。每年初夏,便依律禁足安居三月,又谓之"结夏"。到了旧历七月十五日圆满,也谓之"夏满",或称谓"解夏"。所以从前问出家为僧的年龄若干,便请问他夏腊多少。所以丛林禅堂,制立如此风规,恰是佛法的真实正途,俗话说:"久坐必有禅",这也不是绝无道理的。到了两宋以后,许多大儒,都向往禅堂规模和教育方法,抽梁换柱,便变成儒家理学家们的静坐、讲学、笃行、实践等风气了。禅堂的门口,帘幕深垂,一阵阵地飘出袅娜的炉香,当大家上座坐禅的时候,普通叫作"收单",门口便挂上一面止静的牌子。这时,外面经过的人,轻足轻步,谁也不敢高声谈论,恐怕有扰他们的清修。到了休息的时候,门口换挂一面"放参"的牌子,才可以比较随便一点,普通又名为"开静"。

　　4. 禅堂内外的教育方法:

　　丛林既以禅堂为教育的中心,那就天天必有常课了。诚然,他们的常课，便是真参实证，老实修行本分下事，却不是天天在讲学说法的。因为在禅宗门下，认为讲习经论，那是属于义学法师们的事，他们重在老实修行。遇到晚上放参的时候，住持和尚莅临禅堂，说些用功参禅的法门，或者有人遇到疑难，请求开示，便随时说法指导，这样就叫做"小参"。后世风规日下，有时住持和尚偷懒，便请堂主升座说法，这也叫作"小参"。倘有正式说法，在禅堂以外，另外还有一座说法堂，简称法堂，依照一定的仪式，礼请住持和尚升座说法。这时大都是鸣钟击鼓，依照一定的隆重仪式，通知全寺的僧众，临场听法的，仪式的庄重，和大众的肃然起敬，恰恰形成一种绝对庄严肃穆的宗教气氛。可是禅宗住持和尚说的法，却不如讲经法师们，一定要依照佛经术语的法则来讲，也不是只作宗教式的布道。它是随时随地，把握机会教育的方针，因事设教，并无定法的。弟子和书记们，老实记载他的说法讲话，便成为后世的"语录"一类的书了。如果有时讲解经论，又须另在讲堂中举行。对于专门讲解经论的法师，便称为"座主"。丛林的修行教育，固然以禅堂为中心，但作为导师的住持和尚，对于全体笃志修行的僧众们，却要随时随地注意他们修持的过程和进度，偶或在某一件事物，某一表示之下，可以启发他智慧的时候，便须把握时机，施予机会教育。这种风趣而轻松的教育法，在高明的禅师们用来，有时会收到很大的效果，可能对于某一个人，便由此翻然证悟的。既或不能达到目的，有时也变成很幽默的韵事了。后世把这种事实记载起来，便叫作"公案"。理学家们便取其风格，变称"学案"。那些奇言妙语，见之于后世的语录记载里的，便叫做"机锋"和"转语"。由此可见作一位住持丛林的大和尚，他所负的教育责任，是何等的重要，佛经所谓"荷担如来正法"，正是大和尚们的责任所在。所谓"荷担"，也就是说继往开来，住持正法眼藏，以继续慧命的事。唐、宋之间，有些得道高僧，自忖福德与智慧、才能和教导，不足以化众的，便往往谦抑自牧，避就其位了。

5. 禅堂的演变:

元明以后,所谓禅寺的丛林,渐渐已走了样,同时其他各宗各派,也都照禅宗丛林的规矩兴起丛林来了。在其他宗派的丛林中,禅堂也有变成念佛堂,或观堂等,所谓真实的禅堂和禅师们,已如凤毛麟角,间或一见而已,令人遥想高风,实在有不胜仰止之叹。民国以来,研究佛学的风气,应运而兴,所以禅门丛林,也多有佛学院的成立。禅宗一变再变,已经变成了禅学,或是振衰革弊,或是重创新规,唯有翘首佇候于将来的贤哲了。

四、丛林清规的遗范

《清规》就是百丈禅师所创立,作后世丛林清净仪轨的守则。后代的禅师们,虽亦有另作规则的,但都宗奉《百丈清规》为主。明太祖朱元璋作的《祖训》,清帝康熙作的《圣喻广训》,他们原始体裁的渊源,便是由于《禅门清规》和《禅林宝训》所启发。《百丈清规》原件,早已失传,现在仅有的清规,只有元代敕修的《百丈清规》,以及《百丈清规证义》、《禅苑清规》、《入众日用》、《入众须知》、《幻住清规》、《丛林校定清规总要》、《禅林备用清规》、《日用清规》、《禅林两序须知》等书。日本另有《大鉴清规》、《永平清规》、《莹山清规》等书。但都时届千余年,已经不是百丈旧时原式。就是本文所记叙的,也只简略杂合近代的丛林规矩,已经加入不少的时代气氛了。兹且摘录数则有关文字以作参考。

1. 百丈禅师传(出自《宋高僧传》):

释怀海,闽人也。少离朽宅,长游顿门,禀自天然,不由激劝。闻大寂始化南康,操心依附。虚往实归,果成宗匠。后檀信请居新吴界,有山峻极可千尺许,号百丈岇。海既居之,禅客无远不至,堂室隘矣。且曰:吾行大乘法,岂宜以诸部阿笈摩教为随行邪! 或曰：《瑜伽论》、《璎珞经》是大乘戒律，胡不依随乎？海曰：吾于大小乘中，博约折中，设规务归于善焉，乃创意不循律制，别立禅居。初自达摩传法至六祖以来，得道眼者号长者，同西域道高腊长者呼须菩提也。然多居律寺中，唯别院异耳。又令不论高下尽入僧堂，堂中设长连床，施椸架，挂搭道具。卧必斜枕床唇，谓之带刀睡，为其坐禅既久，略偃息而已。朝参夕聚，饮食随宜，示节俭也。行普请法，示上下均力也。长老居方丈，同维摩之一室也。不立佛殿，唯树法堂，表法超言象也。其诸制度，与毗尼师一倍相翻。天下禅宗如风偃草。禅门独行由海之始也。以元和九年甲午岁，正月十七日归寂。享年九十五矣。生当元宗开元十六年。穆宗长庆元年，敕谥大智禅师。

2. 百丈禅师入道因缘（出自《指月录》）：

洪州百丈山怀海禅师，福州长乐人，王氏子。儿时随母入寺拜佛，指佛像问母曰：此为谁？母曰：佛也。师曰：形容与人无异，我后亦当作佛。早岁离尘，三学该练。参马大师为侍者。檀越每送斋饭来，师才揭开盘盖，马大师便拈起一片胡饼示众云：是什么？每每如此。经三年，一日侍马祖行次，见一群野鸭飞过。祖曰：是甚么？师曰：野鸭子。祖曰：甚处去也？师曰：飞过去也。祖遂把师鼻扭，负痛失声。祖曰：又道飞过去也？师于言下有省。却归侍者寮，哀哀大哭。同事问曰：汝忆父母耶？师曰：无。曰：被人骂耶？师曰：无。曰：哭作甚么？师曰：我鼻孔被大师扭得痛不彻。同事曰：有甚因缘不契？师曰：汝问取和尚去。同事问大师，曰：海侍者有何因缘不契，在寮中哭，希和尚为某甲说？大师曰：是伊会也，汝自问取他。同事归寮曰：和尚道，汝会也，教我自问汝。师乃呵呵大笑。同事复曰：适来哭，如今为甚却笑？师曰：适来哭如今笑。同事罔然。次日，马祖升座，众才集，师出卷却席。祖便下座。师随至方丈，祖曰：我适来未曾说话，汝为甚便卷却席？师曰：昨日被和尚扭得鼻头痛。祖曰:汝昨日向甚处留心? 师曰:鼻头今日又不痛也。祖曰:汝深明昨日事。师作礼而退。师再参,侍立次,祖目视绳床角拂子,师曰:即此用,离此用。祖曰:汝向后开两片皮,将何为人师? 取拂子竖起。祖曰:离此用,即此用。师挂拂子于旧处,祖振威一喝,师直得三日耳聋。未几,住大雄山,以所处岩峦峻极,故号百丈。四方学者鳞至。一日谓众曰:佛法不是小事,老僧昔被马大师一喝,直得三日耳聋。

3. 宋学士杨亿《百丈清规序》:

百丈大智禅师以禅宗肇自少室,至曹溪以来,多居律寺,虽列别院,然于说法住持,未合规度,故常尔介怀。乃曰:佛祖之道,欲诞布化元,冀来际不泯者,岂当与诸部阿笈摩教,为随行耶! 或曰:《瑜伽论》、《璎珞经》,是大乘戒律,胡不依随哉? 师曰:吾所宗,非局大小乘,非异大小乘,当博约折中,设于制范,务其宜也。于是创意,别立禅居。凡具道眼者,有可尊之德,号曰长老,如西域道高腊长呼阿阇黎等之谓也。即为教化主,处于方丈,同净名之室,非私寝之室也。不立余殿,先树法堂者,表佛祖亲嘱受,当代为尊也。所裒学众,无多少,无高下,尽入僧堂,依夏次安排。设长连床,施椸架,挂搭道具。卧必斜枕床唇:右肋吉祥睡者,以其坐禅既久,略偃息而已,具四威仪也。除入室请益,任学者勤怠,或上或下,不拘常准。其合院大众,朝参夕聚,长者上堂,升座,主事徒众,雁立侧聆。宾主问酬,激扬宗要者,示依法而住也。斋粥随宜,二时均遍者,务于节俭,表法食双运也。行普请法,上下均力也。置十务寮舍,每用首领一人,管多人营事,令各司其局也。或有假号窃形,混于清众,别致喧挠之事,即当维那检举,抽下本位挂搭,摈令出院者,责安清众也。或彼有所犯,集众公议行责,即以拄杖杖之,遣逐从偏门而出者,示耻辱也。详此一条,制有四益:一、不污清众,生恭信故。二、不毁僧形,循佛制故。三、不扰公门,省狱讼故。

四、不泄于外,护宗纲故。大众同居,圣凡孰辨。且如来应世,尚有六群之党,况今像末,岂得全无。但见一僧有过,便雷例讥诮,殊不知轻众坏法,其损甚大。今禅门若稍无妨害者,宜依百丈丛林规式,量事区分。且立法防奸,不为贤士。然宁可有格无犯,不可有犯无教。惟大智禅师,护法之益,其大矣哉!禅门独行,自此老始。清规大要,遍示后学,令不忘本也。其诸轨度,集详备也。亿叨睿旨,删定《传灯》,成书图进,因为序引。翰林学士开国侯杨亿述。

4. 百丈大智禅师丛林要则二十条:

丛林以无事为兴盛。修行以念佛为稳当。

精进以持戒为第一。疾病以减食为汤药。

烦恼以忍辱为菩提。是非以不辩为解脱。

留众以老成为真情。执事以尽心为有功。

语言以减少为直截。长幼以慈和为进德。

学问以勤习为入门。因果以明白为无过。

老死以无常为警策。佛事以精严为切实。

待客以至诚为供养。山门以耆旧为庄严。

凡事以预立为不劳。处众以廉恭为有礼。

遇险以不乱为定力。济物以慈悲为根本。

5.《宝王三昧论》:

一、念身不求无病,身无病则贪欲易生。

二、处世不求无难,世无难则骄奢必起。

三、究心不求无障,心无障则所学躐等。

四、立行不求无魔,行无魔则誓愿不坚。

五、谋事不求易成,事易成则志存轻慢。

六、交情不求益吾,交益吾则亏损道义。

七、于人不求顺适,人顺适则心必自矜。

八、施德不求望报,德望报则意有所图。

九、见利不求沾分,利沾分则痴心亦动。

十、被抑不求急明,抑急明则怨恨滋生。

是故圣人设化,以病苦为良药,以患难为逍遥,以遮障为解脱,以群魔为法侣,以留难为成就,以敝交为资粮,以逆人为园林,以布德为弃屣,以疏利为富贵,以屈抑为行门。

如是居碍反通,求通反碍。是以如来于障碍中,得菩提道。至若鸯崛摩罗之辈,提婆达多之徒,皆来作逆,而我佛悉与记莂,化令成佛。岂非彼逆,乃吾之顺也,彼坏乃我之成也。而今时,世俗学道之人,若不先居于碍,则障碍至时,不能排遣,使法王大宝,由兹而失,可不惜哉! 可不惜哉!(余略)

丛林与宗法社会

"法久弊深",这是吾国传统的一句名言,尊为方外清高的丛林,历传久远,仍然跳不出这个法则。因为丛林的制度,是天下一家的制度,其中绝对不能存私。但既要作之君、作之师、作之亲的结果,往往亲亲之情,会超过君师之义,所以便生出个人自我的私见。佛戒我执,教人要切实修到无我的境地。丛林戒为私,而且认为它是十方众生所共有的,所以通称为之十方丛林,因此僧众在丛林里,就不能随便收徒弟。即使勉强收了徒弟,这种师徒的关系,只能算是个人的行为,不能算作全寺的关系。如果住持和尚收了徒弟,也不能随便承受和尚的位置,后任的和尚,仍须要在十方高僧中,遴选接位。这样一来,从道理和法理来说,一点都不错,可是人毕竟还是人,站在人的感情行为上,慢慢地就有些行不通了。于是在十方丛林制度以外,渐渐地便有子孙丛林的建立,和庵堂小庙等的兴起。所谓子孙丛林,便是师徒世代相承,等于普通人宗族的世代衔接是一样的,只是不同于普通的血统关系罢了。弟子既可继承师位,同时也接管了全寺的财产,而且这一寺的财产,只算属于这一寺的，却不是十方众生所共有共享的了。其他如礼请班首执事，容纳挂褡食住，形式上与十方丛林都是一样，只是对寺内事物，加上一些私有权利的限制，不能完全公诸天下僧众。在子孙丛林里，假定一个和尚收了几个徒弟，便以先进山门为大，排列徒弟的次序。徒弟辗转再收徒孙，便由这原始的一支分作房分，等于普通宗教的叔伯兄弟的关系。由此历久弊深，有些不肖之徒，也就发生权位财产的争执，甚之，行为等同俗人一样了。人类文明究竟是进步的呢？还是退化的呢？这是哲学上一个大问题，殊令人难下断语。站在社会的观点上看，任何宗教，也只能算是一个不同的社会，社会便是人为的，你能否认人不是一个普通的生物吗？与其如此，对于一个社会形态的转变，就没有什么诧异了。而且由于子孙丛林和庵堂小庙的建立，可以看出中国传统文化的根基深厚，传统的宗法观念和组织，依然深植在每一个社会之中。

子孙丛林的最初建立，可能和百丈建立丛林制度，是先后同时的时代产品。因为禅宗是重师承门派的，所以门庭设立，也是顺理成章的当然结果。尤其到了晚唐五代之间，五家宗派分立，各家的徒孙法子观念，便已牢植人心了。所以临济、曹洞、沩仰、云门、法眼，就各有它子孙次序的派演代字，代代流传下来，直到现在，还在应用。有时，他们是把这流传的代字次序用完了，再来从头算起，如此轮转无穷，却不同宗法社会的族系，始终重于层层递下的。明清以后，国内丛林，大多是临济宗的子孙，其余各宗，已经衰落到不绝如缕了。

此外，演变愈久，便有子孙小庙的兴起，这就等于一个僧众的小家族，除了没有男女夫妇的关系，绝对宗奉佛教以外，其余一切习惯，与俗人差别并不太多，也可以说，只是一个独身者的修行集团而已。等而下之，东邻日本的家庭寺庙制度的兴起，行见东方佛教，快要完全变质，对于丛林制度的向往，只有引用孔子的一句话说："禘自既灌而往者，吾不欲观之矣。"

丛林与中国文化

丛林的制度,显然是中国文化的产品。如果认为佛教传来中国,便受到中国文化的融化,产生了佛教革新派的禅宗,这事已略如前论,不必重说。严格地说来,佛教经过中国文化的交流,却有两件大事,足以影响佛法后来的命运,而且增强它慧命的光辉。

第一:在佛学学理方面的整理,有天台、华严两宗严整批判的佛学。天台宗以五时八教,贤首宗以五教十宗等,概括它的体系,这便是有名的分科判教。

第二:在行为仪式方面,就是丛林制度的建立。它融合了传统文化的精神,包括儒家以礼乐为主的制度,适合道家乐于自然的思想。而且早在千余年前,便实行了中国化的真正民主自由的规模。它的制度,显然不相同于君主制度的宗教独裁,只是建立一个学术自由,民主生活的师道尊严的模范。

除了中国以外,接受南传原始佛教文化的,如泰国、柬埔寨、老挝、斯里兰卡和缅甸,传续到了现在,虽然已非旧时面目,但多少总还存有一些原来方式。可是它所仅存的生命,不过是依赖政府与民间信仰的残余,与丛林制度比较起来,有识之士,便不待言而可知了。和这相反的,就如北传佛教在我国西藏,它以神秘色彩,衬托出宗教的姿态,千余年来,却赢得一个政教合一的特权区域,虽略有类同西洋教会和教皇的威权,而无西洋教会一样具有国际和世界性的组织。如果深切了解释迦牟尼的全部教义,对于南传佛教和北传佛教的两种方式,便会知道不是他原来的初衷。只有中国的丛林制度,确能与他的本意不相违背。由此可见无论南传北传的佛教,都没有像东来中土的伟大成就,这是什么原因呢?我们可以了解,凡是自己没有悠久博大的文化之民族,纵然佛光普照,它的本身,仍然无力可以滋茂长大。所以说:当达摩大师在印度的时候，遥观东土有大乘气象，不辞艰苦，远涉重洋，便放下衣钵，把佛法心印传留在中国了。

一个文化悠久的国家，历史剩遗在山川名胜的背景，已经足以表示整个文化的光辉。何况它的精神，还是永远常存宇宙，正在不断地继往开来呢！仅以丛林创建的制度来说，它给全国的山光水色，已经增加了不少诗情画意，表现出中国文化的风格，唐代诗人杜牧有诗云："南朝四百八十寺，多少楼台烟雨中。"这还只是描写南北朝以来的江南佛教事迹，到了唐朝以后，因为丛林寺院的兴盛，可以说：率土之滨，莫不有寺。名山之顶，何处无僧。所以后人便有"天下名山僧占多"之咏了。加上以唐人气度的雄浑，宋人气度的宽廓，二者融会在寺院建筑之中，我们在全国各地，到处都可见到美轮美奂，壮丽雄伟的塔庙。只要你翻开各省的省志，各州、府、县的地方志，要查名胜古迹，僧道寺院，便已占去一半。缅怀先哲，追思两三千年的流传至今的事物，岂能不令人痛恨这些一知半解，妄自蔑视中国文化的人们！须知一个根深蒂固的文化，建设起来，是经过多少时间，和多少哲人的心血所完成。要想改变，以适应世界的趋势而争取生存，那也要学而有术，谋定而后动，岂是浅薄狂妄，轻举妄动所能做得到的吗？

丛林与帮会社会

丛林禅寺，虽然是僧众集团专修的一个佛教社会，究竟它是具有宗教组织，和戒条的管理的。否则，在佛教慈悲平等的观念下，如果发生人事情伪的纠纷，比之普通社会，恐怕还难处理。所以传说中便有"宁带一千个兵，不带一百个僧。"就是这个意思。但是过去的住持和尚们，和其他被请任为丛林的班首执事们，他们的德行才智，姑且不论，就各人的身世经历来说，大多都还有一番涉世的经验，因此古人称此中是"龙蛇混杂，凡圣同居"，确实是最难分辨的。在中国历史上,许多失意英雄,亡国志士,或是身世有难言之痛的,很多都在心灰意懒之余,托迹禅门,参求正果,自以红鱼青馨,了此残生的,事实并不太少。当唐宋以来禅门兴盛的时候,一个丛林中所容纳的僧众,往往多以千计,所以在严格执行清规戒律以外,势必阴以兵法部勒弟子,也是极其可能的事。唐、宋、明,开国之初,少林寺等僧人,帮助李世民、赵匡胤、朱元璋辈平定天下,功成不居,退归林下,这也是历史的事实。例如田雯《游少林寺记》说:唐僧昙宗,住河南少林寺,精通武艺。武德四年,太宗时为秦王,奉命讨王世充。昙宗等十三人,参加战阵。以威猛善战,克敌制胜。太宗奉昙宗为大将军,其余不愿为官者,各赐紫罗袈裟一袭。少林寺便将石刻御剳嵌于壁间云云。又例如《樵书二编》卷九载,僧兵湖广士兵论云:"明嘉靖癸丑,倭兵入犯苏淞海滨,以兵民御之,败而走者三十七阵矣。操江蔡公克廉募僧兵歼灭之。自后我师与倭战多凯旋。凯旋自天员一阵始也。""倭犯杭城,三司会僧兵四十人御之。其将为天真、天池二人。天池乃少林僧。于是交兵,大破倭奴。倭人走袭上海太仓。蔡公驻节于苏,走金币至杭,聘取僧兵。杭方戒严,莫肯与。鹿园(僧名)无以谢蔡公,使人请月空等十八人,原非御寇四十人之列。三司遂听之。鹿园与月空曰:尔之见都院也,宜述僧兵众寡不敌之形,徵其礼币而善辞之,脱有不允,可荐少林僧天员为将。见讲《楞严经》于天池山中,乃将材也。月空见蔡公,辞不获,遂荐天员。天员就聘出山,乃五月十日也。蔡公馆之于瑞光寺,与月空同处。月空领杭僧兵十八名,天员领苏僧四十八人,协力征剿。又选蛇山兵十人,与月空合为一枝。六月初十日遣哨兵六团,有贼百余人。奋力追击,贼惧而逸。复屡战辄胜,凡翁家港所逃,及老营之贼,悉剿灭无遗。计僧所伤亡者四人耳。"尤其是朱元璋微时,曾在皇觉寺为僧,当然他了解丛林的制度,所以他的初期官制,还有如丛林班首称呼的存在,例如都察院等的称谓,便是丛林的情调。因为明代的官制,是因袭元代的旧制,再参酌唐宋的制度,加以改变而来,元代的官制,受喇嘛教和刘秉忠的影响,许多地方,都带有僧团的意味,虽然有耶律楚材之才之美,仍然难以出其窠臼。

当南宋金元之间,道士丘处机师徒等,便仿照禅宗丛林制度,创立全真道,保存民族文化。到了清兵入关以后,前明的亡国大夫,与一般有知识的人士,独抱亡国之痛,凡义不降清,或者想图谋恢复的,他们有鉴于士大夫的容易变节,便暗中联络江湖豪侠等辈,渐渐就形成为民间帮会的组织,相传如顾亭林、李二曲、黄黎洲、傅青主等人,就是在幕后倡导其事的中坚分子。当然此中参加的,一定有许多逃名避祸的明朝遗老,自藉和尚道士的身份活动的。所以这种帮会社会的组织,除以传统文化的忠孝仁义为骨干,志在反清复明,其他规矩仪式,都是仿照丛林制度的形式。例如清初的哥老会(洪帮),以及以后分化为青帮、红帮,等等,它的外表只是一种社会活动,内在的目的,还是企图为民族国家,恢复大业。其他如在北方一带,以三教合参的理门,以后称为“理教”,它的组织,也是参照丛林制度的。等而下之,如明清两代的各种道派,以及大刀会、红枪会以及各种似道非道的道术门派,或多或少,总是因袭丛林的规矩来组织的,由此可见丛林制度,它在中国各阶层的社会里,确是有它历史上的特殊影响。

结　论

中国传统文化,素来是以儒家为主流。儒家高悬大同天下的目的,是以礼乐为主道政治的中心。由于礼乐的至治,就可以实现《礼运》篇的天下为公的目的。但是经过数千年的传习,一直到了唐代,才只有在佛教禅宗的丛林制度里,实现了一个天下为公的社会。它在形式上,固然是一种佛教僧众的集团,然在精神上,它是融合礼乐的真义和佛教戒律的典型。“礼失而求诸野”,如果讲到一个真善美的社会风规,恐怕只有求之于丛林制度了。但是也还不能作为治国平天下的规模,因为国事天下事,与丛林社会相比,其艰难复杂,又何止百千万倍。人是一个有情感和理性的生物,无论性和情,只要偏重在哪一面,就不能两得其平,结果都不会安定人生的。丛林制度它能普及流传,不外四个原因:

第一,因为出家了的僧众,已经发自内心的,抑弃了世事人欲的情感牵扰,虽然住在丛林里,过的是集团生活,又是绝对自由追求自我理想的境界。

第二,宗教的信仰,和发自因果分明的观念,已经不需要外加的法律管制。

第三,各人由内心的自净其意,发为规矩,便是最高自治的原理。

第四,维持生命生活的经济制度,早已作到福利的要求,所以他们只要管自己的身心修养,其余的一切就都可以放下了。

因此他们可以做到,像儒家礼乐最高目的,和墨家摩顶放踵,以利天下的要求。如果是普通人的社会呢?男女饮食和物欲的权利,只有日益向外扩充和发展。人事和世事的推排,相互间便有争执。许多在学理和教育上决定是正确的道理,一到人情和人欲的要求上,便完全不是那样一回事了。即如完美的丛林制度,它在教导以外,再没有刑责可行,假使没有最高道德作为依持,要想求其安然垂范达千余年之久,绝对是不可能的事。南宋时代,杭州径山大慧宗杲禅师,与温州龙翔竹庵大珪禅师,恐怕后来丛林衰落,便合力记述历来丛林住持的嘉言善行,留作后世的准绳,作了一部《禅林宝训》的书。其中高风亮节,以及敦品励行的典型,足以与宋儒学案,媲美千秋。如果去掉它僧服的外层,作为为人处世的修养范本来看,一定别有无穷受用,可以启发无限天机。

百丈禅师创建丛林以来,他的初衷本意,只是为了便利出家僧众,不为生活所障碍,能够无牵无挂,好好地老实修行,安心求道。

他并不想建立一个什么社会，而且更没有宗教组织的野心存在，所谓"君子爱人以德"则有之，如果认为他是予志自雄，绝对无此用心。尤其是他没有用世之心，所以他的一切措施，自然而然地便合于儒佛两家慈悲仁义的宗旨了。如果他有世务上的希求，那便会如佛经所说："因地不真，果遭纡曲。"岂能成为千古宗师？在他当时，一般人之所以责骂他是破戒比丘，只因大家抵死执著印度原始佛教的戒律，认为出家为僧，便不应该耕种谋生的。站在我们千秋后世的立场来看，如果他当时不毅然改制，还让僧众们保持印度原来的乞食制度，佛教岂能保存其规模，传流到现在吗？禅宗最重人们确有见地，佛教称佛为大雄。时移世变，时代的潮流，由农业社会的生活方式，已经进到工商业科学化的今天，追怀先哲，真有不知我与谁归之叹了。

·中国道教发展史略·

出版说明

　　道教是以先秦道家为思想渊源，吸收、融合其他理论和修持方法，而逐渐形成的我国本土的宗教。在长期的发展过程中，曾对古代的政治、经济、哲学、文学、天文、历算、医学、地理、物理、化学，以及民俗、艺术等产生过广泛的影响，成为中国文化的主流之一。本书是著名学者南怀瑾先生撰写的一部道教史著作。全书分为八章，对道教的学术渊源，道教的建立、成长、扩张和演变，道教的流派、人物与经典，帝王与道教的关系，以及道教的研究情况等，作了简练系统的叙述。书末还附有道教资料和《道藏》介绍，可资参考。兹经作者和原出版单位台湾老古文化事业公司授权，将老古 1987 年初版校订出版，以供研究。

复旦大学出版社
1996 年 4 月 1 日

引　　言

　　凡言中国文化学术或哲学思想史者，虽皆相提并称儒、释、道三家之学为其主流，而读历来著述及近今撰作，有关道家学术，大抵仅及于老、列、庄诸子书之思想范围，未能周罗道家学术之全貌，深引为憾。近年以来，欲就研究之心得，笔之于书之心颇切，然初步构思其系统，牵涉过广，既恐学力有所未逮，又虑见诸文字，须积数年之功，累百余万言之力方能藏事。因循延宕，终无所成。今于溽暑中仓促完成斯稿，实不免有敷衍塞责之处，至为悚栗。

　　清儒纪晓岚谓道家为"综罗百代，博大精微"，信为笃论，然其所言曰道家，实无涉于道教也。盖自两汉以后，道家一变而集于道教，亦正因其"综罗博大"之故，不免流于"杂乱怪诞，支离破碎"之弊。故言道教学术与其原本道家异同变易之关键，诚不易于缜密分疏。今就所述立言大意，稍加提要，俾知其未尽诸端，尚有待于他日之补苴。

　　本文共分为八章，皆以道教发展史为中心。因欲说明道教学术之本原，故首先简述周、秦以前儒道等学并不分家之要点。其次，略述周末学术分家，神仙方伎与老、庄等道家思想混合，为汉末以来道教成长之原因。复次，引述魏、晋、南北朝以后至于现代道教之发展，及与道家不可或分之微妙关系。虽其内容本质,原为不一不异,但道家与道教学术思想之方向,毕竟有其严整之界限。唯因包罗牵涉太广,不能尽作详论,但择其大要,及其演变过程之一鳞片爪,俾读者藉此可以窥见概略,并以提供研究者知所入手,抑亦由此而了解秉中国文化创立之道教为何事而已。至于道教与道家学术内容,以及旁门左道等流派演变,有关于中国社会问题者,皆未及言。挂一漏万,有待他日专书之补充。至于末章述及现代在台湾道教会及海内外道教活动之资料,统由赵家焯先生所供给,并此以志谢忱。

第一章　道教学术思想的文化渊源

第一节　道教立教的过程

道教为根据中国固有文化所创设之宗教,其立教的过程,追溯历史约可划分为十个演变时期。

(一)中国上古文化一统于"道"。乃原始观察自然的基本科学,与信仰天人一贯的宗教哲学混合时期。约当公元前四五千年,中国上古史所称的三皇五帝,以至黄帝轩辕氏的阶段,为道教学术思想之远古渊源所本。

(二)精神文明与物质文明开始发达,从此建立民族文化具体的规模;而以政治教化互为体用,是君道师道合一不分的时期。约当公元前二千二三百年开始,即唐尧、虞舜、夏禹三代,为道教学术思想的胚胎阶段。

(三)儒、道本不分家,天人、鬼神等宗教哲学思想萌芽的时期。约当公元前一千七八百年开始,自商汤至西周间,为道教学术思想的充实阶段。

(四)儒、道渐次分家,诸子百家的学说门庭分立,正逢东周的春秋、战国时期。约当公元前七百余年开始,是儒家与道家各立门户,后世道教与道家学术思想开始分野的阶段。

(五)诸子百家学术思想从繁入简,分而又合。神仙方士思想乘时兴起,配合顺天应人的天人信仰,帝王政权与天命攸关的思想大为鼎盛时期。约当公元前二百余年开始,自秦、汉以至汉末、三国期间,为道教学术思想的孕育阶段。

（六）汉末、魏、晋时期，神仙方士学术与道教宗教思想合流，约当公元一百余年开始，为道教的建立时期。

（七）南北朝时期，因佛教的输入，促使中华民族文化的自觉，遂欲建立自己的宗教，藉以抗拒外来的文化思想，约当公元二百年开始，为促成道教的成长时期。

（八）唐代开国，正式宣布道教为李唐时代的国教，约当公元六百年间开始，是为道教的扩张时期。

（九）宋代以后，历元、明、清三朝，约当公元九百年间开始，为道教的演变时期。

（十）二十世纪的现在，道教实已衰落之极，五百年而有王者兴，道教前途命运的兴衰，将视中国文化儒、释、道的三大主流是否真正合一，以及东西方文化的融会贯通情形而定。在未来的世纪中，或许会另外形成一光芒四射的人类宗教亦未可知，于此唯有期诸来哲。

第二节　道教学术思想的渊源

综观人类各民族文化与文明的起源，其初大半是从观察自然，认识宇宙事物的表面现象；由于对庶物的信仰崇拜，而建立人文的哲学思想，更进而确定精神文明的基础，诸如此类，几已成为世界人类文化发展的共通原则。但在世界所有各种民族中，唯有中华民族的远古文化，应当另作别论。我们从相传的古籍，与现在新获得的历史资料，可知上古的中华民族，一开始即孕育出良好的原始科学、哲学与宗教合一的文明；时间经历五千余年，空间纵横一万公里，直至二十世纪，与现代所谓科学时代的宗教、哲学相接触，吾人所能夸耀传统，温故而知新的，仍须仰仗上古以来列祖列宗所遗留的智慧结晶。无论现代有些中国人如何鄙弃自家故物，终有一日会翻然觉醒，开启自己的宝藏，并扩而充之，与世界各国民族共同互助研究,进于天下太平的局面。

列举世界科学发展的资料而言,诸如天文、数学、化学、物理等,无可否认的,应推中华民族发明得最早,历史最悠久。从现代人的观念而言,所可惜的是,我们往往刚有初步科学知识的发现,便立即与宗教、哲学互相混杂不分,故难与现代科学互争长短。至少在过去的事实是如此,当然,对未来尚不敢置喙,但因此也可以了解此种文化风格,正是中华民族不同于其他民族的精神所在。

一、黄帝先后时期学术思想的初步规模

由天文学说的建立,发展为人文学术的初步雏形:

(一)从应用科学而言:以北斗七星来确定天体运行,与地球磁场的关系,并发明指南车。从日月行度、天文数字建立九章历算的先期数学。

(二)从理论科学而言:(1)以八卦、五行之说,归纳统摄万象,作为天地宇宙、人事、物理抽象理论的法则。(2)辨别日月行度,初步划分星、辰为二十八宿,以定历法,作为配合以农立国所需实用气象学的张本。(3)从效法天文、地理、物理的运动法则,创始生理、心理的无疾而先养生的学说,并为有病而求医药的医理学之根据。更由此而建立医药方伎的一砭、二针、三灸、四汤药;外加精神治疗与心理治疗的祝由、巫觋等方法。

(三)人文思想的发展,认识天地、神鬼,以及万物,皆一体同根,即所谓"道"的本原。

天的观念有二:(1)物理的天体,认识苍苍者之为天。(2)形而上理念境界的精神之天,是合物理之天,与精神境界之天而为一,乃后世道教天道观念的依据。

神的观念:从天之垂象所示,可与天地上下交通而谓之"神",故"神"字从示从申。天有天的神,人有人的神,万物有万物的神,是为后世道教神道观念的根本。

鬼的观念：从而下堕即为鬼。鬼者归也，故"鬼"字从田而下行，凡神散归于地称谓"鬼"，为后世道教鬼道观念的滥觞。

人的观念：人秉天命而生，人的生命即天命，与天地鬼神上下通者即为神。散归于地，不能上下通者便为鬼。天地、神鬼皆以人为中心。

道的观念：能生万物而非万物之所生，能使神而神、鬼而鬼的即是道，归结来说：(1)形而上的全能本体谓之"道"。(2)形而下的事物法则亦谓之"道"。上古文化思想，以"道"之一字，上下交通，联系形上、形下的全环。后世道家与道教即渊源"道"字的观念而加以扩充，统摄天地、鬼神、物理、与人生的共通原则而立教。

故言道家或道教，都通称之谓"黄老之术"。其实，所谓黄帝的学术，并无专书可考，只如司马迁所说："黄帝者，学者之共术也。"所谓"共术"，就是指中国文化的渊源，都裁定从黄帝时期开始，所以称黄帝的学术，即是代表中国文化原始渊源的总括概念而已。后世道教称黄帝学道于广成子，所谓"广成"这名号，有集其大成的意义。据此简要，大概就可了然中华民族在上古文化学术的渊源了。

二、三代(尧、舜、禹)时期
天人合一思想的规模

读《尚书》翻开《尧典》，除了认识儒、道两家所称"先王"或"先圣"的政治哲学思想，皆秉作之君、作之师、作之亲的精神之外，《尧典》所载帝尧为政的首先要务，就是"治历以明时"。所谓"历象日月星辰，敬授人时"，乃是建立一个天人之间，互相关联的天道观念，确定天文与历法的重要，以为顺天应人的政治基础。《舜典》所载帝舜就职的第一要务，便是继承帝尧未竟的事业，以积极发展天文的研究,所谓"在璿玑,玉衡,以齐七政。"因此进而建立对天地、山川、神祇的尊敬,焚柴举燎,封禅四岳,从此建立天人关系的类似宗教信仰。同时在人文方面,定器物,制律、度、量、衡,作刑法以辅助政治教化的不足。及至大禹时代,社会文明渐趋进步,人心思想也愈趋复杂。所以在舜、禹禅让授受之际,即有如《大禹谟》所载:"天之历数在汝躬,汝终陟元后。人心惟危,道心惟微,惟精惟一,允执厥中","可爱非君,可畏非民"等告诫的记述。由此而知,三代文化自确定天、神、人三位一体的思想以后,后世儒家的天人合一学说,与道家人神同体的观念,以及道教的敬天、事神等宗教仪式的建立,都是基于中国上古三代文明而出发,若加以神格化,便形成为宗教思想,如加以人格化,便成中国的人文哲学,而且因此亦可了解中国文化何以特别注重人生哲学的根本原因之所自来。

三、夏、商、周三代文化的演变

自大禹以后,所称夏代的文明,由大禹治水,"敷土,随山刊木,奠高山大川"开始,继尧、舜时代以天文为为政治世的要务,渐已趋向发挥地理、物理的效用,而成为政治世的当务之急,对于山川形势的重视,已经超过天文观念的政治阶段。同时氏族世系与宗法社会的传统观念,也从此奠定基础。但毕竟还是朴实无华的古代文明状态,所以史称夏代的文化,为"尚忠"的阶段。"尚忠"就是朴实质直,简单诚笃的人文形态。但到商汤以后,虽仍承继三代以来的天、地、人的文化传统思想,却变为特别注重天神、鬼神的信仰,类似后世所谓的"神道设教"思想,用以辅助政治的不足,故史家称殷商的历史精神,即为有名的"尚鬼"阶段。后来春秋、战国时期的墨家思想,大抵是以夏、商文化思想为其主要的渊源。汉代以后,道教宗教部分天、人、神、鬼思想的建立,也是远承夏、商文化思想的源流。因在夏、商历史文明的过程中,已从尧、舜以来朴实的天文知识,渐次演变为理论的天文思想,从此建立抽象的天文数学符号,所谓十天干:即甲、乙、丙、丁、戊、己、庚、辛、壬、癸;十二地支:即子、丑、寅、卯、辰、巳、午、未、申、酉、戌、亥;以及干支排比的甲子、乙丑……等六十花甲;更有五行、八卦,与干支配合,附以天神的观念与名称,用来解释人事、物理等各种理论的法则,充满神秘的宗教意味,成为后来道家与道教所有学术思想的滥觞。周朝建国,对于上古以来的政治体制、礼乐教化等所有思想制度,一律加以整理与变革,文王、武王、周公父子兄弟三人,综罗上古文化思想,归纳成为一贯,极力建立以人为本位,由人而上通天文、下及地理、旁通物理的人文文化体系;《周易》的文言、象辞、爻辞等,即为周代文化思想最高原理的总汇,所以孔子推论三代以来的文明,特别赞许周代文明,为“郁郁乎文哉”! 后世儒家思想学说之所以如此演进,受其影响至深。虽然如此,但称为文化思想的最高理则,仍然归纳谓之“道”,是以当时的“道”,并无门墙的纷争,亦无派别的树立。

四、周穆王西征与神仙故事的起源

周代文化思想,虽承接夏、商以来的传统,但已经过一番综合修正,所以特别注重人文文化,极力向作之君、作之师政教合一的途径努力,意欲达成以王道为政的标准。故除分封诸侯、建国自治以外,统领天下政权的周室天子,只想作到顺天应人,垂拱无为而治的君临天下。因此建“明堂”以示人文教化的规范,尊“宗庙”、祀“社稷”、重“封禅”以祀天而示天子的职责,表示只是上承天命,下临百姓,肩负沟通天人意志的责任而已。这种思想,在原则上,至少在武王姬发革命建国以来,一直影响西周达三四百年之久,其间已经摆脱夏、商以来信仰神天的传统,步入以人文文化为中心的良好规模。倘若真正了解周、秦以前,儒、道本不分家的传统,便可知周代的思想,尽是中国上古传统文化道家的天下。而在西周初期的一二百年间,也的确能达到极近升平世界的局面。然而人类的思想和欲望的追求,始终不能安于现实就得满足,或因变乱动荡而求解脱,或因天下太平而追寻高远,这是必然的趋势。周代虽经文化思想和政治的革命,力求摆脱鬼神的崇拜,但人生问题,毕竟是个大谜,所以玄秘之学,仍然可与人文思想并存而不悖,尤其在已极人间富贵之后,纵使百无所求,然而对于渺茫难凭的寿命,谁又不想力求把握?于是养生之说与求长生不老之方的思想,以及玄秘之学,自然奔流竞逐,仍旧隐约流行于各阶层社会之间,故在西周中叶,便有穆王求道的传说发生。《穆天子外传》所称穆王有八骏之马,可以日行万里,西至昆仑之巅而会见西池王母的传说,虽然后世学者多半疑作是伪造的文章,视为不经之谈。但衡之以情理,当归之为事出有因,查无实据的流传故事,要是一笔抹煞,未免有欠考虑。《竹书纪年》称穆王十七年,西征昆仑,见西王母,其年王母来朝,宾昭宫,似乎亦非凭空捏造,唯所谓王母也者,究竟是神或是人,事当另需研究。古今中外,不知有多少昔日的事实,没有被列入当时经史之内!为了针对一般人喜欢引用证据,不肯透视内情的态度,不若以"多闻阙疑"、归档存查的方法来处理,较为公允。然或多或少,已由此可以察见西周文化中早已存有道家的神仙思想,应无疑问。换言之,由道家的思想,一变而为后来的道教思想,在周穆王时期,已经见其端倪。

第三节　道教起源于春秋战国
时期的神仙方士

到了东周平王之世,王政不纲,原始封建政治的观念早已有所变动,诸侯渐竞霸业,时代趋势促使才智之士的思想奔放,形成文化思想的再度变革,致使传统一贯的道统分家。于是百家竞起,有的挟学术思想以游说诸侯,博取领导与权位;有的以讲授生徒,影响社会,造成风气,因此形成自春秋、战国以至秦、汉初期,达三四百年之久的学术自由风气。其间最著名的:后世所称道家的代表人物,及有著述的,如老子、列子、庄子、杨朱等;所称儒家的代表人物,如孔子、曾参、子思、孟子、荀子等,各有著述。他如以墨翟为中心代表的墨家;以孙子、吴起等辈为代表的兵家;以驺衍之流为代表的阴阳家;以申不害、韩非等人为代表的法家;以惠施、公孙龙之俦为代表的名家;擅长纵横捭阖、钩距长短之术的以鬼谷子为标榜,如苏秦、张仪等辈,也都能独树一帜,各执牛耳,而称为纵横家;甚之农、工、商、学、杂说等,亦皆有专长学说可以名家。犹如现代的学术分科,都可以专精一门而得博士以名家相类似。其实,春秋、战国时期的诸子百家,实际就是中国上古传统文化中道家一贯的分脉,司马迁著《史记》,自称祖述太史公的思想,以道家为主,应是指传统文化中儒、道并不分家的道家,但取以老子为代表的道家思想而已,其最明显而被后世人们所忽略的证据,在他所著述的《史记》的体例中可以见到,即他独以孔子传记列为世家,却将老、庄、申、韩合并作为列传,并对这四个人的生平,也只略记大意而已。后世的道家与道教,虽然推尊老、列、庄三子为教主,为真人,实际上,它是综罗了上古与三代文化思想,统摄周、秦以来的道家、墨家、阴阳家、兵家、杂家、医药、方伎等诸子百家之学,融合成为一个宗教而又异乎一般宗教的道教,可谓大有类同司马迁推崇传统道学的精神。

　　当春秋、战国期间,向来传统一贯的道学,已演变成各主所见、各立门户的情况,从此独树一帜以学术名家的风气得以开展。在高谈理论的各家学派之外,其专门从事天文、地理、医药、养生等的科学研究者,便在诸子百家以外,与杂家会合,自成流派。但在古代轻视自然科学的技术观念之下,一律受到鄙视,而名之谓“方伎之士"。其实,这类方伎之士,便是后世神仙思想的渊源,也就是后来道教中心思想的精粹。此辈以中国原始科学家见称的方伎之士,有的从研究宇宙人生问题着手,认为一个人可以用各种修炼方法,修到长生不老而变成神仙,最后进而与天地同休、日月同寿的境界,此等观念,便在北方燕、齐各国朝野之间,普遍流行。如齐威宣王与燕昭王,都有受到这种学说的影响,而使人入海远求蓬莱、方丈、瀛洲三神山之举,这些都是有史可征的先期神仙事实。有的如齐人驺衍,以阴阳五行的学说,研究天文,倡海内有九洲之说,被人视为迂怪不经。又有燕人羡门之属,主以方术修炼金石,服之便成为神仙,使形销尸解,可以依比于鬼神的伎术,也都未能被当时社会所肯信,因此后来燕、齐之士,亦极少有能尽传其术的。大凡初期从事科学的研究者,必受世人的嗤笑与轻视,亦为古今中外一例的事实。然而当时流行于南方的玄秘思想,如列子、庄子等人,所提出的神人、真人、仙人的人格升华而成神化的学说,实早已受到方士神仙思想的影响。但在北方的方士道家,比较偏重丹药养生;南方的道家,却以精神超脱、养生适性为主;至于两者合流的神仙方术,实在秦、汉之后,故若推论道家神仙方士的学术,渐次演变为后世道教的雏形,当以周代中叶为合理的肇始时期。

一、秦汉时期的道家与神仙

到了秦始皇嬴政统一中国,不但在政治形态上一变周代以来的旧制,废封建、置郡县;在学术思想上,也力求统一,致使诸子百家学说,一齐都被扼杀,更谈不上有新的发展。但人生毕竟是渺茫难凭,虽然富有四海、威加宇内,但一遇到生前身后的问题,不免就有四顾彷徨之感,因此始皇除了倾心上古帝王的"封禅"想要藉此上祈天神的庇护,而又以此傲视天下以炫耀自己的丰功伟绩,除此自我陶醉作为精神自慰之外,只有乞灵于方士神仙之说,以求长生不死之方了。他从方士卢生的建议兴筑咸阳宫,要想以行动隐秘以求神仙真人的降临。又选派徐市(福)携五百童男童女入海以求丹药,也是受方士的蒙蔽,终至身死沙丘,一无所获。但由此可见在秦始皇的时期,神仙方士等流派,并未受焚书坑儒的影响,依然甚为活跃。卜筮、方伎、医药等传述,并未置于禁例,因此种下汉代阴阳术数,神仙道士发展的根源。

二、汉初内用黄老的文景之治

汉初,人们历经战国以来三四百年长期战争的变乱局面,以及秦始皇时代严刑峻法的统治,社会人心所殷切期望的,就是早日达到安居乐业的升平世界。所以集汉高祖刘邦的豁达、萧何等人的深通世故,与借鉴往日从政的经验,便将政治风气一变而以宽柔为怀,这在基本观念上,已经吻合于道家思想的黄、老无为而治的学说。再到汉文帝执政阶段,内有宫廷的变乱,外有强臣宿将,与兄弟诸王的虎视眈眈,正是危机四伏,随时有叛乱爆发的可能。而社会人心,厌战已极,此时此世,内外任何因素,都不适于施用刚猛的政策,因此便从其母后与曹参的主张,采用黄、老的阴柔措施,这对后来汉代三四百年间道家思想的成长,实为最有力的促成因素。可是曹参等人之黄、老学说,乃受教于盖公,盖公所传老子之学思想的内容,究竟是否完全与老子的观念相符,实在大有问题。总之,汉初文、景时代内用黄、老的政治作风,是以无为而治为外表,以"用弱"、"用反"的阴柔手段为权谋,就因为其政治策略与实施方针是以黄、老相标榜,故影响所及,造成一般社会也崇尚道家学说的风气,真是"上有好者,下必甚焉"!至武帝执政时代,便有所革新,由道家哲学思想的运用,转为积极追求神仙的事实,如推究其原因,诚非无中生有而来。

三、汉武帝与神仙方士

汉初承文、景两个朝代以来的休养生息,朝野安定,国家经济财政从表面看来,已甚富庶。武帝英年挺发,要想建功边陲,洗刷自汉高祖以来的外侮耻辱,自然对柔弱为用的政治策略不满。他首先变更祖宗传统的思想,以奠定其领导的方针,自然而然就走上罢黜百家、尊崇儒术的路线。但汉初以来至武帝时代的儒生,上焉者,专以传经训诂,考据典故,疏释经文为事;下焉者,但借孔、孟以来的儒学相号召,专门从事功名的竞逐,已非孔、孟原来儒家师道的真面目。这在开国不久,如蒯通等人的思想行谊上,已经表现得极其明显。一到武帝时代,或以儒学为主,掺杂道家、阴阳家的思想,倡天人之际的新儒家学说,犹如董仲舒之流。或以因应人情,阿附人生,极尽乡愿作风,以乱儒家礼法的儒术为尚,如公孙弘等辈。真能发扬孔孟儒家思想学说,以王道为政为目的,以君师之道自任者,几已绝响。故当时的文化思想,虽一尊孔子,其实,道家思想仍然弥漫于朝野上下。武帝晚年,酷好神仙方士之术,并不亚于秦始皇的作风。他在元光二年初祠五畤,尊方士李少君为文成将军,祠奉灶谷道,以从少君所言。拜祠灶神可以致物,然后便可化为丹砂,再变而为黄金,成金以后,作为饮食器具,就可以延年益寿。少君还怂恿武帝"封禅"以祠天帝。又常以偶中之言,说动宫廷内外,并且扬言他尝游海上,亲见仙人安期生,服食过仙枣,其大如瓜,使大家认为他已年过数百岁。武帝对他深信不疑,就遣使入海求蓬莱仙岛与仙人安期生之属,结果一无所获。后来少君得病而死,武帝犹信其为化去而未死,因此影响燕、齐之间,迂怪诞妄之士便多来言神仙之事。武帝后来又封方士栾大为乐通侯,以其能修丹砂炼金,役使鬼神等法术,又妻以卫长公主,富贵比埒王侯,但终因虚妄荒诞,一无所成而被杀。武帝因酷好神仙方士之术,曾立五祠,建甘泉宫,筑承露盘,修造蓬莱、方丈、瀛洲、壶梁等海中神仙的假想建筑;又因崇信方士之术,致使女巫可以随便进出宫廷,终至淫乱秽闻传达不堪,造成武帝时代有名的"巫蛊"大案,太子因此被迫自杀。神仙方士之术,原为中国古代极有价值的科学基础,但一牵涉入政治,夹以富贵权位欲望,而终致贻祸无穷,若就所谓遗世独立的真人神仙视之,岂不哑然失笑!

　　总之,道家的神仙方士之术,到汉武帝之世而昌盛,开启后来东汉、魏、晋道家神仙方术思想的基础。再变而有北魏正式道教的形成。但相对的,所有荒谬不经、牵强附会的道术,也因汉武帝时代而发达。以后声势虽然稍歇,却并未全衰,因此以滑稽讽谏见长,调和武帝之间的东方朔,也被后世冠以神仙化身的道号。汲黯曾批评武帝是"内多欲而外施仁义",确为一针见血之言。以此求仙成道,无异缘木求鱼,这不但是他的大病,也是汉代政治上因迷信于神秘之术所导致后果不堪收拾的大缺点。一般中国人传统风俗的祠奉灶神,就是道家天神信仰的遗规,民间每年岁阑,腊月甘三夜送灶神上天的习惯,早盛行于春秋战国时期,更经汉武帝的提倡,便一直流传至今,现代人多半已不知其所从由来了。其余如巫蛊邪术,汉初也已盛行。至如道家的《枕中鸿宝》,与有名的《淮南子》等书,也是武帝时代应运而出的著作。

四、东汉重视图谶开启道教的先声

　　东汉复国的初期,因光武与他的一班文臣武将,大半出身民间,所以一切作风,都崇尚朴实。而其政治方针,依然因循西汉的"内用黄老,外示儒术",并未大加变动。故东汉以下的风气,虽然不似西汉一般,大闹其道家的神仙方士之事,但其思想范围,仍然不脱西汉儒、道两家的窠臼。由于光武相信图谶,所以影响后来阴阳术数之学与谶纬预言之说大加流行。故东汉以后,学术思想的

演变,约由两个不同的方向会归于道教:

(一) 由于推崇象数的学者,祖述孔子传易于商瞿的传统,附会五行、八卦、天干、地支等阴阳家学说,而形成为术数的巨流,如焦赣、京房、费长房等人的象数易学,夹辅图谶而普遍流行。再变遂有汉末的卦气、变通、升降、爻辰、纳甲等学互相掺杂。不久,又与佛教传来的印度天象学融会,于天干、地支、二十八宿星象的观念上,又倍增神人神兽等名称,而使天人之间,弥漫一片神秘的气氛,成为东汉以后道教学术胎变的依据。

(二) 由上古"祝由"巫术、咒语的流行,配合原始象形文字,及会意文字等的"图腾"观念,以与印度婆罗门教、瑜伽教派等流传的咒语、法术共同交流,就变为精炼精神作用,可以影响事物的符箓。以斋醮告天为祈祷天神的仪式;以披发仗剑,画符念咒为神通的妙用,从此深入民间,更由民间反映到上流社会,遂使汉末自桓帝、灵帝以后,朝野上下,笼罩着一片神秘的色彩。因此采纳自古以来中国文化的幕后人物,如"隐士"与"神仙"之流为中心,加上难以解释之精神作用的符咒,比附于谶纬、"图腾"等学术,即成为汉末、魏、晋以后的道教。

第二章　道教的建立

第一节　汉末三国时期的道教

道教的初创时期,当推在东汉明帝时代,较为可靠。以后历汉末、三国、魏、晋各朝,随时均有发展。直至北魏时代,才为正式定型的时期。

一、诸山道士时期

当汉明帝时代,佛教已有开始传入中国的迹象,五岳诸山道士,由于宗教心理的驱使,奋然群起,欲与佛教一较长短;如南岳道士褚善信,西岳道士刘正念,北岳道士桓文度,东岳道士焦德心,嵩岳道士吕惠通,诸山道士费叔才、祁文信等一千三百一十人,上表奏称与佛教较法之事,见载于佛道论,事非纯出虚构。由此可知秦、汉以来的方士,到东汉以后,已经渐有道士之称,他们隐居在各地名山大泽,修炼仙道,《汉书·司马相如传》所谓:"列仙之儒,居山泽间,其形甚癯。"当时虽然没有正式建立成为一大宗教,却因受到外来宗教的刺激,已隐然生起抗拒的运动。

二、张道陵的创教时期

到汉末桓帝、灵帝时代,有沛国人张道陵(初名陵),本是太学诸生,博通五经,及其晚年,忽然感叹读书无益于年命之事,遂学长生之道,自称得黄帝九鼎丹法,因无资财合药,闻蜀人纯厚,易于教化,乃与弟子入蜀,居鹄鸣山中,著作道书二十四篇。陈寿在《三国志·张鲁传》中,称其为"造作道书,以惑百姓,从受学者,出五斗米,故世称米贼。"后世又称其为"五斗米道"。陵死,子衡行其道;衡死,鲁复行之。到了张鲁行道的时期,已经据有东川,掌握实际的地方行政权,设官置吏,皆以鬼神之道命名,俨然为一路诸侯,而执掌政教合一的实权,对于四川政局,有举足轻重之势,实为中国历史上施行地方宗教政治的第一人。

《三国志·张鲁传》云:

> 鲁遂据汉中,以鬼道教民,自号师君。其来学道者初皆名鬼卒,受本道已信,号祭酒,各领部众,多者为治头大祭酒。皆教以诚信不欺诈,有病自首其过,大都与黄巾相似。诸祭酒皆作义舍,如今之亭传,又置义米肉,悬于义舍,行路者量腹取足,若过多,鬼道辄病之。犯法者,三原然后乃行刑,不置长吏,皆以祭酒为治,民夷便乐之。

后来张氏子孙,又迁居于江西龙虎山,自宋元以后,历代封号尊之为天师,与山东曲阜孔氏世家媲美千古,诚为异数。所谓张道陵的创教,只是一时的权宜之计,且其志有限,他最初的动机,也只为身家而谋,并非具有远大眼光的宗教家。

三、魏伯阳的弘扬神仙学术

由于春秋、战国以来的神仙方士之术,与老子、庄子的玄学,以及阴阳术数与《周易》的学术,出此入彼,互为矛盾。至于东汉期间,便有吴人魏伯阳,认为《周易》及老、庄之学,与修炼丹药而成神仙的方术,原理互通,彼此原为一贯,乃援《周易》、老庄、神仙丹道三种学问,融合贯通而著《参同契》一书,以说明修炼神仙方术的不易原则,而使丹道修炼方法,成为有体系、有科学基础的哲学理论。于是神仙丹道之学,由此大行,《参同契》一书,也成为千古丹经鼻祖,后世道教与神仙家,尊崇魏伯阳为"火龙真人"。其所著书,诚为中国科学与哲学的不朽巨著,也为后来道教奠定中心思想的基石。

四、黄巾张角的旁门左道

汉末灵帝中平元年,巨鹿人张角,号称事黄、老之术,以妖言惑众,遣弟子散游四方,转相诳诱,十余年间,设立三十六方。所谓方者,犹如汉代政制的大将军。大方万余人,小方六七千人,各立渠师,欲图谋反。事败,张角即驰敕诸方,一时俱起,皆衣著黄巾的标志,角自称"天公将军",其弟宝称"地公将军",梁称"人公将军",由此而天下大乱。类此以道术惑众,如后世宋元之间的白莲教、清末的太平天国、义和团;凡借用宗教之名相号召,阴图政治的运动者,应当引为殷鉴。

《典略》曰:

熹平中,妖贼大起,三辅有骆曜,光和中,东方有张角,汉中有张修。骆曜教民缅匿法,角为太平道,修为五斗米道。太平道者,师持九节杖为符祝,教病人叩头思过,因以符水饮之,得病,或日浅而愈者,则云此人信道;其或不愈,则为不信道。修法略与角同,加施静室,使病者处其中思过。又使人为奸令祭酒,祭酒主以老子五千文使都习号为奸令为鬼吏,主为病者请祷。请祷之法,书病人姓名,说服罪之意,作三通;其一上之天,著山上,其一埋之地,其一沉之水,谓之三官手书。使病者家出五斗米以为常,故号曰五斗米师。实无益于治病,但为淫妄,然小人昏愚,竞共事之。后角被诛,修亦亡,及鲁在汉中,因其民信,行修业。遂增饰之,教使作义舍,以米肉置其中,以止行人。又教使自隐,有小过者,当治道百步,则罪除,又依月令,春夏禁杀;又禁酒。流移寄在其地者不敢不奉。

五、汉末著名的道士

以上引据的事,皆为北魏时代扩张道教最为有力的先声,如张道陵、魏伯阳等道术,后来成为道教正一派的符箓,与正统神仙丹道的两大主流。当汉末、三国期间,时逢乱世,怪诞传说繁兴,凡事出有因,查无实据,而又为当时与后世乐于称道的神仙故事,为道家神仙传等书所采信录取的,如刘晨、阮肇、麻姑、费长房、钟离权、左慈、于吉等人,皆为后世道教确信为神仙之流,不下一二百人。大凡宗教中人,其生平行事,若不类似神奇,就不足为号召。何况神仙之事,本来就以特立奇行、异乎常人相标榜,于是仰慕道术仙人的信念,就弥漫朝野,普遍存在于社会各阶层之间了。

但促使汉末、三国、魏、晋之间道家发展的,约有三个原因、两种趋势。

所谓三个原因:

(一) 由于东汉末期士大夫世家门阀观念的形成,凡士大夫的世家子弟,遂成为占据要津,把持上层社会,垄断知识思想,造成汉代有名的"党锢"之祸。致使高明才智之士,相率逃避现实,走向贤者避世,其次避地的隐士生涯,以慕道求仙相掩护,就造成白日飞升与尸解等故事,于是道成仙去之说,益见流行。

(二) 汉末朝政腐败,外戚、宦官、巨室,互相操持政权,豪门、巨族,奴役隶卒,私相敛财,于是武勇之士,便游侠江湖,聚众据险以自固,并且利用图谶之说与道术相号召,形成据地称雄的力量,渐启以道术组织宗教的形势。

(三) 佛教的输入,促使民族文化抗拒思想的发生。儒家的训诂释义,章句注疏之学,既不能餍足人心,而佛教哲学,又如天际神龙,见首而不见其尾,挟雷霆万钧之势,源源输入,于是醉心玄真,寄情高远之士,极力寻求《周易》、《老》、《庄》的幽微,及神仙方士的修炼方法,拟与佛法一争高下,乃产生道家哲学的理论根据。

两种趋势:

(一)凡出身读书,失意仕途的知识分子,转用符箓、咒语等道术起家,啸聚徒众,以役使鬼神,替天行道的宗教观念相号召,如张道陵等人,其最初的动机,虽没有独立创教的企图,但已开展组织宗教的趋势,而开启中国特殊社会的宗教组织之规模。

(二)由战国以来,墨家巨子的风气,与游侠之流的存在民间社会,传统不衰。当汉高祖崛起陇亩,统一天下的时代,侠义的巨子,潜在民间,如朱家、郭解之流,便有东西南北等诸道的存在。"儒以文乱法,侠以武犯禁。"他们都是唯恐天下不乱,希望乘乱而起的中坚分子,在西汉之末,狡者与赤眉、铜马等相合流;贤者遂一反其正,随光武而中兴。流风所及,一到东汉桓、灵之末,与妖言惑众的旁门左道,如张角之流相接触,便自然成为谋反力量。但也由此使道家方术,与墨家尚义,及游侠精神相结合,而成为中国特殊社会,掺杂了宗教形成的前因。

第二节　魏晋时期的道家

一、许旌阳的丰功伟绩

道家在汉末一变,而有张道陵的道术,后来成为江西龙虎山天师世家的道统,宋元以后,又成为道教一大派系而称为"正一派"。但在东晋时期,许旌阳在江右以道术整治南昌、九江间的水利,提倡传统文化的孝道,创立净明忠孝教,其平生行谊,丰功伟绩,永铭人心,《神仙传》中记载,称其功成德就之日,拔宅飞升,犹如汉代传奇淮南王鸡犬飞升的故事。他在道教中的地位,被尊为历代仙班中数一数二的富贵神仙,对于后世道教的影响极大,虽与张道陵创教的时代不同,而且南辕北辙,互不相关,但其簸扬南方道家思想,深入世俗人心,成为民间习俗所称道教中的江西庐山道法,与江南句容的茅山道法互为雄长,成为道教建教的功臣,洵非偶然。

《十二真君传》称:

许真君,名逊,字敬之,本汝南人。祖琰,父肃,世慕至道。东晋尚书迈,散骑郎常侍护军长史穆,皆真君之族子也。真君弱冠,师大洞君吴猛,传三清法要。乡举孝廉,拜蜀旌阳令。寻以晋室纷乱,弃官东归,因与吴君同游江左,会王敦作乱,二君仍假为符祝求谒于敦,盖欲止敦之暴而存晋室也。而敦意已决,凡非之者必致死,适盛怒而杀郭璞,真君即掷杯梁间,飞舞不停,因敦等举目观飞杯之际,即隐身遁去。后遂举家避乱于江西,往来于庐山、南昌之间,相传以法术斩蛟怪而安豫章之水厄,赣人感戴其功德,历世不衰,郡人相习南昌省会每年秋季朝拜万寿宫之举,即为祠真君之遗风也。真君以东晋孝武帝太康二年八月一日,于洪州(南昌)西山,举家四十二口,拔宅上升而去,唯有石函、药臼各一,车毂一具,与真君所御锦帐,复自云中坠于故宅,乡人因其地置游帷观焉云云。

又有传称:

逊为蜀旌阳令,既归,父老送之如云,有不返者。乃于宅东隙地,结茅以居,状如营垒。多改氏族以从许姓,号许家营。

许真人以弘扬忠孝为敦品立德之本,以立功济世为普利民生之基,其道功修炼的方法,并重男女夫妇双修,具房中正统的法术。据《净明忠孝录》所载,真人虽有主张男女双修之说,但谆谆告诫,如非具大功大德者,切勿妄图,否则必致身败名裂,下堕泥犁。盖欲完成人间富贵而又飞升上界而作神仙,必须砥砺德行,方合于自助天助的宗旨。由此可见许旌阳创建忠孝为主的道教,完全是传

统文化儒道本不分家的道德主张。其平生行谊,较之张道陵创五
斗米道的作风,虽形同而实异。

二、抱朴子的富贵丹砂

当东晋时期,道家学术思想,随晋室而南渡,许旌阳创道教于
江西,抱朴子葛洪修炼丹道于广东,此皆道家荦荦大端的事实。葛
洪著作等身,留为后世丹经著述,及修炼丹道的规范,成为晋代列
仙中的杰出奇才。道家相传"葛、鲍双修"的术语,就是指葛洪与其
丈人南海太守上党鲍元,都是不舍夫妇家室之好而成为神仙的榜
样。

《晋书》本传云:

洪字稚川,丹阳句容人也。祖系,吴大鸿胪,父悌,吴平后入
晋,为邵陵太守。洪少好学,家贫,躬自伐薪以贸纸笔,夜辄写书诵
习,以儒学知名。性寡欲,无所爱玩,不知棋局几道,摴蒱齿名。为
人木讷,不好荣利,闭门却扫,未尝交游。于余杭山见何幼道、郭文
举,目举而已,各无所言。时或寻书问义,不远数千里,崎岖冒涉,
期于必得,遂究览典籍,尤好神仙导养之法。从祖元,吴时,学道得
仙,号曰葛仙公,以其炼丹秘术,授弟子郑隐。洪就隐学,悉得其法
焉。后以师事南海太守上党鲍元,元亦内学,逆占将来。见洪深重
之,以女妻洪。洪传元业,兼综练医术,凡所著撰,皆精核是非,而
才章富赡。太安中,石冰作乱,吴兴太守顾秘为义军都督,与周玘
等起兵讨之,秘檄洪为将兵都尉,攻冰,别率破之,迁伏波将军。冰
平,洪不论功赏,径至洛阳,欲搜求异书以广其学。洪见天下已乱,
欲避地南土,乃参广州刺史嵇含军事。及含遇害,遂停南土多年,
征镇檄命,一无所就。后还乡里,礼辟皆不赴。元帝为丞相,辟为
掾,以平贼功,赐爵关内侯。咸和初,司徒王导召补州主簿,转司徒

掾,迁咨议参军。干宝深相亲友,荐洪才堪国史,选为散骑常侍,领大著作,洪固辞不就。以年老欲炼丹,以祈遐寿,闻交阯出丹砂,求为勾漏令。帝以洪资高不许。洪曰:非欲为荣,以有丹耳。帝从之。洪遂将子侄俱行。至广州,刺史邓岳留不听去。洪乃止罗浮山炼丹,岳表补东宫太守,又辞不就。岳乃以洪兄子望为记室参军。在山积年,优游闲养,著述不辍。

其(《抱朴子》)自序云:洪体乏进趣之才,偶好无为之业,假令奋翅,则能陵厉元霄,骋足则能追风蹑景,犹欲戢劲翮于鷦鷯之群,藏逸迹于跛驴之伍,况大块禀我以寻常之短羽,造化假我以至驽之蹇足,自卜者审,不能者止,又岂敢力苍蝇而慕冲天之举,策跛鳖而追飞兔之轨。饰嫫母之笃陋,求媒阳之美谈,堆沙砾之贱质,索千金于和肆哉。夫僬侥之步,而企及夸父之踪,近才所以踬碍也。以要离之羸,而强赴扛鼎之势,秦人所以断筋也。是以望绝于荣华之涂,而志安乎穷圮之域,藜藋有八珍之甘,蓬荜有藻棁之乐也。故权贵之家,虽咫尺弗从也。知道之士,虽艰远必造也。考览奇书,既不少矣,率多隐语,难可卒解,自非至精不能寻究,自非笃勤不能悉见也。道士宏博洽闻者寡,而意断妄说者众,至于时有好事者,欲有所修为,仓促不知所从,而意之所疑,又无足咨。今为此书,粗举长生之理,其至妙者,不得宣之于翰墨,盖粗言较略,以示一隅。冀悱愤之徒省之,可以思过半矣。岂谓暗塞,必能穷微畅远乎!聊论其所先觉者耳!世儒徒知服应膺周孔,莫信神仙之书,不但大笑之,又将谤毁真正。故予所著子言黄白之事,名曰《内篇》。其余驳难通释,名曰《外篇》。大凡内外一百一十六篇,虽不足藏诸名山,且欲缄之金匮,以示识者。

自号抱朴子,因以名书。其余所著碑诔诗赋百卷,移檄章表三十卷,《神仙》、《良吏》、《隐逸》、《集异》等传各十卷,又抄五经、《史》(《史记》)、《汉》(《汉书》)、百家之言,方技杂事三百一十卷,《金匮药方》一百卷,《肘后要急方》四卷。洪博闻深洽,江左绝伦,著述篇章,富于班、马。又精辩元颐,析理入微,后忽与岳疏云:当远行寻师,克期便发。岳得疏,狼狈往别。而洪坐至日中,兀然若睡而卒。岳至,遂不及见。时年八十一,视其颜色如生,体亦柔软,举尸入棺,甚轻如空衣。世以为尸解得仙云。

　　葛洪所著《抱朴子》传述的丹道,以炼服药物而成神仙为主,以栖神存想为用,实为传统方士派的正统学术,并非后世道家专主身心内景,以性命双修为炼丹宗旨,故葛洪亦擅长医药,尤精于外科。所著《抱朴子》的外篇,又包括立身处世、政法策略与兵书军事等思想,可以媲美《庄子》、《淮南子》等道家名著。东汉时,魏伯阳著《参同契》,曾已指出道家法术流派的混杂,所谓旁门左道,归纳地说:"千条有万余"。葛洪在《抱朴子》中,也曾记述方士之流的妖言惑众,自欺欺人者不计其数,他指出有人自称已活了八百多岁,亲自看见孔子出世,手抚其顶,许其将来可做圣人云云。由此可见道家者流,诳妄虚诞之辈,混迹其间,比比皆是,古已如此,于今更甚,这是道教最大的流弊。宋代张君房撰《云笈七籤》,汇集道术精华的大成,可以概见宋代以前道教的大要。但从《抱朴子》中汇述神仙方士的记载,也可概见秦、汉以来直到两晋道家的大略。但葛洪对于魏伯阳《参同契》的学术,一字未提,似乎葛洪当时,并未亲见其书,或因限于古代的时代环境,学术交流,良亦不易。

三、魏晋玄学与道家思想

　　大凡言中国学术思想或哲学史者,对魏、晋人的"清谈"与"玄学",皆列为中国文化演变的主题。关于"玄谈"兴起的背景,多数认为由于政治环境与思想风气所形成,大都忽略两汉、魏、晋以来朝野社会,倾向求仙的风气,与神仙道士等解释"三玄"之学,如《周易》、《老子》、《庄子》的丹经思想。能知此者又不通于儒家的俗学,明于彼者又不识道家的丹诀,故不两舍而不言,就偏彼而重此。倘若更能了解汉末、魏、晋以来神仙道士的思想,久已占据人心,且具有莫大的潜力,那对于魏晋"玄谈"兴起的原因,就可了如指掌了。

汉末、魏、晋时代,上至帝王宫廷,与士族巨室,下至贩夫走卒,由于世家宿信仙人的观念,已相沿成习,犹如二十世纪初期的中国知识分子,十之八九,世家传统,都是信仰佛道两教。但身为知识分子,读书为求明理,且心存君国,志在博取功名官爵,要求富贵而兼神仙,毫无疑问必为背道而驰。而传统思想习惯,又已深入人心,虽心向往之,在表面上,又不得不加驳斥自以鸣高。于是神仙道士们所提倡"三玄"之学,一变而为空言理论的"清谈",乃是势所必然的演变,何况时衰世乱,避世避地既不可能,而当时佛教还未普遍建立规模,所以也无从逃佛逃禅,犹如五代人才的脱屣轩冕,相率入佛。与其说"玄学"的兴起,由于哲学思潮的刺激,毋宁说是魏晋知识分子对于神仙道士追求形而上的反激。例如曹魏建安父子兄弟的著作,已可窥见汉末因玄想而引起的旷达意境。他如东晋的世家士族,若王谢等家,也都是崇奉道士们的道教,如《晋书·王羲之传》称:

羲之次子凝之,为会稽内史。王氏世事张氏五斗米道,凝之弥笃。孙恩之攻会稽,僚佐请为之备,凝之不从,方入静室请祷,出语诸将佐曰:吾已请大道,许鬼兵相助,贼自破矣。既不设备,遂为孙恩所害。

又如谢灵运儿时,其家为求其易育,曾寄养于天师道的治所。他如东晋诸名士的学术思想,不入于道,即接受新兴的佛学,大体只有成分多少的分别,并非绝无影响的可能。

东晋范宁常谓王弼、何晏之罪,深于桀纣。如云:"王何蔑弃典文,幽沉仁义,游辞浮说,波荡后生,以至礼乐崩,中原倾覆,遗风余俗,至今为患,桀纣纵暴一时,适足以丧身覆国,为后世戒。故吾以一世之祸轻,历代之患重,自丧之恶小,迷众之罪大也。"

其实,以"玄学"或"玄谈"的兴起,一概归之王弼、何晏,未免过分,且亦不明其思想渊源之所本,殊非笃论。但自"玄谈"兴盛,使道家论神仙丹道的学术,在思想上,更有理论的根据与发挥,形成为后来道教的哲学基础,实由"玄学"而开辟其另一途径。

四、道佛思想的冲突与调和

当魏、晋时期,佛教传入与佛经翻译事业,已开展其奔腾澎湃之势,西域佛教名士如支谦、支亮、支遁等人,留居中国,且与魏、晋时期国内诸名士,都有密切交往,学问切磋,也彼此互有增益,事载于佛道两教典籍者,姑不具引。即在六朝笔记《世说新语》中,亦可知见一斑。国内佛教名僧如道安、僧肇等辈,都是深通中国文化如"三玄"等学,甚之,援道家名辞理念而入佛学,乃是非常普通的事实。初在庐山创建净土宗的慧远法师,原本修习道家,后来服膺佛教,创念佛往生西方极乐净土的法门,与道家的栖神、炼神方法,又极类同。西域来华名僧如鸠摩罗什,对于老、庄之学,尤其熟悉,故翻译佛经,引用"道"、"功德"、"居士"、"众生"等等名辞,如数家珍,也都是采用儒道本不分家的道家语,此在中印文化思想的交流,佛、道两教教义的调和,已理有固然地走上融通途径。至于修炼的方法,佛教禅定之学,与道士修炼内丹之方,其基本形式与习静养神的根底,完全形似。佛家出家观念,与道家避世高蹈的隐士观念,也极相同。佛家密咒、手印与道术的符箓法术,又多共通之处,于是融合禅定、瑜伽、丹道而为一的后世正统道家内丹修炼方法,便于此时深植种子。

从以上的引述,已可简略窥见魏、晋道家的风气,由汉末的演变,积极趋向形成道教为宗教的路线,约可归纳为两个原因:

（一）时衰世乱，政局不稳，战争频仍，地方势力的割据形势，与依附众望所归的士族集团以自保者，随处有人。高明之士，如许旌阳、慧远等人，有鉴于黄巾张角之流的行为，但取宗教的思想与方法，作为避地高蹈，保境安民的教化，自然而然形成为一共同信仰的力量。同时自张道陵、张鲁子孙所创的五斗米道，渐已成为具有历史性的组织，渐渐与各种道派合流，形成后来道教的具体力量，也是势所必然的结果。

（二）佛教思想的传入，使有识之士，对于神仙道士的超神入化之说，愈有信仰研究的兴趣。且鉴于佛教的教义与修证方法，具有系统而理论有据，于是谈玄与修炼丹法，也渐求洗炼而趋于有理论的根据，与有系统的途径，如葛洪对丹道的汇编而著《抱朴子》。他如嵇叔夜著《养生论》，为后世道士取为神仙可学的资料。慧远著《神不灭论》，后来影响南朝沈约之作《形神论》、《神不灭论》，亦为后世道家取为神仙理论的张本。

总之，中国文化，自上古而至周、秦时期，由儒、道本不分家开始。再由春秋战国时期学术分家，使道家与方士的众术脱颖而出。复由汉末、三国而至魏、晋时期神仙方士的蜕变，渐渐形成北魏时期扩张而成的道教，在政治地位上，正式与佛教互争宗教的教权。由于以上的简引略述，大致已可见其概况。

第三章　道教的成长

第一节　北魏时代道教的定型
与道佛之争

　　晋室东渡以后,文化思想与政治局面,相互自为因果。社会不安与思想散漫,连百余年之久。外有佛教文化源源输入,一变历来从无统一信仰某一宗教的习惯,内有道士神仙思想的普遍发展,促使中国文化中儒、道两家学术的再度混合,使新兴的宗教——道教逐步定型。由此扩展到北朝社会,在政治上开始道、佛两教的互争雄长,彼此争取宫廷及士大夫们的信仰以推行其教化,而促使此种情况成为表面化,一变两晋以来各派道士的各自为政,号召团结群力而成为教争的力量,应推北魏时代最为热烈。此时领导道教运动的人物,当然以北魏朝的天师寇谦之为其中坚分子,今综合《魏书·释老志》、道教《神仙传》、及中国佛教史传等的记述,简介寇谦之建立道教,与道、佛两教的纷争事实如次:

　　北魏世祖时,道士寇谦之,安辅真,雍州人。早好仙道,修张鲁之术,服食饵药,历年周效。有仙人成公兴,求谦之为弟子,相与入华山居石室。兴采药与谦之服,能不饥。又共入嵩山石室。寻有异人,将药与谦之,皆毒虫臭物,谦之惧走。兴叹息曰:先生未仙,正可为帝王师耳。未几兴仙去,谦守志嵩山,忽遇大神,乘云驾龙,导从百灵,集于山顶,称太上老君。谓谦之曰:自天师张道陵去世以来,地上旷职,汝文身直理,吾故授汝天师之位,锡汝《云中新科》二十卷,自开辟以来,不传于世。汝宣吾新科,清整道教,除去三张伪法,租米钱税,及男女合气之术。大道清虚,宁有斯事,专以礼度为首,加以服食闭炼。使玉女九嶷十二人,授谦之导引口诀,遂得辟谷,气盛,颜色鲜丽云。

据此可知,由汉末、魏、晋以来张道陵所创的教法,以及神仙道士的丹诀等,一到北魏寇谦之时代,遂加以变更,成为正式的道教,从此捧出教主"太上老君"的称号,同时又改变张道陵以来以中国名山大泽的名胜洞府做为教区的传统,转移其神仙管理人间的治道,一变为人、鬼、天、神互相交通,建立天上人间一体的道教系统的雏形,如云:

奉常八年,十月戊戌,有牧土上师李谱文来临嵩岳,云老君之元孙,昔居代郡桑乾,以汉武之世得道为牧土宫主,领治三十六土人鬼之政,地方十八万里有奇,(盖历术一章之数也。)以嵩岳所统广汉,平土方万里,以授谦之,作《诰》曰:吾处天宫,敷演真法,受汝道年二十二岁,除十年为竟蒙,其余十二年教化,虽无大功,且有百授之劳。今赐汝迁入内宫,太真太宝九州真师,治鬼师,治民师,继天师,四录,修勤不懈,依劳复迁。赐汝天中《三真太文录》,敕召百神,以授弟子。文录有五等:一曰:阴阳太官。二曰:正府真官。三曰:正房真官。四曰:宿宫散官。五曰:并进录。主坛位礼拜衣冠仪式,各有差品,凡六十余卷,号曰《录图真经》,付汝奉持,转佐北方泰平真君,出天宫静轮之法,能兴造克就,则起真仙矣。又地上生民,末劫垂及,其中行数甚难。但令男女立坛宇,朝夕礼拜,若家有严君,功及上世。其中能修身服药,学长生之术,即为真君种民。药别授方,销炼金丹云英八石玉浆之法,皆有诀要。……又言:二仪之间,有三十六天,中有三十宫,宫有一主(按:此数字,皆由汉儒易经象数观念而来)。最高者无极自尊(按:此乃易经太极观念与列子学说之变辞)。次曰:大至真尊,次:天覆地载阴阳真尊,次:洪正真尊,姓赵名道隐,以殷时得道,牧土之师也。(按:此为宋元以后民间道教观念洪钧老祖的张本)……经云佛者,昔于西胡得道,在四十二天为延真宫主,勇猛苦教,故其弟子皆髡形染衣,断绝人道,诸天衣服悉然。

崔浩的弘扬道教与排佛

始光初,寇谦之初奉其书而献之,魏世祖乃令谦之止于张曜之所,供其食物。时朝野闻之,若存若亡,未全信也。权臣崔浩独异其言,因师事之,受其法术,于是上疏力事赞扬,世祖欣然,乃崇奉为天师,显扬新法,宣布天下,道教大行。及嵩岳道士四十余人至,遂起天师道场于京城之东南,重坛五层,遵其新经之制,给道士百二十人衣食,斋肃祈请,六时礼拜,月设厨会数千人。及世祖讨赫连昌归,尤重其预言而中。谦之奏请世祖登受符书,以彰圣德,世祖从之(按:此为唐宋以后,帝王接受道教授箓的先声)。于是亲至道坛,受符箓,备法驾旗帜尽青,以从道家之色也。自后诸帝每继位,皆如之。寇谦之卒时,年八十四,正月间,先示弟子谓梦中成公兴召之于中岳仙宫,五月二十七日,果羽化,有清气若烟,自其口出,尸体引长,量之八尺三寸,三日以后渐缩,至敛,量之长六寸。于是诸弟子以为尸解变化而去,能不死也。后又有人见之于嵩山之顶云云。

由以上简略的引据,可见在北魏时代,寇谦之正式建立道教的规模。及至魏武帝时代,引起道、佛两教争端的主要人物,实际上是信奉谦之天师的弟子权臣崔浩所主动。其动机,当由于狭隘的宗教心理作祟,同时,亦由佛教本身自有流弊而促成其事,如佛教典籍《佛祖历代通载》所记云:

元嘉二十三年,魏太武三月,西伐长安,与崔浩皆以为佛法虚诞,为世费害,宜悉除之。及魏主讨盖吴,至长安入佛寺,沙门饮从

官酒,从入其室,见大有兵器,出白太武,太武怒曰:此非沙门所用,
必与盖吴同谋欲为乱耳。命有司按诛合寺僧,阅其财产大有酿具,
及州郡牧守富人所寄物以万计。又为窟室以匿妇人(按:或为掩蔽
逃难妇女而设,亦不可知)。浩因说帝,将诛天下沙门,毁诸经像,
帝从之,寇谦之切谏以为不可,浩不从。先尽诛长安沙门,梵烧经
像。还宫,敕台下四方,命一依长安法。太子素好佛法,屡谏不听,
乃缓宣诏书,使远近闻之,得各为计。沙门多匿亡获免,收藏经像。
塔庙在魏境者,无一子遗。迨太子继位为文成帝,召复佛教。后浩
以修国史得罪,夷五族而死,果报甚惨云云。

但自北魏永平二年以后,沙门自西域来者,三千余人,魏主别
为之立永明寺千余间以处之。到了延昌年间,北魏佛教,州郡共有
一万三千余寺。梁武帝在南朝方面,亦大事修造佛寺,这在中国宗
教史上,实为佛教的一大盛事,当然会引起诸山道士的反感,也是
理所必然的事。由以上的征引,可见道教在北魏时代,自道士寇谦
之开始,综合秦、汉、魏、晋的神仙方士之术,及役使鬼神、符箓、法
术等流派,形成初期正式道教的规模,从此而代有充实,一变综罗
复杂的道家学术,成为比较纯粹宗教性的道教,奠定道教仪式的斋
忏醮仪等规矩,而为唐宋以后道教教仪的根据。若以进化史的观
念论断,从此以后研究道教,则较为有条理系统可循。如从原始道
家学术的立场言之,则有南桔北枳之异,醍醐变为乳酪,精华散失,
犹存糟粕之感矣。

第二节　南朝的道教与陶弘景

自寇谦之在北魏创建正统的天师道,使之成为正式的宗教以
来,不但在北朝已深植根基,由此渐及南朝六代,亦普开风尚。当
此时期,佛教的传布基础已立,但未能独步天下的原因有二:

（一）由于民族意识的反感，士大夫们据传统文化中儒家所标榜的"三纲五常"为之力争，而斥佛教为"无父无君"的异端。

（二）因道教外冒黄、老的传统，内主老子、列子、庄子的思想，与神仙方士的学术，以及儒、道不分的形态，无论在政治地位，以及朝野信仰上，或明或暗，随处与之抗衡对立。但风气所及，所有六朝学术与文学的著作，普遍的共通思想，都已不离道、佛两家的范围。因历史背景与社会风气的影响，朝野上下，在百余年间，都被道、佛思想所左右，并且皆以此种思想形态，笼罩一切。尤其到了南朝的梁武帝，遂在这种思想风气的潮流中，成为时代的牺牲者。因梁武帝笃信佛、道两教，曾亲自三度舍身僧寺为奴，宣讲佛经，而又同时亲讲《老子》，并且亦崇尚孔、孟之学。他不但对三教有同好，而其兴趣尤多偏重超脱的出世情调，在行为生活方面，有许多地方，俨然如一宗教家。可惜时代造英雄，使他作了皇帝，倘使他一生从事学术或宗教的研究，也许在千秋事业的成就上，较为一代之雄更为伟大。唐代贤臣魏徵论史，对于梁武帝与宗教关系，曾有最中肯的论断，如云：

高祖固天攸纵，聪明稽古，道亚生知，学为博物，允文允武，多艺多才。爰自诸生不羁之度，属诸凶肆虐天伦之祸，纠合义旅，将雪家冤，日纣可伐，不期而会，龙跃樊汉，电击湘郢，剪离德如振槁，取独夫如拾遗，其雄才大略，故不可得而称矣。既悬白旗之首，方应皇天之眷，而布泽施仁，悦近来远，开荡荡之王道，革靡靡之商俗，大修文学，盛饰礼容，鼓扇玄风，阐扬儒业，介胄仁义，折冲樽俎，声振寰区，泽周遐裔，干戈载戢凡数十年，济济焉！洋洋焉！魏晋以来未有若斯之盛也。然不能息末敦本，斫雕为朴，慕名好事，崇尚浮华。抑扬孔墨，流连释老，几终夜不寐，或日旰不食，非弘道以利物，唯饰智以惊愚。且心未遗荣，虚厕苍头之位。高谈脱屣，终恋黄屋之尊。夫人之大欲，在乎饮食男女。至于轩冕殿堂，非有切身之惠。高祖屏除嗜欲，眷恋轩冕，得其所难而滞其所易，可谓神有不达,智有所不通矣。

又如《新唐书·萧瑀传》赞曰:

梁萧氏兴江左,实有功在民,厥终无大恶,以浸微而已,故余社及其后裔。

以此验魏徵之论,益见其为平允。

陶弘景调和道佛的主张

梁武帝酷好道、佛两教,故两教的奇才异能之士,亦应运而兴。在佛教,有宝志禅师(又称志公)、傅翕(又称善慧大士)等人,杰出诸方,在梁武帝朝中处于师友之间的关系。在道教,有贞白先生陶弘景,隐居修道于句容茅山,亦与梁武帝处于师友之间,时人号为"山中宰相"。如史所云:

梁处士陶弘景,仕齐为奉朝请,弃官隐居茅山。梁主早与之游。及即位,恩礼甚笃,每得书,焚香虔读。屡以手敕招之,弘景不出。国家每有大议,必先咨之,时人谓之"山中宰相"。将殁,为诗曰:夷甫(王衍字)任散诞,平叔(何晏字)坐空论。岂悟昭阳殿,遂作单于宫。盖因时人竞谈玄理,不习武事,弘景故作诗讥之。

陶弘景在南朝的政坛上是负有时代重望的人物,而其毕生致力学术的方向,始终以修道炼仙为目的,从南北朝的道教史而论,他与北魏时代的寇谦之,都是建立道教的中坚分子。但寇谦之是以纯粹道教的宗教姿态从事传道的活动。陶弘景犹有道家老、庄的风格,参合神仙方士的道术,介乎入世出世之间,隐现风尘,游戏三昧。而他的道家思想已经渗入佛家思想的成分,而且是趋向融会道、佛两家思想与方法的前驱。至于修炼神仙与采用道术的方法,注重养生丹药而近于抱朴子,故亦著有关于医药方伎的《肘后百一方》等书。但在天人的观念上,他亦如寇谦之一派,注重斋忏醮仪的祈祷,著有道教著名内典的《真诰》一书。但对于神仙事业的地位,他与抱朴子及寇谦之等观念,又有迥然不同之处,如其所著《真灵位业图序》云:

夫仰镜玄精,睹景耀之巨细。俯盼平区,见岩海之崇深。搜访人纲,究朝班之品序。研综天经,测真灵之阶业。但名爵隐显,学号进退,四宫之内,疑似相参。今正当比类经正,譬校仪服,埒其高卑,区其宫域。又有指目单位,略说姓名,或任同秩异,业均迹别者,如希林真人,为大微右公,而领九宫上相,未委为北宴上清,当下亲相职耶。诸如此类,难可必证。谓其并继所领,而从高域粗,事事条辨,略宜后章。辄以浅识下生,轻品上圣,升降失序,梯级乖本,惧贻谪玄府,络绎冥司。今所诠贯者,实禀注之奥旨,存向之要趣,祈视跪请,宜委位序之尊卑,对真接异,必究所遇之轻重。虽同号真人,真品乃有数。俱自仙人,仙亦有等级千亿。若不精委条领,略识宗源者,犹如野夫出朝廷,见朱衣必令史。句骊入中国,呼一切为参军。岂解士庶之贵贱,辨爵号之异同乎。

关于道、佛两教学术的争执,当北齐之际已有正式下诏敕诸沙门与道士达者,如陆修静等,亲自校对法术理论的事实。及南朝梁武帝时代,道、佛两教的纷争,虽愈趋尖锐,但在修炼证真的思想与方法上,已经开始融通互会,渐次入于同流的趋势,名士如沈约、刘勰,隐士如何点、何胤。佛教法师如慧文、昙鸾等人,都是领导此一风气的人物。尤其如陶弘景对于道、佛两教的论断,当时已有极其深刻的名言,如其《答朝士访仙佛两法体相书》云:

至哉嘉讯,岂蒙生所辨。虽然,试言之:若直推竹柏之四桐柳者,此本性有殊,非今日所论。若引庖刀汤稼,从养溉之功者,此又止其所从,终无永固之期。夫得仙者并有异乎此。但斯族复有数种,今且谈其正体,凡质象所结,不过形神,形神合时,则是人是物。

形神若离，则是灵是鬼。其非离非合，佛法所摄。亦离亦合，仙道所依。今问以何能而致此仙，是铸炼之事极，感变之理通也。当埏埴以为器之时，是土而异于土，虽燥未烧，遇湿犹坏，烧而未熟，不久尚毁，火力既足，表里坚固，河山可尽，此形无灭。假令为仙者，以药石炼其形，以精灵莹其神，以和气濯其质，以善德解其缠，众法共通，无碍无滞，欲合则乘云驾龙，欲离则尸解化质，不离不合，则或存或亡，于是各随所业，修道进学，渐阶无穷，教功令满，亦毕竟寂灭矣。

　　中国文化，自上古至三代为一变，历商以至周代开国之初又为一大变。在春秋、战国时期又为一变，自秦、汉历南北朝至于唐初开国为一大变。渐次及于宋、元之际为一变，再由明、清两代至于现代，又为一大变。当魏晋南北朝时期文化巨变的主因，实因西北边疆民族的侵凌，以及佛教文化输入的刺激所引起。历时约经二百余年，佛经翻译，与佛教传布事业的开展，由教（宗教仪式）理（哲学根据）行（修证方法）果（实证圆成）有系统的迻译，已渐次渗入成为中国文化思想的主流，且已普遍为国人所接受，而又加以融会阐述。因此渐有中国佛教各宗的兴起，一变印度佛教而成为中国的佛教，尤其融通儒、道两家思想而崛起为中国禅宗的成长，更促使南北朝服膺道教及笃信神仙修证者流相率努力，遂有综合儒、道、墨、法、名家等精要，而扩展为唐代以后道教的规模。然所遗憾者，自战国以来的道家传统，虽亦师弟相继，但皆时异势易，以隐密秘传为能事，并无直接接受的踪迹可寻。故到南北之间，虽北有寇谦之，南有陶弘景，亦皆各自为政，不能联合统一，使其学术思想成为一贯而有具体的组织，以此与有传承严整的佛教相较，自然处处逊于一筹了。

第四章　道教的扩张

第一节　唐初开国与道教

一、唐高祖的尊奉道教

　　自古中外的宗教,其根本虽然都建立在群众的信仰上,但它的发展,大都仰仗帝王政权的崇奉而取得优势。如果宗教也可以范围于命运之说,则道教的命运,一至于唐初开国,实为鼎盛时期,此时不但在政治地位上,有所保障,且在民间信仰上,也足与当时的佛教分庭抗礼。道教从此稳定基础与展开后来的局面,全仗大唐天子与老子是同宗的关系,诚为不可思议的史实。

　　史称:当唐高祖(李渊)武德三年五月,据太原起家而称帝的时候,因晋州人吉善行,自言在平阳府浮山县东南羊角山(一名龙角山),见白衣老父曰:"为吾语唐天子,吾为老君,吾尔祖也。"因此便下诏在其地立老子庙。及唐太宗当政以后,便正式册封老子为道教教主"太上老君",从此唐代宗室宫廷,虽都信仰佛教,亦同时信奉道教不辍。到玄宗时代,老、列、庄三子之书,便正式改名为道教的真经:《老子》称为《道德经》,《列子》称为《清虚经》,《庄子》称为《南华经》。道教之隆,前无其盛。然其宗教仪式与内容,自南北朝以来,已受佛教影响,大多皆援用佛教制度而设置,至唐代更为明显,此亦古今中外,所有宗教,大都潜相仿效的常例。

　　玄宗虽随祖宗遗制,同时崇奉道、佛两教,且亲受道教法箓,具有道士的身份,从此开后来唐代帝王常有受箓的规矩,同时也使宠擅专房的杨玉环(贵妃)皈依道教,号为"太真",开后来唐室内廷宫嫔出为女道士的风气。故中唐之世,宫廷内外。朝野名流,与女道士之间的风流绯闻,随处弥漫着文学境界的浪漫气息,例如女道士鱼玄机的公案,与诗人们赞咏怀思女道士的作品,俯拾皆是。

但道教在唐代虽然成为正式的宗教,并与佛教具有同时的政治地位,然自南北朝以来,道、佛两教的争竞,其势仍未稍戢。当初唐之际,互争尤烈,如史称唐初三教之争云:

武德七年二月丁巳,高祖(李渊)释奠于国学,召名儒僧道论义,道士刘进喜问沙门惠乘曰:悉达(释迦)太子六年苦行,求证道果,是则道能生佛,佛由道成,故经(佛经)曰:求无上道。又曰:体解大道,发无上心。以此验之,道宜先佛。乘曰:震旦之于天竺,犹环海之比鳞洲;老君与佛先后三百余年,岂昭王时佛而求敬王时之道哉?进喜曰:太上大道,先天地生,郁勃洞灵之中,炜烨玉清之上,是佛之师也。乘曰:按七籍九流,经国之典,宗本周易,五运相生,二仪斯辟,妙万物之谓神,一阴一阳之谓道,宁云别有大道先天地生乎?道既无名,曷由生佛?《中庸》曰:率性之谓道。车胤曰:在己为德,及物为道,岂有顶戴金冠,身披黄褐,鬓垂素发,手执玉璋,居大罗之上,独称大道,何其谬哉!进喜无对。已而太学博士陆德明随方立义,偏析其要。帝悦曰:三人皆勍敌也。然德明一举辄蔽之,可谓贤矣。遂各赐之帛。

这是初唐开国时期,宗教在御前辩论的第一回合,参加主要的对象,是道、佛两教的重要人物,但其结论,却以儒家为主的陆德明作了公允的评判,而且最后折衷,归之儒理。后来开始道、佛两教剧烈争竞的人物,虽然阴由宫廷的推波助澜,而主使其事,当推太史令(类似现代的天文台长等职)傅奕为主:

武德八年(乙酉)太史令庾俭,耻以术官,荐傅奕自代。奕在隋为黄冠(道士),甚不得志。既承革政,得志朝廷。及为令,有道士傅仁均者,颇闲历学,奕举为太史丞,遂与之附合,上疏请除释教事,十有一条。疏奏,不报。九年,太史令傅奕,前后七上疏请除罢释氏之教,词皆激切。后付廷议,宰相萧瑀斥奕为妄,且云:地狱正为此人设也。高祖复以奕疏,颁示诸儒,问出家于国何益? 时有佛教法师法琳,作《破邪论》二卷以陈。

　　是岁夏四月,太子建成、秦王世民,怨隙已成,将兴内难,傅奕毁佛益力,乞行废教之请,高祖因春秋高而迟未决。及法琳等诸僧著论辩之,合李黄门《内德论》,同进之于朝。帝由是悟奕等誉道毁佛为协私,大臣不获已,遂兼汰二教,付之施行。五月辛巳,诏书有云:正本澄源,宜从沙汰,诸僧、尼、道士、女冠,有精勤练行,守戒律者,并令就大寺观居止,供给衣食,不令乏短。其不能精进无行业,弗堪供养者,并令罢道,各还桑梓。所司明为条式,务依教法,违制之坐,悉宜停断。京城留寺(佛寺)三所,观(道观)三所,其余天下各州,各留一所,余悉毁之。六月四日,秦王以府兵平内难,高祖以秦王为太子,付以军国政事。是月癸亥,大赦天下,停前沙汰二教诏。

　　由此可见道、佛两教的争竞,在初唐高祖时代,已经牵涉到宫廷内幕的大案,凡古今中外,宗教与政治,始终结为不解之缘,殊足发人深省。

二、唐太宗与道佛两教

　　贞观十一年,唐太宗到了洛阳,忽然对道、佛两教的地位,下了一道制立宪法式的诏书,又引起佛教徒的一次抗议,结果无济于事。他的诏书内容与事实经过,如史称:

　　帝幸洛京,下诏曰:老君垂范,义在清虚,释迦贻则,理存因果。求其教也,汲引之迹殊途。论其宗也,弘益之风各致。然大道之兴,肇于邃古,源出无名之始,事高有形之外,况国家先宗,宜居释氏之右。自今已后,斋供行位,至于称谓,道士女冠,可在僧尼之前。庶敦返本之俗,畅于九有,贻于万叶。诏书颁发,京邑沙门,各陈极谏,有司不纳。

唐太宗既以老子为祖宗,下了一道无须争辩的诏书,而佛教徒中,偏有一个不通时务的老实人,硬要与之力争教徒的政治地位,结果被流放于岭南而卒,由此而见宗教心理的强顽,可笑亦甚可敬。如云:

> 时有沙门智实者,洛下贤僧也。丰度隽颖,内外兼明。携诸宿德,随驾表奏于关口,其略曰:僧某等言:年迫桑榆,始逢太平之世。貌同蒲柳,方值圣明之君。窃闻父有诤子,君有诤臣,实等虽在出家,仍在臣子之列,有犯无隐,敢不陈云。伏见诏书,国家本系出自柱下,宗祖之风形于前典,颁告天下,无德而称。今道士在僧尼之上,奉以周旋,岂敢拒诏。寻其老君垂范,治国治家,所佩服章,初无改易,不立观宇,不领门人,处柱下以全真,隐龙德而养性,今道士等不遵其法,所著冠服并是黄巾之徒,实非老子之裔。行三张之鬼术,弃五千之玄言,反同张陵,谩行章醮,从汉以来,常以鬼道化于浮俗,托老君之后,即是左道之苗,若在僧尼之上,诚恐国家同流,有损国化。遂以道经及汉、魏诸史,佛先道后之事,具陈如左。太宗览表,壮其志为教,遣宰相岑文本论旨遣之。实固执不奉诏。帝震怒,杖实于朝堂,民其服,流之岭表而卒。初,实得罪,有讥其不量进退者。实曰:吾固知已行之诏不可易,所以争者,欲后世知大唐有僧耳! 闻者莫不叹惜。

唐初开国,崇奉道教的动机与宗旨,纯出政治因素,是为攀宗引祖,以光耀帝王先世的门楣,初非如秦皇、汉武,或梁武帝等人,为求道成仙,以期长生不死为目的,亦非深究其教义学术,而有所轩轾于其间。然道教地位的确定,恰因此而深植根柢。后来唐太宗在贞观二十年间,佛教的名僧玄奘法师,自印度取经回国,从事佛经翻译的事业,大开译场,所有精神力量的支持,与经费的供给,亦全赖太宗的扶植。太宗与玄奘之间,虽是君臣,而情犹师友,甚之他想要说服玄奘还俗来作宰相,并且亲自为之制作著名的佛教文章——《圣教序》。虽在帝王专制的政治时代,但唐太宗对于宗教信仰自由的作风,非常通达而合理,也并不因为与老君同宗的关系就钦定道教而为国教。

自初唐两教互争地位之后,历世道、佛教徒,虽仍有小争执,但皆无关宏旨,且因高宗以后,禅宗的兴盛,道、佛合流的风气,已渐趋明朗,中国文化的会通,也因之奠定基础。肃宗以后,学术思想新兴的浪潮,由韩愈一篇《谏迎佛骨表》开始,遂转入唐以后的儒家与道、佛二氏的争论,促成南北宋间理学的崛起,已非南北朝时代两教争衡的局面了。佛教有会昌之难,因武宗年少不更事,对于宗教独有偏好之所致,但为时亦仅四五年,即告平息。诚如《新唐书》所云:

武宗毅然除去浮屠之法,甚锐,而躬受道家法篆,服药以求长年,以此知非明智之不惑者,特好恶不同耳。

第二节　新兴道教的吕纯阳

初唐时期,基于帝王宗室观念,虽尊奉道教在佛教之上,但自唐太宗贞观二十年以后,因玄奘法师留学印度归来,从事佛经的迻译,使佛教学术与传教事业,由此普及朝野。高宗以后,佛教复展开为十宗学派,由此确立中国佛教的精神。禅宗的兴起,融会儒、道、佛三家精粹,阐明心法,譬如孔雀开屏,声光普耀,从此影响唐代文化,无微不入,虽门庭敌对如道教,亦已渐渐受其波动,互相援引挹注。道家隐士如孙思邈,一生修习神仙丹诀而兼通佛法。禅师一行,以佛教出家比丘而兼通道家的阴阳术数之学,以及天文、地理等学术,别创"大衍历"而成为一代宗师,玄宗敬以国师之礼。如宋代大儒欧阳修,虽其生平反对佛教最切,但对于一行禅师的生平,敬服备至。此皆举其素为人所习知荦荦大者而言,至于名山岩穴之士,隐迹仙人,尤不胜枚举。

晚唐以后,有吕纯阳真人,忽自崛起于道教之间,卓然特立,历宋、元、明、清千余年而至现代,几如太上老君的副亚。自元朝以来,又被尊封为"孚佑帝君",其声望之隆,震撼中外,可谓唐代新兴道教的革命神仙,殊非张道陵、寇谦之、葛洪、陶弘景等先知所及。

吕真人本传云:

吕岩,字洞宾,世为河中府永乐县人。曾祖延之,终浙东制度使。祖渭,终礼部侍郎。父让,海州刺史。贞元十四年四月十四日巳时生,母就蓐时,异香满室,天乐浮空,一白鹤自天飞下,竟入帐中不见。生而金形木质,道骨仙风,鹤顶龟背,虎体龙腮,翠眉层棱,凤眼朝鬓,颈修颧露,额润身圆,鼻梁竦直,面色黄白,左眉角一黑子,左眼下一黑子,筋头大如功曹使者状,两足下纹,隐起如龟。性敏,日记万言,矢口成文。既长,身长五尺二寸,喜顶华阳巾,衣白黄襕衫,系大皂绦,状类张子房。二十不娶。始在襁褓,马祖(禅宗大师)见之,曰,此儿骨相不凡,自是风尘物表,他时遇卢则居,见钟则扣,留心记取。后游庐山,始遇火龙真人,传天遁剑法。自是混俗货墨于人间,号纯阳子。咸通中,举进士第,时年六十四岁。后游长安酒肆,见一羽士,青巾白袍,长髯秀目,手携紫筑,腰挂大瓢,书三绝句于壁。一曰:"坐卧常携酒一壶,不教双眼识皇都。乾坤许大无名姓,疏散人中一丈夫。"二曰:"得道真仙不易逢,几时归去愿相从。自言住处连沧海,别是蓬莱第一峰。"三曰:"莫厌逃欢笑语频,寻思离乱可伤神。闲来屈指从头数,得到清平有几人。"洞宾讶其状貌奇古,诗意飘逸,因揖问姓氏,羽士曰:吾钟离其姓,权其名，云房其字。所居在终南鹤岭，可从予此行否？洞宾因随云房同憩肆中，云房自起执炊，洞宾忽欲昏睡，枕案遄假，梦以举子赴京，状元及第，始自州县小官擢朝署，由是台谏给舍、翰苑秘阁郎、曹从历诸清要，无不备历，升而复黜，黜而后升。前复两娶富贵家女，婚嫁蚤毕，孙甥振振，簪笏满门，如此几四十年。最后独相十年，权势薰炙，忽被重罪，籍没家资，分散妻孥，流于岭表，一身孑然，穷苦憔悴，立马风雪中，方此浩叹，恍然梦觉。云房在傍，炊尚未熟，笑曰：黄粱犹未熟，一梦到华胥。洞宾惊曰：君知我梦耶？云房曰：子适来之梦，升沉万态，荣悴多端，五十年间一顷耳，得失不足喜，丧何足忧，且有大觉，而后知此人间世事，真大梦也。洞宾感悟慨叹，知官途不足恋矣。再拜曰：先生非凡人也，愿求度世术。云房诡曰：子骨节未完，志行未足，若欲度世，须更数世可也。翩然别去，洞宾怏怏自失，弃官归隐，云房自是十试洞宾皆过。一日，忽一人抚掌大笑而下，即云房也。谓洞宾曰：尘心难灭，仙才难值，吾之求人，甚于人之求吾也。吾十度试子皆过了，得道必矣，但功行尚有未完。吾今授子黄白秘方，可以济世利物，使三千功满，八百行圆，吾来度子。洞宾曰：所作庚辛有变异乎？曰：三千年后，还本质耳。洞宾愀然曰：误三千年后人，不愿为也。云房笑曰：子推心如此，三千八百，悉在是矣。因与洞宾叙其得道来历：曾遇苦竹真君，谓吾曰：汝此去游人间，若遇人有两口者，即汝弟子。吾后遍游山海，竟未见人有两口者，今详君姓，实符苦竹之托矣。又曰：君能从我游乎？洞宾因随之至鹤岭，授受将毕，忽有二仙，绡衣霞彩，手捧金简宝符云：上帝诏钟离权为九天金阙选仙使，谓洞宾曰：吾即升天，汝好住世间，修功立德，他时亦当如我。洞宾再拜曰：岩之志，异于先生，必须度尽天下众生，方上升未晚也。宋太祖建隆初，洞宾自后苑出对，上称朱陵上帝，以火德王天下，留语移时，语秘不传。上解赭袍玉带赐之，俄不见。上命绘像于太清楼，道录陈景元传其像于世。政和中，宫禁有祟，白昼现形盗金宝，奸妃嫔，独上所居无患。自林灵素、王文卿诸侍宸等治之,息而复作,上精斋虔祷,奏祠凡六。一日昼寝,见东华门外有一道士,碧莲冠,紫鹤氅,手持水晶如意,前揖上曰:奉上帝命,来治此祟。良久,一金甲丈人,捉劈而啗之且尽。上问:丈夫何人? 道士曰:此乃陛下所封,崇宁真君关羽也。上勉劳再四,复问:张飞何在? 羽曰:张乃臣累劫兄弟,今已为陛下生于相州岳家,他日辅佐中兴,飞将有功焉。上问卿姓名,曰:臣姓阳,四月十四日生。梦觉录之,召侍宸言之,意其为洞宾也。自是宫禁帖然,遂诏天下,有洞宾香火处,皆正妙通真人之号,盖自此始。其词曰:朕嘉与民,偕之大道,凡厥仙隐,具载册书,而况默应祷祈,宜示恩宠。吕真人,匿景藏文,远迹游方,逮建福庭,适有寓舍,叹兹符契,锡以号名,神明俨然,尚垂昭鉴,可封妙通真人,塑像于景灵宫,岁时奉祀焉。

按:吕真人本传事迹,于史无据,纯出道教中人的自记,然千古相传,凡言道家神仙事者,皆奉为信籍而无疑义。《续道藏》并扩充易编而成为吕祖志。在宋元时代禅宗的记载,又有洞宾遇黄龙禅师的公案,言之凿凿,信佛者,皆奉此认为洞宾为同路人,信道者,则否认禅宗语录,认为妄诬,要皆无伤吕纯阳旷代名仙的事迹。而本传中亦言及禅宗马祖曾在洞宾儿时,许为异常人物,可见当时道、佛互涉,与吕纯阳后来创立融通道、佛的新道教,早已有其所本,又如据吕纯阳在江州望江亭的自记云:

吾京川人,唐末三举进士不第,因游江湖间,遇钟离子,受延命之术。寻又遇苦竹真君,传日月交拜之法。久之,适终南山,再见钟离子,得金液大丹之功。年五十,道始成。世多称吾能飞剑戮人者,吾闻之笑曰:慈悲者佛也。仙犹佛尔,安有取人命乎? 吾固有剑,盖异于彼。一断贪嗔,二断爱欲,三断烦恼,此其三剑也。吾成道以来,所度者何仙姑、郭上灶二人,吾尝谓世人奉吾真,何若行吾行。既行吾行,又行吾法,不必见吾,自成大道。不然,日与吾游何益哉!

　　按：据此自记的内容，吕纯阳平常多作佛家语，其为融合道、佛宗旨方法而创新兴的道教，不待言而可知。又如吕纯阳之自著《丹诀百字铭》，融通道、佛修炼方法的精要，更为透彻，如云：

　　养气忘言守，降心为不为。动静知宗祖，无事更寻谁？真常须应物，应物要不迷。不迷性自住，性住气自回。气回丹自结，壶中配坎离。阴阳生返复，普化一声雷。白云朝顶上，甘露洒须弥。自饮长生酒，逍遥谁得知？坐听无弦曲，明通造化机。都来二十句，端的上天梯。

　　晚唐时期，新兴道教的吕纯阳真人，影响后来千余年而至于现代的道教，既深刻而又普遍，凡国内外崇信道教的人，未有不尊敬祀奉吕祖为真正神仙，名山大泽之间，纯阳真人的祠庙，随处可见，每与佛寺浮图，山光水色，互争千古。善男信女，香花明烛，朝拜吕祖的胜迹，也到处皆是。柳宗元称韩退之为"匹夫而为百世师，一言足为天下法。"如援引其语，作为道教神仙吕纯阳的评价，亦有殊途同归的感觉，其为人中之雄，当无愧色。

　　元、明以后，民间流传的道教神仙故事，如"八仙过海"等传说，都是以吕纯阳为中心人物，八仙中汉代仙人钟离权，即为吕纯阳之师；唐代仙人李铁拐、张果老，为吕纯阳之友；何仙姑、韩湘子、蓝采和、曹国舅皆为吕纯阳的友弟辈。明、清以后，道家分派如南、北、西、东四派的仙师，也都以吕纯阳为其嫡传始祖。其望重千秋，功侔三清的气概，有使张道陵、寇谦之等人，为之减色不少。

　　总之，吕纯阳新兴道教的宗旨与传统，是以直接上承东汉时代正统道家魏伯阳的丹法为道统，大有摆脱道教的宗教形式而别具风格。若从纯粹的道家立场而言，以其比拟佛教禅宗的大师，如百丈、马祖、黄檗、临济师徒，并无逊色。由秦汉以来，迄于晚唐的道教，一向皆在鱼龙混杂、支离破碎的状态中。自吕纯阳以后，正统道家与道教,忽然别有一番面目。因此产生宋、元以后,道教各宗的道派与丹法,犹如禅宗在晚唐以后,兴起五家宗派的盛况,实在皆由吕纯阳新兴道教而开始。

第五章　道教的演变

第一节　宋初儒道归元的
华山隐士陈希夷

　　唐末五代以后，华夷混杂，变乱相仍的局面，又造成历史的巨变。而在文化思想方面，佛教有禅宗的兴盛，涵融中印文化于一炉。道教除了前蜀有杜光庭的弘扬提倡，并撰作科醮，意造经文以外，因为有命世仙人吕纯阳的首倡，以沟通禅宗直指身心性命之学，与道家修炼生命之术，合而成为性命双修的丹道之故，渐已调和六七百年来道佛两教的争论而归于一致。自唐末到宋初百余年间文化思想的明争暗斗，已经不再是昔日道、佛两教间的争执，而是士大夫们新儒家学说振兴的结果，造成排斥佛、道两教学说为异端的思潮暴涨。到了宋太祖赵匡胤乘陈桥兵变登位以后，他以军人而兼学者的典型，酷好文学。加以宰相赵普的质朴无华，因少年失学，自己谦称"以半部《论语》治天下"的老实作风，早已种下开启宋代新文化运动的因缘。后来又有范仲淹的笃实纯朴，与大臣富弼等极力奖掖文人学士的自由讲学风气，致使两宋间五大儒应运而出，创建宋代儒家理学的宗派，使儒家走上比类宗教的途径，确立后世并称儒、释、道三家为中国文化主流的传统。质实言之，开创理学五大儒的思想，不是援禅讲理，如周敦颐、二程兄弟等，即是援道入儒，如朱熹、邵康节等。因此，又促成宋末元初道教的演变，而有王重阳、丘长春师弟们所建立的"全真道"，足与唐代吕纯阳的新兴道教媲美千古，且与张道陵世系的天师道互争雄长。宋、元之间学术思潮的三家交炽,使不学无术的大元帝室政权左右依违于三家文化的暗潮中,无法自主,仅数十年间,便促使其寿终正寝。此一原因,往往为古今研究中国文化学者所忽略,深资嗟叹!

宋初开国时期,阴受道家思想影响甚大,就中关系最深的人物,当推华山隐士陈抟(希夷)。但陈抟虽为后世道家尊为神仙的宗祖,其实他的学术路线是上承秦、汉以前儒、道本不分家的道学,大有异于唐末吕纯阳的丹道学派。陈抟亦为唐末的不第进士,因少怀大志,生当乱世,亦如隋朝的文中子王通,自有澄清天下之志,后来因年事日长,阅历学问加深,颇感时不我与,即归隐华山高卧,曾作诗以明其志,如云:"十年踪迹走红尘,回首青山入梦频。紫绶纵荣争及睡,朱门虽富不如贫。愁闻剑戟扶危主,闷听笙歌聒醉人。携取旧书归旧隐,野花啼鸟一般春。"后来听说赵匡胤陈桥兵变,黄袍加身,而被拥戴为帝王,遂额手称庆曰:"从此天下定矣。"因此人皆尊其有未卜先知之能。他的易经象数的"太极图"、"河洛理数"等学说,数传到后来的邵康节,而成就一位象数易学的千古通儒。同时又因他的"太极图"与河图、洛书、图象等的流传,致使周濂溪援取道家思想而作《太极图说》。朱熹因服膺邵康节的学术思想,乃致力学习道家的象数,而有明代国子监流传的监本《易经》及《周易集注》,与《周易》书本首先冠以太极图、河图、洛书等之推广。

从来神仙传记,传说颇多不同,关于陈抟的生平,也不例外,今略录其文,以为参考:

《宋史》本传:

陈抟字图南,亳州真源人。始四五岁,戏水岸侧,有青衣媪乳之,自是聪悟日益。及长,读经史百家之言,一见成诵,悉无遗忘,颇以诗名。后唐长兴中,举进士不第,遂不求禄仕,以山水为乐。自言尝过孙君仿、麋皮处士。二人者,高尚之人也。语抟曰:武当山九室岩可以隐居。抟往栖焉。因服气辟谷,历二十余年,但日饮酒数杯。移居华山云台观,又止少华石室,每寝处,多百余日不起。
周世宗好黄白术,有以抟名闻者,显德三年,命华州送至阙下,留止
禁中月余,从容问其术。抟对曰:陛下为四海之主,当以致治为念,
奈何留意黄白之事乎?世宗不之责,命为谏议大夫,固辞不受。既
知其无他术,放还所止,召本州长吏,岁时存问。五年,成州刺史朱
宪陛辞赴任,世宗命赍帛五十匹,茶三十斤赐抟。太平兴国中来
朝,太宗待之甚厚。九年复来朝,上益加礼重,谓宰相宋琪等曰:抟
独善其身,不干势利,所谓方外之士也。抟居华山已四十余年,度
其年近百岁,自言经承五代离乱,幸天下太平,故来朝觐,与之语,
甚可听。因遣中使送至中书,琪等从容问曰:先生得元默修养之
道,可以教人乎?对曰:抟山野之人,于时无用,亦不知神仙黄白之
事,吐纳养生之理,非有方术可传,假令白日冲天,亦何益于世。今
圣上龙颜秀异,有天人之表,博达古今,深究治乱,真有道仁圣之主
也。正君臣协心同德、兴化致治之秋,勤行修炼,无出于此。琪等
称善,以其语白上,上益重之,下诏赐号希夷先生,仍赐紫衣一袭,
留抟阙下,令有司增葺所止云台观,上屡与之属和诗赋,数月放还
山。端拱初,忽谓弟子贾德升曰:汝可于张超谷凿石为室,吾将憩
焉。二年秋七月,石室成。抟手书数百言为表,其略曰:臣抟大数
有终,圣朝难恋,已于今月二十二日化形于莲华峰下张超谷中。如
期而卒,经七日支体犹温,有五色云蔽塞洞口,弥月不散。抟好读
《易》,手不释卷,常自号扶摇子,著《指元篇》八十一章,言导养及还
丹之事。宰相王溥,亦著八十一章以笺其指。抟又有《三峰寓言》
及《高阳集》、《钓潭集》诗六百余首。能逆知人意,斋中有大瓢,挂
壁上,道士贾休复心欲之,抟已知其意,谓休复曰:子来非有他,盖
欲吾瓢尔。呼侍者取以与之,休复大惊以为神。有郭沆者,少居华
阴,夜宿云台观,抟中夜呼令趣归,沆未决。有顷,复曰:可勿归矣。
明日沆还家,果中夜祖母暴得心痛几死,食顷而愈。华阴隐士李
琪,自言唐开元中郎官,已数百岁,人罕见者。关西逸人吕洞宾,有

剑术，百余岁而童颜，步履轻疾，顷刻数百里，世以为神仙；皆数来
抟斋中，人咸异之。大中祥符四年，真宗幸华阴，至云台观，阅抟画
像，除其观田租。

庞觉《希夷先生传》：

先生姓陈名抟，字图南，西洛人。生于唐德宗时，自束发不为
儿戏，年十五，诗礼书数及方药之书，莫不通究，及亲丧，先生曰：
"吾向所学，足以记姓名耳，吾将弃此游太山之巅，长松之下，与安
期黄石论出世法，合不死药，安能与世俗辈汩没出入生死轮回间
乎？"乃尽以家资遗人，惟携一古铛而去。唐士大夫挹其清风，欲识
先生面，如景星庆云之出，争先睹之为快，先生皆不与之友。由是
谢绝人事，野冠草服，行歌无止，日游市肆，若入无人之境，或上酒
楼，或宿野店，多游京洛间。僖宗待之愈谨，封先生为清虚处士，乃
以宫女三人赐先生，先生为奏谢书云："赵国名姬，后庭淑女，行尤
妙美，身本良家，一入深宫，各安富贵，昔居天上，今落人间，臣不敢
纳于私家，谨用贮之别馆。臣性如麋鹿，迹若萍蓬，飘然从风之云，
泛若无缆之舸。臣遣女复归清禁，及有诗上浼听览。诗云：'雪为
肌体玉为腮，深谢君王送到来。处士不生巫峡梦，空劳云雨下阳
台。'"以奏付宫使，即时遁去。五代时，先生游华山多不出，或游民
家，或游寺观，睡动经岁月。本朝真宗皇帝闻之，特遣使就山中宣诏
先生。先生曰："极荷圣恩，臣且乞居华山。"先生意甚坚，使回具奏
其事。真宗再遣使赍手诏茶药等，仍仰所属太守县令，以礼遣之，
安车蒲轮之异，宠迎先生。先生乃回奏上曰："丁宁温诏，尽一札之
细书，曲轸天资，赐万金之良药，仰荷圣慈，俯躬增感。谢云：臣明
时闲客，唐室书生，尧道昌而优容许由，汉世盛而任从四皓，嘉遁之
士，何代无之？伏念臣性同猿鹤，心若土灰，不晓仁义之浅深，安识
礼仪之去就，败荷作服，脱箨为冠，体有青毛，足无草履，苟临轩陛，
贻笑圣明，愿违天听，得隐此山。圣世优贤，不让前古，数行丹诏，

徒烦彩凤衔来。一片闲心,却被白云留住。渴饮溪头之水,饱吟松下之风,永嘲风月之清,笑傲云霞之表,遂性所乐,得意何言。精神高于物外,肌体浮于云烟,虽潜至道之根,第尽陶成之域,臣敢仰期睿眷,俯顺愚衷,谨此以闻。"当时有一学士,以先生累诏不起,因为诗讥先生云:"只是先生诏不出,若还出也一般人。"先生复答云:"万顷白云独自有,一枝仙桂阿谁无。"后先生亦稀到人间。先生或游华阴,华阴尉王睦知先生来,倒履迎之,既坐,先生:"久不饮酒,思得少酒。"睦曰:"适有美酒,已知先生之来,命涤器具馔。"既饮,睦谓先生曰:"先生居处岩穴,寝止何室,出使何人守之?"先生微笑,乃索笔为诗曰:"华阴高处是吾宫,出即凌空跨晓风。台殿不将金锁闭,来时自有白云封。"睦得诗愧谢。先生曰:"子更一年,有大灾,吾之来,有意救子,守官当如是,虽有数理亦助焉。"睦为官廉洁清慎,视民如子,不忍鞭扑,心性又明敏,故先生乃出药一粒曰:"服之可以御来岁之祸。"睦起再拜,受药服之。饮至中夜,先生如厕,久不回,遂不见。睦归汴,忽马惊坠汴水,善没者急救之,得不死。先生亦时来山下民家,至今尚有见者,今西岳华山有先生宫观,至今存焉。

宋初的道教,自陈抟以后,华山道派,又另自形成一系,实创自陈抟的道统,颇为纯正。

第二节　宋代的皇帝与道教

宋初立国,关于宗教的信仰,与宗教政治的地位,多承袭唐代的故事,虽无明令规定,但以现代语言之,都是信仰自由,对于道、佛两教,也是并尊共容。但到真宗临朝,因失意于敌国,忽留心于宗教,异想天开,独在唐代宗亲道教教主的李老君之外,又捧出一位宋室同宗赵姓的来作圣祖,亲自提倡道教。由此开始,形成宋徽宗的笃信道士巫术等事,造成道教在宋史上的污点。其实,这是帝王玩弄宗教的肤浅权术,于正统道家无关。今据史实,约略引述宋朝帝王与道教的关系,辨明外国人研究中国的道教,误认道教是在宋代才正式建教的观念,并不确实。

一、宋真宗神道设教的动机

史云:

戊申,大中祥符元年,正月,有天书见于承天门,大赦,改元。帝自闻王钦若言,深以澶州之盟为辱,常怏怏不乐。钦若度帝厌兵,因谬进曰:"陛下以兵取幽蓟,乃可涤此耻。"帝曰:"河朔生灵,始免革兵,朕安忍为此,可思其次。"钦若曰:"惟封禅可以镇服四海,夸示外国,然自古封禅,当得天瑞希世绝伦之事乃可尔。"既而又曰:"天瑞安可必得?前代盖有以人力为之者,惟人主深信而崇奉之,以明示天下,则与天瑞无异也。陛下谓河图洛书果有邪,圣人以神道设教耳。"帝沉思久之,曰:"王旦得无不可乎?"钦若曰:"臣谕以圣意,宜无不可。"钦若乃乘间为旦言,旦黾勉从之。帝尚犹豫,会幸秘阁,骤问直学士杜镐曰:"古所谓河出图,洛出书,果何事邪?"镐老儒,不测上旨,漫应之曰:"此圣人以神道设教耳。"帝意乃决,遂召旦饮,欢甚,赐以樽酒,曰:"归与妻孥共之。"既归,发封,则皆美珠也。旦悟帝旨,自是不敢有异议。正月,乙丑,帝为群臣曰:"去冬十一月庚寅,夜将半,朕方就寝,忽室中光曜,见神人星冠绛衣,告曰:'来月,宜于正殿,建黄箓道场一月,当降天书大中祥符三篇。'朕竦然起对,已复无见,自十二月朔,即斋戒于朝元殿,建道场以伫神贶。"适皇城司奏,有黄帛曳左承天门南鸱尾上,令中使视之,帛长二丈许,缄物如书卷,缠以青缕,封处隐隐有字,盖神人所谓天降之书也。旦等皆再拜称贺,帝即步至承天门,瞻望再拜,遣二内侍升屋奉之下,旦跪进,帝再拜受之,亲置舆中,导至道场,授陈尧叟启封,复命尧叟读之。其书黄字三幅,词类《洪范》、《道德经》,始言帝能以至孝至道绍世,次谕以清净简俭,终述世祚延永之意。读讫,盛以金匮。群臣入贺于崇政殿,赐宴,遣官告天地宗庙社稷,大赦,改元。钦若之计既行,陈尧叟、陈彭年、丁谓、杜镐,益以经义附和,而天下争言祥符矣。独龙图阁待制孙奭言于帝曰:"以臣愚所闻,天何言哉,岂有书也。"帝默然。

己酉,二年,以方士王中正为左武卫将军。先是汀州(福建汀州府)人王捷,言于南康(江西赣州)遇道人,姓赵氏,授以丹术,及小镮神剑,盖司命真君也,是为圣祖。宦者刘承珪以闻,赐捷名中正,得对龙图阁。既东封,加圣祖为司命天尊。授中正以官,恩遇甚厚。三司使丁谓并上封禅祥瑞图,于是士大夫争奏符瑞献赞颂。崔立独言水发徐、兖,旱连江、淮,无为烈风,金陵大火,是天所以戒骄矜也。而中外多上云雾草木之瑞,此何足以言治道哉!

史书到此,却下了一句"帝不省"之评语。其实真宗因失意于澶州之役,心烦意乱,无以对天下国家人民交代,遂在道教之外,另以神道设教的作法,用"封禅"崇道来掩饰内心的痛苦,及引开民间的怨恨心理。他自己内心有数,早已明白,只是当时作史的人,懵然不懂真宗的原意,反说为不省,未免可笑。

壬子,五年,以王钦若、陈尧叟为枢密使,丁谓参知政事,马知节为枢密副使。时天下乂安,王钦若、丁谓导帝以封祀,眷遇日隆。钦若自以深达道教,多所建明,而谓附会之。与陈彭年、刘承珪等,搜讲大典,大修道教宫观,以林特有心计,使为三司使,以干财利。五人交通,踪迹诡秘,时人号五鬼。冬十月,帝言圣祖降于延恩殿。语辅臣曰:"朕梦神人传玉皇之命云:'先令汝祖赵玄朗授汝天书,今令再见汝。'翌日,复梦神人传圣祖言:'吾座西,斜设六位以候。'是日,即于延恩殿设道场,五夜一筹。先闻异香。顷之,圣祖至,朕再拜殿下。俄六人至，揖圣祖，皆就坐。圣祖命朕前曰：'吾人皇九人中一人也，是赵之始祖。'即离座乘云而去云云。"王旦等皆再拜称贺，诏天下，肆赦加恩。闰月，上圣祖及圣母尊号。十一月以王旦兼玉清昭应宫使，作景灵宫，奉圣祖。改孔子谥，以玄字犯圣祖讳，改玄圣为至圣。

甲寅，七年，正月，帝如亳州，谒老子于太清宫。加号太上老君，混元上德皇帝。己未，天禧二年，大会道、释于大安殿。壬戌，乾兴元年，丁谓有罪贬官，时逮常出入谓家女道士刘德妙鞫问之，德妙言："丁谓尝教之曰：'汝所为不过巫事，不若托老君言祸福，足以动人。'谓又为作颂，题曰《混元皇帝赐德妙》云云。"

由以上简略征引，已可窥见宋代的道教，因为帝王作政治权术的运用，已大异其趣。唐初开国，崇奉道教，由唐太宗的诏书，坦然说明李老君为同宗远祖的动机，毫无妄诈的意图，其主义可谓非常纯正，故终唐之世，一变历来正邪混俗的道教，而归于正式宗教之正途。宋代自真宗以后的道教，依据史乘的实录，远逊唐代建立道教的宗旨，因此更见唐太宗的英明睿智，并非偶然。同时可见北宋末期，深受宗教之祸，也非偶然。但因真宗与王钦若提倡道教的作为，在道教史上，建有两件大事。如：

（一）张天师世系的确定

乙卯，祥符八年，秋九月，赐信州道士张正随号真静先生。初，汉张鲁子，自汉川（汉中府）徙居信州（江西广信）龙虎山，世以鬼道化众，正随其后也。至是召赴阙，赐号。王钦若为奏立授箓院，及上清观，蠲其田租。自是凡嗣世者，皆赐号。

（二）道教名著汇书《云笈七籤》的完成

真宗天禧三年，因提倡道教，故欲校正道书，王钦若等即推荐道士张君房司其事。君房据当时所存《道藏》，撮取其中的大要，纂编成《云笈七籤》一书，共计一百二十二卷，足与佛教的汇书《法苑珠林》相提并论,都是很好的宗教汇编之大作。所谓"七籤"的定义,以道教的天宝君所说洞真部为上乘;灵宝君所说洞玄为中乘;神宝君所说洞神为下乘。又以太玄、太平、太清三部为辅经;以正一、法文、遍陈三乘另作一部,依此类分名为"七籤"。

二、道君皇帝宋徽宗

宋朝由真宗开始以神道设教为政治目的,自己假托梦寐,捧出神仙赵玄朗作为道教的圣祖,利用群众心理,使举国上下,醉心宗教情绪,藉此掩饰对北方军事外交上的失败。真宗即此一念种因,产生后来徽宗沉湎道术,迷信巫师们假托鬼神的扶乩邪术,想靠天神的保佑来阻止敌国的侵略,终至身为俘虏,国破家亡。由此可见,历史事实的教训:凡是利用宗教作为愚民政治的治术,其后果如何,不待辩而可知。幸而自真宗以后,历仁宗、英宗、神宗、哲宗四朝,头脑都比较清醒,并不效法神道设教的政策,加以有大臣如王旦、王曾、范仲淹、寇准、富弼、司马光、文彦博、欧阳修等名贤相辅,才使北宋的赵家天下,还能作到形似升平的局面。但在学术思潮方面,虽有新儒家理学的兴起,而在思想的辨证上,除了笼统地排斥佛、老,并驳二者为异端之外,士大夫们完全偏重辟佛,其敢于正式诤谏、认真辨证正统道家的文化思想者,并不多见。据此更足以窥见朝廷内定的国家政策,常牵涉到帝室的宗祖观念,虽自以正思正言相标榜如理学家们,亦只有噤若寒蝉,不敢赞其一辞。历来学者研究宋代文化学术,与理学家们的思想言论,都忽略这一关键所在,积非成是,习于因袭而缺乏明辨的卓见,最为遗憾。

宋代自哲宗以后,帝室内廷,足为明主的英才衰落已甚,哲宗因无子嗣,死后其弟端王继位,即是有名的道君皇帝宋徽宗。徽宗的禀赋,具有艺术与文学的天才,风流倜傥,当于浪漫的情调。如果他生在宋太祖或高宗时代,有宫廷的培养,安分为王,必定可以成为负有一代权威的文学家或艺术家。不幸的是,他却登上皇帝的宝座,他既做了皇帝,便听从道士魏汉津言,铸九鼎,奉安于九成宫。又酷好玩弄花石,极力索取浙中的珍异以供鉴赏,派遣供奉官童贯,赴江浙一带,访求书画以及奇巧的手工艺等物,便引出司理道教之道士官徐知常的布置推荐,起用蔡京。如史所载:

> 供奉官童贯,性巧媚,善择人主微旨,先事顺承,以故得幸。及诣三吴,访书画奇巧,留杭累月。蔡京与之游,不舍昼夜,凡所画屏障扇带之属,贯日以达禁中,且附语论奏于帝所,由是帝属意用京。左阶道录徐知常,以符水出入元符皇后所,太学博士范致虚与之厚,因荐京才可相。知常入宫言之,由是宫妾宦官,众口一辞誉京,遂起京知定州。

(一) 宋史所载徽宗崇道的经过

从此以后,蔡京与童贯,互相汲引,利用道士们以阿附徽宗的宗教心理,使其误入歧路,偏向幻想境界,与多难兴邦的现实情况,距离愈远。如史载:

> 政和三年,九月,赐方士王老志号洞微先生,王仔昔号通妙先生。濮人王老志,初为小吏,遇异人授以丹,遂弃妻子,结草庐田间,为人言休咎,多验。太仆卿王亶以名闻,时帝方向道术,乃召至京师,馆于蔡京第,尝缄书一封至帝所,启视,乃昔岁秋中与乔刘二妃之语也。由是益信之,号为洞微先生。朝士多从求书,初若不可解者,卒应什八九,其门如市,逾年而死。洪州人王仔昔,初隐于嵩山,自言遇许逊,得大洞隐书豁落七元之法,能道人未来事。京荐之,帝召见,赐号冲隐处士,进封通妙先生。由是道家之事日兴,而仔昔恩宠寖加,朝臣戚里,夤缘关通。冬,十一月,祀天于圆丘,以天神降诏百官。十二月,诏求道仙经于天下。
>
> 癸巳,是年四月,玉清昭阳宫成,奉安道像,上诣宫行礼。七年,改玉清神霄宫。时道教之盛,自道士徐知常始,赐号冲虚先生;

徐守信赐虚静先生;刘混康赐葆真观妙冲和先生,后并赐太中大夫。十一月癸未,郊,上缙大珪执元珪,以道士百人执仪卫前导,置道阶凡二十六等,先生处士八字六字四字二字,视中大夫,至将仕郎级。重和初,别置道官,自太虚大夫,至金坛郎,凡十六等。同文臣,中大夫至迪功郎。道职自冲和殿侍宸,至凝神殿校经,凡十一等。侍宸同侍制,检籍同修撰,校经同直阁,皆给告身。

(二) 平步青云的道士林灵素与道君皇帝

当徽宗崇信道教的时期,或以妖言惑众而取信于当道,或以异术奇能而见宠于朝廷,形成一代取得功名捷径的风气,除如王老志等人外,在号为道教中人,而异军突起,骤然至于帝师之位,其遭遇之奇,有胜于北魏时期的寇谦之者,莫过于徽宗时代的林灵素。且道教在宋代以后,对于天神之间的地位关系,产生一种新的说法,亦自林灵素开其先河。如史云:

> 丙申,六年,春,正月,赐方士林灵素广通真灵先生。灵素,浙江温州人。少从浮屠(佛教出家僧),苦其师笞骂,去为道士,善妖幻,往来淮泗间,及王老志死,王仔昔宠衰,帝访方士于左道箓徐知常。知常以灵素对。即召见赐号通真达灵先生。改温州为应道军。灵素本无所能,惟稍习五雷法,召呼风霆,闲祷雨,有小验而已。

> 灵素大言曰:天有九霄,而神霄为最高治府。神霄玉清王者,主南方,号称长生大帝君,陛下是也。既下降于世,其弟号青华帝君者,主东方,抚领之。又有仙官八百余名,今蔡京,即左元仙伯。王黼,即文华使。郑居中、童贯等,皆有名而已,即仙卿诸慧下降,佐帝君之治时。刘贵妃方有宠,灵素以为乃九华玉真安妃。帝心独善其事,益加宠信。并从其言,立道学。

按:巫术之妖言惑众者,常许人以上界星神下凡为谀辞。人情大抵皆喜誉己而恶忠言,故术者可邀人之宠信。

二月,作上清宝箓宫成。

按:世传的扶乩等术,亦于此时最为兴盛。

丁酉,七年,春,二月,帝幸上清宝箓宫,命林灵素讲道经。时道士皆有俸,每一观,给田亦不下数百顷。凡设大斋,辄费缗钱数万。贫下之人,多买青布幅巾以赴,日得一饮餐,而衬施钱三百,谓之千道会。且会士庶人听灵素讲经,帝为设幄其侧,灵素据高座,使人于下再拜请问。然所言无殊绝者,时时杂以滑稽媟语,上下为大哄笑,莫有君臣之礼。

按:灵素新创的道教讲经法会,其规模制度,皆仿佛教组织而来。且曾一度怂恿徽宗,下令江浙一带,夺改佛教寺院为道观,盖为报为僧时被其师笞责之恨也。

四月,道箓院上章册帝为教主道君皇帝。

按:此即等于道教教会给予皇帝的封号,隐有宗教超乎帝王政权以上的意味。

十二月,帝言大神降于坤宁殿,作万岁山。帝以未得嗣子为念,道士刘混康以法箓符水,出入禁中。言京师西北隅,地协堪舆,倘形势加以少高,当有多男之祥。始命为数仞冈阜。已而后宫生子渐多,帝甚喜,始笃信道教。至是,又命户部侍郎孟揆于上清宝箓宫东,筑山以像余杭之凤凰山,号曰万岁。

庚子,二年,春,正月,罢道学。林灵素有罪,放归田里。灵素初与道士王允诚共为神怪之事,后忌其相轧,毒杀允诚,遂专用事。及都城水,帝遣灵素厌胜,方步虚城上,役夫争举梃,将击之,走而免,帝始厌之。然横恣愈不悛,道遇皇太子弗敛避,太子入诉于帝。帝怒,以灵素为太虚大夫,斥还故里,命江端本通判温州,察之。端本廉得其居处过制罪,诏徙置楚州。命下,而灵素已死。

道士林灵素以妖妄异术,见宠徽宗,权势地位,皆盛极一时,但仅五六年间，即失势而死。且观其事迹，较之历代正统道家的神仙方士，能够全始全终，足为千秋敬仰者，相去不可以道里计。灵素所用的道术，原出于道教雷部法术的一部分，自唐末即盛行于闽浙一带，温州与闽北尤盛，直至民国初年，仍有存者。这一派的法术，略近于湖南辰州派的符箓，并非道教法术中的太清大法。然灵素虽以妖异得宠，也因妖言而亡。而自灵素倡"九霄天神"之说以后，使道教于天道观念，更加一层迷惑。元代以后，其说一直流行于道教中，积重难返，只好追认。又因灵素为温州人，特别捧上一位同乡的天神温太保，作为道教的护法神，温太保从此即在道教中，永远具有役使鬼神的权威地位。天神之际，亦深植乡土观念，宁非异事，毋怪人间多重戚故，更无足为怪了。

　　道君皇帝宋徽宗的崇信王老志、林灵素等的道教，已远非唐代尊崇信仰道教的宗旨，其在幕后导演此一历史性的宗教事件，实际为童贯、蔡京，以及左街道箓徐知常等的政治作用，徽宗唯兴之所至，一如沉湎于金石书画的心理，固自不知所云而为之而已。然而身当国家第一领导的帝王，如果政治思想缺乏聪明睿智的哲学基础，随便一念起因的差错，往往会导致万劫不复的结果，此乃为天经地义不易的法则。徽宗陷溺邪术——并非正统的道教，因之流风遗毒，一直影响到他的儿子钦宗手里，更演出不可收拾的悲剧。如史载靖康事实云：

　　以郭京为成忠郎，选六甲兵以御金。初于龙卫中得京，但因好事者言京能使六甲法，可以生擒金二将而扫荡无余。其法用七千七百七十七人。朝廷深信不疑，命以官。赐金帛数万，使自募兵，无问技能与否，但择年命合六甲者。所得皆市井游惰，旬日而足。敌攻益急，京谈笑自如云：择日出兵，三日可致太平，直袭击至阴山乃止。孙傅（尚书右丞）等尤尊信之。另有人所募众，或称六丁力士，或称北斗神兵，或称天阙大将。大率效京所为。识者危之。京尝曰：非至危急，吾师不出。事急，迫郭京出御金军，败走，京城陷。

帝如金营请降,从此徽钦父子,均为俘虏。

每读史,至宋代徽钦父子昏庸之处,深感当时所为新儒家的理学家们,何以无一人犯颜诤谏,揭示齐家治国平天下的大计? 岂真所为只以做到"平时静坐谈心性,临危一死报君王"就此便是学问吗? 至于佛家的禅师们,当此时期,更是高蹈远引,息影山林,不干与天下兴亡的大计,虽有南宋高宗(康王)时代的大慧宗杲禅师,与岳飞、张九成翁婿暗通声气,但也为时已晚。总之,中国文化的三教精神,在南宋末期历史的,除了文天祥、陆秀夫以外,都甚减色,岂独道教而已哉!

第三节　正统道教南宗的崛起

一、张紫阳的丹道

宋代自真宗开始崇信道教以后,正统道家因唐末吕纯阳之肇始,已经迈入道、佛合一,禅、道同参的正统丹道途径。儒家有新兴的理学,禅宗有五家的宗风,道家有丹道的嫡传,从唐代以来,中国文化主流的儒、释、道三家,都有更新的运动,在学术思想上,应该算是一个别开生面的时期。北宋时期,正统道家嫡派丹道的中心人物,即是后世道教所称南宗丹道祖师的张紫阳。紫阳著有《悟真篇》行世,与东汉时代魏伯阳所著的《参同契》,合为正统道家千古丹经的名著。他以天地为炉鼎,身心为药物,涵容性命双修,撮取道、佛两家修炼的宗旨与方法,以诗词体裁,一一叙说工夫境界的程序,一洗历来东猜西摸,迷离扑朔丹道修炼方法的疑虑。尤其他以《西江月》的词体,写出南方禅宗所标榜明心见性,立地成佛的境界,与唐末以后正统道家见道、成道的精神,完全符合,最为警醒有力。后来历传至白玉蟾、彭鹤林等,即为明、清以后道家所尊的南宗七祖。

　　所谓"南宗",即以紫阳真人为代表的传统,公认其为主张性命双修的丹法。北宗,即以丘长春所创道教龙门派的传统,相传为专主修性的道家丹法。而南宗在明、清以后,又另有传说,认为是主张男女合藉双修的丹法,于是穿凿附会,阴阳交配,房中采战之术,亦皆附庸于《参同》、《悟真》的著述,标示确有师承根据以图蒙混,诚为紫阳真人始料所不及。但紫阳一派,传至清代,却得一帝王知己的雍正,为他所著的《悟真篇》作序,大加称扬,亦是紫阳真人始料所不及。

　　《临海县志》云:

　　宋,张用诚,邑人,字平叔。为府吏,性嗜鱼,在官办事,家送膳至,众以其所嗜鱼戏匿之梁间。平叔疑其婢所窃,归扑其婢,婢自经死。一日虫自梁间下,验之,鱼烂虫出也。平叔乃喟然叹曰:"积牍盈箱,其中类窃鱼事,不知几几!"因赋诗云:"刀笔随身四十年,是非非是万千千。一家温饱千家怨,半世功名百世愆。紫绶金章今已矣,芒鞋竹杖任悠然。有人问我蓬莱路,云在青山月在天。"赋毕纵火,将所署案卷悉焚之。因按火烧文书律遣戍。先是郡城有盐颠,每食盐数十斤,平叔奉之最谨,临别嘱曰:"若遇难,但呼祖师三声,即解汝厄。"后械至百步溪,天炎,沿溪中遂仙去。至淳熙中,其家早起,忽有一道人进门坐中堂,叩其家事历历,随出门去。人以平叔归云,百步岭旧有紫阳真人祠,扁云:紫阳神化处。今废。

　　《山西通志》云:

　　张伯端,天台人,少好学,晚得混元之道。宋神宗熙宁间,游蜀,遇刘海蟾授以金液还丹之诀,乃改名用诚,字平叔,号紫阳山人。英宗治平中,随龙图陆公,寓桂林后,转徙秦陇,久之,访扶风马处厚,默于河东,乃著《悟真篇》授处厚曰:"平生所学,尽在是矣。愿公流布此书,当有因书而会意者。"元丰五年夏,尸解而去,住世凡九十九岁。弟子火烧化，得所谓耀金姿者千百粒，大如芡实，色皆绀碧。后七年，刘奉真遇紫阳于王屋山，留诗而去。紫阳尝谓己与黄勉中、维扬于先生皆紫微星，号九皇真人，因误校勘劫运之籍，遂谪人间。今紫微垣光耀可见者，六星而已，翼城紫阳宫即其修炼处。

《陕西通志》云：

张用诚，号紫阳，尝有一僧修戒定慧，能入定出神，数百里间顷刻即至，与紫阳雅志契合。一日，紫阳曰："禅师今日能与远游乎？"僧曰："可，原同往扬州观琼花。"于是同处静室，相对瞑目趺坐出神。紫阳至时，僧已先至，绕花三匝。紫阳曰："可折一花为记。"少顷欠伸而觉。紫阳曰："禅师琼花何在？"僧袖手皆空。紫阳乃拈出琼花，与僧把玩，弟子问曰："同一神游，何以有有无之异？"紫阳曰："我金丹大道，性命兼修，是故聚则成形，散则成气，所至之地，真神见形，谓之阳神。彼之所修，欲速见功，不复修命，直修性宗，故所至之地，无复形影，谓之阴神，神不能动物也。"元丰五年夏，趺坐而化，寿九十有九。

二、白玉蟾与朱熹

南宗丹道至于北宋末期，负传承的道统者，即是白玉蟾。白玉蟾隐于福建武夷山潜修，从之日众。其时朱熹亦正在武夷讲学，彼此师弟之间，互有往来。朱熹外示儒术，内慕道法，屡次想从白玉蟾处讨教丹道，都被白玉蟾婉转拒绝，犹明代王阳明问道于道人蔡蓬头，几遇呵斥，如出一辙。朱熹晚年化名崆峒道士邹䜣，竭力研究《参同契》而无所获，引为终生遗憾，后来虽有白玉蟾的启示，却碍于一代儒学宗师的身份，不能诚恳谦虚请教，所以始终不得其门而入。陶弘景所谓："神仙有九障，名居其一。"甚矣，名心之难除，良可慨叹！

《续文献通考》云：

　　白玉蟾，名葛长庚，母以梦呼玉蟾，琼州人。年十二，举童子科于黎母山中，遇异人授洞元雷法。后居武夷山，尝自赞曰："千古蓬头跣足，一年服气餐霞。笑指武夷山下，白云深处吾家。"嘉定中，诏征赴阙，对御称旨，命馆太乙宫，一日，不知所在。后往来名山，入水不濡，逢兵不害，神异莫测，诏封紫清明道真人，有《上清》、《武夷》二集行世。玉蟾自号海琼子，或号海南翁，或号琼山道人，或号蠙庵，或号武夷散人，或号神霄散叟。人云尸解于海丰县。

《九江府志》云：

　　白玉蟾，琼州人，姓葛，名长庚。尝任侠杀人，亡命之武彝，事陈泥丸为道士，自称灵虚童景洞天羽人。善幻，好诡诞之行，往来庐山间，挥洒文墨，信笔而成。山南北诸佳胜，并有题咏，而太平宫为多，嘉定己未冬解化，赐号养素真人。

第六章 宋元时期新兴的道教

第一节 北宋道教全真道的建立

道教自北宋之末,有南宗丹道的崛起,禅、道合一的途径,已极其明朗。到南宋时期,在北方的民族,长期受困于辽、夏、金、元的动荡局面,国家民族感情,与传统文化精神交相激发,便有王重阳、丘长春师徒的全真道的建立,一变历来神仙方士、符箓法术的道术,提倡敦品励行,修心养性的渐修教化,成为黄河南北声势显赫的新兴道派,威名远布。他们与成吉思汗,及元朝开国之初的政策,并元代以后的道教,都有极大的关系。明、清以后的道教,即以全真道为其中坚骨干,是为开北宗龙门派的翘楚。全真道的学理与方法,完全近于禅宗北宗渐修的路线,而且又富有儒家与宋代新兴理学家的精神。他们生当衰乱之世,华夏丘墟,以民间讲学传道的姿态,尽力保持国家民族文化的元气与精神,可谓用心良苦,功德无量,而古今学者,依样画葫芦,一律指为释老的异端,管窥陋见,卑不足道,实在有点辜负圣贤,非常可笑。

一、创始全真道的祖师王重阳的事迹

当宋徽宗政和二年间(公元一一一二年),这位皇帝正在玩他那一套书画、蹴球、修炼神仙道术的时候,在陕西的终南山下刘蒋村中,便出了一位为后世道教全真道的祖师王重阳。他原名中孚,字允卿。后来修道,改单名为嚞,字知名,道号曰重阳。他自幼便

慷慨好义,不拘小节。而且在二十岁左右,便中过进士,很有文名。到了徽、钦二帝做了金人的俘虏,金人又利用刘豫称齐王,定都山西大名府的时期,由此便结束了北宋的王朝,也是南宋的开始。他在这一段时期,故园家国都算完了,如本传称:"当南宋建炎四年,金太宗天会八年,封刘豫为王,国号齐,改元为阜昌初年。抚治河外,不及于秦,岁屡饿,人至相食。时咸阳醴泉,惟师家富魁两邑,其大父乃出余以周之,远而不及者,咸来劫取,邻里三百户,余亦因侵之,家财为之一空。有司率兵捕获,将置之法。师曰:乡人饿荒,拾路所得,吾不忍置之死地。有司贤之,遂释不问,人服其德。金海陵炀王正隆四年,师忽自叹曰:孔子四十而不惑。孟子四十而不动心。予犹碌碌如此,不亦愚乎?自是之后,性少检束,亲戚恶之曰:害疯来。师受而不辞。关中谓狂者为害疯。"因此便自叫自己曰王害疯。不久,便遇吕纯阳化身的点化,就修道了。

本传又说他此后五年中秋,再遇吕纯阳于醴泉。"师趋拜之。众笑言曰:是害疯。安得识真仙师?其人邀师饮。师问其乡闾年姓。答曰:濮州人,年二十二,而不告其姓。留秘语五篇,令师读毕焚之。且曰:去东海,投谭捉马。已而,俄失所在,师乃捐弃妻孥,送次女于姻家,竟委而去。行乞于邮社终南间,举止亦若狂。人莫测也。后别构庵于南时村,起封高数尺,圹深丈余,以活死人目之。又号曰:行菴。以方牌挂其上,书云:王害疯灵位。自作歌曰:'活死人兮王害疯乖,水云别是一般谐。道名唤作重阳子,谑号称为没地埋。来者路不忘怀,行殡须是挂灵牌。'又于庵四隅,各植海棠梨一株。同庵和公,怪而问之?师曰:吾欲使他日四方教风为一,亦如此。""俄一夕,自焚其庵,村里惊救之。师方舞跃而歌曰:'数载殷勤,谩居刘蒋,庵中日日尘劳长,豁然真火暼然开,便教烧了归无上,奉劝诸公,莫生悒怏,我咱别有深深况,惟留灰炉不重游,蓬莱路上知往来。'"

他从此携罐行乞东行,当金世宗大定七年间(公元一一六七年),便到了山东的登州,那时山东属于金国的地方,并非南宋所有。他在宁海的儒者范明叔家，遇到了当地的富豪马宜甫，就是后来重阳门下，称为七真的首徒马丹阳。本传说：

> 初宜甫梦其南园一鹤从地涌出，师至，同师择地立庵，师指鹤起处，命名全真。全真之名，始于此矣。师欲挽之西游，宜甫家赀钜万。久而未决，其室孙氏尤难之。

他住到马宜甫的家里去，故意显示神异来感动他们，宜甫夫妇便弃家修道了。师为他改名钰，字玄宝，号丹阳子。同时又收了谭玉、王处一、郝升等。本传说：

> 谭玉者，以宿疾来见，师始拒之。玉固请为弟子，留宿庵中，其疾顿愈。玉遂黜其妻子而从之。师名以处端，字通正，号长真子。继有王公者，居半仙山。闻师至，来谒，问答有得，遂师礼之。后往铁查山云光洞。师飞盖致其名号，名处一，号伞阳子。日者郝升，深于易，卖卜于市，师入其肆，背而坐焉。升曰：请公回头。师应声曰：君何为不回头耶？升悚然异之。从至朝元观。师授之二词，以发至意。升大感悟，乃执弟子礼。从至烟霞洞。赐名曰璘，号恬然子。

在这一段期间，他率领门人到昆嵛山，发现烟霞古洞，说是其先世修道的所在。在此又收了一位弟子，便是丘长春，为以后创建弘扬全真道的祖师，曾经为道教及元朝统一中国初期的社会，做了许多福利事业的超人。本传说：

> 栖霞丘公，年十九。虽已入道，未知所从，盘桓昆嵛。闻师在全真庵，因投谒于斋次。师知其为远器，赠之以诗，赐名处机，字通密，号长春子。自此门人颇集，师以骂詈笞捶磨炼之，稍稍散去。笃志不变者，惟马、谭、丘而已。……师尝顾丘长春曰：此子异日地位非常，必大开教门者也。

当金大定九年四月间，宁海周伯通，请师到其家，创立金莲堂，与金莲会。同时他又感化了马钰之妻孙氏，赐名不二，号清静散

人。所以后世称全真道的七子,又有称为金莲正宗的。在这一段
时期,他又在莱州设立平等会,由此远近闻风,参加入会的便有千
余人了,他自作榜文云:

> 平等者,道德之祖,清静之元,为玉华金莲之根本,作三光七宝
> 之宗源。普济群生,偏拔梨庶。人人愿吐于黄芽,个个不游于黑路。
> 玉华者,乃气之宗。金莲者,乃神之祖。神是气之子,气是神之母。
> 子母相见,得为神仙。然则,有真功真行,澄心定意,抱元守一,存神
> 固气,真功也。修仁蕴德,济贫拔苦,先人后己,与物无私,真行也。

又自作有《金莲定分疏》、《开明疏》、《三光疏》、《玉华疏》、《平
等会规矩》及诸诗篇等等。其余理论,则见于他们弟子们所集的
《重阳立教十五论》一书。

这一段时期,他多往来于登州、莱州之间,并且也到过南京,但
都是在金国的范围,并没有到南宋来过(那时南京属于金十九路,南
京留守司治开封)。同时又收了刘处玄为徒,号长生子。于是马丹
阳、谭长真、刘长生、丘长春、王伞阳、郝恬然、孙不二,都归教席,"七
真"之名,从此兴盛。到金大定十年正月四日坐化,享五十八。到元
朝至元六年己巳正月,元朝追褒为重阳全真开化真君,有遗文及全
真前后《韬光集》行世。他临殁的时候,嘱戒弟子勿哭,自己作颂说:
"地肺重阳子,呼为王害疯。来时长日月,去后任东西。作伴云和
水,为邻虚与空。一灵真性在,不与众心同。"他颂毕而坐。弟子们
恸哭失声,他忽又开目说:"何至于此?"便再嘱马丹阳等后事,"付之
密语,勿轻传之",并且要马丹阳到关西教化他的乡人。后来马丹阳
等四人,扶师灵枢,归葬终南山下刘蒋村,而且庐墓三年,如丧考妣。
然后才各散处四方,各从所志。马丹阳便嗣其教化。

从开创全真道的祖师王重阳的事迹看来,如果推开神仙的道
业而不谈,另从国家民族兴亡的角度,来看衰乱时代中仁人志士的
用心,便会使人发生无限的感慨。假使用历史的观点来追论,如中

国的老子、孔子、孟子、庄子、列子,印度的释迦牟尼佛、龙树菩萨、马鸣菩萨,希腊的苏格拉底(Socrates)、亚里士多德(Aristotle)、柏拉图(Plato),犹太的耶稣(Jesus),阿拉伯的穆罕默德(Muhammed),有的在哲学上名垂万古,有的在宗教上与天地同休,他们建立了不世的功业。但是,这些伟大的超人们,生当其时,没有哪一个不是遭逢时世的衰乱,由于政治、社会衰败的反应,而另觅人生究竟的道路而来的。至于借此而寄情物外,将一片悲天悯人的血泪,洒向虚空的,其心尤可令人悚然起敬。

少年的王重阳,是一个有丰富学问的人,而且任侠重义,豪气凌云。他生当衰乱之世,自己眼见要遭遇到亡国灭种的痛苦,况且正当"南渡君臣轻社稷"的时代。时势环境迫得他无力挽回绝对的颓势,便只有创教立宗,以保持文化精神在宗教社会之间了。所以他便不得不自己活埋,号为"活死人"和"疯子"。至于说他所遇的师父,是吕纯阳的化身,命他向东去创教,又吩咐他密语,他临死又吩咐马丹阳密语。如果除开嘱咐修道的秘诀外,谁能证明七百年前,他们师徒所说的是什么?究竟是为道或为国?自然都是疑案了。总之,没有哪一个宗教的教主,和以学术思想自任的大宗师们,他们是绝无用世之心的人。只是不像英雄们有治世取天下之心,而却都有救世平天下之志。不过所走的路线,和所取的目的和方法,各有不同而已。例如宋人有反游仙诗说吕纯阳的:"觅官千里赴神京,得遇钟离盖便倾。未必无心唐社稷,金丹一粒误先生。"虽然是别有寓意的幽默话,但是也确有至理,发人深省。

当南北朝之间,少数民族崛起西北,以石勒、姚兴等的酋长之雄,如果没有神僧佛圆澄,和高僧鸠摩罗什等的教化,不知道还有多少生灵,受其涂炭。当成吉思汗崛起蒙古,以素无文化基础的民族,除了依赖武力征伐以外,根本不懂文化和政治的建设,如非丘长春师徒教化其间,他祸害之烈,恐怕又不止如元朝八十余年的情况了。这笔写到全真道的事迹,又不胜有观今鉴古之叹!元代的道士赵道一编著《王重阳传》后的系语，也同有此感。他说：

> 皇不足则帝，帝不足则王，王不足则霸，霸又不足，则道之不幸
> 也。至哉全真！杰生中土，转浇漓以宗太朴，化顽犷以慕无为。一
> 师倡之，七真和之。狞欤盛哉！时当今之有国也。力不侔于五胡，
> 德弗逮于拓跋，绵绵之运，信罔有矣！然天启玄元之教，俾福被于
> 群生。斯道无丧，以至今日，全真之功也。

这一段的评语里，便说到元朝"力不侔于五胡，德弗逮于拓
跋。"不但谈不上王道，即如退而求其次的霸道，也够不上。元朝的
统一中国，只能说是武力上的幸运。他言下对于重阳真人师徒的
推崇备至，也就是对于宋朝一代的人物，有不胜遗憾之叹！

二、丘长春与成吉思汗的因缘

丘处机，字通密，号长春子。这都是他师父王重阳真人为他取
的名字。他是山东登州栖霞县的人，当金熙宗大定七年间，他方十
九岁，居昆嵛山修道，而遇王重阳，便依之称弟子。重阳当时赠以诗
曰："细密金麟戏碧流，能寻香饵食吞钩。被予缓缓收纶线，拽入蓬
莱永自由。"对于他的器重，由此可见。他追随依止于重阳，不过四
年，重阳便即坐化。临殁吩咐他听学于马丹阳，他便随马丹阳、谭长
生、刘长生等四人，护重阳灵柩，归葬终南山下，并且随丹阳等庐墓
三年，极尽师弟之礼。后来他便独居于磻溪、龙门七年，专志修道，
备尝难苦。后世道教的龙门派，俗称北派的，就宗于他修道于龙门
而定名。他在这几年中，对于修道的心得，随时作成诗歌，因此流传
开去，声誉便逐渐隆盛起来。因金朝的京兆统军夹谷公礼请，遂还
归终南，弘扬全真道。金世宗二十八年，召请入见。世宗向他求道，
他便先说延生保命之要，次及持盈守成之难。又说：

> 富贵骄淫，人情所常。当兢兢业业，以自防尔。诚能久而行

之,去仙道不远。谲诡幻怪,非所闻也。

金世宗对于他,非常重视。先安置他在万宁宫之西,一年之中,屡次召见。他急急请求还山,到了是年八月,才放他还终南山。赐钱十万,他都辞而不受。二十九年,世宗死后,他便于章宗明昌元年(公元一一九〇年)回到故乡栖霞,大修道观,安置徒众。当南宋宁宗嘉定十二年,金宣宗兴定三年(公元一二一九年)的时期,他住在莱州的昊天观。那时山东大部分的地方,都被南宋收复。宁宗久闻他的道望,便遣使召请南行,而且命令大帅彭义斌派兵保卫起行,他都辞谢不去。地方官怪而问他的原因,他便说:"吾之出处,非若辈所可知。他日恐不能留耳。"到了那年的五月,成吉思汗在西征的途中,从奈蛮国遣近臣札八儿、刘仲禄,远涉间关险阻,到山东来请他西去。本传所载成吉思汗写给他的制诏说:

七载之中成大业,六合之内为一统。是以南连蛮宋,北接回纥。东夏、西戎,悉称臣佐。任大守重,惧有阙政。且夫刬舟刿楫,将以济江河也。聘贤选佐,将以安天下也。朕践祚以来,勤心庶政。三九之位,未见其人。伏闻先生体真履规,博物洽闻,探赜究理,道冲德著,有古君子之遗风,抱真上人之雅操。今知犹隐山东旧境,朕心仰怀无已。山川悬阔,有失躬迎之礼。朕但避位侧身,斋戒沐浴,选差近臣,备轻车,不远数千里,谨邀先生,暂屈仙步,不以沙漠远行为念。或忧民当世之务,或恤朕保身之术。朕得亲仙座,惟先生将咳嗽之余,但授一言斯可矣。

这一篇制诏,当然不是成吉思汗的手笔,那是不用推想可知。但是他的渴望之诚,和卑辞厚礼,却跃然纸上。按明陶宗仪著《辍耕录》原文,还较为详细,但大体不外这些恳切的情辞。而且刘仲禄奉命为请师的专使,其初一路行来,还不知道丘长春在山东哪里,本来想带兵五千,专来迎请。后来经过金朝西北驻军和边臣的劝告说:正当两国议和,恐怕金人惊扰。才只带蒙古亲兵二十人,一路探访，来到登州。丘长春却一反常态，立即接受了成吉思汗的邀请。选弟子中可以从行的，共计十八人，便于（公元一二二〇年）二月北行到了燕京行省（北京）。他所经过的地方，大家争求他的文笔诗颂，只要有此一纸，就可免了元兵的杀戮。后来元朝用兵中国，人们都求丘长春全真道的庇护，犹如清末时期，国人求庇于外国教士一样，真是历史上一件异事。

丘长春到了燕京的时候，成吉思汗的西征行程，已经更加辽远。据《辍耕录》等的记载，他便进表陈情，奏请不去。如原表云：

　　登州栖霞县志道丘处机，近奉宣旨，远召不才。海上居民，心皆恍惚。处机自念谋生太拙，学道无成。辛苦万端，老而不死。名虽播于诸国，道不加诸众人，内顾自伤，衷情谁测，前者南京及宋国，屡召不从，今者龙庭，一呼即至。何也？伏闻皇帝，天赐勇智，今古绝伦，道协威灵，华夷率服。是故便欲投山窜海，不忍相违。且当冒雪衔霜，图其一见，盖闻车驾只在桓抚之北，及到燕京，听得车驾遥远，不知其几千里。风尘涨洞。天气苍黄，老弱不堪，切恐中途不能得到，假之皇帝所，则军国之事，非己所能。道德之心，令人戒欲，悉为难事。遂与宣差刘仲禄商议，不若且在燕京德兴府等处，盘桓住坐，先令人前去奏知。其奈刘仲禄不从，故不免自纳奏帖。念处机肯来归命，远冒风霜，伏望皇帝早下宽大之诏，详其可否。兼同时四人出家，三人得道，惟处机虚得其命。颜色憔悴，形容枯槁。伏望圣裁。龙飞年三月日奏。

到了十月间，成吉思汗在邻近印度的边境，遣使奉诏回邀西去，如原诏云：

　　成吉思皇帝敕真人丘师省，所奏应召而来者，具悉。惟师道逾三子，德重多方。命臣奉厥元纁，驰传访诸沧海。时与愿适，天不人违。两朝屡召而弗行，单使一邀而肯起。谓朕天启，所以身归。不辞暴露于风霜，自愿跋涉于沙碛。书章来上，喜慰何言。军国之

事,非朕所期。道德之心,诚云可尚。朕以彼酋不逊,我伐用张,军
旅试临,边陲底定。来从去背,实力率之固然。久逸暂劳,冀心服
而后已。于是载阳威德,略驻车徒。重念云轩既发于蓬莱,鹤驭可
游于天竺。达摩东迈,缘印法以传心。老氏西行,或化胡而成道。
顾川途之虽阔,瞻几杖以非遥。爰答来章,可明朕意。秋暑,师比
平安好。旨不多及。

　　他由此便不辞险阻,远涉沙漠,追随成吉思汗的西征路线,历时四
年,经数十国,行万有余里,《元史》称其:"喋血战场,避寇绝城,绝粮沙
漠。"于公元一二二二年,到达邪迷思干城。再过铁门关。才在雪山之
阳,与成吉思汗见面。居住一年以后,他自北印度的边境返国,成吉思
汗派骑兵数千,护送他回燕京。改天长观为长春宫。又敕修白云观,
合而为一。并以万岁山、太液池赐之,改名为万安宫。

　　在我们的历史上,当六朝的时期,前秦苻坚为了迎接高僧鸠摩
罗什东来,专为他发兵七万征服龟兹国,才得到了罗什大师。后秦
王姚兴,而且又为了大师,于弘始三年(公元四〇一年)派兵灭了后
凉,他才到了长安。在此以前,苻坚为了争取道安法师,及习凿齿
等学者,也不惜用兵十万,进攻襄阳,硬把他们俘去。历史上为了
一位学者大师,至于兵戎相劫,而且还因此攻城灭国,实在为千古
稀有的事。但是那是为了争取另一外国的学者大师到中国来传法
的举动。至于唐代玄奘法师,为了求法,在交通阻塞的当时,单人
渡戈壁沙漠等地的险阻,远到印度去留学十八年,声名洋溢中外,
功业长留人世,这也是一件永为世人崇拜的事实。可是人们却遗
忘了当成吉思汗武功鼎盛的时期,他远自印度边境,也为了一位学
者道士,派兵东来中国,迎接丘长春。而且更忽略了丘长春的先见
之明,他不辞艰苦地到了雪山以南,是为得预先布置,保持民族国
家文化的传统。这是多么可歌可泣,而且含有无限悲愤的历史往
事! 因为他是一位道教的道士,便被自命儒家的历史学者们轻轻
地一笔抹煞,无奈不可乎!

三、丘长春如何感化成吉思汗

翻开历史的记载,自秦皇、汉武,海上求仙以来,并唐、宋的帝王,误于神仙方术者,屡见不鲜。丘长春以全真道的大师,成吉思汗呼为神仙而不名,而且经过如此艰难的请去,他应当传些长生不老,修成神仙的法术了。事实上,并不如此。他教给成吉思汗的,却都是中国正统学术,儒、道两家忠孝仁义的话。尤其谆谆劝其戒杀而治天下。这比三国时期于吉、左慈等方士之流,想以方技动人的,就不知高明到多少倍了,《元史·释老传》载:

太祖时方西征,日事攻战。处机每言,欲一天下者,必在乎不嗜杀人。及问为治之方,则对以敬天爱民为本。问长生久视之道,则告以清心寡欲为要。太祖深契其言,曰:天锡仙翁,以悟朕志,命左右书之,且以训诸子焉。于是锡之虎符,副以玺书。不斥其名,惟曰神仙。

同时,丘长春又把握许多机会,对于成吉思汗,加以机会感化。如本传载:

一日雷震。太祖以问处机。对曰:雷,天威也。人罪莫大于不孝,不孝则不顺乎天,故天威震动而震之。似闻境内不孝者多,陛下宜明天威,以导有众。太祖从之。岁癸未,太祖大猎于东山,马踣。处机请曰:天道好生,陛下春秋高,数畋猎,非宜。太祖为罢猎者久之。

成吉思汗既赐给丘长春以虎符玺书,在过去中国帝王的习惯上,便算是等于列土封侯的荣宠。在某种情形之下,他凭这些东西,就可以便宜行事的。丘长春以间关万里之行,换得虎符玺书而归,不但为道家文化,增长声威。而且他们师徒,还凭此服务战地救了许多自己国民的生命,不使死于元兵的凶残淫掠之下,这更是

值得大书而特书的一件事,如《元史·释老传》载:

> 时国兵(元兵)践踩中原,河南北尤甚。民罗俘戮,无所逃命。处机还燕,使其徒持牒,招求于战伐之余。由是为人奴者,得复为良。与滨死而得更生者,毋虑二三万人。中州人至今称道之。

后来忽必烈统一中国的时期,其徒尹志平等,世奉玺书,袭掌其教。其余的门人,分符领节,各据一方,执掌他的教化,也庇护了多少国民的生命财产。而且到了元武宗至大三年(公元一三一〇年)还加赐金印。当国家有难,受异族统治之下,一个新兴的道教宗派,做了许多保存民族命脉的工作,追怀千古,实在应当稽首无量。

全真教传授源流表

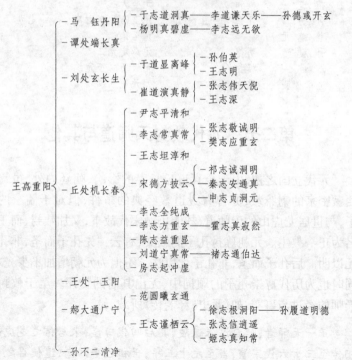

全真教历任掌教表

姓	名	号	籍	卒年或掌教时代	寿数
王	嚞	重阳	咸　阳	金大定十庚寅卒	五八
马	钰	丹阳	宁海州	金大定廿三癸卯卒	六一
谭	处端	长真	宁海州	金大定廿五乙巳卒	六三
刘	处玄	长生	东　莱	金泰和三癸亥卒	五七
丘	处机	长春	登　州	元太祖廿二丁亥卒	八十
尹	志平	清和	莱　州	元宪宗元辛亥卒	八三
李	志常	真常	开　州	元宪宗六丙辰卒	六四
张	志敬	诚明	安　次	元至元七庚午卒	五一
王	志坦	淳和	汤　阴	元至元九壬申卒	七三
祁	志诚	洞明		元至元三十癸巳卒	七五
张	志仙	玄逸		元至元卅一至大德六	
苗	道一	凝和		元至大三	
孙	德彧	开玄	眉　山	元至治元辛酉卒	七九
蓝	道元			元至治二	
孙	履道	明德		元泰定元二	
苗	道一	凝和		元天历二至元统元	
完颜德明		重玄		元元统三	

第二节　元代敕封天师道与其他

　　元代立国之初,由于全真道丘长春的影响,朝廷内外,虽笃信西藏密宗的喇嘛教,亦曾有毁道教经典的事件,但对于儒家的孔子,与世居龙虎山的天师道,却能仍循宋代故事,又加敕封,而正其名为正一教主。元朝尊封孔子的敕文,有云:“先孔子而圣,非孔子无以明。后孔子而圣,非孔子无以法。”不但为元朝增加不少光彩,同时也为历代尊崇孔子的颂词中,无出其右的赞评。至于敕封张天师的经过与事实,如《元史·释老传》所载云:

　　正一天师者,始自汉张道陵,其后四代曰盛,来居信之龙虎山,相传至三十六代宗演,当至元十三年,世祖已平江南,遣使召之,至则廷臣郊劳,待以客礼。及见,语之曰:昔岁己未,朕次鄂渚,尝令王一清往访卿父,卿父使报朕曰:后二十年,天下当混一,神仙之言,验于今矣。因命坐,锡宴,特赐玉芙蓉冠,组金无缝服,命主领江南道教,仍赐银印。十八年、二十五年,再入觐,世祖尝命取其祖天师所传玉印宝剑观之,语侍臣曰:朝代更易已不知几,而天师剑印传子若孙,尚至今日,其果有神明之相矣乎?嗟叹久之。二十九年卒。子与棣嗣为三十七代,袭掌江南道教,三十一年入觐,卒于京师。元贞元年,弟与材嗣为三十八代,袭掌道教,时潮啮盐官、海盐两州,为患特甚。与材以术治之,一夕大雷电以震,明日见有物鱼首龟形者磔于水裔,潮患遂息。大德五年,召见于上都幄殿。八年,授正一教主,主领三山符箓。武宗即位,来觐,特授金紫光禄大夫,封留国公,锡金印。仁宗即位,特赐宝冠,组织文金之服。延祐三年卒。四年,子嗣成嗣为三十九代,袭领江南道教,主领三山符箓如故。

此外,金元之际,在黄河以北,尚有刘德仁创立的大道教,萧抱珍创立的太乙教。皆不备述。

普及民间道教观念的两部书

元明之际,中国文学的趋向,已由汉文、唐诗、宋词、元曲的演变,到了明代,遂流行语体小说。自元代罗贯中著《三国演义》以后,关羽、诸葛亮都变为聪明正直的天神。继之又有《西游记》与《封神演义》的出现。从此而使道教的天、人、神三种关系的观念,普遍传布,永为后代中国民间社会的共同崇奉,对于道教天神信仰的宣传,最为有力。《西游记》的故事,以唐代佛教的高僧玄奘法师为主角,借用他留学印度的事实,演成唐三藏西天取经的经过,衬托道家修行炼丹成道的宗旨。《封神演义》则以历来道家所崇拜辅助周武王开国的姜尚(子牙)为主角,演成人与天神之间的关系,充分表现行善得道,作恶受报,褒扬聪明正直,死而为神,天人合一的中国宗教精神。这两部小说真正的作者,现代学者虽有考证,但都仍有问题。据道佛两家历来相传的观念,认为《西游记》的作者,是站在道教立场来赞扬佛家的解脱。《封神演义》的作者,是站在佛教立场来赞成道家的精神。但无论如何,明代以后,中国民间宗教信仰的观念,以及对道、佛两教的认识,都由于此二书而来,乃至一般知识分子,亦附会因袭,始终不加深究,故对宗教思想,产生许多可以发噱的误解。

第七章　明清时期的道教

第一节　明太祖与周颠

中国历史,自秦、汉以后,任何政治清明的国家升平阶段,其思想与治术,大都有一共通原则,即"内用黄老,外示儒术"。且看每逢国家变故,起而拨乱反正的世代,多半有道家的人物,参与其间的现象,这几乎已成为过去历史的定例。当明太祖朱元璋起义时期,除刘基、宋濂等人外,参与其间的道家幕后人物,尚有著名的颠仙周颠。其人以游戏风尘,装疯作呆,周旋于残暴成性的朱元璋幕后,与朱元璋的生命事业,都是休戚相关的。甚之后来朱元璋并尊道、佛两教,亦因之已深结因缘,其事虽为正史所不详,但朱元璋曾经亲自为他撰文,记叙事实的真相。读其行文语气,确是出于朱元璋的手笔,后人亦信以为真,当无疑问,兹录之以明始末:

明太祖《御制周颠仙人碑记》云:

颠仙,周姓者,自言南康属郡建昌人也。年一十有四岁,因患颠病,父母无眼常拘,于是颠入南昌乞食于市,岁如常,更无他往。元至正间,失记何年,忽入抚州一次,未几,仍归南昌。有时施力于市户之家,日与稠人相杂,暮宿闾阎之下。岁将三十余,俄有异词,凡新官到任,必谒见而诉之,其词曰:告太平。此异言也,何以见?当是时,元天下承平,将乱在迩,其颠者故发此言,乃曰异词。不数年,元天下乱,所在英雄据险,杀无宁日。其称伪汉陈友谅者,帅乌合之众,以入南昌,其颠者无与语也。未几,朕亲帅舟师,复取南昌,城降,朕抚民既定,回归建业。于南昌东华门道左,见男子一人,拜于道傍,朕谓左右曰:此何人也。左右皆曰:颠者。朕三月归建业。颠者六月至。朕亲出督兵,逢颠者来谒,谓颠者曰:此来为何? 对曰:告太平。如此者,朝出则逢之,所告如前,或左或右或前或后,务以此言为先。有时遥见以手入胸襟中、以手讨物、以手置口中,问其故,乃曰:虱子。复谓曰:几何? 对曰:二三斗。此等异言,大概知朕之不宁,当首见时即言婆娘反。又乡谈中常歌云:"世上甚么动复人心,只有胭脂胚粉动得婆娘队里人。"及问其故,对曰:"你只这般,只这般。"每每如此,及告太平,终日被此颠者所烦,特以烧酒醉之,畅饮弗醉。明日又来,仍以虱多为说。于是制新衣易彼之旧衣,新衣至,朕视颠者旧裙腰间藏三寸许菖蒲一茎,谓颠者曰:"此物何用?"对曰:"细嚼饮水腹无痛。"朕细嚼水吞之。是后颠者日颠不已,命蒸之,初以巨缸覆之,令颠者居其内,以五尺围芦薪,缘缸煅之,薪尽火消,揭缸而视之,俨然如故。是后复蒸之,以五尺芦薪一束半,以缸覆颠者于内,周遭以火煅之,烟消火灭之后,揭缸而视之,俨然如故。又未几时,以五尺围芦薪两束半,以缸覆颠者于内,煅炼之,薪尽火消之后,揭缸视之,其烟凝于缸底若张绵状,颠者微以首撼,撼小水微出,即醒无恙。命寄食于蒋山寺,主僧领之月余,僧来告:"颠者有异状,与沙弥争饭,遂怒不食,今半月矣!"朕奇之,明日命驾亲往询视之,至寺,遥见颠者来迓,步趋无艰,容无饥色,是其异也。因盛肴馔同享于翠微亭,膳后,朕密谓主僧曰:"令颠者清斋一月,以视其能否?"主僧如朕命,防颠者于一室,朕每二日一问,问至二十有三日,果不饮膳,是出凡人也。朕亲往以开之,诸军将士闻之,争取酒肴以供之,大饱,弗纳,所饮食者尽出之。良久召至,朕与共享,食如前,纳之弗出,酒过且酣,先于朕归道傍侧右边,待朕至。及朕至,颠者以手划地成圈,指谓朕曰:"你打破个桶,做个桶。"发此异言。当是时,金陵村民闻之,争邀供养。一日逢后生者,俄出异词曰:"噫! 教你充军便充军。"又闲中见朕常歌曰:"山东只好立一个省。"未几,朕将西征九江,特问颠者

曰:"此行可乎?"应声曰:"可。"朕谓颠者曰:"彼已称帝,今与彼战,
岂不难乎?"颠者故作颠态,仰面视房之上,久之,稳首正容以手指
之曰:"上面无他的。"朕谓曰:"此行你偕往可乎?"曰:"可。"询毕,
朕归,其颠以平日所持之拐擎之,急朕趋之马前,摇舞之状,若壮
士挥戈之势,此露必胜之兆。后兵行带往,至皖城,无风,舟师难
行,遣人问之,颠者乃曰:"只管行,只管有风,无胆不行便无风。"于
是诸军上率,以身泊岸,溯流而上,不二三里,微风渐起,又不十里,
大风猛作,扬帆长驱,遂达小孤。朕曾谓相伴者曰:"其颠人无正
语,防闲之,倘有谬词,来报。"后当江中江豚戏水,颠者曰:"水怪见
前,损人多。"伴者来报,朕不然其说,以颠果无知,命弃溺于江中。
到湖口,失记人数有十七八人,将颠者领去湖口小江边,意在溺死,
去久而归,颠者同来,问命往者何不置之死地,又复生来? 对曰:
"难置之于死。"语未既,颠者猝至,谓朕欲食。朕与之食,食既,颠
者整顿精神衣服之类,若远行之状,至朕前鞠躬舒项,谓朕曰:"你
杀之。"朕谓曰:"被你烦多,杀且未敢,且纵你行。"遂糗粮而往,去
后莫知所之。朕于彭蠡之中,大战之后,回江上,星列水师以据江
势,暇中试令人往匡庐之下,颠者所向之方,询土居之民,要知颠者
之有无。地荒人无,惟太平宫侧,草莽间,一民居之,以颠者状。示
问之民人,对曰:"前者,俄有一瘦长人物,初至我处,声言:好了,我
告太平来了,你为民者,用心种田。语后于我宅内,不食半月矣,深
入匡庐,莫知所之。"朕战后归来,癸卯围武昌,甲辰平荆楚,乙巳入
两浙,丙午平吴越、下中原、两广、福建,天下混一。洪武癸亥八月,
俄有赤脚僧名觉显者至,自言于匡庐深山岩壑中见一老人,使我来
谓大明天子有说。问其说,乃云国祚殿廷仪礼司,以此奏。朕思方
今虚诞者多,朕驭宇内,至尊于黔黎之上,奉上下于两间,误听误
见,恐贻民笑,故不见不答。是僧伺候四年,仍往匡庐,意在欲见,
朕不与见,但以诗二首寄之。去后二年,使人询之,果曾再见否?
其赤脚者云:"不复再见。"又四年,朕患热症,几将去世,俄赤脚僧

至,言天眼尊者及周颠仙人遣某送药至。朕初又不欲见,少思之,既病,人以药来,虽真假合见之。出与见,惠朕以药,药之名,其一曰,温良药两片,其一曰,温良石一块,其用之方,金盆子盛著,背上磨著,金盏子内吃一盏便好。朕遂服之,初无甚异。初服在未时间,至点灯时,周身肉内搐掣,此药之应也。当夜病愈,精神日强,一日服过三番,乃闻菖蒲香,盏底有丹砂沈坠,鲜红异世有者。其赤脚僧云:"某在天池寺,去岩有五里余,俄有徐道人来,言竹林寺见,请某与同往,见天眼尊者坐竹林寺中,少顷,一披草衣者入。某谓天眼曰:此何人也? 对曰:此周颠是也。方今人主所询者,此人也。即今人主所作热,尔当送药与服。天眼更云:我与颠者和人主诗。某问曰:诗将视看。对曰:已写于石上。某于石上观之,果有诗二首。"朕谓赤脚曰:"还能记乎?"曰:"能。"即命录之,粗俗无韵无联,似乎非诗也。及遣人诣匡庐召之,使者至,杳然矣! 朕复以是诗再观,其词其字,皆异寻常,不在镂巧,但说事耳,国之休咎存亡之道已决矣,故纪之,以示后人。

第二节　明成祖与武当山的张三丰

明初有太祖朱元璋与其神仙朋友周颠的一段渊源,已与道教结下不解之缘。到明成祖称帝的时期,忽又醉心倾慕习俗传闻,对活了两三百年的神仙道人张三丰,不但屡下诏书访求,并派遣使臣到处寻觅。后来又在湖北武当山为张三丰大兴土木,建设武当成为道教的胜地。因此道教在明代,又平添武当张三丰的一派,以身心内炼金丹,达成性命的双修的丹法为主。明末以后,直到现在,其流风遗被,凡言武术技击、气功吐纳、内功导引、男女采战等江湖术士,无一不附会于张三丰而尊之为嫡传的祖师。声名之隆,影响之大,自吕纯阳以后,所有著名神仙方士,尚无出于其右者。且武当道士,自明代以后,又巍然自成一派,与"全真"、"正一"等家,分庭抗礼,互不相让。武当道观亦以供奉真武大帝为主,其旨趣虽略同于"全真",实则大异于唐、宋道教的崇拜对象。据湖北地方轶闻,武当道观的真武大帝圣像,实为明成祖自己的塑像,但故作长发仗剑,俨如天君神帝的形状。究其动机,最初因闻其侄建文皇帝逃匿为僧,隐于房县。房县原位于武当山脉,故兴建道观供奉真武,作为压胜的象征。事出有因,查无实据,若以成祖的为人而论,其大兴武当道观的事实内幕,是否可能存有其他隐秘作用,诚难遽下断语。至于张三丰与武当之因缘,是适逢其会,因此得一跃而为后世道教武当派的祖师,宁非神仙奇遇!

《明外史》本传云:

张三丰,辽东懿州人,名全一,一名君宝,三丰其号也。以其不饬边幅,又号张邋遢。颀而伟,龟形鹤背,大耳圆目,须髯如戟,寒暑惟一衲一蓑,所啖升斗辄尽,或数日一食,或数日不食,书经目不忘,或处穷山,或游市井,能一日千里,嬉笑谐谑,旁若无人。尝游武当诸岩壑,语人曰:"此山异日必大兴。"时五龙南岩紫霄俱毁于兵火。三丰去荆榛,辟瓦砾,与其徒创草庐居之,已而舍去,行游四方。太祖故闻其名。洪武二十四年遣使遍觅之不遇,后居宝鸡之金台观。一日,自言当辞世,留颂而逝。县人共棺敛之,及葬,闻棺内有声,启视则复活。乃游四川,见蜀献王。复入武当,历襄汉,不常厥处。永乐中,成祖遣给事中胡濙偕内侍朱祥赍玺香币往访,积数年,穷崖僻壤皆到,迄不遇。乃命工部侍郎郭琎隆、平侯张信等,督丁夫三十余万人,大营武当宫观,费以百万计,既成,赐名太岳太和山,设官铸印以守,竟符三丰言。或言三丰金时人,元初与刘秉忠同师,后学道于鹿邑之太清宫,与里人张毅相习。毅四世孙朝用,尝游宝鸡遇三丰,问:"汝家名毅者为谁?"答曰:"吾高祖也。"三丰曰:"吾曾见其始生时,今孺子亦渐长,努力读书,官可至三品。"后亦符其言。天顺三年,英宗赐诰,赠为通微显化真人,然竟莫测其存亡也。

《武当山志》云：

三丰号元元子，又号张邋遢，辽东懿州人，张仲安第五子也。寓居凤翔宝鸡县之金台观修炼，忽留颂而逝，士民杨轨山殓之，临窆复生，以一小鼓留其家。入蜀转楚，或隐或现，有问以大道者，专以仁义劝人，事皆先见，往来鹤鸣山，半岁失所在。尝至甘州张指挥家，遗一中袖及葫芦。天顺间，甘肃总兵官王敬患中满疾，诸医不能疗，以中袖火煅服之愈。后葫芦忽自震碎，留杨氏小鼓，虽夏大镛不能混其声，后亦亡去。又旧志载张全一号三丰，相传留侯之裔，洪武初遍历诸山，搜奇览胜，乃至武当结庵，常与耆旧语云："吾山异日与今，大有不同。"命丘铉清住五龙、卢秋云住南岩、刘古泉杨善澄住紫霄，又结庵展旗峰北曰："遇真宫黄土城内曰会仙馆。"语弟子周真德曰："尔可善守香火，成立自有时来，非在予也。"洪武二十三年拂袖长往，不知所之。二十四年诏遣三山高道，清理道教曰："张元元者可请来。"永乐十年，遣使致香书，屡访不获。正统元年，诰赠为通微显化真人。

第三节　明世宗与陶仲文的前因后果

明太祖朱元璋起义，克复南昌先后时期，世居江西龙虎山嗣汉张天师的四十二世孙张正常，自元代赐号天师以来，即曾以天师身份自居，两度入朝。洪武元年又入贺即位。明太祖却谓："天有师乎？"乃改授为正一嗣教真人，赐银印，秩视二品，设寮佐，曰赞教，曰掌书，遂为定制。以后天师世系，在明代时期，封秩一如旧制而不衰。如《明史·方伎传》云：

张氏自正常以来，无他神异。专恃符箓，祈雨驱鬼，间有小验。顾代相传袭，阅世已久，卒莫废去云。

此直至明世宗嘉靖年间，忽然又崇信神仙道士长生不老之术，而大开道士升官的途径，一如道君皇帝徽宗的作风。虽然其后果收场，尚不至于如宋徽宗的悲惨，但世宗因服方士的丹药而死，却足为后世富贵多欲中人，妄求长生不老的警戒。如史云：

> 世宗嘉靖三年，道士邵元节入京，封为真人，统辖三宫，总领道教，赐金玉银象印各一。元节，贵溪人也。幼丧父母，出家为龙虎山上清宫道士。又师事李伯芳、黄太初，咸尽其术。宁王宸濠召之，辞不往，放浪江湖间。世宗嗣位，惑内侍崔文等言，好鬼神说，日事斋醮，谏官屡以为言，不纳。嘉靖三年，征元节入京，见于便殿，大加宠信，俾居显灵宫，专司祷祀，雨雪愆期，祷有验。封为清微妙济守静修真凝元衍范志默秉诚致一真人。统辖朝天、显灵、灵济三宫，总领道教。……元节卒，赠少师，谥为文康荣静真人。……隆庆初，削元节秩谥。
>
> 嘉靖十八年，授陶仲文高士号，寻封真人。陶仲文，初名典真，湖北黄冈人。好神仙方术，尝受符水诀于罗田万玉山，与邵元节善。嘉靖中，由黄梅县吏，为辽东库大使，秩满，需次京师，寓元节邸。元节年老，宫中黑眚见，治不效，因荐仲文于帝，以符水喷剑，绝宫中妖。庄敬太子患痘，祷之而瘳，帝深宠异。十八年，南巡，元节病，以仲文代，次卫辉有旋风绕驾，帝问此何祥也？对曰："主火。"是夕，行宫果火，宫人死者甚多，帝益异之。授神霄保国宣教高士，寻封神霄保国弘烈宣教振法通真忠孝秉一真人，领导教事。寻加少保礼部尚书，又加少傅，又加少师，食一品俸。前此大臣，无兼总三孤如仲文者。十九年，授陶仲文恭诚伯，其徒封真人，庶子世昌为国子生。三十九年，冬十一月，秉一真人领道教事少傅礼部尚书恭诚伯陶仲文卒。

关于明世宗学道的事，当时反对最力，且敢直言净谏者，唯见大臣海瑞而已，如史载：

> 丙寅四十五年，春，正月，帝不豫。先是，方士王金陶仿刘文

彬、申世文、高守中、陶世恩伪造诸品仙方，以金石药进御，性燥热，
帝服，稍稍火发，不能愈。至是，谕徐阶欲幸承天，拜显陵，取药服
气，阶奏止之。下户部主事海瑞狱。瑞上言："陛下即位初年，敬一
箴心，冠履分辨，天下忻忻谓焕然更始。无何而锐精未久，妄念牵
之，谬谓长生可得，一意修玄，土木兴作，二十余年，不视朝政，法纪
弛矣，数行推广事例，名器滥矣。二王不相见，人以为薄于父子；以
猜疑诽谤戮辱臣下，人以为薄于君臣；乐西苑而不返大内，人以为
薄于夫妇。今愚民之言曰，嘉者家也，靖者尽也，谓民穷财尽，靡有
孑遗也。然而内外臣工，修斋建醮，相率进香，天桃天乐，相率表
贺，陛下误为之，群臣误顺之。臣愚谓陛下之误多矣，大端在玄修，
夫玄修，所以求长生也。尧舜禹汤文武之为君，圣之至也，未能久
世不终，下之方外士，亦未见有历汉唐宋至今存者。陛下师事陶仲
文，仲文则既死矣，仲文不能长生，而陛下独何求之？至谓天赐仙
桃药丸，怪妄尤甚，桃必采乃得，药必捣乃成，兹无因而至，有胫行
邪，云天赐之，有手授邪，然则玄修之无益可知矣。陛下玄修多年，
靡有一获，左右奸人，揣逆圣意，投桃设药，以谩长生，理之所无，断
可见已。陛下诚翻然悟悔，旦旦视朝，与辅宰九卿，侍从言官，讲求
天下利害，洗数十年君道之误，置身尧舜禹汤文武之域，使诸臣亦
洗心数十年阿君之耻，置身皋夔伊傅周召之列，民熙物洽，薰为太
和，陛下性中真药也。道与天通，命由我立，陛下性中真寿也。此
理之所有，可旋至立效，乃悬思服食不终之饵，啙想遥兴轻举之方，
求之终身，不可得已。"疏奏，上大怒，命逮系瑞镇抚狱。冬，十二
月，帝崩。

第四节　明末清初道家派别的分支

　　明末清初，儒、释、道三家之学，亦随国运而有变动，宋明新儒
家的理学，自王阳明以后，已如强弩之末，学说过于支芜。禅宗自

密云悟、破山明、汉月藏以后，也多流于口头禅，极少真参实证之辈。道家亦自吕纯阳、张紫阳以后，主要化分为四派：明嘉靖间，新兴东派，从陆潜虚等为主，以双修为尚；清咸丰间，又有西派产生，从李涵虚为主，以性命为宗；南派则远承张紫阳，旁出多门；北派自丘长春以后，即成为道教北宗龙门派的砥柱。此外，有伍冲虚、柳华阳师徒为主的伍柳派，专主炼精化气，炼气化神，炼神还虚的内功丹法，以断欲而修证身心气脉，幻出化身以成神仙正果，其说似是而非，不脛而走，不久即普遍流传民间。自清初以至现在，几已淹没数千年来正统道家神仙方士所有的学术，实为正统道家的枝指，不及详论，但一二百年以来，凡言道家修炼的丹法，莫不奉之为金科玉律，仙才衰落，辨正无人，殊可叹息。至于师承不同，各立宗旨，凡此各派，因限于篇幅，亦不详论。

此外，自明末国破，满清入关之初，有明朝进士杨来如，在山东、河北一带，创设理门（现在称为"理教"），综合儒、释、道三家修心养性的一般方法，类似宋末元初的全真道，虽其初立教的方式，亦与道教有关，但现在已自成为新兴的另一宗教，亦不备述。

第五节　康熙雍正与道教

满清兴起的初期，远在东北，早已有一位有道家学术修养的范文程，为其灌输道家政治思想。及至康熙时代，"外示儒术，内用黄老"的政治方法，亦成为康熙建立大清帝国的最高原则。他曾颁发《老子》一书，命令满族王公大臣，熟习深思，作为政治哲学与政略运用的根本法则。但对于道教，除循例封赠张天师世系，以为羁縻之外，对其余有关道教各派，因鉴于元朝白莲教故事，举凡类似另有门派组织，或近于巫觋邪者，皆在严禁之例。

如《大清会典》载：

　　崇德间,定满洲蒙古汉军巫师道士跳神驱鬼逐邪以惑民心者处死,其延请跳神逐邪者亦治罪。

　　康熙元年,凡有邪病请巫师道士医治者,须领巫师道士禀知各都统用印,文报部方许医治,违者将巫师道士交刑部正法,其请医治之人,交刑部议罪。

　　康熙十二年,议准无为白莲焚香混元龙元洪阳圆通大乘等邪教,惑众聚会念经,执旗鸣锣,聚众拈香者,通行八旗直省,严行禁饬,违者照例鞭责枷号。

　　其时,清代的学术,概如儒、释、道三家之学,正有变今而返古,效古而趋新的动向。儒家思想,由理学的空谈性命,一变而为崇效汉学,走向清儒朴学的路线。佛家的禅宗,则由口头禅转变为坐禅习定的旧路。道家的丹法,也从迷离杂乱的旁门,而步入汉魏之间方士修炼身心的途径。故代表道教的,除了北宗全真道的龙门派,与张天师世系的正一派以外,其余皆已若隐若现,碌碌微不足道。雍正登位以后,自己兼以大宗师的身份,提倡禅宗,同时也留心道家学术,推崇正统道家的张紫阳,亲自为其所著的《悟真篇》作序,备极赞赏。如云:

　　紫阳真人作《悟真篇》,以明元门秘要,复作颂偈等三十二篇,一一从性地演出西来最上一乘之妙旨。自叙云:此无为妙觉之至道也。标为《外集》,夫外之云者,真人岂以元门为内,而以宗门为外哉!审如是,真人止应专事元教,又何必旁及于宗说,且又何谓此为最上,岂非以其超乎三界,真亦不立,故为悟真之外也欤。真人云:世人根性迷钝,执其有身,恶死悦生,卒难了悟,黄老悲其贪著,乃以修生之术,顺其所欲,渐次导之。观乎斯言,则长生不死,虽经八万劫,究是杨叶止啼,非为了义,信矣。若此事,虽超三界之外,仍不离乎一毛孔之中,特以不自了证,则非人所可代。学者将个无自味语,放在八识田中,奋起根本无明,发大疑情,猛利无间,继丧身失命,亦不放舍。久之久之,人法空,心境寂,能所亡,情识尽,并此无义味语,一时忘却,当下百杂粉碎,觌体真纯。此从上古德所为,决不相赚者。真人以华池神水,温养子珠,会三界于一身之后,能以金丹作无义味语用,忽地翻身一掷,抹过太虚,脱体无依,随处自在,仙俊哉,大丈夫也。篇中言句,真证了彻,直指妙圆,即禅门古德中,如此自利利他,不可思议者,犹为希有,如禅师薛道光皆皈依为弟子,不亦宜乎。刊示来今,使学元门者,知有真宗;学宗门者,知惟此一事实,余二即非真焉。是为序。

张紫阳为《悟真篇》作的后序,云:

窃以人之生也,皆缘妄情而有其身,有其身则有患,若其无身,患从何有? 夫欲免夫患者,莫若体夫至道;欲体夫至道,莫若明夫本心。故心者道之体也,道者心之用也,人能察心观性,则圆明之体自现,无为之用自成,不假施功,顿超彼岸。此非心镜朗然,神珠廓明,则何以使诸相顿离,纤尘不染,心源自在,决定无生者哉。然其明心体道之士,身不能累其性,境不能乱其真,则刀兵乌能伤,虎兕乌能害,巨焚大浸乌足为虞,达人心若明镜,鉴而不纳,随机应物,和而不唱,故能胜物而无伤也。此所谓无上至真之妙道也。原其道本无名,圣人强名;道本无言,圣人强言尔。然则名言若寂,则时流无以识其体而归其真,是以圣人设教立言以显其道。故道因言而后显,言因道而返忘。奈何此道至妙至微,世人根性迷钝,执其有身,而恶死悦生,故卒难了悟。黄老悲其贪著,乃以修生之术,顺其所欲,渐次导之,以修生之要在金丹,金丹之要在乎神水华池,故道德阴符之教,得以盛行于世矣! 盖人悦其生也,然其言隐而理奥,学者虽讽诵其文,皆莫晓其义,若不遇至人授之口诀,纵揣量百种,终莫能著其功而成其事,岂非学者纷如牛毛,而达者乃如麟角也。余向己酉岁于成都,遇师授丹法。当年且生公倾背,自后三传于人,三遭祸患,皆不逾两旬。近方忆师之所戒,云异日有与汝解缰脱锁者,当宜授之,余不许尔。后欲解名籍,而患此道人不知信,遂撰此《悟真篇》,叙丹药本末。既成,而求学者凑然而来,观其意勤,心不忍秘,乃择而授之。然而有所授者,皆非有巨势强力,能持危拯溺,慷慨特达。能仁明道之士,初再罹祸患,心犹未知,竟至于三,乃省前过。故知大丹之法,至简至易,虽愚昧小人,得而行之,则立超圣地。是以天意秘惜,不许轻传于非其人也。而余不遵师语,屡泄天机,以其有身故,每膺谴患,此天之深戒,如此之神且速,敢不恐惧克责。自今以往,当钳口结舌,虽鼎镬居前,刀剑加项,亦无复敢言矣。此《悟真篇》中,所歌咏大丹药物火候细微之旨,无不备悉。好事者夙有仙骨,观之则智虑自明,可以寻文解义,岂须余区区之口授之矣。如此乃天之所赐,非余之辄传也,如其篇末歌颂,谈见性之法,即上之所谓无为妙觉之道也。然无为之道,齐物为心,虽显秘要,终无过咎。奈何凡夫缘业有厚薄,性根有利钝,纵闻一音,纷成异见。故释迦文殊所演法宝,无非一乘,而听学者随量会解,自然成三乘之差。此后若有根性猛利之士,见闻此篇,则知余得达摩六祖,最上一乘之妙旨,可因一言而悟万法也。如其习气尚余,则归中小之见,亦非余之咎矣。

从此以后,终清朝两百余年的天下,太平天国的起义,已非中国固有宗教的面目。义和团是假托符咒神鬼以动,应与道教无关。

第八章　二十世纪的道教

第一节　十九世纪末道教的衰落

　　中国文化与宗教,在清朝中叶以后,概受西洋文化思想输入的影响,一蹶至今,尚未重新振起。自十九世纪以来,正式代表道教的胜地观宇,举其荦荦大者,如北京的白云观、成都的青羊宫、甘肃的崆峒山、陕西的华山、山东的崂山、四川的青城山、广东的罗浮山、江西的龙虎山、湖北的武当山、福建的武夷山、浙江的天台山等处,虽然还保有道教观宇与若干道士,仿效佛教禅宗的丛林制度,各别自加增减,设立规范,得以保存部分道教的形式,但已奄奄一息,自顾不暇,更无余力做到承先启后,开展弘宗传教的事业了。何况道士众中,人才衰落,正统的神仙学术无以昌明,民间流传的道教思想,往往与巫蛊邪术不分,致使一提及道教,一般观念便认与画符念咒、妖言惑众等交相混杂,积重难返,日久愈形鄙陋。民国初年,北洋军阀时期,曾藉口破除迷信,拟欲没收道观土地财产,一律与佛教并案办理,事详《二十世纪的中国佛教》。后来,因佛教有中国佛教会的组织成立,道教也随之援例成立中国道教会。但道教会中人,散漫肤浅,尤甚于信仰佛教的人士,可谓"佛规道随"徒有形式而已。同时国人们将义和团思想,与圆光、看相、算命、占卜、咒水、画符等等江湖粗浅邪术,一概误附于道教,益使五千年文化精英所独创的宗教,蒙受百般误解与侮辱,殊堪浩叹!"物必自腐而后虫生。"凡有志振兴道教之士,先当自求振奋,然后方可言其大者。清代人舒位所谓:"未有神仙不读书",实足发人深省。

第二节　当代学人研究道教学术的活动

一、影印《道藏》的发起

一九二三年间,因康有为、梁启超师生的倡议,有徐世昌的出面,曾经捐资影印北平白云观藏版的《道藏》,如其《缘起》所云:

道家之书,荟萃成藏,始自六朝,历唐、宋、金、元递有增辑,卷帙繁多,靡可殚究。其详见于至元十二年《道藏》尊经,历代纲目刻石;至明正统十年重辑全藏以千文编次,自天字至英字,万历三十五年《续藏》自杜字至缨字,三洞四辅十二类,都五百二十函五千四百八十五册,经厂刊版,率用旧规。传至有清,旧庋于大光明殿,日有损缺,迨庚子之乱,存版尽毁,各省道观藏本亦稀,京师白云观乃长春真人祖庭,为北宗灵宇,独存全藏,几成孤帙。虽经篆符图,类属晚出,而地志传记旁及医药占卜之书,或出晋宋以前,或为唐人所撰,清代四库既未甄收,藏书家亦鲜传录,其中周秦诸子半据宋刊金元专集,尤多秘笈。乾嘉学者研索及斯,只义单辞,珍侔星凤,采辑未竟,有待方来。至若琼简琳文,玄言毕萃,非资博览,曷阐真源,宗教学术所系重矣。仆等远怀神契,近闵颓波,深惧古籍就湮,幽诠终闷,因议重印,用广流传。经东海徐公慨出俸钱,成斯宏举,合并焚夹,改为线装,摹影校勘,三载克毕,海内阔达,尚垂察焉。发起人:李盛铎、田文烈、张文济、赵尔巽、梁启超、钱能训、江朝宗、康有为、熊希龄、黄炎培、张謇、董康、傅增湘同启。

二、《道藏精华录》的编辑

影印《道藏》以后,又有守一子编辑《道藏精华录》一百种,在上

海出版行世,其前言如云:

> 夫道,岂远乎哉。只在自己身中,不须向外驰求。苟得其旨,
> 自易超脱。若择学不精,则误入旁邪,非徒无益,而又害之。当此
> 之时,学道者不特无明师指示,无天仙秘帙之可见,虽欲求一理明
> 词正之道书,且不易多得。《道藏》书,世不数觏,即《道藏目录》,甚
> 至《道藏辑要目录》,亦不易见。守一子有鉴于此,爰竭其数年之
> 勤,采辑《道藏》及《云笈七籤》中之精华,并搜罗古书中关于玄学者
> 最有精义之诸书,而成《道藏精华录》一百种。凡太上秘旨、南北玄
> 学、养生要诀、导引捷法,无不毕备。可知此书一出,直为学道者暗
> 室中置一明灯,迷海上架一津梁也。养生者得此书,依养生法行
> 之,则延年可必。志小成中成者,得此书各择其一法而修之,则人
> 仙地仙可致。志大成者,得此书而精详参之,则无异遇明师之耳提
> 面命,自能一超直入,立跻圣域,天仙可成也。

该书现在台湾,由萧天石创办的自由出版社影印流通,虽稍加
改编,仍不失其原来系统。

第三节　研究道教学术的人士

一、刘师培的《读道藏记》

现代学者不以先入为主的成见,尚肯致力读完全部《道藏》者,
恐怕绝无仅有之事,何况进而能深通丹经内典,从事研究,别有心
得与发现者,更不易觏。民国以来,学者浏览部分《道藏》而作有笔
记者,唯见刘师培《读道藏记》一文而已,如其《自序》所云:

> 西晋以前,道书篇目,略见《抱朴子·遐览篇》,次则甄鸾《笑道
> 论》,颇事甄引,均属汉魏六朝古籍。晚近所存,什无二三,即《崇文

总目·中兴书目》所著录,亦复十亡其六。今之《道藏》,刊于明正德间,经箓符图,半属晚出,然地志传记,旁逮医药占卜之书,采录转众,匪惟诸子家言已也。故乾嘉诸儒,搜集旧籍,恒资彼藏,顾或录副未刊,致鲜传本,迄于咸同之际,南藏毁于兵,北藏虽存,览者逾勘,士弗悦学,斯其征矣。予以庚戌孟冬旅居北京白云观,乃启阅全藏,日尽数十册,每毕一书,辄志其序跋,撮其要旨,若鲜别刊,则嘱仆人迻录,略事考订。惟均随笔记录,未足为定稿,兹先差拣若干条,录成一帙,以公同好之士云。庚戌孟冬刘师培记。"

二、陈撄宁的实验丹道

此外,一九三六年间,有专门研究丹道,有志求仙的陈撄宁,在上海创办"修道集团"及"中华道教会",其宗旨概如宣言,启事诸文。此派人士,主张实验修炼为务,其从学诸人,曾集各地每人用功经验,汇编成书,今经人编集,称为《明道语录》以行世。犹如蒋维乔用道家静坐工夫而生初步的效验,即著《因是子静坐法》,以传世一般,足贻初学者以参考。

附:陈撄宁所撰前《中华道教会宣言》:

粤自崆峒演教,轩辕执弟子之仪。柱下传经,仲尼与"犹龙"之叹。道教渊源,由来久矣。盖以天无道则不运,国无道则不治,人无道则不立,万物无道则不生,道岂可须臾离乎。夫道有入世,必有出世,有通别,亦有旁支。若彼磻溪垂钓,吕尚扶周;圯桥授书,子房佐汉;三分排八阵之图,名成诸葛;一统定中原之鼎,策仗青田,此入世之道也。又若积精累气,《黄庭经》显示真修,抽坎填离,《参同契》隐藏口诀;勾漏丹砂,谈稚川之韵事;松风庭院,美弘景之闲情,此出世之道也。况复由道而通于政,则有洪范九畴,周官六部;由道而通于兵,则有阴符韬略,孙武权谋;由道而通于儒,则有仲舒扬雄、濂溪康节；由道而通于法，则有商鞅李悝、申子韩非；由道而通于医，则有素问灵枢、千金肘后；由道而通于术，则有五行八卦、太乙九宫，此道家之通别也。以言炼养，则南方五祖，北地七真，双延绪脉，以言醮箓，则句容茅山，江西龙虎，咸擅威仪，此道教之支派也。至于小道之巫医，则辰州祝由，救急屡惊奇效；卫道之拳技，则武当太极，工夫授自明师，诚可谓道海汪洋，莫测高深之量，道功神秘，难觅玄妙之门矣。再论及《道藏》全书，阅四千余年之历史，拥五千余卷之缥缃，三洞四辅之归宗，一十二部之释例，尊之者，称为云篆天章，赤文紫字，美之者，比喻琅函琼札，玉版金绳，姑勿辩其是非，要可据为考证。历代佚亡典籍，犹多附此而存，岂惟道教门庭之光辉，亦是中华文化之遗产，虽嫌杂而多端，小儒咋舌，所幸博而能约，志士关怀。请慢嗤迷信，须知乃昔贤抵抗外教侵略之前锋，切莫笑空谈，应恃作今日团结民族精神之工具。嗟夫！世变已亟，来日大难，强敌狼吞，群夷鸱顾，此何时耶。倡本位文化救国说者，固一致推崇孔教矣，然孔教始于儒家，儒家出于道家，有道家遂有道教，试以历史眼光，观察上下五千年本位文化，则知儒家得其局部，道家竟其全功，儒教善于守成，道教长于应变，事实俱在，毋庸自谦。故尝谓吾国，一日无黄帝之教，则民族无中心；一日无老子之教，则国家无远虑。先武功，后文治，雄飞奋励，乃古圣创业之宏规，以柔弱，胜刚强，雌守待时，亦大智争存之手段。积极与消极，道原一贯，而用在知几；出世与入世，道本不同，但士各有志。他教每厌弃世间，妄希身后福报，遂令国家事业，尽堕悲观，道教倡唯生学说，首贵肉体健康，可使现实人生，相当安慰。他教侈讲大同，然弱国与强国同教，后患伊于胡底，道教基于民族，苟民族肯埋头建设，眼前即是天堂。呜呼！笐百家之总钥，济儒术之穷途，揽国学之结晶，正新潮之思想，舍吾道教，其谁堪负此使命哉！今夫有道自不能无教，无教则道何以弘，有教自不能无会，无会则道何以整，同仁等忝属黄帝子孙，生在中华国土，大好河山，慨念先民之遗烈,异端角逐,忍看国教之沦亡,爰集同志,组织此会,根据现行法律,拟定规条,呈请党政机关,准许成立。从兹大道偕八德同流,道儒何妨合作;达变与经常并重,奇正相辅而行。将见禹域风披,具身使臂,臂使指之效,天人感应,征危转安,逢凶化吉之祥,民族精神,庶有赖焉。黄帝纪元四千六百三十三年即中华民国二十有五年,中华道教会同仁谨布。

又:前上海丹道刻经会《启事》文云:

原夫道以人弘,慧由心发,故积功累德,则魔障不侵,阐教利生,则薪传无尽,利人即以利己,度己本为度人,人己两利,福慧双修,世间一切,尚不外此,况我国数千年来羲农黄老一派源流之仙学乎。夫仙学内化身心,外融物质,既非宗教家之谈空,又异惟物派之逐末,超凡绝俗,孰与比伦,虽然高则高矣,若无文字以传之,则其利不能普及,福慧安得双圆。是用纠集同志,创设本会,至希贤达君子,乐为参加,成出借以藏书,或赐赠以著作,俾集资付印,设法流传,共建旷代殊功,造成无限天仙,本会同仁不胜馨香以祷祝焉。

又:前上海《扬善》半月刊社为《修道集团事征求同志意见》文云:

修道之事,不贵空谈,而贵实行,实行办法,首在组织团体。试观近代国家与社会,无论政治经济学术宗教,皆趋向于集团制度,盖以大势所迫,非如此不足以有为也,国内好道之士,颇不乏人,其数当以万计。然一考其现状,多为环境所困,不能实行,抱道终身,于事何补,非但财力薄弱者有此遗憾,即富厚之家,亦不免蹉跎岁月,成效难期,其弊皆由于缺乏一完美组织之故耳,同人等筹划至再,认为今日若言修道,决非个人之心思、财力孤立独行者,所能胜任,必须合群策群力以赴之,始克有济,兹特将最关紧要各问题,开列于左,以便同志诸君之讨论。

　　一九四九年以后,道教人士在台湾的活动,由赵家焯的首倡,
即与六十三代天师张恩溥重整道教会,宣传组织,均甚积极。他如
著书弘扬道家学术,并影印发行道书丹经,如萧天石主办的自由出
版社等。复由道教蜕变,自创新时代的宗教,如王寒生创设的轩辕
教。重新影印《道藏》,倾销世界各国,如严一萍主办的艺文印书
馆。凡此种种,直接或间接,对于二十世纪之道教,都有莫大的因
缘。

附　录

海内外道教士之统计

　　道教受古道教之传承,其理论又复受道家之影响,所衍教派甚多,就纯宗教方面分之,则有积善、经典、丹鼎、符箓、占验等派。而丹鼎、符箓二者,在白云观《诸真宗派总簿》所载,已有八十六派;其未列入总簿者,尚不知凡几? 总之,今之所谓仙佛合宗,三教合一,五教合一,皆属道教,固无疑也。在台新起之教派,与早年传来,及近期由大陆或海外传入,举其著者,有理教、儒教、斋教、福教、德教、神教、轩辕教等。似此同属中国固有宗教,崇奉道教祖师,发扬道教思想者,为求统一步调,团结一致,同谋发展起见,实应联络一气,融为一体,似不宜多立门户,各走一端? 道教会本此意旨,刻正多方联系,力求团结,冀能提早结束此一分歧现象。

　　一九六一年七月《道学》杂志第五册载:

道教海外道教士统计表

　　资料时间:根据一九五二年《中华日报》编印之《世界要览》记载。

　　各洲信教人数:

　　北美洲……一五〇〇〇人

　　南美洲……一七〇〇〇人

　　欧　洲……一二〇〇〇人

　　非　洲……一〇〇〇人

　　大洋洲……八〇〇〇人

亚　洲……九〇〇〇〇〇人（我国国内人数不含）

全国道教士统计表

资料时间：根据江西龙虎山天师府一九四九年调查所得。
各道派道教士人数：
积善派……七六九万
经典派……七八六万
丹鼎派……九三四万
符箓派……一七〇〇万
占验派……八六四万

道教各教派教徒，据《中华日报》之统计，在北美约一万五千人，南美约一万七千人，欧洲约一万二千人，亚洲五千万人（大部在国内），非洲约一千二百人，大洋洲约八千人，总计五千零五万余人。

台湾省道教会章程

第一章　总　　则

第一条:本会定名为台湾省道教会,以下简称本会。

第二条:本会以研究道学,阐扬教义,提倡人伦,砥砺道德,保全民族文化,增进社会福利为宗旨。

第三条:本会以台湾省行政区域为组织范围。

第四条:本会必要时,得呈经主管官署核准后,于各县市设立分会或联络处,其组织简则另订之。

第五条:本会会址,设于台湾省政府所在地。

第二章　任　　务

第六条:本会任务及应办事项如下:

一、遵奉国家法令,提倡道德,改良社会风俗事项。

二、举办道学讲习,培植人才,推行宗教教育事项。

三、兴办救济慈善公益教育文化诸种事业,服务人群,增进社会福利事项。

四、保存道教庙宇名胜古迹,美化道庙环境事项。

五、整理道教经典科仪规例,划一教规仪法事项。

六、设立布教场所,编印书刊,宣扬道教教义事项。

七、办理其他有关道教事项。

第七条:本会举办各项事业之计划章则,须专案呈报主管官署核备。

第三章　会　员

第八条：凡中国年满廿岁以上之道教居士，道院法坛道士，及社会善信，均得由会员二人以上介绍，填具入会申请书，经理事会通过为本会会员，必要时并得分别称为居士道士及信士会员以利会务之推进。

第九条：凡庙府宫观，及以道教神为主神之庙宇团体，均得参加本会为团体会员，填具申请书，经理事会审查合格后，取得团体会员之资格，团体会员得指派代表一人出席本会会员大会，惟无被选举权。

第十条：会员入会后，由本会发给证书、证章，其工本费由会员缴纳之。

第十一条：本会会员退会或开除后，对本会之财产无请求权利，在退会开除前如有欠缴会费仍须一律缴清。

第十二条：本会会员有下列之权利：

一、发言权与表决权。

二、选举权与被选举权。

三、本会举办事业收益之享受。

四、会员或分会间发生纠纷，得请本会解决之。

五、会员举办有关教务之事业，得请本会协助之。

六、道士会员得代人修建科醮。

七、会员得被选为庙宇主持。

第十三条：本会会员有下列之义务：

一、遵守章程决议案，并励行本会宗旨。

二、襄助本会办理一切事务。

三、缴纳常年会费，并酌助本会基金。

第十四条：本会会员如有违犯章程，或其他不法行为者，由理事会决议开除之,团体会员由理事会报请主管官署核办,其情节较轻者,予以警告。

第四章 组织及职权

第十五条:本会以会员大会、或会员代表大会,为最高权力机关。

第十六条:本会设理事会,为执行机关,由会员大会,或会员代表大会选举理事十九人组织之,并设候补理事五人,由理事中互选五人为常务理事,并就常务理事中推选一人为理事长,遵照会员大会或会员代表大会决议案,办理会务。

第十七条:本会设监事会,为监察机关,由会员大会会员代表大会选举监事五人组织之,并设候补监事三人,由监事中互选一人为常务监事,对理事会执行会务负监察之责。

第十八条:本会理事监事,均为名誉职,任期二年,连选得连任。

第十九条:本会理监事,如违犯章程及其他不法行为者,由会员大会或会员代表大会罢免之。

第二十条:本会设名誉理事长一人,名誉理事,及顾问若干人,均为名誉职,赞助会务,道教天师府天师,为名誉理事长,道教居士会各道院主持人,为名誉理事,均由理事会聘请之。

第二十一条:本会理事会以下,设总务组、教导组、管理组、服务组,四组分掌各项事务如下:

一、总务组:掌理会计、庶务、保管等事项。

二、教导组:掌理教育、编辑、宣传等事项。

三、管理组:掌理登记、调查、统计等事项。

四、服务组:掌理救济、福利、调解等事项。

第二十二条:本会设总干事一人,各组设组长一人、干事若人,组长由理事兼任,总干事、干事,由理事会聘任之,酌给薪金,其标准由理事会就年度预算内议定之。

第二十三条:本会于必要时,得设置各种委员会。

第五章　会　议

第二十四条:会员大会,或会员代表大会,每年召开一次,理事会认为必要,或经会员五分之一,或会员代表三分之一以上请求时,得召开临时会员大会,或临时会员代表大会,选举简则,另订之。

第二十五条:理事会三个月召开一次,监事会每六个月召开一次,必要时,得召开临时会议,或举行理监事联席会议。

第二十六条:会员大会、或会员代表大会召开时,由理事会提出会务报告,并须请主管官署派员指导。

第六章　经　费

第二十七条:本会经费来源如下:

一、入会费。

二、常年会费。

三、乐捐。

前项第一第二两款入会费常年会费,均由理事会议决,呈报主管官署核准行之。

第二十八条:本会办事细则,及各种章则另订之。

第二十九条:本会章程经会员大会,或会员代表大会通过呈报主管官署核准后施行,修改时亦同。

推介中国传统文化主流
之一的《道藏》缘启

　　中国文化,为东方学术思想之主流,此为世界学者所知之事。而中国文化之中坚,实为道家之学术思想,此则往往为人所忽略。盖自秦汉以后,儒道与诸子分家,儒家学术,表现其优越成绩于中国政治社会间者,较为明显。道家学术则每每隐伏于幕后,故人但知儒术有利于治国天天下之大计,而不知道术实操持拨乱反正之机枢。更何况后世之言治术与学术思想者,虽皆"内用黄老,外示儒术",而故作入主出奴之笔,使人迷惑其源流。复因历代修纂历史学者,与乎明清两代编集群书,如《永乐大典》、《四库全书》等。主持之编纂者,大抵皆极力标榜儒术而偏斥道家。于是冠以经、史、子、集为正统传统文化之经纬,外若道家学术,若不冠以异端偏说之论,即漫存少数于子部之中。虽贤如纪晓岚亦有明言评其内容为"综罗百代,博大精微"之语,要皆囿于传统学者之习见,不敢明扬而推广之,殊为遗憾。因此而使后世学者,不知中国文化主流之一之道家学术思想为何事,仅以老子、庄子、列子等数人学说,即以概道家学术之全体,岂但贻人浅陋之讥,实亦不悉周秦以前儒道本不分家之渊源脉络,与其演变为百家学说之因由,至为可惜。至于清代以后之道家者流,高明之士,大都高蹈远引,不预世务,粗浅之辈,多半孤陋寡闻,师心是用,抱残守缺,自以鸣高,尤堪浩叹。

　　然以中国往昔历代古人,对于固有文化学术之重视,虽因见仁见智,各有不同,而具有大胸襟,不避世俗讥议,修集道家学术思想为一大藏,仿效印度佛教传入中国以后之整编工作,有明正统万历间,相继纂修,以千字文为次,自天字至群字为汇刻旧藏之目;自英字至缨字,为明人新续之目,总为五千四百八十五卷,即为传世之

《正统道藏》正续编。固已将自周秦以前以迄明清为止之五千年来,凡有关于道家学术思想之撰述,真伪精粗,均已一并罗列俱存,使后世之人,欲穷先民学术思想之根源,以及黄帝子孙,欲了然于列祖列宗博大精微之思想者,确已藏集无遗。虽如长炬明灯,自来皆埋光于幽室之间,然终将有时烛照天下,透其五千年来智慧结晶之光辉于无间也。

　　前人保存护此一文化学术之巨帙,固已历尽艰辛,而后世子孙能加发扬而光大之者,尤当责无旁贷。但自民国初年,由康有为、梁启超师弟为之号召,促成当时大总统徐东海主衔其事,曾经影印北平白云观版之《道藏》及《续藏》全部以外,至今仍如暗室幽灯,隐晦不明。故有心之士,身际此时此地,当此民族文化存亡绝续之秋,宁不见义勇为,为之重新铸版而阐之耶!近年以来,即有自由出版社萧天石先生首倡影印《道藏》精华中有关丹道之古本以来,今有艺文印书馆严一萍先生,独力具此壮志,不计成败利钝,毅然从事重印,岂独为经营而牟利?实亦泣血椎心,有不得不姑作牺牲之怀抱也。何况正当此时,又得侨居海外学者及国际友人等之鼓励,岂可让此中国文化之主流,湮没而不彰乎!

　　然因世人不知《道藏》之内蕴为何事,往往误以画符念咒,捉妖拿怪之法术,即谓此即为道家与道教之学术思想,卑陋浅薄如原始之巫医而不足道者,诚为可怪。假设《道藏》为一毫无价值之丛书,试想历三千年来我辈之先贤,皆为有目无珠,胸无点墨,而盲然为此者乎?积数千年前人学者之累积,而不经悉心研究阅读,动辄斥为卑陋,恐贻识者有非狂即愚之诮矣!宁不见每当国家板荡之秋,若干命世之才,其匡时救世之韬略兵机,阴阳钩距,纵横捭阖,建功立业而措变乱于安定者,靡不学宗道术,德操中和,重如伊尹、姜尚、张良、孔明,以及刘秉忠、姚广孝、刘基等辈,此皆彰明较著者;他若功成身退,没世而名不称者,比比皆有。至如南面君人之术,无为至治之道,若不知黄老之学,未有成功而不败者。故须略加说明其内容,望吾民族国人与国际人士之有明见者,应当更加珍惜而推广流传之。上则可以对先民及吾列祖列宗在天之灵,下则使我后世人类之子孙,或可由此藏帙中温故而知新,藉得启发而光大之,对于人类生存之未来大计,将大有裨益矣。

盖《道藏》中所列诸经,汪洋渊博,只需去其宗教神话色彩之外衣,则可由此了解东方古代文化思想中,对于宇宙形而上之形成万物根元,早已另有发现。此则凡研究东西方哲学与宗教之士,不得不读。

其中有关于天文推步,日月星宿运行之原理与现象,要亦为东方原始天文气象学之渊源。故凡研究天文学说,以及了解印度、阿拉伯与中国天文之沟通者,不得不读。

其中有关于阴阳术数,五行八卦,奇门遁甲等学。故凡研究奇术异能者,此中尤多原始渊府,不得不读。

其中有关于河渎名山,神仙洞府,则为中国三千年前对于地球物理之基本观念。故研究自然科学如地球物理,欲参考先民远见之资料者,不得不读。

其中有关于五金八石,烧铅炼汞,捣药凝丹,则为三千年前人类远祖之化学端绪。故研究药物化学与矿物学者,不得不读。

其中有关于灵芝奇卉,本草仙葩,足以治疗身心寿命。故研究中国医药以及医学与药物发展史者,不得不读。

其中有关于符箓咒术,神通天人之际。故研究三千年前中国音声瑜伽,与印度梵文,以及埃及符箓之关系,与乎催眠术与心灵学者,不得不读。

其中有关于修身养性,志存长生不老之仙道,坎离交媾,姹女婴儿会合,河车旋运,九转丹成等。故研究神仙丹道者,不得不读。

其中有关于堪舆风水,奇门择日,九宫紫白等术。故研究山川地理,与地质学、气象学者,不得不读。

其中有关于日月奔璘,飞腾变化。故研究三千年前中国学术思想之追求太空宇宙，与探寻其他星球之理想者，不得不读。

至若研究周秦以前儒道同根之源头，与欲了解汉魏以下，佛教思想传入中国以后，其与固有儒道学术之沟通踪迹，对于中国文化儒、佛、道三家之汇通者，尤其不可不读。

此皆举其荦荦大者而言，其他如穷究东方神秘世界之玄妙，与乎人类原始神人思想之学术，语多怪异，文多奇诡者，尤其难以尽述。至如文章奇丽，词藻清新，瑶苑琳台，霞迷云拥，其为想象难闻者，则为道家文学之特质，不待介说可知。今即约略言之如上，可知道家学术思想所形成两汉以后之道教原因，并非无故。盖因秦汉以后，因人文思想独揽社会风气之大权，将此五千年来固有传统之有关于物理世界之学术思想，一概摒弃，故惟如神龙见首而不见其尾，但能附形寄影于宗教外衣之下而建立依存于道教之中，宁非我民族国家文化学术上一大不幸与一大遗憾者乎！是故望天下有心人，应当共同奋起，加以推广，藉以保此先民文化，与我国历史传统文化之巨帙，俾使其与四库、佛藏，同辉千古，实为无量功德，岂仅为吹嘘艺文印书馆为文化服务之徵微哉！是为启。

（南怀瑾）

南怀瑾先生著述目录

1. 禅海蠡测　　(1955)

2. 楞严大义今释　　(1960)

3. 楞伽大义今释　　(1965)

4. 禅与道概论　　(1968)

5. 维摩精舍丛书　　袁焕仙　南怀瑾合著　　(1970)

6. 禅话　(1973)

7. 静坐修道与长生不老　　(1973)

8. 论语别裁　　(1976)

9. 习禅录影　　(1976)

10. 新旧的一代　　(1977)

11. 参禅日记(初集,原名:外婆禅)　　金满慈著　南怀瑾批
   (1980)

12. 参禅日记(续集)　　金满慈著　南怀瑾批　　(1983)

13. 定慧初修　　袁焕仙　南怀瑾合著　　(1983)

14. 孟子旁通(一)　　(1984)

15. 净名庵诗词拾零·佛门楹联廿一副·金粟轩诗话八讲
   (1984)

16. 观音菩萨与观音法门　　(1985)

17. 历史的经验(一)　　(1985)

18. 道家、密宗与东方神秘学　　(1985)

19. 中国文化泛言(原名:序集)　　(1986)

20. 历史的经验(二)　　(1986)

21. 禅观正脉(上)　　(1986)

22. 一个学佛者的基本信念——华严经普贤行愿品讲记
    (1986)
23. 老子他说(上) (1987)
24. 中国佛教发展史略述 (1987)
25. 中国道教发展史略述 (1987)
26. 易经杂说——易经哲学之研究 (1987)
27. 金粟轩纪年诗初集 (1987)
28. 如何修证佛法 (1989)
29. 易经系传别讲 (1991)
30. 圆觉经略说 (1992)
31. 金刚经说什么 (1992)
32. 药师经的济世观 (1995)
33. 原本大学微言 (1998)